1956 1.00
Roo

MUSIC FOR LIVING

Book Two

In Our Town

JAMES L. MURSELL
GLADYS TIPTON
BEATRICE LANDECK

HARRIET NORDHOLM
ROY E. FREEBURG
JACK M. WATSON

Illustrated by
FEODOR ROJANKOVSKY

SILVER BURDETT COMPANY

Morristown, N. J.

Chicago   *San Francisco*   *Dallas*   *Atlanta*

Acknowledgments

The publishers of this series have made every effort to locate all copyright owners of material used in this book, and believe that none have been omitted. For permission to reprint material, acknowledgment and thanks are due to the following:

The American Folklore Society, Inc., for "Johnny, Get Your Hair Cut," from HILL COUNTRY SONGS by Samuel Preston Bayard.

Artists and Writers Guild, Inc., for the poem "Wind in the Corn," from Margaret Wise Brown's WONDERFUL STORY BOOK, copyright 1948 by Simon and Schuster, Inc., and Artists and Writers Guild, Inc.

The Associated Publishers, Inc., Washington, D. C., for "Strawberry Jam," from PLAY SONGS OF THE DEEP SOUTH, collected by Altona Trent-Johns, by special permission of the publishers.

Augener Ltd., for "Follow Our Leader," from DUTCH NURSERY RHYMES, arranged by J. Röntgen. Reprinted by special permission.

Dorothy Baruch for her poem, "Merry-Go-Round," from I LIKE MACHINERY, published by Harper & Brothers.

Harry Behn for the lines from his poem, "Adventure," from THE LITTLE HILL, published by Harcourt, Brace and Company, Inc., copyright 1949 by Harry Behn.

The estate of Lady Bell for "At Our House" ("We Are All Nodding"), from THE SINGING CIRCLE, published by Longman's Green and Company, Ltd.

B. A. Botkin, for "You Turn for Sugar and Tea" and "Such a Getting Upstairs," from THE AMERICAN PLAY-PARTY SONG.

Broadcast Music Inc., New York, for "We'll All Go A-Singing," from SONGS THE CHILDREN LOVE TO SING, arranged by Albert E. Wier. Copyright 1916 by D. Appleton & Co., copyright assigned to Broadcast Music Inc., New York, N. Y., 1944.

Cooperative Recreation Service for "River Boat" ("Going Down to Cairo"), "In the Pet Shop" ("Ten Puppies"), and "Little Ducks" ("Six Little Ducks").

J. Curwen & Sons Ltd. for "This Old Man," words adapted from the original version found in ENGLISH FOLK SONGS FOR SCHOOLS, edited by Cecil Sharp and S. Baring-Gould.

The John Day Company for the melodies of "Wake Up" ("Singing Time") and "I Had a Little Turtle," from ANOTHER SINGING TIME, copyright 1937 by Satis Coleman and Alice G. Thorn.

Katherine H. Dent for the songs, "What Mother Saw" ("Going to Sleep") and "Like a Leaf" ("Whirlabout"), from SONGS OF A CHILD'S DAY, published by the Milton Bradley Company.

E. P. Dutton and Company, Inc., for "Galoshes" (Susie's Galoshes") and "Snowstorm," from STORIES TO BEGIN ON, by Rhoda Bacmeister.

Exposition Press Inc., for the poems, "Sky Bears" and "Bouncing Rabbits," from SKY BEARS by Elizabeth Pilant.

Expression Company, Magnolia, Massachusetts, for the poem, "Trees in Autumn" ("Trees in the Wind"), from GAMES AND JINGLES FOR SPEECH DEVELOPMENT by Barrows-Hall.

Farrar, Straus and Cudahy, Inc., for "I Jing-a-ling", and "Harvest" ("Emma You My Darling"), both adapted, from SONGS OF THE GEORGIA SEA ISLANDS by Lydia Parrish.

Folkways Records for "Stooping on the Window," from RING GAMES, Record FP 704, and "Riding on an Elephant," from FRENCH FOLK SONGS, Record FP 708.

Marguerite Gode for her poem, "Merry-Go-Round," first published in the magazine *Child Life*.

Harper & Brothers for the poems, "Chug-a-Rum," from NOON BALLOON by Margaret Wise Brown, copyright 1952, and "Tug Boats," from I GO A-TRAVELING by James S. Tippett, copyright 1929.

Houghton Mifflin Company for the poem, "Thanksgiving" ("A Child's Grace"), from VERY YOUNG VERSES by Geismer and Suter.

Jewish Education Committee of New York, Inc., for "My Dreydel."

Lois Lenski for the poem, "People," from SKIPPING VILLAGE by Lois Lenski. Copyright 1933, Stokes Lippincott Co., 1927. Used by permission of the author.

Little, Brown & Company for the poem "At Easter Time," from IN MY NURSERY by Laura Richards.

David McKay Company Inc., for the poems, "Windy Day," "The Milkman," and "All Around the Town" ("The City Goes"), from CHRISTOPHER-O! by Barbara Young.

The Macmillan Company for "I Had a Little Turtle" ("The Little Turtle") from THE COLLECTED POEMS OF VACHEL LINDSAY; and for the poems, "Swinging" ("When You Go Up"), from SUMMER GREEN by Elizabeth Coatsworth, and "Devonshire Rhyme," from BRIDLED WITH RAINBOWS by John Brewton.

Josef Marais for the song, "Green Dress."

Oxford University Press for "Farmer's Geese" and "One Little Brown Bird," from SIXTY SONGS FOR LITTLE CHILDREN, copyright 1933; and for "In the City Park" ("Ball Gawn Roun' "), from FOLK SONGS OF JAMAICA, copyright 1952.

Arthur Pederson for the poem, "Taxis," from TAXIS AND TOADSTOOLS by Rachel Field, copyright 1926 by Doubleday & Company, Inc.

Theodore Presser Co., for "I'm Going to Sing," from AMERICAN NEGRO SONGS by John W. Work, copyright 1940.

Ann Roos for "All Night, All Day," from SING HIGH SING LOW, and "Long, Long Ago" ("Winds Through the Olive Trees"), from SING NOEL.

G. Schirmer, Inc., for "The Angel Band," from 36 SOUTH CAROLINA SPIRITUALS.

Schofield and Sims, Limited, for "The Farmer" ("How Does the Woodman Get His Wood?"), from THE NEW WAY SONG BOOK, compiled by Desmond MacMahon.

Elie Siegmeister for "Watermelons," from WORK AND SING, published by William R. Scott, Inc., copyright 1944.

The Society of Authors, for the poem "Wake Up" ("Singing Time"), from THE FAIRY GREEN, and the poem, "Mary Middling," from 51 NEW NURSERY RHYMES, both by Rose Fyleman and published by Doubleday & Company.

Dorothy Brown Thompson for "Our House," first published in *Child Life*, copyright 1939 by Rand McNally & Company.

The Viking Press for the poem, "Firefly," from UNDER THE TREE by Elizabeth Madox Roberts.

Frederick Warne & Co., Inc., for the poem, "Jump, Jump, Jump," from MARIGOLD GARDEN by Kate Greenaway.

Webster Publishing Company for "A Big Animal" ("The Giraffe"), from SINGING FUN, by Louise Binder Scott and Lucille Wood.

The music in this book was reproduced from hand written originals by Maxwell Weaner.

© 1956 SILVER BURDETT COMPANY
International Copyright Secured
All Rights Reserved

*Tall people, short people
Thin people, fat,
Lady so dainty
Wearing a hat.
Straight people, dumpy people,
Man dressed in brown;
Baby in a buggy,
These make a town.*
—LOIS LENSKI

Contents

Families Make a Town — 1

Morning in our house . . . This is the way we work and play . . . We love our pets . . . Open the door and who'll come in? . . . On tiptoe comes the gentle dark . . . a little wish, a little dream.

School Days — 36

On our way to school . . . in our classroom . . . out on the playground . . . Singing with friends . . . Fun on a rainy day.

All Around about the Town — 70

Up and down the busy street . . . Builders and helpers in our town . . . The park across the way . . . Under the big top.

The Edge of Town — 102

All Aboard! . . . Out in the Country . . . Planting and harvesting.

We Sing of Seasons and Holidays — 132

Autumn, winter, spring, and summer . . . Birthdays, Hallowe'en, Thanksgiving, Hanukah, Christmas, Easter, May Day.

Indices — 153

FAMILIES MAKE A TOWN

*Our house is small—
The lawn and all
Can scarcely hold the flowers,
Yet every bit,
The whole of it,
Is precious, for it's ours!*

—DOROTHY BROWN THOMPSON

Morning in Our House

Wake Up

WORDS BY ROSE FYLEMAN
MUSIC BY ALICE THORN

I wake in the morn-ing ear-ly,

And al-ways, the ver-y first thing,

I poke out my head and I sit up in bed,

And I sing and I sing and I sing!

Clocks and Watches

WORDS FROM THE GERMAN
MUSIC BY KOEHLER

Great big stee - ple clocks go "Tock - tock, tock - tock";

And the lit - tle man - tel clocks go

"Tick - tock, tick - tock, tick - tock, tick - tock";

And the lit - tle tin - y watch - es,

tick - ing through the night and day, go

"Tick- a - tick- a, tick- a - tick- a, tick-a-tick-a-tick."

The Green Dress

TRANSLATED BY JOSEF MARAIS
FOLK SONG FROM SOUTH AFRICA

When - ev - er { Het - ty puts a green dress on,
            { Bil - ly puts his blue jeans on,

green dress on, green dress on, }
blue jeans on, blue jeans on, }

When - ev - er { Het - ty puts a green dress on, }
            { Bil - ly puts his blue jeans on, }

I will sing a song for { her. }
                       { him. }

Let us sing a song, it need - n't be so long,

My { Het - ty has a green dress } on.
   { Bil - ly has his blue jeans } on.

Breakfast

WORDS BY GRACE LANG
ALSATIAN FOLK SONG

1. Pan-cakes   Pan-cakes
2. Oat-meal, ev-ery-one, Oat-meal, ev-ery-one, We know how to
3. Orange juice   Orange juice

mix them,   Pan-cakes   Pan-cakes
stir it,   Oat-meal, ev-ery-one, Oat-meal, ev-ery-one,
squeeze it.   Orange juice   Orange juice

For our break-fast to-day.   If   to-day is

4. We'll make johnnycake, *(2 times)*
   We know how to bake it, *etc.*
   If today is Wednesday, *etc.*

5. Eggs and bacon, oh, *(2 times)*
   We know how to fry them, *etc.*
   If today is Thursday, *etc.*

Sun - day, Mon - day,
Mon - day, Then to- mor-row's Tues-day, We are hap-py on
Tues - day, Wednes-day,

Sun - day pan - cake
Mon - day morn-ing, For this is oat - meal day. ——
Tues - day orange juice

6. Fish cakes everyone, *(2 times)*
 We know how to pat them, *etc.*
 If today is Friday, *etc.*

7. Toast and marmalade, *(2 times)*
 We know how to spread it, *etc.*
 If today is Saturday, *etc.*

Arranged by Desmond MacMahon. Copyright 1938 by Novello & Company, Ltd., used by permission.

Leaky Faucet

WORDS AND MUSIC BY ERNEST GOLD

Play on black keys to begin song:

Drip, drop, Drip, drop, Drip, drop, drip

Drip, drop, drop, drop, Drip, drop, drop, drop,

The leak-y fau-cet drips, Drip, drop, drop, drop,

Drip, drop, drop, drop, It drips and drips and drips.

I think per-haps it's stop-'ping now; It seems so still,

but then, Drip, drop, drop, drop, Drip, drop,

drop, drop, It starts to drip a-gain!

6

Puppets

WORDS ADAPTED
FRENCH FOLK SONG

See them dance, so, so! All the lit-tle danc-ing pup-pets,

See them dance, so, so! Three lit-tle turns and off they go!

Jump, Jump, Jump

POEM BY KATE GREENAWAY, WITH ADDED VERSES
MUSIC BY ARTHUR C. EDWARDS

1. Jump, jump, jump! Jump o-ver the moon;

Jump all of the morn-ing, And jump all of the noon.

2. Jump, jump, jump,
   Jump over a star;
   Choose one that is twinkling,
   And not so very far.

3. Jump, jump, jump,
   Jump over the sea;
   Jump over the dry land,
   And jump over to me.

At Our House

FROM "SINGING CIRCLE"
LADY BELL

1. We are all nod-ding, nid - nid - nod-ding,
   We are all nod-ding at our house at home;
   With a turn-ing in and a turn-ing out,
   And it's this way, that way, round a - bout,
   We are all nod-ding, nid - nid - nod-ding,
   We are all nod-ding at our house at home.

This Is the Way We Work and Play

2. We are all cooking, cook-cook-cooking,
3. We are all sweeping, sweep-sweep-sweeping,
4. We are all painting, paint-paint-painting,
5. We are all dusting, dust-dust-dusting,
6. We are all working, work-work-working,

Making Cookies

ADDITIONAL VERSES BY JULIA W. BINGHAM
WORDS AND MUSIC BY EVELYN H. HUNT

1. Take your but-ter, eggs and flour,
An-y-thing you need this hour,
That's the way to do it, do it,
That's the way to do it.

2. Stir and stir and beat it well,
Then you will be sure to tell,
That's the way to do it, *etc.*

3. When the flour and eggs are in,
Then you use the rolling pin.

4. Cut the cookies round and neat,
Lay them on the baking sheet.

5. Have the oven heat just right.
In they go—a lovely sight!

*I guess a needle could sing,
If you stitched it fast enough,
And knitted as fast as lightning,
And darned socks fast as a whirlwind,
And sewed as fast as a race horse.*

Needle Sing

WORDS AND MUSIC BY WOODY GUTHRIE

1. Don't you hear my nee-dle sing? Zing!
Don't you hear my nee-dle sing? Zing!
Don't you hear my nee-dle sing? Zing!
Ma-ma, don't you hear my nee-dle sing?

2. Stitching for my brother. Needle sing. Zing!
   Brother, don't you hear my needle sing?

3. Knitting for my daddy. Needle sing. Zing!
   Mama, don't you hear my needle sing?

4. Darning for my sister. Needle sing. Zing!
   Sissy, don't you hear my needle sing?

5. Baby chewed my thimble. Needle sing. Zing!
   Baby, don't you hear my needle sing?

Copyright 1954 by Folkways Music Publishers, Inc., New York, N. Y. International copyright secured. All rights reserved. Reprinted by permission.

Jumping Rope

WORDS AND MUSIC BY CLARA E. SPELMAN

Play on tone blocks or sticks until jumpers are ready:

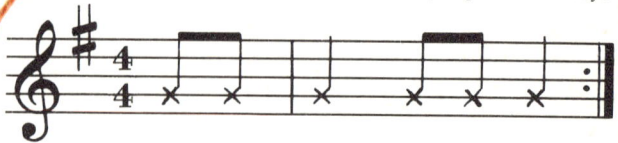

"Tak- a - tak, tak - a - tak,"

Oh, the rope goes a - round,

and it clicks on the ground,

And your feet tak - a - tak

with a tak - tak - a sound.

There's a click, tak - a - tak, and a clack, tak - a - tak,

As the rope makes a cir - cle in front and in back.

Oh, the rope goes a - round, and it clicks on the ground,

And your feet tak - a - tak with a tak - tak - a sound.

"Tak - a - tak, tak - a - tak, tak - a - tak, tak - a - tak."

Hide and Seek

WORDS BY JULIA W. BINGHAM
JAPANESE FOLK SONG

Begin the song on melody bells or psaltery and keep on playing throughout song

One, two, three; Four, five, six.

Seven, eight, nine, Ten, eleven, twelve.

We are play-ing hide and seek. Look out, here I come!

While you hid I did not peek, But I heard you run.

"Where are you, Up a tree?"
"Where did you go? Oh, there you are!"

"I'm not there, Try a-gain!"
"Jack found me! Let's play a-gain!"

We Love Our Pets

My Kitty

WORDS BY HELEN BAYLEY DAVIS
MUSIC BY ERNEST GOLD

My kit-ty has a lit-tle song she hums in-side of her;

She curls up by the kit-chen fire and then be-gins to purr.

It sounds just like she's wind-ing up a ti-ny clock she keeps

In-side her beau-ti-ful fur coat, to wake her up when she sleeps.

Where Has My Little Dog Gone?

GERMAN FOLK SONG

1. Oh, where, oh, where has my lit-tle dog gone?
Oh, where, oh, where can he be?
With his tail cut short and his ears cut long,
Oh, where, oh, where can he be?

2. My little dog always waggles his tail,
   As on our way we jog,
   If my dog were short and his tail were long,
   The tail would waggle the dog.

3. My little dog always waggles his tail
   Whenever I call him to me.
   But he's lost himself and he can't be found.
   Oh, where, oh, where can he be?

I Had a Little Turtle

WORDS BY VACHEL LINDSAY
MUSIC BY SATIS N. COLEMAN

There was a lit-tle tur-tle Who lived in a box;

He swam in a pud-dle, He climbed on the rocks.

He snapped at a mos-qui-to, He snapped at a flea,

He snapped at a min-now, He snapped at me.

He caught the mos-qui-to, He caught the flea,

He caught the min-now, But he did-n't catch me!

Fish

GROUP OF CHILDREN
NEW YORK CITY SCHOOL

I had a lit-tle fish, and he lived in a dish,

And he swam all a-round and a-round.

I fed him bread, And he seemed to nod his head,

Then he hid him-self in some moss.

There Was a Crooked Man

MOTHER GOOSE
TRADITIONAL

Play a crooked tune on melody bells before the song and after.

5 8 6 7 5 6 4 5 3 4 2 3 1 2 7 1

There was a crook-ed man who walked a crook-ed mile,

And found a crook-ed six-pence up-on a crook-ed stile.

He bought a crook-ed cat that caught a crook-ed mouse,

And they all lived to-geth-er in a lit-tle crook-ed house.

Go Tell Aunt Rhodie

AMERICAN FOLK SONG

1. Go tell Aunt Rho-die, Go tell Aunt Rho-die,
Go tell Aunt Rho-die, The old gray goose is dead.

2. The one she's been saving,
To make a feather bed.

3. She died in the mill pond,
Standing on her head.

4. The goslings are crying,
The old gray goose is dead.

5. The gander is weeping,
The old gray goose is dead.

Firefly

POEM BY ELIZABETH MADOX ROBERTS
MUSIC BY MILTON KAYE

Finger cymbals shine on each star

A lit-tle light is go-ing by,

Is go-ing up to see the sky,

Melody Bells

(Go-ing up to see the sky,) A lit-tle light with wings.

I nev-er could have thought of it,

To have a lit-tle bug all lit,

Melody Bells

(See the lit-tle bug all lit,) And made to go on wings.

Bouncing Rabbits

WORDS BY ELIZABETH PILANT
MUSIC BY MILTON KAYE

On their this-tle-down beat,

The rab-bit's long feet　　Are bounc-ing him tall,

Like a　ping - pong ball;

Are bounc-ing him tall,　　Are bounc-ing him tall,

Like a　ping - ing, pong- ing　ping - pong ball,

Are bounc-ing him tall,　tall,　tall.

Who Can It Be?

WORDS BY EVELYN H. HUNT
MEXICAN FOLK TUNE

Ting-a-ling, ting-a-ling,
ting-a-ling, ting-a-ling!
1. The door-bell is a-ring-ing,
Ting-a-ling, ting-a-ling, a-ring-ing.

2. Oho, it is the milkman,
   Ting-a-ling, ting-a-ling, the milkman.
   He says to me, "Good morning,
   How many quarts today,
   Quarts today, quarts today?
   How many quarts today?"
   (Spoken)
   "Three, and a bottle of cream."

Open the Door and Who'll Come In?

The door-bell is a-ring-ing,

I won-der who can it be,

Can it be, can it be?

slower
I won-der who can it be?

3. Oho, it is the baker,
   Ting-a-ling, ting-a-ling, the baker.
   He says to me, "Good morning,
   How many loaves today,
   Loaves today, loaves today?
   How many loaves today?"
   (Spoken)
   "Two, and a dozen rolls."

Will You Play with Me?

WORDS BY ALICE RILEY
OLD ENGLISH TUNE

1. If I build you a bow'r of __ ros - es,
Gar - den walks all set 'round with pos - ies,
Will you come and play? Will you come to - day?
Will you come to - day and play with me?

2. If you build me a bow'r of roses,
   Garden walks all set 'round with posies,
   I will come and play, I will come today,
   I will come today and play with you.

You Turn for Sugar and Tea

PLAY-PARTY TUNE FROM OKLAHOMA

1. You turn for sug-ar and tea,
I turn for can-dy;
Boys all love that sug-ar and tea,
Girls all love that can-dy.

Refrain
You turn now, I turn now, You turn now, I turn now.

2. You turn for chocolate cake,
I turn for ice cream;
Boys all love that chocolate cake,
Girls all love that ice cream.

3. You turn for strawberry pop,
I turn for popcorn;
Boys all love that strawberry pop,
Girls all love that popcorn.

Such a Getting Upstairs

PLAY-PARTY TUNE FROM OKLAHOMA

Such a get-ting up-stairs
I nev-er did see,
Such a get-ting up-stairs
I nev-er did see,
Such a get-ting up-stairs I nev-er did see,
Such a get-ting up-stairs, You can't catch me!

End this song by climbing upstairs on melody bells:

5 1 2 3 4 5 5 5 6 7 8

"On Tiptoe Comes the Gentle Dark"

Hush, Little Baby

FOLK SONG FROM SOUTHERN UNITED STATES
COLLECTED BY JEAN RITCHIE

1. Hush, little baby, Don't say a word, Papa's going to buy you a mockingbird.

2. If that mocking bird won't sing,
   Papa's going to buy you a diamond ring.

3. If that diamond ring turns brass,
   Papa's going to buy you a looking glass.

4. If that looking glass gets broke,
   Papa's going to buy you a billy-goat.

All Night, All Day

SPIRITUAL

Refrain

All night, all ___ day, An-gels watch-ing o-ver me, my Lord. ___ All night, all ___ day, An-gels watch-ing o-ver me. ___

Verse

End here

1. Now I lay me down ___ to sleep,
2. If I die be-fore ___ I wake,

An-gels watch-ing o-ver me, my Lord. ___ Pray the Lord my soul ___ to keep, / to take, An-gels watch-ing o-ver me. ___

Go back to the beginning

28

Bye'm Bye

FOLK SONG FROM TEXAS

Bye'm bye, bye'm bye,

Stars shin-ing,

Num-ber, num-ber one, num-ber two,

num-ber three, num-ber four,

num-ber five, Oh my!

Bye'm bye, bye'm bye, Oh my! Bye'm bye.

I See the Moon

WORDS BY EARL ROGERS
FOLK SONG FROM IRELAND

The melody bells begin this song:

1. I see the moon, the moon sees me,
God bless the moon and God bless me!
When — I see the moon and stars so bright,
I thank the Lord — for each day and night.

2. I see the sun, the sun sees me,
God bless the sun and God bless me.
When I see the sun so round and bright,
I thank the Lord for its golden light.

A Little Wish, A Little Dream

Fiddle-dee-dee

WORDS TRADITIONAL
OLD ENGLISH FOLK SONG

Fid - dle - dee - dee, Fid - dle - dee - dee,

The fly has mar - ried the bum - ble bee.

1. Says the fly, says he, "Will you mar - ry me,

And live with me, Sweet bum - ble bee?"

2. Says the bee, says she,
   "I'll live under your wing,
   And you'll never know
   That I carry a sting."

3. So when the parson
   Had joined the pair,
   They both went out
   To take the air.

4. And the flies did buzz,
   And the bells did ring,
   Did ever you hear
   So merry a thing?

5. And then to think
   That of all the flies,
   The bumble bee
   Should carry the prize.

Ship A-Sailing

ENGLISH FOLK SONG

1. I saw a ship a-sailing,
A-sailing on the sea,
And it was deeply laden
With pretty things for me.
There was candy in the cabin
And apples in the hold;

The sails were made of sat-in
And the masts were made of gold.

2. The four and twenty sailors that stood between the decks,
   Were four and twenty white mice with rings about their necks.
   The captain was a duck, a duck with a jacket on his back;
   And when this fairy ship set sail, the captain said, "Quack quack."

My Dream

OLD SINGING GAME

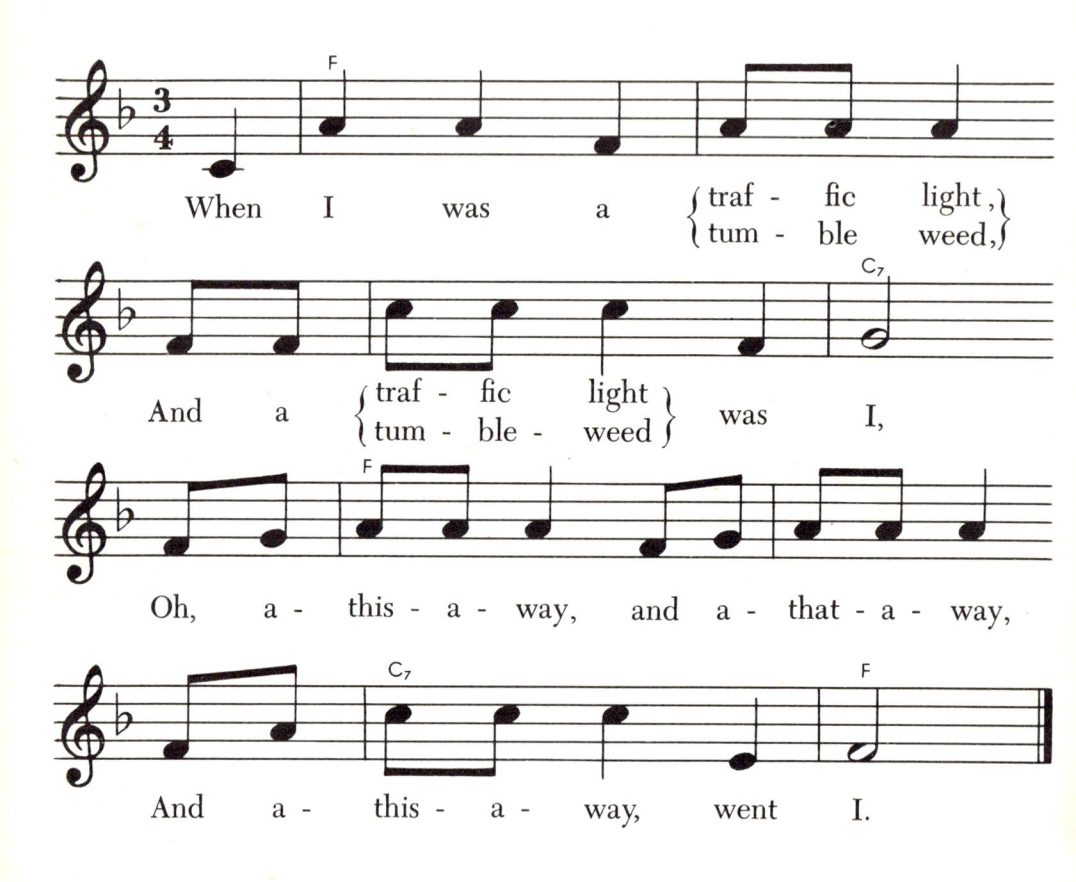

When I was a {traf-fic light, / tum-ble weed,}
And a {traf-fic light / tum-ble-weed} was I,
Oh, a-this-a-way, and a-that-a-way,
And a-this-a-way, went I.

Many verses may be added to this song:

When I was a trumpeter   sailor
Christmas tree   pilot
carpenter   cowboy
snowflake   steam shovel
bus driver   painter
rainbow   grocer
sea gull   switch engine
an engineer   tiger

Bobby Shafto

OLD NURSERY SONG

1. Bob - by Shaf - to's gone to sea,
Sil - ver buck - les on his knee.
He'll come back and mar - ry me, ⎯
Dear Bob - by Shaf - to.

2. Bobby Shafto's fine and fair,
   Combing out his yellow hair.
   He's my love for ever more,
   Dear Bobby Shafto.

SCHOOL DAYS

On Our Way to School

I'm on My Way

WORDS ADAPTED
ALSATIAN TUNE, ADAPTED

1. I'm rid-ing, I'm rid-ing, I'm rid-ing my bi-cy-cle,
Rid-ing my bi-cy-cle all the day long.
I'm rid-ing, I'm rid-ing, I'm rid-ing my bi-cy-cle,
Rid-ing my bi-cy-cle Sing-ing a song.

2. I'm skating, I'm skating, I'm skating on roller skates,
Skating on roller skates all the day long.
I'm skating, I'm skating, I'm skating on roller skates,
Skating on roller skates singing a song.

3. I'm paddling, I'm paddling, I'm paddling my red canoe,
Paddling my red canoe all the day long.
I'm paddling, I'm paddling, I'm paddling my red canoe,
Paddling my red canoe, singing a song.

Rig-a-Jig-Jig

ENGLISH FOLK SONG

As I was walk-ing down the street,

Down the street, down the street,

A {pret-ty girl / nice young man} I chanced to meet,

Heigh-o, heigh-o, heigh-o.

Rig-a-jig-jig and a-way we go,

A-way we go, a-way we go;

Rig - a - jig - jig and a - way we go,

Heigh - o, heigh - o, heigh - o.

Galoshes

WORDS BY RHODA BACMEISTER
MUSIC BY HANSI ALT

1. Oh, Su - sie's ga - losh - es Make splish - es and splosh - es, And sloosh - es and slosh - es, As Su - sie steps slow - ly A - long in the slush.

2. They stamp and they tramp
   On the ice and concrete.
   How they stamp and they tramp,
   They get stuck in the muck
   And get stuck in the mud.

3. But Susie likes much best
   To hear all the slippery
   Slush as it slooshes
   And splishes and sploshes
   Around her galoshes.

In Our Classroom

Strawberry Jam

PLAY SONG FROM SOUTHERN UNITED STATES

1. Straw - ber - ry jam, cream of tart - um,
Give me the 'ni - tial of your sweet - heart - um.

| A | B | C | D | E | F | G | H | I | J | K | L | M | N | O | P |
| LM | NO | P | Q | R | S | T | U | V | W__ | X__ | Y__ | Z. |

   2. Strawberry jam, cream of tartum,
      Tell me the colors in your garden.
      Red and blue and pink and white,
      Orange and purple, yellow and green.

One Little Brown Bird

ENGLISH FOLK SONG

1. One little brown bird, up and up he flew,
   Along came another one and that made two.

2. Two little brown birds, sitting on a tree,
   Along came another one and that made three.

3. Three little brown birds, then up came one more,
   What's all the noise about? That made four.

4. Four little brown birds, all alive, alive,
   Along came another one and that made five.

5. Five little brown birds, sitting on some sticks,
   Along came another one and that made six.

6. Six little brown birds, flying up to heaven,
   Along came another one and that made seven.

7. Seven little brown birds, sitting on a gate,
   Along came another one and that made eight.

8. Eight little brown birds sat on mother's line,
   Along came another one and that made nine.

9. Nine little brown birds saw a lot of men,
   So home they flew to Father, and that made ten.

Sing a Song of Sixpence

WORDS FROM MOTHER GOOSE
MUSIC BY J. W. ELLIOTT

1. Sing a song of six-pence, A pock-et full of rye;
Four-and-twen-ty black-birds Baked in a pie.
When the pie was o-pened, The birds be-gan to sing;
Was-n't that a dain-ty dish To set be-fore the king!

2. The king was in the countinghouse,
   Counting out his money;
   The queen was in the parlor,
   Eating bread and honey;
   The maid was in the garden,
   Hanging out the clothes;
   There came a little blackbird,
   And snipped off her nose!

Music reprinted by permission of Novello and Company, Ltd.

Over in the Meadow

WORDS BY OLIVER A. WADSWORTH
TUNE TRADITIONAL

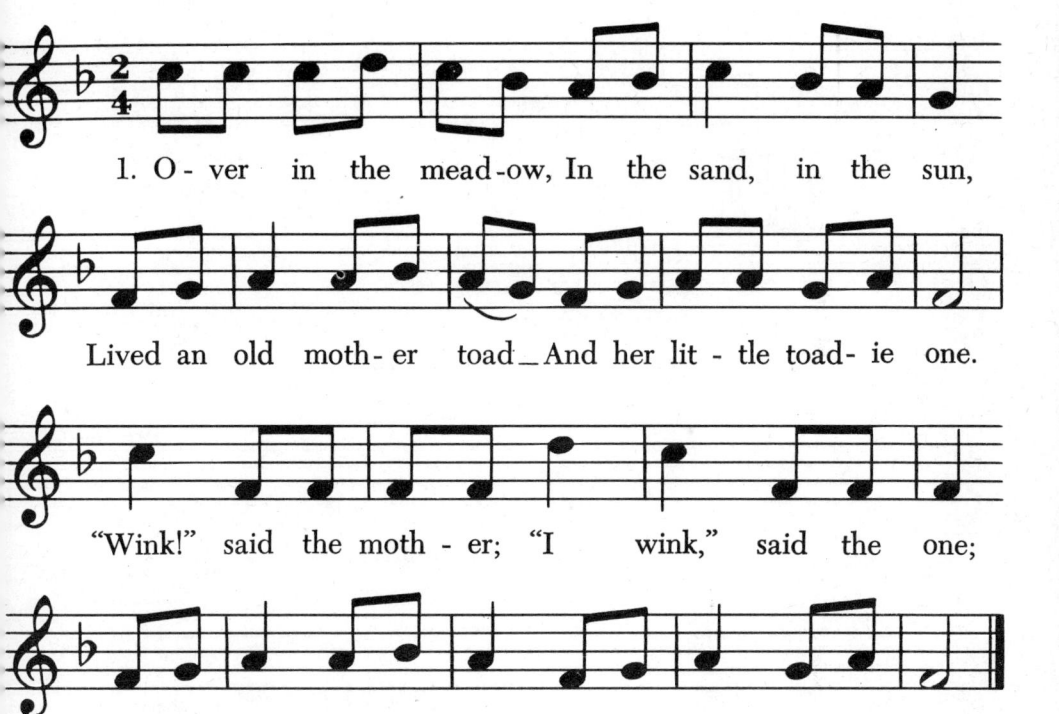

1. O-ver in the mead-ow, In the sand, in the sun,
Lived an old moth-er toad__ And her lit-tle toad-ie one.
"Wink!" said the moth-er; "I wink," said the one;
So he winked and he blinked In the sand, in the sun.

2. Over in the meadow,
  Where the streams run blue,
Lived an old mother fish
  And her little fishes two.
"Swim!" said the mother;
  "We swim," said the two:
So they swam and they leaped
  Where the stream runs blue.

3. Over in the meadow,
  In a hole in a tree,
Lived a mother bluebird
  And her little birdies three.
"Sing!" said the mother;
  "We sing," said the three:
So they sang and were glad
  In the hole in the tree.

Froggie Would A-Wooing Go

FOLK SONG FROM ENGLAND

1. A frog he would a-woo-ing go,
"Heigh - O," said Row - ley;
A frog he would a-woo-ing go,
Wheth-er his moth-er would let him or no.
With a Row-ley, Pow-ley, Gam-mon and Spin-ach,
"Heigh - O," said An-thon-y Row-ley.

2. Off he set with his opera hat,
   "Heigh-O," said Rowley;
   Off he set with his opera hat,
   On the road he met with a rat.
   With a Rowley, Powley, Gammon and Spinach,
   "Heigh-O!" said Anthony Rowley.

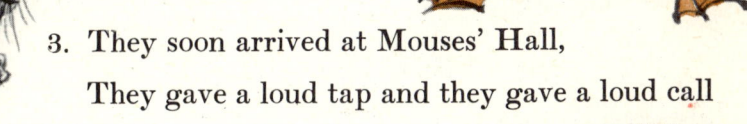

3. They soon arrived at Mouses' Hall,
   They gave a loud tap and they gave a loud call

4. "Pray, Mrs. Mouse are you within?"
   "Yes, kind sir, I'm sitting to spin."

5. "Pray, Mr. Frog, will you give us a song?
   Sing about something that's not very long."

6. "Indeed, Mrs. Mouse," replied the Frog,
   "A cold has made me as hoarse as a hog."

7. "Since you have caught cold, Mr. Frog," she said,
   "I'll sing you a song that I have just made."

Old King Cole

TRADITIONAL

Old King Cole was a mer-ry old soul,

And a mer-ry old soul was he,

For he called for his pipe and he called for his bowl

And he called for his fid - dlers three.

Ev - 'ry fid - dler he had a fine fid - dle,

A ver - y fine fid - dle had he.

Then twee, twee-dle dee, twee-dle dee, twee-dle dee,

Twee-dle- dee went the fid - dlers three.

Let the clock begin this song.
The high tone block is "Tick";
The low tone block is "Tock":

Telling Time

WORDS AND MUSIC BY EVELYN H. HUNT

Tick, tock, tick, tock, tick, tock, tick, tock, Tick, tock

goes the clock, tick, tock, goes the clock, Tick, tock - a -

ding dong, tick tock - a - ding dong, It strikes one,

It strikes two, It strikes three,

It strikes four. Ding, dong, ding, dong.

The Angel Band

FOLK SONG FROM SOUTH CAROLINA

There was one, there were two,

there were three lit-tle an-gels,

There were four, there were five,

there were six lit-tle an-gels,

There were seven, there were eight,

there were nine lit-tle an-gels,

Ten lit - tle ___ an - gels in the band. ___

Oh, was - n't that a band, Sun - day morn - ing,

Sun - day morn - ing, Sun - day morn - ing?

Was - n't that a band, Sun - day morn - ing,

Sun - day morn - ing soon? ___

I Jing-a-ling

FOLK SONG FROM GEORGIA, ADAPTED

1. I jing - a - ling, jing - a - ling - a - ling,
I jing - a - ling, jing, jing, jing,
I jing - a - ling, jing - a - ling - a - ling,
I jing - a - ling, jing - jing - a - ling.

2. I drum along, boom-tee-boom-tee-boom,
I drum along, boom, boom, boom,
I drum along, boom-tee-boom-tee-boom,
I drum along, boom, boom-tee-boom.

3. I click along, click-a-lick-a-lick,
I click along, click, click, click,

4. I shake along, shake-a-lake-a-lake,
I shake along, shake, shake, shake,

Out on the Playground

Race You Down the Mountain

WORDS AND MUSIC BY WOODY GUTHRIE

1. I'll race you down the moun-tain,
I'll race you down the moun-tain,
I'll race you down the moun-tain,
We'll see who gets there first.

2. I'll race you to the corner, *(3 times)*
We'll see who gets there first.

3. Let's run and jump the river, *(3 times)*
We'll see who gets there first.

4. I hear myself a-huffin',
A-huffin' and a-puffin',
I hear myself a-huffin',
We'll see who gets there first.

Copyright 1954 by Folkways Music Publishers, Inc., New York, N. Y.
International copyright secured. All rights reserved. Reprinted by permission

Playground Games

WORDS BY GRACE LANG
GERMAN FOLK MELODY

1. When we go out to play
With our play-mates to-day;
There is shout-ing and laugh-ter,
And a friend to run aft-er.
When we go out to play
With our play-mates to-day.

Refrain

Hi, shoop de la la la, shoop de la la la, Play-ing is fun!

Hi, shoop de la la la, shoop de la la la, Hop, skip and run!

2. Playing hopscotch is fine,
   Till you step on a line;
   Throw the stone, then go hopping
   In each square without stopping.
   Playing hopscotch is fine,
   Till you step on a line.

3. On the days we play "catch"
   There is no fun to match;
   Catch the ball without dropping,
   Throw it back without stopping.
   On the days we play "catch"
   There is no fun to match.

4. Taking turns on the swing,
   Is a very nice thing;
   Push me—and I go flying,
   Let me go—"The cat's dying."
   Taking turns on the swing,
   Is a very nice thing.

5. And when finally it's spring,
   Marble games are the thing;
   In a circle they're lying,
   For a bagful you're trying.
   And when finally it's spring,
   Marble games are the thing.

Follow Our Leader

TRANSLATION BY R. H. ELKIN
DUTCH NURSERY SONG

We are off to Tim - buk - tu;

Would you like to go there too?

All the way and back a - gain,

We must fol - low our lead - er then,

We must fol - low our lead - er,

We must fol - low our lead - er,

All the way and back a-gain,
We must fol-low our lead-er.

Stooping on the Window

CHILDREN'S STREET GAME
COLLECTED BY HAROLD COURLANDER

1. Oh, stoop-ing on the win-dow, Wind the ball!
2. Oh, stoop-ing in the door, Un-wind the ball!

Stoop-ing on the win-dow, Wind the ball!
Stoop-ing in the door, Un-wind the ball!

Sing this last part over and over as you wind or unwind the ball.

Let's wind this ball, A-gain, a-gain, a-gain!
Un-wind this ball, A-gain, a-gain, a-gain!

Let's wind this ball, A-gain, a-gain, a-gain!
Un-wind this ball, A-gain, a-gain, a-gain!

Singing with Friends

Father, We Thank Thee

WORDS BY REBECCA J. WESTON
MUSIC BY D. BATCHELLOR

1. Fa-ther, we thank Thee for the night,
And for the pleas-ant morn-ing light.
For rest and food and lov-ing care,
And all that makes the world so fair.

2. Help us to do the things we should,
To be to others kind and good;
In all we do in work or play,
To grow more loving every day.

America

WORDS BY SAMUEL FRANCIS SMITH
MUSIC BY HENRY CAREY

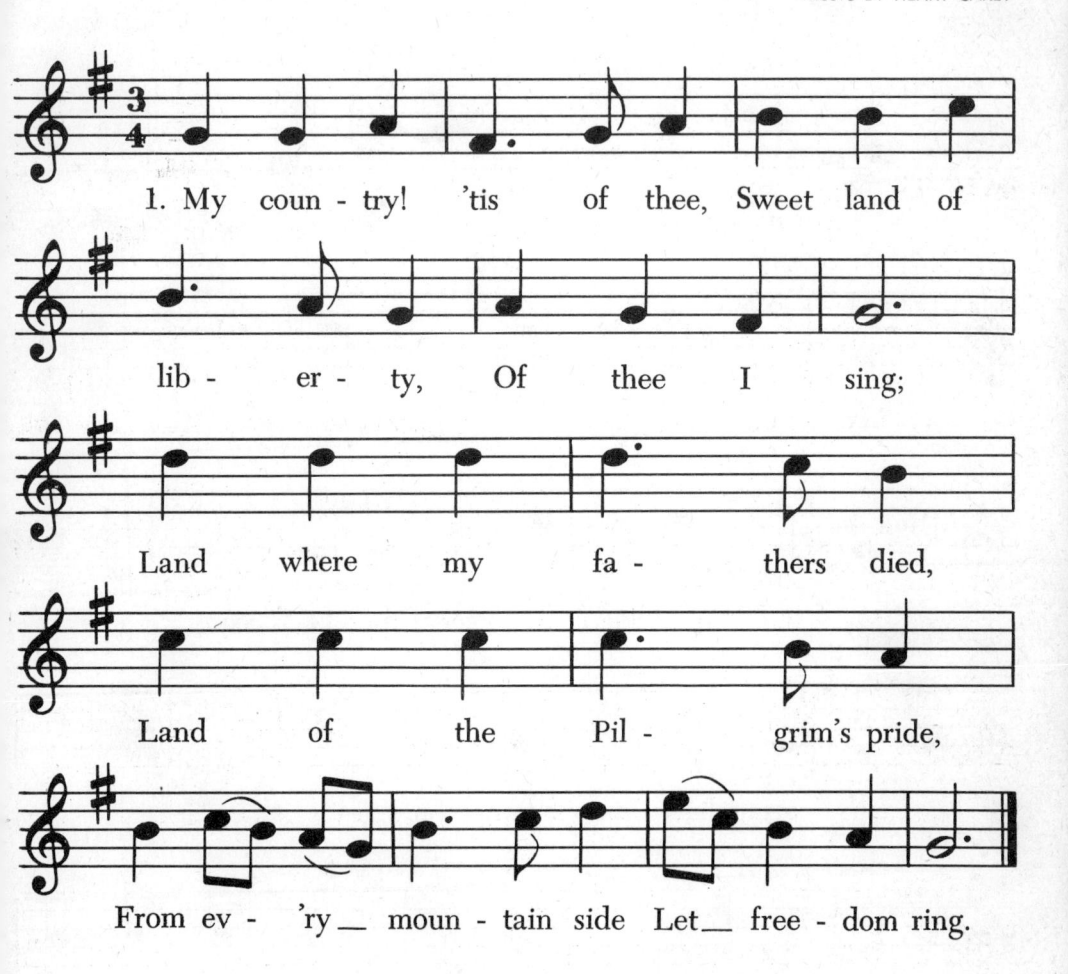

1. My country! 'tis of thee, Sweet land of liberty, Of thee I sing; Land where my fathers died, Land of the Pilgrim's pride, From ev'ry mountain side Let freedom ring.

2. Our fathers' God, to Thee,
Author of liberty,
To Thee we sing;
Long may our land be bright
With Freedom's holy light;
Protect us by Thy might,
Great God, our King.

My Bonnie

OLD SONG

My Bon - nie lies o - ver the o - cean,

My Bon - nie lies o - ver the sea;

My Bon - nie lies o - ver the o - cean,

Oh, bring back my Bon - nie to me.

Refrain

Bring back, bring back, Bring back my

Bon - nie to me, to me; Bring back, bring back,

58

Oh, bring back my Bon - nie to me. ___

2. Oh, blow, ye winds, over the ocean,
   Oh, blow, ye winds, over the sea;
   Oh, blow, ye winds, over the ocean,
   And bring back my Bonnie to me.

Skip to My Lou

AMERICAN PLAY-PARTY SONG

Flies in the but-ter-milk, shoo, shoo, shoo!

Flies in the but-ter-milk, shoo, shoo, shoo!

Flies in the but-ter-milk, shoo, shoo, shoo!

Skip to my Lou, my dar - ling.

2. Little red wagon, painted blue *(3 times)*
   Skip to my Lou, my darling.

Fun on a Rainy Day

Hat Parade

WORDS AND MUSIC BY CLARA E. SPELMAN

Here comes the hat parade down the stairs:

Who will wear a hat in the hat pa-rade to-day?

Who will wear a hat in the hat pa-rade to-day?

Who will wear a hat? Who will wear a hat?

Tra, la la, la, la, la, la, la, hi - ho - hay!

Yankee Doodle

WORDS AND MUSIC TRADITIONAL

Yan- kee Doo- dle came to town, Rid- ing on a po - ny;

Stuck a feath- er in his cap And called it Mac - a - ro - ni.

Yan- kee Doo -dle keep it up, Yan- kee Doo- dle dan - dy,

Mind the mu- sic and the step And with the girls be hand- y.

I'm Going to Sing

SPIRITUAL, ADAPTED

1. I'm going to sing when the spir-it says sing!
I'm going to sing when the spir-it says sing!
I'm going to sing when the spir-it says sing!
When I'm sing-ing I'm hap-py as a king!

2. I'm going to hop when the spirit says hop!
   When I'm hopping I'm happy as a king!

3. I'm going to walk when the spirit says walk!
   When I'm walking I'm happy as a king!

4. I'm going to run when the spirit says run!
   When I'm running I'm happy as a king!

5. I'm going to bounce when the spirit says bounce!
   When I'm bouncing I'm happy as a king!

Shake My Hand

WORDS ADAPTED
DANISH FOLK SONG

1. Shake my hand and then go clap, clap, clap.

Shake my foot and then go tap, tap, tap.

One, two, three and take a lit-tle hop,

So, we will dance un-til the mus-ic stops!

2. Shake my fingers, then go snap, snap, snap,
Shake my knuckles, then go rap, rap, rap,
Four, five, six, and take a little hop,
Then whirl around until the music stops!

Who Has Gone from the Ring?

WORDS ADAPTED
GERMAN FOLK SONG

Can you tell me, Can you tell me, Who has gone from the ring? And __ if you can tell me, We will dance and we'll sing. Tra-la-la-la-la-la-la, Tra-la-la-la-la-la, Can you tell me, can you tell me, Who has gone from the ring?

We're Going Round the Mountain

FOLK SONG FROM MISSISSIPPI

1. We're going round the mountain, two by two,
   We're going round the mountain, two by two,
   We're going round the mountain, two by two,
   So rise, Sally, rise.

2. Let me see you make a motion, two by two,
   So rise, Sally, rise.

3. That's a mighty poor motion, two by two,
   So rise, Sally, rise.

4. Let me see you make another one, two by two,
   So rise, Sally, rise.

5. That's a very fine motion, two by two,
   So rise, Sally, rise.

And They Danced

WORDS AND MUSIC BY CLARA E. SPELMAN

A fid-dler picked up his bow one day,

And he fid-dled a-way. He fid-dled a-way,

And he fid-dled and he fid-dled a-way.

1. A duck heard him play so the duck be-gan to say,
2. A mouse heard him play so the mouse be-gan to say,
3. A frog heard him play so the frog be-gan to say,
4. A cricket heard him play so the cricket be-gan to say,
5. A bee heard him play so the bee be-gan to say,

1. Quack, quack, quack.

2. Squeaky, squeaky, squeak.

3. Croak, croak, croak.

4. Tick-a- tick-a- tick.

5. Bzz, bzz, bzz.

And they danced and they danced all day!

Hokey Pokey

FLORIDA PLAY-PARTY GAME

You put your right foot in,— You take your right foot out,—

You put your right foot in,— And shake it all a-bout,

And then you do the ho-key po-key,

And you turn your-self a-bout,

And that's what it's all a-bout! Hey!

68

Noble Duke of York

PLAY-PARTY GAME

1. Oh, the no-ble Duke of York,
He had ten thou-sand men;
He led them up to the top of the hill,
And he led them down a-gain.

2. Now, when we're up, we're up;
And when we're down, we're down;
And when we're only halfway up,
We're neither up nor down.

ALL AROUND ABOUT THE TOWN

All around about the town
The streets go up,
The streets go down.
Across and back
And around about,
The streets go winding
In and out.
—BARBARA YOUNG

Up and Down the Busy Street

Farmers' Market

WORDS AND MUSIC BY NATIVIDAD VACIO

Voice and Melody Bells

La, la, la, la, la, la, la, la.

Park to the right, Park to the left,
Fruit from the south, Meat from the ranch,
Veg'- ta - bles fresh, Chick - ens and geese,

This is the Farm - ers' Mar - ket.

Car - rots and par - rots, tin - kers and toys.

Come to the Farm - ers' Mar - ket.

Rolling Barrels

GROUP OF CHILDREN
NEW YORK CITY SCHOOL

We saw men roll-ing bar-rels Back and forth,

Back and forth, Some go-ing in, Some go-ing out.

Watermelons

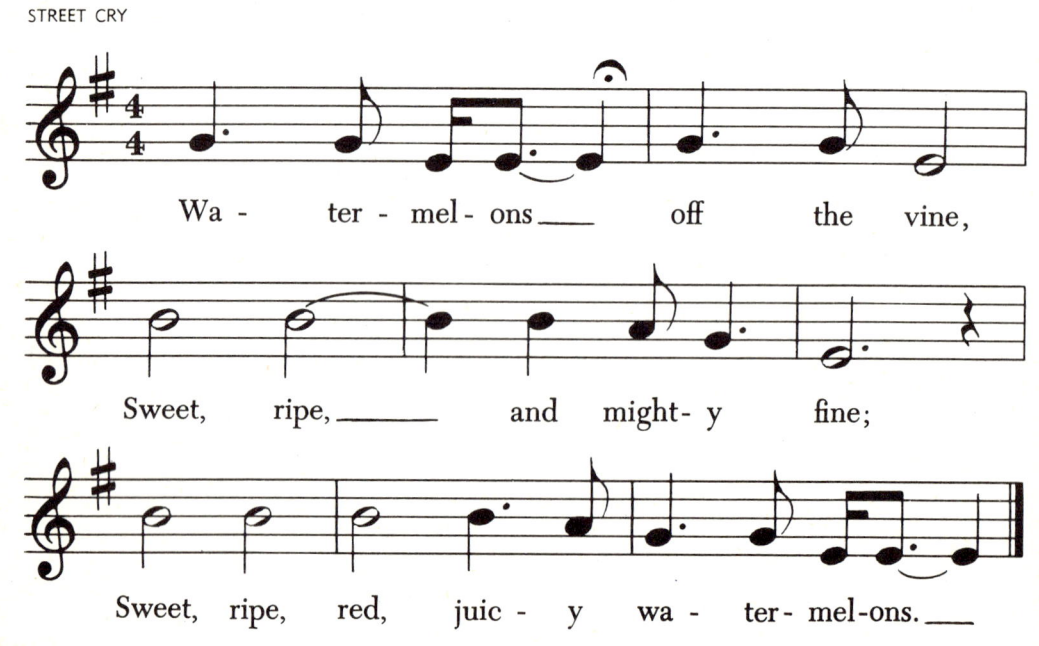

STREET CRY

Wa-ter-mel-ons___ off the vine,

Sweet, ripe,___ and might-y fine;

Sweet, ripe, red, juic-y wa-ter-mel-ons.___

We'll All Go Singing

WORDS ADAPTED
COMPOSER UNKNOWN

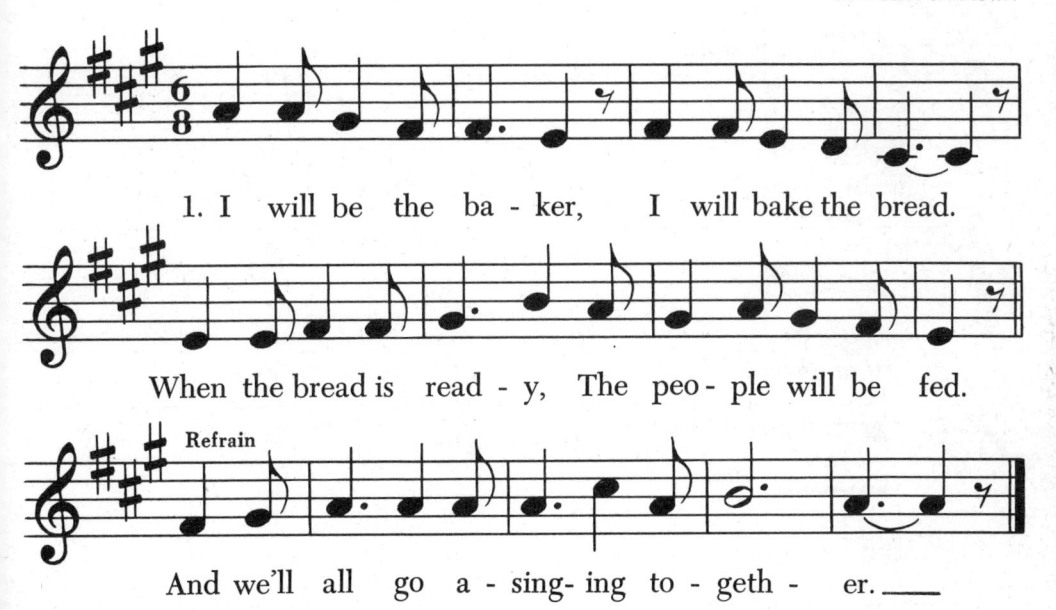

1. I will be the ba-ker, I will bake the bread.
When the bread is read-y, The peo-ple will be fed.

Refrain
And we'll all go a-sing-ing to-geth-er.

2. I will be the shoeman,
   I will mend your shoes.
   Dye them other colors,
   Whichever one you choose.

3. I will be the newsboy,
   Leaving at your door
   Early morning papers,
   At eight, perhaps before.

4. I will be the postman,
   Bringing you the mail.
   Postal cards and letters,
   In rain or shine or hail.

In the Pet Shop

WORDS BY GRACE LANG
SPANISH-AMERICAN FOLK SONG

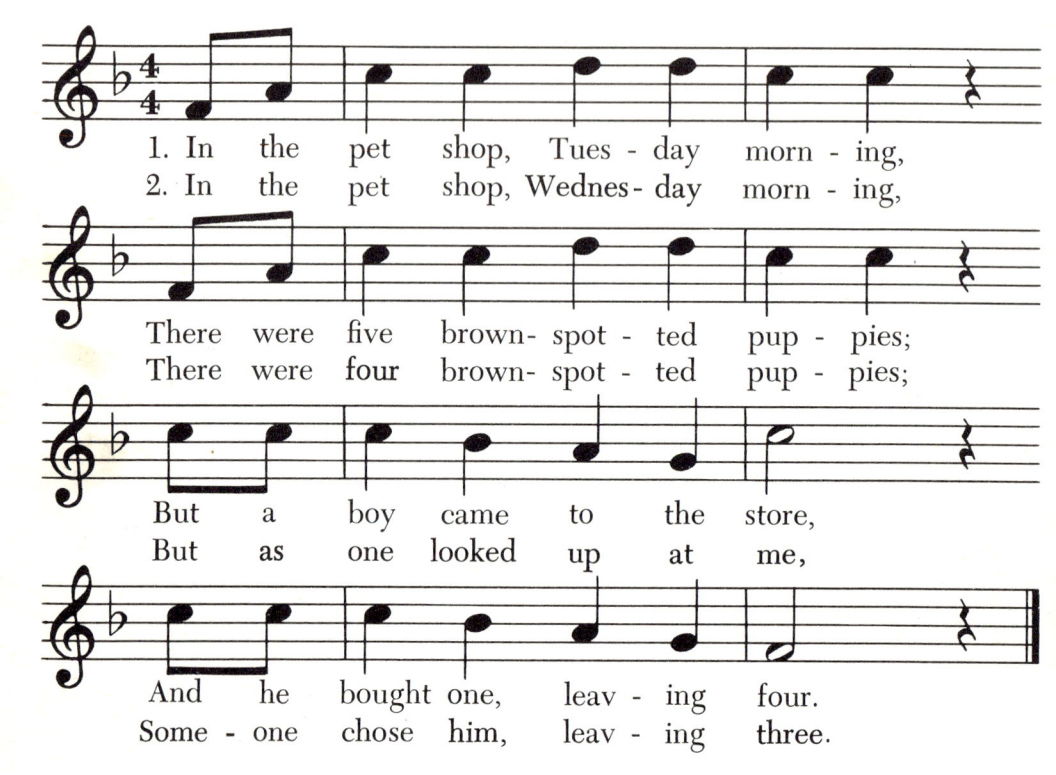

1. In the pet shop, Tues-day morn-ing,
   There were five brown-spot-ted pup-pies;
   But a boy came to the store,
   And he bought one, leav-ing four.

2. In the pet shop, Wednes-day morn-ing,
   There were four brown-spot-ted pup-pies;
   But as one looked up at me,
   Some-one chose him, leav-ing three.

3. In the pet shop Thursday morning,
   There were just three spotted puppies;
   When a lady, dressed in blue,
   Came and took one, leaving two.

4. In the pet shop Friday morning,
   There were just two spotted puppies;
   Someone stopped in just for fun,
   And he bought one, leaving one.

5. Now I'll hurry to the pet shop,
   For I want that one last puppy;
   And I'm feeling very fine,
   For I know that he'll be mine.

The Shoemaker

WORDS BY GRACE LANG
DANISH RING GAME

1. Tap, tap, goes the ham-mer,
Tap, tap, goes the ham-mer,
In the shoe shop down the street.
Fix-ing heels so nice and neat.
Shoe-man, nail them up and down,
Make the fin-est heels in town.

2. Wind and wind the thread and
Wind and wind the thread and
Make a stitch and pull it through.
Wind and wind the thread and
Wind and wind the thread and
Put a half-sole on the shoe.
Shoeman, stitch it up and down,
Make the finest soles in town.

3. Whir-rr, wheels go round and
Whir-rr, wheels go round and
Every shoe is finished right.
Whir-rr, wheels go round and
Whir-rr, wheels go round and
Every shoe is polished bright.
Shoeman, shine them up and down,
Make the brightest shoes in town.

Policeman

WORDS AND MUSIC BY ERNEST GOLD

I'd like to be a po - lice - man,
And make the rounds all day.— I'd twirl my stick,
I'd whirl my stick, In the hap-pi-est, snap-pi-est way.—
I'd have a brand new u - ni - form,
I'd have a whis-tle too,— I'd blow it and all the
cars would stop A - long the av - e - nue.—

Helpers in Our Town

Taxis

WORDS BY RACHEL FIELD
MUSIC BY HANSI ALT

Refrain
Ho, for tax-is green and blue, Hi, for tax-is red;
They roll a-long the av-e-nue Like spools of col-ored thread.

Verse
Tax-is shin-y in the rain, Scud-ding through the snow;
Tax-is flash-ing back the sun, All wait-ing in a row.

End here

Go back to the beginning

The Milkman

WORDS BY BARBARA YOUNG
MUSIC BY ERNEST GOLD

On sum - mer morn - ings, when it's hot,

The milk - man's horse can't e - ven trot,

But pokes a - long like this:

Klip - klop, klip - klop, klip - klop.

But in the win - ter brisk, He perks right up and

wants to frisk, And then he goes like this:

Klip - pty - klip, klip - pty - klip, klip - pty - klip.

2. On winter mornings when it's cold,
   The milkman's truck sounds very old.
   It clanks along like this:
   Clink-clunk, clink-clunk, clink-clunk.
   But when the summer comes,
   That milkman's truck just sings and hums,
   And then it goes like this:
   Chug-a-chug, chug-a-chug, chug-a-chug.

Johnny Get Your Hair Cut

FOLK SONG FROM PENNSYLVANIA

John - ny get your hair cut, hair cut, hair cut,

John - ny get your hair cut, just like me.

John - ny get your hair cut, hair cut, hair cut,

John - ny get your hair cut, just like me.

Fire Down Below

WORDS ADAPTED BY LOUISE KESSLER
CAPSTAN CHANTEY

1. There's fire in the low-er deck, Fire down be-low,
Fire in the main-well, The cap-tain did-n't know.

Refrain
Fire! Fire! Fire down be-low, It's fetch a bucket of wa-ter, boys, There's fire down be-low.

2. There's fire in the fireplace,
   Fire warm and bright,
   Fire in the fireplace,
   Oh, see the cheery light.

3. There's fire in the back yard,
   A mound of burning leaves,
   Fire in the back yard,
   The grass is burning too.

4. There's fire in the chimney,
   Fire in the flue,
   Fire in the attic,
   The roof is burning too.

5. Hear the sirens calling,
   Calling loud and clear,
   Here comes the engine,
   The firemen are here.

We Went to See the Firemen

GROUP OF CHILDREN
NEW YORK CITY SCHOOL

We went to see the fire-men,
Their en-gines and their pumps,
We saw their hooks and lad-ders,
And how they make their jumps.

Bling Blang

WORDS AND MUSIC BY WOODY GUTHRIE

1. You get a hammer and I'll get a nail
And you catch a bird and I'll catch a snail.
You bring a board and I'll bring a saw,
And we'll build a house for the baby-O.

Refrain
Bling, blang, hammer with my hammer,
Zing-o, zang-o, cutting with my saw.

2. I'll grab some mud and you grab some clay,
   So when it rains it won't wash away.
   We'll build a house that'll be so strong,
   The winds will sing my baby a song.

Copyright 1954 by Folkways Music Publishers, Inc., New York, N. Y. International copyright secured. All rights reserved. Reprinted by permission.

Old House

AMERICAN FOLK-GAME SONG
COLLECTED BY JOHN W. WORK

1. Old house. Tear it down! Who's going to help me?
   Tear it down! Bring me a hammer. Tear it down!
   Bring me a saw. Tear it down! Next thing you bring me,
   Tear it down! Is a wrecking machine. Tear it down!

2. New house. Build it up!
   Who's going to help me? Build it up!
   Bring me a hammer. Build it up!
   Bring me a saw. Build it up!
   Next thing you bring me, Build it up!
   Is a carpenter man. Build it up!

Scraping Up Sand

PLAY-PARTY SONG FROM MISSOURI
EXTRA VERSES BY LOUISE KESSLER

1. Scrap-ing up sand in the bot-tom of the sea,
Shi-loh, Shi-loh. Shi-loh, Li-za Jane.
Oh, how I love her, Oh, Li-za Jane!
Oh, how I love her,
Good-bye, Li-za Jane.

2. See the big steam shovel
   scooping up the ground,
   See it scoop gravel and pile it all around,

3. See the big bulldozer digging up a road,
   See it pile concrete and dump it for a load,

This poem tells a story of big machines.
Part of it is sung and part is spoken.

Chug-a-rum!

WORDS BY MARGARET WISE BROWN
MUSIC BY MILTON KAYE

1. Chug - a - rum! Chug - a - rum! And like a small drum.

Chug - a - rum! Chug - a - rum! What was that chug-a-rum?

Chug - a - rum! Chug - a - rum! Down in the mists,

Chug - a - rum! Chug - a - rum! By the riv - er.

(Spoken)
He heard a steamroller rolling,
And a big-jawed machine biting dirt
From a hole in the ground.
He smelled a house on fire,
And a long red car went whistling by.
Gears were grinding,
Wheels were turning,
Horns were howling,
And everywhere there were footsteps,
Fast footsteps all over the city.

The Park Across the Way

I climbed up on the merry-go-round,
And it went round and round.
I climbed up on the big brown horse
And it went up and down

Around and round
And up and down,
Around and round
And up and down.
I sat high up
On a big brown horse

Merry-Go-Round

WORDS BY MARGUERITE GODE
MUSIC BY ERNEST GOLD

1. Round and round goes the mer-ry-go-round,
The mu-sic is churn-ing an or-gan sweet sound,
While hor-ses and ti-gers and ze-bras and bears,
Go gal-lop-ing, gal-lop-ing on-ward in pairs.

2. Slower and slower and slow-er we go,
And slow-er and slow-er the mus-ic runs low.
Then down from the hors-es we slide to the ground,
And feel ver-y diz-zy as we walk a-round.

86

And rode around
On the merry-go-round
And rode around
On the merry-go-round
I rode around
On the merry-go-round
  Around
    And round
      And
        Round.
—Dorothy W. Baruch

Swinging

WORDS BY ELIZABETH COATSWORTH
MUSIC BY MILTON KAYE

Begin song on melody bells or piano:

Up, down, up, down, up, down, up!

Up then and down with a bounce in the air,

Now the wind's mak-ing a fan of your hair.

When you go up, you have to go down, But, oh!

Melody Bells

Did you count the stee - ples in town?

In the City Park

WORDS ADAPTED BY LOUISE KESSLER
FOLK SONG FROM JAMAICA

1. The game begins and the ball goes round,
Loop de lol-ly, loop de lol-ly, round and round.
The ball is hit with a crack-ing sound,
Loop de lol-ly, loop de lol-ly, round and round.
This is how we bat the ball,
Loop de lol-ly, loop de lol-ly, round and round.

Come on, boys, come and
join in the fun,
Loop de lol-ly, loop de
lol-ly, round and round.

2. We roll along on our roller skates,
   Loop de lolly, loop de lolly, round and round.
   The park has sidewalks smooth and straight,
   Loop de lolly, loop de lolly, round and round.
   Right foot, left foot, here we come,
   Loop de lolly, loop de lolly, round and round.
   Come on girls, come and join in the fun,
   Loop de lolly, loop de lolly, round and round.

3. We ride around on a pony's back,
   The pony's hoofs go a-click-click-clack,
   Trot-trot-trot-trot-trot-trot-trot,
   Watch us ride till it's time for a stop.

Our Ponies

WORDS AND MUSIC BY EVELYN H. HUNT

Let's begin our ride with coconut shells:

Clip - py clip, clip - py clop,

Our pon - ies are gal - lop - ing far a - way,
far a - way, far a - way, Our pon - ies are gal - lop - ing

End here

far a - way, and we are on their backs.

We ride and ride and ride and ride, We ride
and ride and ride and ride, We ride and ride and

Go back to the beginning

ride and ride, And then we stop. Whoa! Whoa!

Mister Echo

WORDS AND MUSIC BY ERNEST GOLD

1. Mis - ter Ech - o, Mis - ter Ech - o,
2. Mis - ter Shad - ow, Mis - ter Shad - ow,

I can't see you at all!
You are with me all day!

Are you hid - ing to tease me,
Do you fol - low to tease me,

And will you an - swer when I call?
And do what I do all the way?

Echo Echo
Hel - lo, hel - lo, Hel - lo, hel - lo,
Now big, now small, Now big, now small,

Echo
Hel - lo, hel - lo, hel - lo.
Now big, now small, now small.

Popsicle Song

WORDS AND MUSIC BY DOROTHY SANFORD

If you have a nick-el, you can buy a Pop-si-cle,

You can buy it from ___ the Pop-si-cle man.

You can have an-y fla-vor

that you wish or you fa-vor,

All you do is ask the Pop-si-cle man.

As he comes down the street,

with his ding-a-ling-a-ling-a-ling,

All the chil-dren start run-ning,

and then they all be-gin to sing:

If you have a nick-el, you can buy a Pop-si-cle,

You can buy it from the Pop-si-cle man.

Under the Big Top

The Clown

WORDS BY NELLIE POORMAN
FRENCH FOLK SONG

Jol - ly and gay is the funny old clown,
Mer - ri - est fel - low that comes to our town;
Ev - 'ry - one laugh - ing where - ev - er he goes,
Tum - bling a - bout in his com - i - cal clothes.
When I am old e - nough I'll be a clown.

Man on the Flying Trapeze

TRADITIONAL AMERICAN SONG

He'd fly through the air with the great-est of ease,

This dar-ing young man on the fly-ing tra-peze,

His ac-tions are grace-ful, all girls he does please,

And my love he has sto-len a-way.

Circus Parade

WORDS AND MUSIC BY MILTON KAYE

1. Oh, here comes the cir - cus band,
   Ta - ra - ra - ra, ta - ra - ra - ra - ra,
   Here comes the cir - cus band,
   Ta - ra - ra - ra - ra - ra!

2. Oh, here come the el - e - phants,
   Clump - clump - ta - ra, clump - clump - ta - ra - ra,
   Here come the el - e - phants,
   Clump - clump - ta - ra - ra - ra.

Zing! Zing! _____ Zing! Zing! _____
Ta - ra - ra - ra, Ta - ra - ra - ra.
Oh, how much I love the cir - cus, Ta - ra - ra! Boom! Boom!

A Little Animal

GROUP OF CHILDREN
DALTON SCHOOL, NEW YORK

Mouse, mouse, made a house In the win-dow box.

He's ver-y cute and ti-ny, And cun-ning as a fox.

A Big Animal

WORDS BY LOUISE BINDER SCOTT
MUSIC BY LUCILLE WOOD

A gi-raffe is a fun-ny fel-low to see.

Ha! Ha! Ha! Hee! Hee! Hee! His neck is lon-ger than

it should be. Ha! Ha! Ho! Ho! Hee! Hee! Hee!

Here Come the Monkeys

WORDS AND MUSIC BY FRANK LUTHER

Here come the mon-keys, Big and lit-tle mon-keys,

Mon-keys and go-ril-las and the chim-pan-zee.

Pa-pa mon-keys, ma-ma mon-keys,

Lit-tle ti-ny ba-by mon-keys,

Who said the big one looks like me?

From FRANK LUTHER'S CIRCUS SONGS FOR CHILDREN, copyright Edward B. Marks Music Corp.

Riding on an Elephant

FRENCH FOLK SONG

The melody bells climb up first:

Watch me climb up on the el - e-phant's back!

I'm rid - ing on __ an el - e - phant,

So high! __ so high! __

I'm rid - ing on __ an el - e - phant.

Oh, I am up so high! __

Elephant Song

FOLK SONG
AS SUNG BY CHILEAN GIRL

1. One el - e - phant went out to play,
Out on a spi - der's web one day.
He had such e - nor - mous fun,
He called for an - oth - er el - e - phant to come.

2. Two elephants went out to play,
   Out on a spider's web one day.
   They had such enormous fun,
   They called for another elephant to come.

Did You Ever?

ALABAMA FOLK SONG
COLLECTED BY BYRON ARNOLD

1. Did you ev-er, ev-er, ev-er, ev-er, ev-er,—
Did you ev-er, ev-er, ev-er, see a whale?
No, I nev-er, nev-er, nev-er, nev-er, nev-er,—
No, I nev-er, nev-er, nev-er saw a whale.

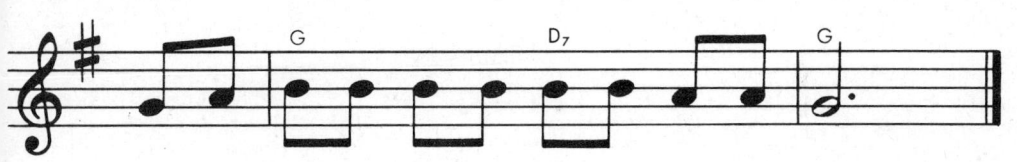

2. .. .. ever see a bear?
   Don't you ever, ever .. .. ..
   Don't you ever, ever try to curl his hair.

3. .. .. ever see a yak?
   Don't you ever, ever .. .. ..
   Don't you ever, ever climb upon his back.

4. .. .. ever see a lion?
   You will never, never .. .. ..
   You will never, never, never see him cryin'!

THE EDGE OF TOWN

It's not very far to the edge of town
Where trees look up and hills look down
   —HARRY BEHN

Traveling

WORDS AND MUSIC BY ERNEST GOLD

I'd like to be a mo-tor boat and skim a-cross the bay;

I'd like to be a jet plane and fly a-round all day.

I'd like to be a space ship and vis-it all the stars;

I'd pass the moon and see the sun and wave hel-lo to Mars!

All Aboard!

River Boat

PLAY-PARTY GAME FROM ILLINOIS

Go-ing down to Cai-ro, Good-bye and a bye bye,

Go-ing down to Cai-ro, Good-bye Li-za Jane; *End here*

Mop that deck and make it shine, Good-bye and a bye bye,

Go back to the beginning

Mop that deck and make it shine, Good-bye Li-za Jane.

Tugboats

WORDS BY JAMES TIPPETT
MUSIC BY MILTON KAYE

Chug! Puff! Chug! Push lit - tle tug.
Chug! Puff! Chug! Pull strong tug.

Push the great ship here, Clos - er to its pier.
Draw - ing all a - lone, Three boat loads of stone.

Bus - y har - bor tugs, Like round wa - ter bugs,

Hur - ry here and there, Work - ing ev - 'ry - where.

Coda

Work - ing ev - 'ry - where.

Chug! Puff! Chug! Chug! Puff! Chug!

Train Is A-Coming

SPIRITUAL

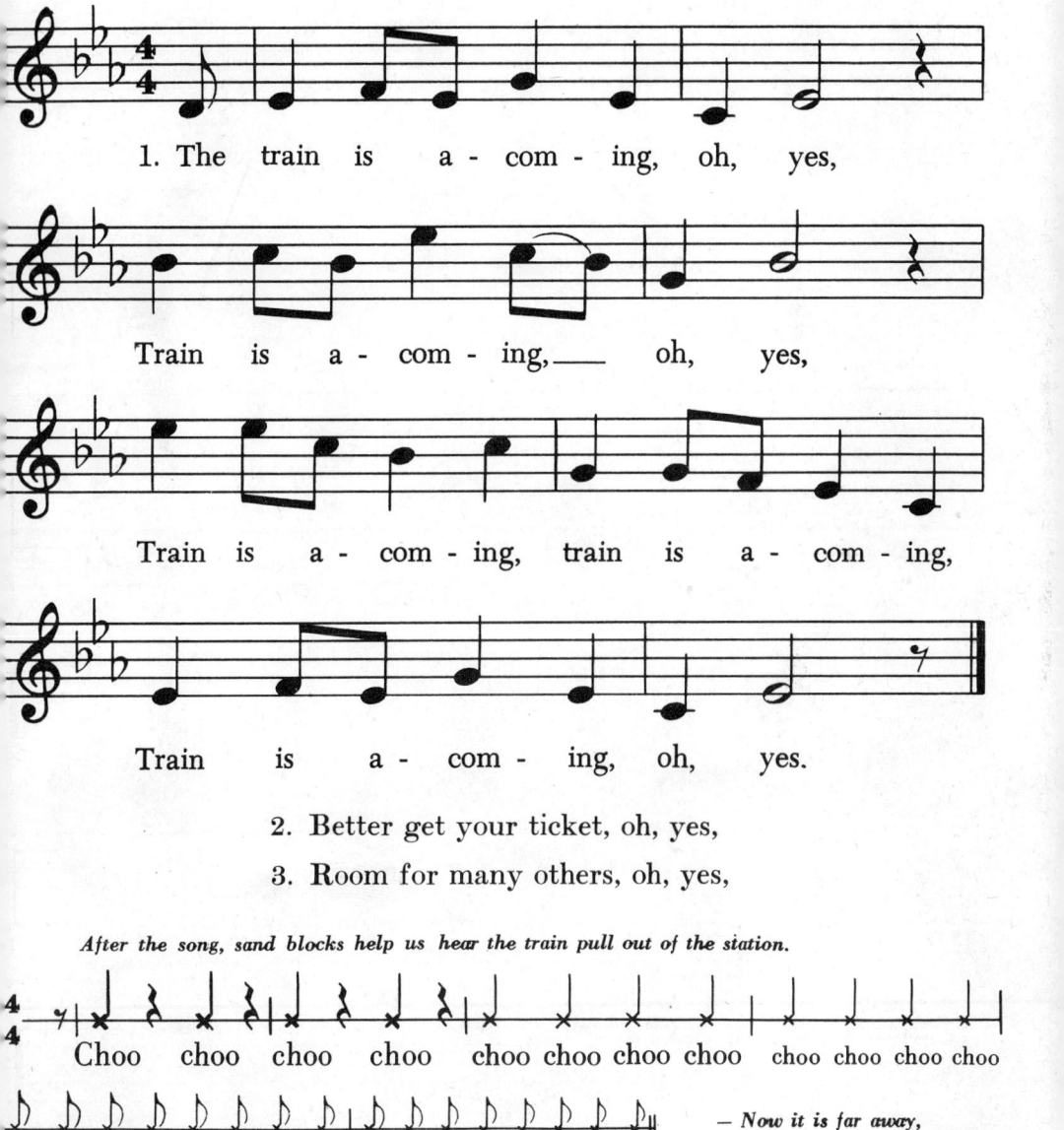

1. The train is a-coming, oh, yes,
Train is a-coming, oh, yes,
Train is a-coming, train is a-coming,
Train is a-coming, oh, yes.

2. Better get your ticket, oh, yes,
3. Room for many others, oh, yes,

After the song, sand blocks help us hear the train pull out of the station.

Choo choo choo choo choo choo choo choo choo choo choo choo

ch–ch–ch–ch–ch–ch–ch–ch ch–ch–ch–ch–ch–ch–ch–ch

— *Now it is far away,
down the track.*

Willie the Freight Train

TRANSLATION BY KATE COX GODDARD
MUSIC BY PAUL DURAND

1. Wil-lie's not a big ex-press train,
Just a lit-tle lo-cal freight;
Wil-lie's cars are al-ways emp-ty,
Wil-lie's near-ly al-ways late.

2. Willie's coughing, Willie's puffing,
Willie's jolting down the track.
Willie's blowing tiny smoke curls
For the engineer in back.

3. Laughing at the station master
As he whistles on his way,
He looks up at all the posters,
Willie's feeling gay today.

4. One fine morning little Willie
Felt so tired of all of it,
Off the track he turned that morning
To enjoy his life a bit.

From CHANSONS DU PRINTEMPS DE LA VIE, by Jacques Poterat and Paul Durand,

Refrain

Choo, choo, choo! Choo, choo, choo!

Here's the red and yel-low train.

Choo, choo, choo! Choo, choo, choo!

Run-ning back and forth a-gain.

5. Lambs were playing all around him,
   Flowers blooming country style!
   Spring was singing, sun was shining,
   Cows looked up and smiled a smile.

6. No more track and no more switches,
   He is happy, he is free,
   He is running through the village,
   Puffing smoke contentedly.

7. All his little cars are full now,
   People say he's never late.
   Though he's not a big express train,
   He's a happy little freight.

published by Editions Arc-En-Ciel, Paris. Used by permission.

The Fishermen

Out in the Country

WORDS BY EVELYN H. HUNT
BOHEMIAN FOLK TUNE

1. Fish-er-men are sit-ting by the lake, by the lake. Wait-ing for the fish to take their bait, take their bait. Not a nib-ble, not a sound, qui-et-ness is all a-round. Fish-er-men are sit-ting by the lake, by the lake, Wait-ing for the fish to take their bait, take their bait.

2. Slow-ly sinks the sun be-hind the hill, behind the hill, Eve-ning now has come and all is still, all is still. Rods and reels are put a-way, no more fish-ing for to-day. Slow-ly sinks the sun be-hind the hill, behind the hill, Eve-ning now has come and all is still, all is still.

This Old Man

ADAPTED BY CHILDREN
ENGLISH FOLK SONG

This old man, he caught { 1. one, / 2. two, }
He caught { one fish all in fun. / two fish for his stew. }
Nick-nack, pad-dy whack, give a dog a bone,
This old man came roll-ing home.

3. This old man, he caught three,
   He caught three fish just like me.

4. This old man, he caught four,
   He caught four fish, then some more.

5. This old man, he caught five,
   He caught five fish, sakes alive!

6. This old man, he caught six,
   They are really in a fix.

7. This old man, he caught seven,
   Wishing that he'd caught eleven.

8. This old man, he caught eight,
   Soon he'll serve them on a plate.

9. This old man, he caught nine,
   Caught them on his hook and line.

10. This old man, he caught ten,
    He went fishing once again.

The Farmer

WORDS ADAPTED BY LOUISE KESSLER
SWISS MELODY

1. How does the farm-er cut his wood? Like this and like this.
He swings his ax up in the air,
And chips fly here and chips fly there,
With a chop, chip-py chop, chip-py chop, like this.

2. How does the farmer plough his field?
   Like this and like this.
   His noisy tractor plows away;
   Around and 'round the field all day,
   With a chug, chuggy-chug, chuggy-chug, like this.

The Farmer's Geese

WORDS BY FRANCES B. WOOD
GERMAN FOLK TUNE

1. There once was a farm-er who had three geese. Three fine geese.

They__ wad-dled o'er the field be-yond

The__ yard to reach their mud-dy pond.

One, two, three; Three ver-y, ver-y fine gray geese.

2. Now sly Mister Fox was a-hiding near
   In the wood.
   He laughed, "Ha! ha! why now I see
   A splendid dinner waiting me.
   One, two, three,
   Three very, very fine gray geese."

Mary Middling

WORDS BY ROSE FYLEMAN
MUSIC BY EVELYN H. HUNT

Mar - y Mid - dling had a pig,

Not ver - y lit - tle and not ver - y big.

Not ver - y pink, not ver - y green,

Not ver - y dirt - y, not ver - y clean;

Not ver - y good, not ver - y naugh - ty,

Not ver - y hum - ble, not ver - y haugh - ty,

Not ver-y thin, not ver-y fat, Now what would you give for a pig like that?

My Little Pony

OLD FOLK SONG

Trot, trot, trot! Go, and nev-er stop!
Where it's smooth and where it's ston-y,
Trot a-long, my lit-tle po-ny;
Go, and nev-er stop! Trot, trot, trot, trot, trot!

Barnyard Family

AMERICAN FOLK SONG

1. I have a lit-tle roost-er by the barn-yard gate,
And that lit-tle roost-er is my play-mate,
And that lit-tle roost-er goes cock-a-doo-dle-doo,
Doo-doo,___ doo-doo,___ doo-doo-dle-doo!

2. I have a little hen by the barnyard gate,
And that little hen is my playmate,
And that little hen goes cluck-a-cluck-a-cluck,
Cluck-cluck, cluck-cluck, cluck-cluck-a-cluck.

3. I have a little duck by the barnyard gate,
And that little duck goes quack-a-quack-a-quack,

4. I have a little pig by the barnyard gate,
   And that little pig goes oink-a-oink-a-oink,

5. I have a little lamb by the barnyard gate,
   And that little lamb goes baa,—baa,—baa,

6. I have a little turkey by the barnyard gate,
   And that little turkey goes gobble, gobble, gob,

7. I have a little cow by the barnyard gate,
   And that little cow goes moo,—moo,—moo,

Sheep Are Coming Down the Road

SOUTH AFRICAN FOLK SONG
COLLECTED BY JOSEF MARAIS

1. Oh, the sheep are com - ing down the road,
And up - on their backs they bear a load,
It's a load of fine and fleec - y wool
That will help to keep my pock - ets full.

2. Oh, the sheep are feel - ing ver - y hot,
Just be - cause of all the wool they've got,
But they're going to lose it ver - y soon,
And to them and me t'will be a boon.

Refrain

Yoo - loo - loo, ___ loo, ___ Shear the sheep,
Yoo - loo - loo, ___ loo, ___ Dip them deep,

Yoo - loo - loo, ___ loo, ___ Nice and cool,
Yoo - loo - loo, ___ loo, ___ Sell the wool.

Copyright 1945 by Fideree Music Corporation, New York, N. Y. Reprinted by permission.

What Mother Saw

WORDS BY EMILIE POULSSON
MUSIC BY ELEANOR SMITH, ADAPTED

1. What do you think moth-er saw on the hill?
White wool-ly lambs that were all ly-ing still.
White wool-ly lambs by the white wool-ly sheep,
All had stopped play and were go-ing to sleep.

2. What do you think mother saw in the shed?
Little red calves that were going to bed.
Quiet they kept, not a kick nor a leap.
Frisking no more, they were going to sleep.

3. What do you think mother saw in the nest?
Soft fluffy chicks cuddling up for their rest.
Soft fluffy chicks, not a sound, not a peep,
Soft, yellow balls, they were going to sleep.

Little Ducks

FOLK SONG FROM MARYLAND

1. Six lit - tle ducks that I once knew,
2. Down to the riv - er they would go,

Fat ones, skin - ny ones, fair ones too,
Wibble, wobble, wib - ble, wobble to and fro,

But the one lit - tle duck

with a feath - er in his back,

He ruled the oth - ers with a quack, quack, quack, quack, quack, quack.

He ruled the oth - ers with a quack, quack, quack, quack, quack, quack.

Here We Go

LONDON GAME

Our boots are made of leath-er, Our socks are made of wool;

Our a-pron's made of cal-i-co, As white, as white as snow.

Here we go, a-round, a-round, a-round;

Here we go, a-round, a-round, a-round,

As we all touch the ground.

Lone Star Trail

AMERICAN COWBOY SONG

1. I started on the trail on June twenty-third,
I been punchin' Texas cattle on the Lone Star Trail;

Refrain
Singin' Ki yi yippi yappi yay, yappi yay!
Singin' Ki yi yippi yappi y-ay!

2. I'm up in the mornin' before daylight,
And before I sleep the moon shines bright.
Singin' Ki yi yippi yappi yay, yappi yay!
Singin' Ki yi yippi yappi yay!

3. Oh it's bacon and beans 'most every day,
I'd as soon be a-eatin' prairie hay.

4. Now my seat is in the saddle and my hand is on the horn,
I'm the best old cowboy ever was born.

5. My hand is on the horn and my seat is in the saddle,
   I'm the best old cowboy that ever punched cattle.

6. My feet are in the stirrups and my rope is on the side,
   Show me a hoss that I can't ride.

7. With my knees in the saddle and my seat in the sky,
   I'll quit punchin' cows in the sweet by and by.

Goodbye, Old Paint

AMERICAN COWBOY SONG

Good-bye, Old Paint, I'm a-leav-in' Chey-enne,
Good-bye, Old Paint, I'm a-leav-in' Chey-enne.
I'm a-leav-in' Chey-enne, I'm off for Mon-tan',—
Good-bye, Old Paint, I'm a-leav-in' Chey-enne.

Planting and Harvesting

Growing Crops

WORDS AND MUSIC BY EVELYN H. HUNT

1. Dig! Dig! Dig, farm-er dig, Dig, farm-er dig,
Push the shov-el in the earth, Turn it o-ver well.

2. Plant! Plant!
   Plant, farmer plant,
   Plant, farmer plant,
   Scatter seed upon the ground,
   Pat it very firm.

3. Weed! Weed!
   Weed, farmer weed,
   Weed, farmer weed,
   Pull them out, don't let them fall,
   Carry them away.

Planting Cabbages

TRANSLATION BY KATE COX GODDARD
FRENCH FOLK SONG

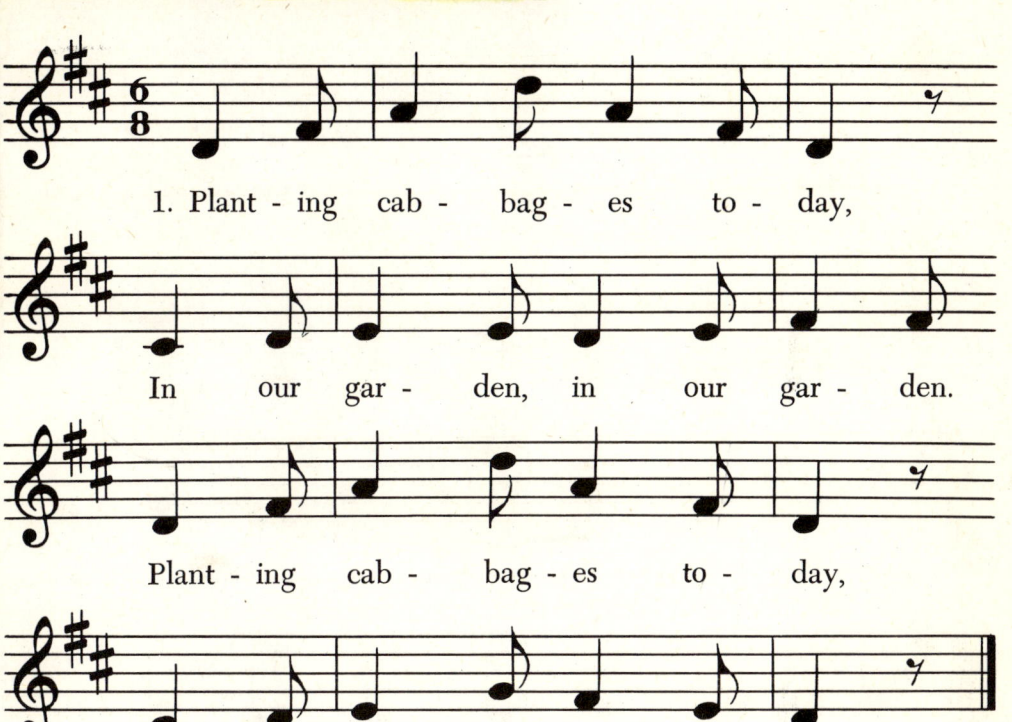

1. Plant - ing cab - bag - es to - day,
In our gar - den, in our gar - den.
Plant - ing cab - bag - es to - day,
Fee - dle, dee - dle, dee - dle, dee.

2. We can plant them with our hands,
   In a neat row we must plant them,
   We can plant them with our hands,
   Feedle, deedle, deedle, dee.

3. We can plant them with our feet,

4. We can plant them with our heels,

5. We can plant them with our noses,

6. We can plant them with our knees,

Wind in the Corn

WORDS BY MARGARET WISE BROWN
MUSIC BY MILTON KAYE

I heard the wind _____ In the corn one day,

I knew that it came _____ From far a-way.

And it rus-tled the trem-bling corn to say

That it was go-ing far a-way.

And could not stay,_____

Could nev-er stay._____

The Scarecrow

WORDS BY MARIE ALLEN
FOLK SONG

He wears such fun-ny clothes, But ev-'ry-bod-y knows,

A scare-crow has to look like a fright to scare the crows!

End here

His coat, flop-ping 'round his knees,

Has straw to fill out its sleeves,

His trous-er legs are noth-ing but rags

Go back to the beginning

That flap in the breeze.

Shake The Apple Tree

WORDS ADAPTED
CARL REINECKE

1. Pret-ty lit-tle Sal-ly, John-ny come with me;
Come out in the or-chard, shake the ap-ple tree.
I will look for green ones as the ap-ples fall,
You can look for red ones, then we'll find them all.
Pret-ty lit-tle Sal-ly, John-ny come with me.

2. Pretty little Sally, Johnny come with me;
Shake a little harder, shake the apple tree.
Now let's fill our baskets, pile the apples high,
Take them home to mother, she'll make apple pie.
Pretty little Sally; Johnny come with me.

I Had a Little Nut Tree

ENGLISH NURSERY RHYME
TRADITIONAL MELODY

1. I had a lit-tle nut tree, noth-ing would it bear,
But a sil-ver nut-meg and a gold-en pear.
The king of Spain's daugh-ter came to vis-it me,
And all for the sake of my lit-tle nut tree.

2. Her dress was all of crimson, coal black was her hair,
She asked me for my nut tree and my golden pear.
I said, "So fair a princess never did I see,
I'll give you the fruit of my little nut tree."

Lavender's Blue

ENGLISH FOLK SONG

1. Lav-en-der's blue, dil-ly, dil-ly, Lav-en-der's green.
When I'm a king, dil-ly, dil-ly, You shall be queen.
Who told you so, dil-ly, dil-ly, Who told you so?
'Twas my own heart, dil-ly, dil-ly, That told me so.

2. Call up your men, dilly, dilly,
Set them to work,
Some with a rake, dilly, dilly,
Some with a fork,
Some to make hay, dilly, dilly,
Some to thresh corn,
While you and I, dilly, dilly,
Keep ourselves warm.

Harvest

FOLK SONG FROM GEORGIA, ADAPTED

1. Em - ma Lou, my dar - ling,
2. Time to gath - er har - vest,

Oh, Em - ma, oh!

You turn a - round, dig a hole in the ground,

Oh, Em - ma, oh!

3. Digging sweet potatoes,
   Oh, Emma, oh!
   You turn around, dig a hole in the ground,
   Oh, Emma, oh!

4. Digging rutabagas,
   Oh, Emma, oh!

5. Digging big fat parsnips,
   Oh, Emma, oh!

Market Day

WORDS BY ELEANOR GRAHAM VANCE
FOLK TUNE FROM CZECHOSLOVAKIA

Ho! Hey! This is mar - ket day.

Let's be on the way! Mar - ket day.

Ho! Hey! Ev - 'ry - bod - y goes;

Ev - 'ry - bod - y knows mar - ket day.

1. "Come and buy my on - ions,
2. "See my new po - ta - toes,

Fresh - est, sweet - est on - ions!"} Ho! Hey!
And my fresh to - ma - toes!"}

Ev-'ry-bod-y goes; Ev-'ry-bod-y knows mar-ket day.

Ally Galoo Galoo

WORDS ADAPTED
STREET GAME FROM ENGLAND

1. Al - ly ga - loo ga - loo,
Al - ly ga - loo ga - loo,
You pick to - ma - toes, I'll pick the beans,
Fill our bas - kets high. Whee!

2. Ally galoo galoo,
   Ally galoo galoo,
   You reach for cherries
   I'll stoop for berries,
   Fill our basket high—*Whee!*

WE SING OF SEASONS AND HOLIDAYS

Spring is showery, flowery, bowery;
Summer: hoppy, croppy, poppy;
Autumn: wheezy, sneezy, freezy;
Winter: slippy, drippy, nippy.

Trees in Autumn

POEM BY SARAH T. BARROWS
MUSIC BY ARTHUR C. EDWARDS

I'm a tree in the woods, I sway in the wind,

And my hands are the leaves, They fall from the tree,

How soft-ly they float from the top of the tree.

Birthday Song

OLD POPULAR SONG

For he's a jol - ly good fel - low,

For he's a jol - ly good fel - low,

For he's a jol - ly good fel - low,

End here

Which no - bod - y can de - ny!

Which no - bod - y can de - ny,

Go back to the beginning

Which no - bod - y can de - ny;

Like a Leaf

WORDS BY EMILIE POULSSON
MUSIC BY ELEANOR SMITH

Melody bells start the leaves whirling:

3 2 1 2 1 7 1 2 1

Like a leaf or a feath-er, In the wind-y, wind-y weath-er, We'll whirl a-bout and twirl a-bout, And all sink down to-geth-er.

Listen to the Rain

WORDS AND MUSIC BY MILTON KAYE

Sticks

Lis-ten to the rain, On my win-dow pane, Hear each drop go plop, Will it ev-er stop?

Plink, plunk, plink, Plunk, plink, plunk.

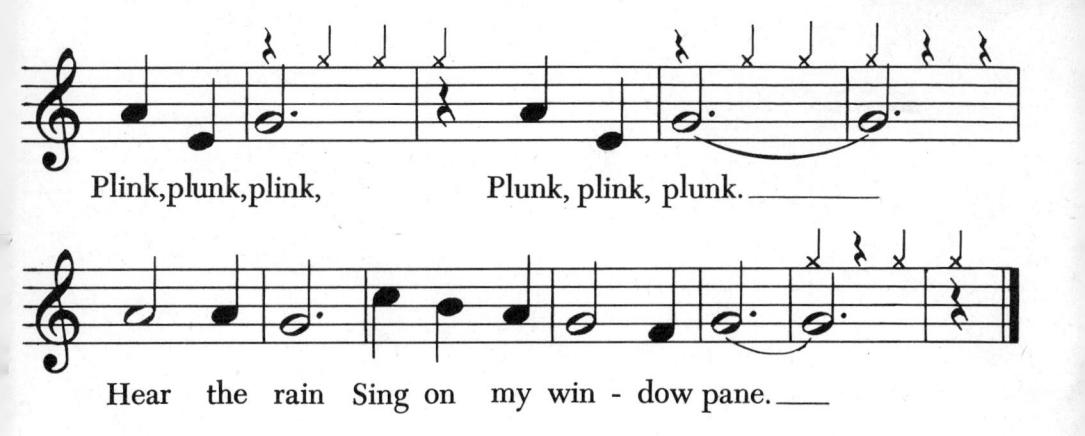

Hear the rain Sing on my win-dow pane.

It's Halloween Tonight

WORDS AND MUSIC BY GRACE R. BURLIN

It's Hal-low-een to-night, We'll put out ev-'ry light, We'll set our Jack-o'-lan-tern there, So it will give the folks a scare. It's Hal-low-een to-night. Hal-low-een to-night!

Boo!

WORDS AND MUSIC BY GRACE MESERVE

We are Jack-o'-lanterns, Boo, boo, boo!

We are out to scare you! Boo, boo, boo!

We have teeth but can-not bite, In our heads a can-dle bright.

Don't you think we're fun-ny? Boo, boo, Boo!!

Over the River

WORDS BY LYDIA MARIA CHILDS
OLD SONG

1. O-ver the riv-er and through the wood, To grand-fa-ther's house we go; The horse knows the way to car-ry the sleigh, Thro' the white and drift-ed snow. O-ver the riv-er and through the wood, Oh, how the wind does blow! It stings the toes and bites the nose, As o-ver the ground we go.

2. O-ver the riv-er and through the wood, Trot fast, my dap-ple gray! Spring o-ver the ground, like a hunt-ing hound, For this is Thanks-giv-ing Day! O-ver the riv-er and through the wood, Now grandmother's face I spy! Hur-rah for the fun! Is the pud-ding done? Hur-rah for the pump-kin pie!

Thanksgiving

WORDS BY MRS. E. R. LEATHAM
COMPOSER UNKNOWN

Thank you for the world so sweet, Thank you for the food we eat, Thank you for the birds that sing, Thank you, God, for ev-'ry-thing.

Mr. Duck and Mr. Turkey

WORDS AND MUSIC BY W. H. NEIDLINGER

Mis-ter Duck went to call on Mis-ter Tur-key, ___
And he said, "How-d'ye do," to Mis-ter Tur-key, ___
And he walked with a wob-ble, wob-ble, wob-ble; ___

2.

Mis - ter Tur - key said: "Gob - ble, gob - ble, gob - ble;

Mis - ter Duck then an - swered "Quack, quack, quack,"

And turned a - round to go right back;

Mis - ter Tur - key said: "I'll go with you,"

And they looked so ver - y queer, those two;

Mis - ter Duck was walk - ing wob - ble, wob - ble, wob - ble;

Mis - ter Tur - key talk - ing "Gob - ble, gob - ble, gob - ble."

My Dreydel

WORDS BY S. S. GROSSMAN
MUSIC BY S. E. GOLDFARB

1. I have a lit-tle drey-del, I made it out of clay,
And when it's dry and read-y, Then drey-del I shall play.
Oh, drey-del, drey-del, drey-del, I made it out of clay,
Oh, drey-del, drey-del, drey-del, Now drey-del I shall play.

2. My dreydel's always playful,
It loves to dance and spin.
A happy game of dreydel
Come play, now let's begin.
Oh, dreydel, dreydel, dreydel,
It loves to dance and spin.
Oh, dreydel, dreydel, dreydel,
Come play, now let's begin.

*Sing a song of seasons!
Something bright in all!
Flowers in the summer,
Fires in the fall!*
  ROBERT LOUIS STEVENSON

Sky Bears

WORDS BY ELIZABETH PILANT
MUSIC BY MILTON KAYE

Oh, it snowed last night, snowed last night,
The sky bears had a pil-low fight,
They tore up ev-'ry cloud in sight,
And tossed down all the feath-ers white.
Oh, it snowed last night, snowed last night.

We Wish You a Merry Christmas

ENGLISH FOLK SONG

1. We wish you a merry Christmas,
   We wish you a merry Christmas,
   We wish you a merry Christmas,
   And a happy New Year!

2. Now bring us some figgy pudding,
   Now bring us some figgy pudding,
   Now bring us some figgy pudding,
   And bring it out here.

3. For we love our figgy pudding,
   For we love our figgy pudding,
   For we love our figgy pudding,
   So bring some out here.

4. We won't go until we get some,
   We won't go until we get some,
   We won't go until we get some,
   So bring some out here.

Away in a Manger

WORDS FROM MARTIN LUTHER
MUSIC BY CARL MÜLLER

A - way in a man - ger, no crib for a bed,

The lit - tle Lord Je - sus laid down His sweet head;

The stars in the sky ____ looked down where He lay,

The lit - tle Lord Je - sus, a - sleep on the hay.

Long, Long Ago

TRADITIONAL SONG

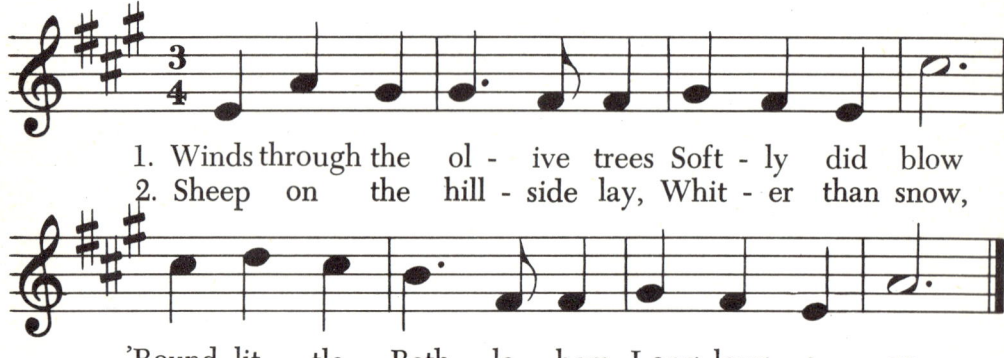

1. Winds through the ol-ive trees Soft-ly did blow
'Round lit-tle Beth-le-hem, Long, long a-go.

2. Sheep on the hill-side lay, Whit-er than snow,
An-gels were watch-ing them Long, long a-go.

3. Then from the happy sky,
Angels bent low,
Singing their songs of joy,
Long, long ago.

4. Then from a manger bed,
Cradled, we know,
Christ came to Bethlehem,
Long, long ago.

Up on the Housetop

WORDS AND MUSIC BY BENJAMIN T. HANBY

1. Up on the house-top the rein-deer pause,
Out jumps good old San-ta Claus;

Down through the chim-ney with lots of toys,
All for the lit-tle ones' Christ-mas joys.

Refrain
Ho, ho, ho, Who would-n't go!
Ho, ho, ho, Who would-n't go!
Up on the house-top, click, click, click,
Down through the chim-ney with good Saint Nick.

2. First comes the stocking of little Nell;
Oh, dear Santa, fill it well.
Give her a dolly that laughs and cries,
One that can open and shut its eyes.

3. Look in the stocking of little Bill;
Oh, just see what a glorious fill!
Here is a hammer, and lots of tacks,
Whistle and ball and a whip that cracks.

The Friendly Beasts

OLD ENGLISH CAROL

1. Je - sus our Broth - er, kind and good,
Was hum - bly born in a sta - ble rude,
And the friend - ly beasts a - round Him stood.
Je - sus our Broth - er, kind and good.

2. "I," said the donkey, shaggy and brown,
"I carried His Mother uphill and down;
I carried His Mother to Bethlehem town,"
"I," said the donkey, shaggy and brown.

3. "I," said the cow, all white and red,
"I gave Him my manger for His bed,
I gave Him my hay to pillow His head,"
"I," said the cow, all white and red.

Las Posadas Songs

WORDS BY LOUIS C. ADELMAN
MEXICAN CHRISTMAS SONGS
COLLECTED BY NATIVIDAD VACIO

Begin on melody bells and play throughout song:

| 5 — | 6 — | 7 — | 8 —; |
| Swing | swing | swing | swing |

1. See the gay pi-ña-ta hang-ing high a-bove you,
2. Break the gay pi-ña-ta, send the can-dy fly-ing,

Swing un-til you find it, swing and break it o - pen.
Break the gay pi - ña - ta, send the can - dy fly - ing.

1. Pick up the can - dy, wrapped in red pa - per.
2. Red jel - ly ap - ples, pea - nuts and chest - nuts,

Fill up the bas - kets with all kinds of good - ies.
Pass them a - round, all eat and have fun now.

Snowstorm

WORDS BY RHODA BACMEISTER
MUSIC BY ARTHUR C. EDWARDS

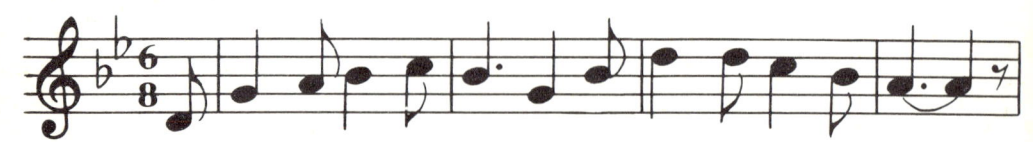

Oh, did you see the snow come so soft-ly float-ing down?

Echo softly

White in the air, *(white in the air,)* White on the trees,

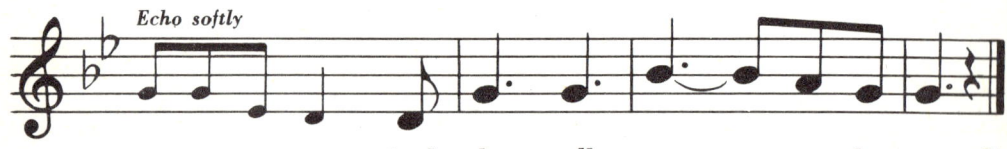

Echo softly

(white on the trees,) And white all o-ver the ground!

Big Bunch of Roses

FOLK-GAME SONG
COLLECTED BY JOHN W. WORK

Here stands my wag-on team, Here stands my lard-stand,

Here stands my val-en-tine, Here stands my dar-ling.

Big bunch, a lit - tle bunch, Big bunch of ro - ses,

Big bunch, a lit - tle bunch, Big bunch of ro - ses.

Windy Day

WORDS BY BARBARA YOUNG
MUSIC BY ERNEST GOLD

The wind blows up, the wind blows down,

And in and a - round all o - ver the town;

The chil - dren run and shout and play,

Be - cause they love a wind - y day.

Wise Johnny

WORDS BY EDWINA FALLIS
MUSIC BY ARTHUR C. EDWARDS

Lit - tle John - ny - jump - up __ said, "It must be spring, __
I just saw a la - dy - bug and heard a rob - in sing."

Words used by permission of Edwina H. Fallis, copyright owner.

At Easter Time

WORDS BY LAURA E. RICHARDS
MUSIC BY ARTHUR C. EDWARDS

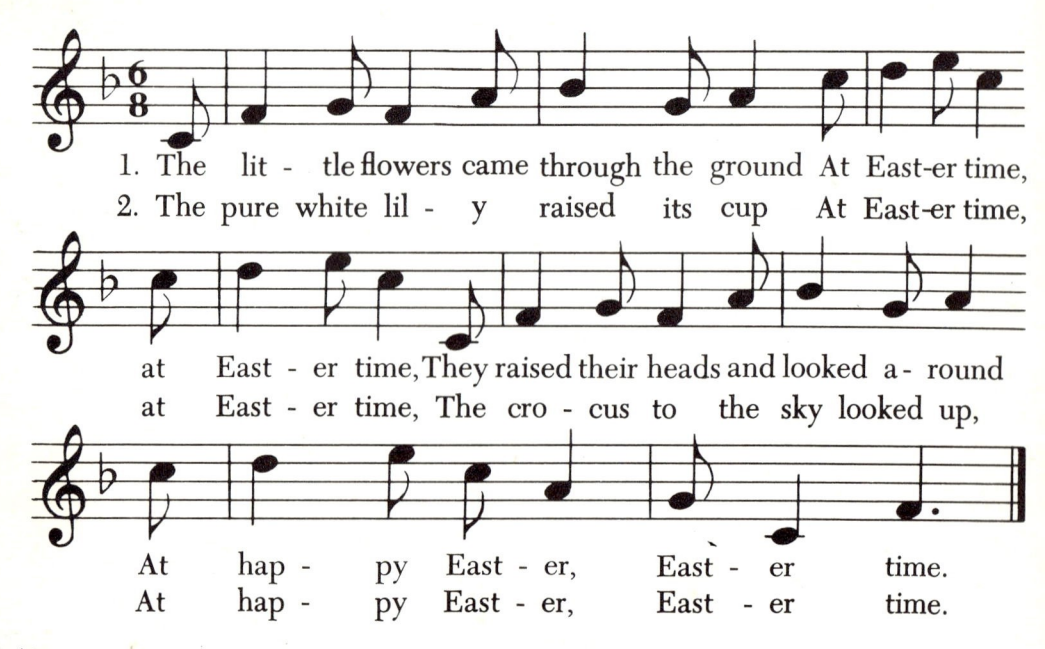

1. The lit - tle flowers came through the ground At East - er time,
2. The pure white lil - y raised its cup At East - er time,

at East - er time, They raised their heads and looked a - round
at East - er time, The cro - cus to the sky looked up,

At hap - py East - er, East - er time.
At hap - py East - er, East - er time.

Spring Has Come

WORDS BY EVELYN H. HUNT
GERMAN FOLK TUNE

1. Spring has come, the birds are here,
   Listen to their singing.
   Black and yellow, red and blue,
   Sing their happy songs to you.
   Spring has come, the birds are here,
   Listen to their singing.

2. Flash of color through the air,
   What a merry greeting!
   Robins, red birds, bluebirds gay,
   Sing their songs the livelong day.
   Flash of color through the air,
   What a merry greeting!

May Baskets

WORDS BY GRACE LANG
MUSIC BY H. G. NAGELI

1. When the first rob-ins sing in the tree-tops,
Then we know that Spring is sure-ly here,
And when we hear them sing-ing high up in the branch-es,
Hap-py, hap-py May Day must be here.

2. Come, let us look for earliest flowers,
   Yellow ones or red, or pink or blue,
   We'll gather them in fields and gather them in gardens,
   Purple violets and snow drops too.

3. This is the day we make pretty baskets,
   Fill them up with flowers, every one.
   To some one that we love, we give a little basket,
   Hang it on the big front door, then run!

Classified Index

ANIMALS
   And They Danced, 66
   Barnyard Family, 114
   Big Animal, A, 97
   Bouncing Rabbits, 21
   Firefly, 20
   Fish, 18
   Goodbye, Old Paint, 121
   I Had a Little Turtle, 17
   In the Pet Shop, 74
   Little Animal, A, 97
   Mary Middling, 112
   My Kitty, 15
   Our Ponies, 90
   Sheep Are Coming Down the Road, 116
   What Mother Saw, 117
   Where Has My Little Dog Gone, 16

AT HOME
   At Our House, 8
   Breakfast, 4
   Clocks and Watches, 2
   Green Dress, The, 3
   Leaky Faucet, 6
   Making Cookies, 10
   Needle Song, 11
   Such a Getting Upstairs, 26
   Telling Time, 47
   Wake Up, 1
   See also "Lullabies"

ANSWER-BACK SONGS
   And They Danced, 66
   Did You Ever? 101
   Froggie Would A-Wooing Go, 44
   Hide and Seek, 14
   Mr. Duck and Mr. Turkey, 138
   Old House, 83
   Telling Time, 47
   Will You Play with Me? 24
   You Turn for Sugar and Tea, 25

BIRDS AND FOWL
   Barnyard Family, 114
   Farmer's Geese, 111
   Little Ducks, 118
   May Baskets, 152
   One Little Brown Bird, 41
   Spring Has Come, 151

BUYING AND SELLING
   Farmers' Market, 71
   In the Pet Shop, 74
   Milkman, The, 78
   Popsicle Song, 92
   Shoemaker, The, 75
   Watermelons, 72
   We'll All Go Singing, 73
   Who Can It Be? 22

CIRCUS AND ZOO
   Big Animal, A, 97
   Circus Parade, 96
   Did You Ever? 101
   Elephant Song, 100
   Here Come the Monkeys, 98
   Little Animal, A, 97
   Man on the Flying Trapeze, 95
   Merry-Go-Round, 86
   My Little Pony, 113
   Our Ponies, 90
   Popsicle Song, 92
   Riding on an Elephant, 99

CLOTHING
   Galoshes, 39
   Green Dress, The, 3
   Hat Parade, 60
   Here We Go, 119

EARTH AND SKY
   At Easter Time, 150
   Bye'm Bye, 29
   I See the Moon, 30
   May Baskets, 152
   Spring Has Come, 151
   Wise Johnny, 150

FAVORITES FROM TEACHER'S BOOK ONE
   All Night, All Day, 28
   America, 57
   Away in a Manger, 143
   Green Dress, The, 3
   I See the Moon, 30
   Over the River, 137
   Posadas, Las, 147
   Rig-a-Jig-Jig, 38
   Skip to My Lou, 59
   Yankee Doodle, 61

GAMES
   Indoor
   Follow Our Leader, 54
   Here We Go, 119
   Hide and Seek, 14
   Hokey Pokey, 68
   I'm Going to Sing, 62
   Jump, Jump, Jump, 7
   Jumping Rope, 12
   Like a Leaf, 134
   Noble Duke of York, 69
   Puppets, 7
   Rig-a-Jig-Jig, 38
   Shake My Hand, 63
   Stooping on the Window, 55
   We're Going Round the Mountain, 65
   Who Has Gone from the Ring? 64
   You Turn for Sugar and Tea, 25

GAMES
   Outdoor Play
   Hide and Seek, 14
   I'm Going to Sing, 62
   I'm On My Way, 37
   In the City Park, 88
   Planting Cabbages, 123
   Playground, 52
   Race You Down the Mountain, 51
   Rig-a-Jig-Jig, 38
   Skip to My Lou, 59
   Swinging, 87
   With Colors
   Green Dress, The, 3
   Strawberry Jam, 40
   With Letters
   Strawberry Jam, 40
   With Names
   Galoshes, 39
   Green Dress, The, 3
   Who Has Gone from the Ring? 64
   With Numbers
   Angel Band, The, 48
   Bye'm Bye, 29
   Hide and Seek, 14
   In the Pet Shop, 74
   One Little Brown Bird, 41
   Over in the Meadow, 43
   This Old Man, 109

INSTRUMENTS
   General
   And They Danced, 66
   I Jing-a-ling, 50
   Old King Cole, 46
   Autoharp
   Clocks and Watches, 2
   Did You Ever? 101
   Go Tell Aunt Rhodie, 19
   Hokey Pokey, 68
   Hush, Little Baby, 27
   I'm Going to Sing, 62
   Little Ducks, 118
   Lone Star Trail, 120
   May Baskets, 152
   Skip to My Lou, 59
   This Old Man, 109
   We're Going Round the Mountain, 65
   Where Has My Little Dog Gone? 16
   Who Has Gone from the Ring? 64
   Bell-type
   Farmers' Market, 71
   Firefly, 20
   Hat Parade, 60

INSTRUMENTS
Bell-type (continued)
Hide and Seek, 14
I See the Moon, 30
Leaky Faucet, 6
Like a Leaf, 134
Posadas Songs, Las, 147
Riding on an Elephant, 99
Such a Getting Upstairs, 26
Swinging, 87
There Was a Crooked Man, 18
Coconut Shells
Our Ponies, 90
Drum or Tom Tom
Circus Parade, 96
Clocks and Watches, 2
Chug-a-rum! 85
Hat Parade, 60
Rig-a-Jig-Jig, 38
Yankee Doodle, 61
Finger Cymbals
Firefly, 20
Piano
Hat Parade, 60
Leaky Faucet, 6
Riding on an Elephant, 99
Psaltry
Hide and Seek, 14
Rhythm Sticks
Clocks and Watches, 2
Johnny Get Your Hair Cut, 79
Jumping Rope, 12
Listen to the Rain, 134
Sand Blocks
Bling Blang, 82
Old House, 83
Skip to My Lou, 59
Shoemaker, The, 75
Tambourine
Like a Leaf, 134
Puppets, 7
Rig-a-Jig-Jig, 38
You Turn for Sugar and Tea, 25
Tone Blocks
Clocks and Watches, 2
Bouncing Rabbits, 21
Jump, Jump, Jump, 7
Milkman, The, 78
Shoemaker, The, 75
Telling Time, 47
Triangle
Who Can It Be? 22
Who Has Gone from
 the Ring? 64
LULLABIES
All Night, All Day, 28
Bye'm Bye, 29
Hush, Little Baby, 27
I See the Moon, 30
MOTHER GOOSE SONGS
Bobby Shafto, 35
I Had a Little Nut Tree, 127
Lavender's Blue, 128
Old King Cole, 46
Sing a Song of Sixpence, 42

MOVING ABOUT
General
I'm on my Way, 37
My Dream, 34
My Little Pony, 113
Our Ponies, 90
Rig-a-Jig-Jig, 38
Taxis, 77
Traveling, 102
Boats
River Boat, 103
Ship-A-Sailing, 32
Tugboats, 104
Trains
Train is A-Coming, 105
Willie the Freight Train, 106

PETS
Bouncing Rabbits, 21
Firefly, 20
Fish, 18
Go Tell Aunt Rhodie, 19
I Had a Little Turtle, 17
In the Pet Shop, 74
Little Animal, A, 97
My Kitty, 15
Our Ponies, 90
There Was a Crooked Man, 18
Where Has My Little Dog
 Gone? 16

PLANTING AND HARVESTING
Ally Galoo Galoo, 131
Growing Crops, 122
Harvest, 129
I Had a Little Nut Tree, 127
Lavender's Blue, 128
Market Day, 130
Planting Cabbages, 123
Shake the Apple Tree, 126
Wind in the Corn, 124

SEASONS AND WEATHER
Galoshes, 39
Like a Leaf, 134
Listen to the Rain, 134
May Baskets, 152
Sky Bears, 141
Snowstorm, 148
Spring Has Come, 151
Trees in Autumn, 132
Windy Day, 149

SINGING STORIES
And They Danced, 66
Bobby Shafto, 35
Fiddle-dee-dee, 31
Friendly Beasts, The, 146
Froggie Would A-Courting Go, 44
Mr. Duck and Mr. Turkey, 138
My Dream, 34
Old King Cole, 46
Over in the Meadow, 43
Ship A-Sailing, 32
Willie the Freight Train, 106

SPECIAL OCCASIONS
Birthdays
Birthday Song, 133
Green Dress, The, 3
Who Has Gone from
 the Ring? 64
Christmas
Away in a Manger, 143
Friendly Beasts, 146
Long, Long Ago, 144
Posadas Songs, Las, 147
Up on the Housetop, 144
We Wish You a
 Merry Christmas, 142
Easter
At Easter Time, 150
Halloween
Boo! 136
It's Halloween Tonight, 135
Hanukah
My Dreydel, 140
Hymns
Father, We Thank Thee, 56
Patriotic Songs
America, 57
Yankee Doodle, 61
Thanksgiving
Father, We Thank Thee, 56
Mr. Duck and Mr. Turkey, 138
Over the River, 137
Thanksgiving, 138

TOOLS AND MACHINES
Chug-a-rum! 85
Farmer, The, 110
Growing Crops, 122
Milkman, The, 78
Scraping Up Sand, 84
Taxis, 77

WHERE OUR FOOD COMES FROM
Barnyard Family, 114
Farmer, The, 110
Farmer's Geese, 111
Fishermen, The, 108
Growing Crops, 122
Little Ducks, 118
Lone Star Trail, 120
Sheep Are Coming Down
 the Road, 116
This Old Man, 109
What Mother Saw, 117
See also "Planting and
 Harvesting"

WHOLE SCHOOL SINGS, THE
America, 57
Go Tell Aunt Rhodie, 19
Goodbye, Old Paint, 121
Father, We Thank Thee, 56
Man on the Flying Trapeze, 95
My Bonnie, 58
Skip to My Lou, 59
Where Has My Little
 Dog Gone? 16
Yankee Doodle, 61
See also "Special Occasions"

Song Titles

All Night, All Day	28
Ally Galoo Galoo	131
America	57
And They Danced	66
Angel Band, The	48
At Easter Time	150
At Our House	8
Away in a Manger	143
Barnyard Family	114
Big Animal, A	97
Big Bunch of Roses	148
Birthday Song	133
Bling Blang	82
Bobby Shafto	35
Boo!	136
Bouncing Rabbits	21
Breakfast	4
Bye'm Bye	29
Chug-a-rum!	85
Circus Parade	96
Clocks and Watches	2
Clown, The	94
Did You Ever?	101
Elephant Song	100
Farmer, The	110
Farmer's Geese	111
Farmers' Market	71
Father, We Thank Thee	56
Fiddle-dee-dee	31
Fire Down Below	80
Firefly	20
Fish	18
Fishermen, The	108
Follow Our Leader	54
Friendly Beasts, The	146
Froggie Would A-Wooing Go	44

Galoshes	39
Go Tell Aunt Rhodie	19
Goodbye, Old Paint	121
Green Dress, The	3
Growing Crops	122
Harvest	129
Hat Parade	60
Here Come the Monkeys	98
Here We Go	119
Hide and Seek	14
Hokey Pokey	68
Hush, Little Baby	27
I Had a Little Nut Tree	127
I Had a Little Turtle	17
I Jing-a-ling	50
I See the Moon	30
I'm Going to Sing	62
I'm on My Way	37
In the City Park	88
In the Pet Shop	74
It's Halloween Tonight	135
Johnny Get Your Hair Cut	79
Jump, Jump, Jump	7
Jumping Rope	12
Lavender's Blue	128
Leaky Faucet	6
Like a Leaf	134
Listen to the Rain	134
Little Animal, A	97
Little Ducks	118
Lone Star Trail	120
Long, Long Ago	144
Making Cookies	10
Man on the Flying Trapeze	95
Market Day	130
Mary Middling	112

155

May Baskets	152
Merry-Go-Round	86
Milkman, The	78
Mister Echo	91
Mr. Duck and Mr. Turkey	138
My Bonnie	58
My Dream	34
My Dreydel	140
My Kitty	15
My Little Pony	113
Needle Song	11
Noble Duke of York	69
Old House	83
Old King Cole	46
One Little Brown Bird	41
Our Ponies	90
Over in the Meadow	43
Over the River	137
Planting Cabbages	123
Playground Games	52
Policeman	76
Popsicle Song	92
Posadas Songs, Las	147
Puppets	7
Race You Down the Mountain	51
Riding on an Elephant	99
Rig-a-Jig-Jig	38
River Boat	103
Rolling Barrels	72
Scarecrow, The	125
Scraping Up Sand	84
Shake My Hand	63
Shake the Apple Tree	126
Sheep Are Coming Down the Road	116
Ship A-Sailing	32

Shoemaker, The	75
Sing a Song of Sixpence	42
Skip to My Lou	59
Sky Bears	141
Snowstorm	148
Spring Has Come	151
Stooping on the Window	55
Strawberry Jam	40
Such a Getting Upstairs	26
Swinging	87
Taxis	77
Telling Time	47
Thanksgiving	138
There Was a Crooked Man	18
This Old Man	109
Train Is A-Coming	105
Traveling	102
Trees in Autumn	132
Tugboats	104
Up on the Housetop	144
Wake Up	1
Watermelons	72
We Went to See the Firemen	81
We Wish You a Merry Christmas	142
We'll All Go Singing	73
We're Going Round the Mountain	65
What Mother Saw	117
Where Has My Little Dog Gone?	16
Who Can It Be?	22
Who Has Gone from the Ring?	64
Will You Play with Me?	24
Willie the Freight Train	106
Wind in the Corn	124
Windy Day	149
Wise Johnny	150
Yankee Doodle	61
You Turn for Sugar and Tea	25

Urs Brand

Die schweizerisch-französischen Unterhandlungen
über einen Handelsvertrag und der Abschluss des Vertragswerkes von
1864

Europäische Hochschulschriften

Publications Universitaires Europénnes

European University Papers

Reihe III
Geschichte und ihre Hilfswissenschaften

Série III   Series III

Sciences historiques et sciences auxiliaires de l'histoire
History, paleography and numismatics

Bd./vol. 2

Urs Brand

Die schweizerisch-französischen Unterhandlungen
über einen Handelsvertrag und der Abschluss des Vertragswerkes von
1864

Verlag Herbert Lang & Cie AG Bern
1968

Urs Brand

Die schweizerisch-französischen Unterhandlungen über einen Handelsvertrag und der Abschluss des Vertragswerkes von 1864

Ein Beitrag zur Geschichte der schweizerischen Wirtschaft und Diplomatie

Verlag Herbert Lang & Cie AG Bern
1968

©Herbert Lang & Cie AG Bern, 1968. Alle Rechte vorbehalten.

Nachdruck oder Vervielfältigung auch auszugsweise in allen Formen wie Mikrofilm, Xerographie, Mikrofiche, Mikrocard, Offset verboten.

Druck: Lang Druck AG, Bern (Schweiz) (ab Manuskript gedruckt)

... da ich einzusehen begann, dass für alles dies rüstige Volk die Freiheit erst ein Gut war, wenn es sich seines Brotes versichert hatte, ...
Gottfried Keller,
Der grüne Heinrich

Meinen Eltern, denen im Leben nichts geschenkt
wurde und die mir doch so viel gegeben haben

INHALTSVERZEICHNIS

VORWORT   1

A. DIE VORAUSSETZUNGEN

I. EXPORTINDUSTRIE, AUSSENHANDEL UND AUSSENHANDELSPOLITIK DER SCHWEIZ BIS 1862

1. Die Entwicklung bis 1848   4
2. Die Neuregelung des schweizerischen Zollwesens 1848/50   10
3. Die Entwicklung im neuen Bundesstaat   13

II. ALLGEMEINE TENDENZEN IN DEN INTERNATIONALEN HANDELSBEZIEHUNGEN SEIT DEN ZWANZIGERJAHREN - DER DURCHBRUCH DES FREIHANDELSPRINZIPS

1. Grossbritannien   18
2. Frankreich   19
3. Der britisch-französische Vertrag von 1860   22

III. DIE SCHWEIZERISCH-FRANZOESISCHEN HANDELSBEZIEHUNGEN SEIT DER AUFLOESUNG DES ANCIEN REGIMES

1. Die Verhältnisse bis 1848   25
2. Die Verhältnisse nach 1848   31
3. Statistische Angaben für den Zeitraum von 1851 bis 1864   40

B. DIE VORBEREITUNGEN

I. DIE PHASE DES ABTASTENS (Januar 1860)- Juli 1862)

1. Erstes Interesse (Januar - März 1860)   44
2. Neue Initiative der Schweiz (November 1860 - März 1861)   49
3. Einreichung des schweizerischen Gesuchs; Abwarten (März 1861 - April 1862)   56
4. Ein diplomatischer Zwischenfall (Mai - Juni 1862)   61

II. DIE ZEIT DER INTENSIVEN VORBEREITUNG (August 1862 - Januar 1863)

1. Der Verhandlungsbeginn rückt näher (August - Dezember 1862)   66

2. Die Konferenz der Kantonsdelegierten (Januar 1863) 75
3. Die Eingaben an den Bundesrat und an den Bevollmächtigten 92
4. Die erste Instruktion des Bundesrates (26. Januar 1863) 97
5. Die schweizerischen Experten 106
6. Die französischen Eingaben an die kaiserliche Regierung 108

C. DIE VERHANDLUNGEN

I. ERSTE VERHANDLUNGSPHASE (Januar – Juni 1863)

1. Die französischen Bevollmächtigten 112
2. Die ersten elf Konferenzen (Januar – März 1863) 114
3. Erste Verhandlungspause; Erteilung der neuen (2.) Instruktion durch den Bundesrat (April/Mai 1863) 141
4. Die restlichen Konferenzen des Jahres 1863 (Mai/Juni) 155

II. ZWISCHEN DEN BEIDEN VERHANDLUNGSPHASEN (Juli – Dezember 1863)

1. Sauregurkenzeit; Erteilung der dritten Instruktion (Juli – Oktober 1863) 170
2. Warten auf Rouher (Oktober – Dezember 1863) 176

III. ZWEITE VERHANDLUNGSPHASE (Januar – Juni 1864)

1. Die 20. bis 22. Konferenz (Januar – März 1864) 177
2. Die letzten Instruktionen (Mai 1864) 186
3. Die letzten acht Arbeitskonferenzen (Mai/Juni 1864) 191
4. Kerns Schlussbericht und die Unterzeichnung durch die Bevollmächtigten (25.-30. Juni 1864) 202

D. DIE BEHANDLUNG DURCH DIE EIDGENOESSISCHEN RAETE UND DER WEG ZUR BUNDESREVISION VON 1866

I. DIE BOTSCHAFTEN DES BUNDESRATES UND DIE BERICHTE DER RATSKOMMISSIONEN

1. Die Botschaft des Bundesrates (15. Juli 1864) 210
2. Die Berichte der Kommissionen beider Räte 222

II. DIE PARLAMENTARISCHE DEBATTE (21.-30. September 1864)

1. Die Debatte im Nationalrat (21.-24. September)   236
2. Die Debatte im Ständerat (26.-28. September)   246

III. DER WEG ZUR BUNDESREVISION VON 1866   252

E. ZUSAMMENFASSUNG

ANHANG:

Tabellen und graphische Darstellungen   265

ANMERKUNGEN   271

QUELLEN UND LITERATUR   310

REGISTER   317

VORWORT

Das Kernstück der vorliegenden Arbeit, in der die ökonomischen, diplomatischen und juristischen Aspekte eines bedeutsamen, bisher nicht näher beleuchteten Geschehens aus der Geschichte der schweizerisch-französischen Beziehungen untersucht werden, bilden die Verhandlungen zwischen der Schweiz und Frankreich in den Jahren 1863 und 1864. Diese führten zum Abschluss eines Handelsvertrages, eines Niederlassungsvertrages und zweier weiterer Uebereinkünfte (über den Schutz des literarischen, künstlerischen und industriellen Eigentums und über die Regelung der grenznachbarlichen Beziehungen und Ueberwachung der Grenzwälder). Die Unterhandlungen fielen in eine Zeit, da die Schweiz nach der Savoyerkrise auf schmerzliche Weise hatte erfahren müssen, wie wenig politisches und militärisches Gewicht sie im europäischen Mächtespiel besass. Es war zudem die Epoche, da sich im Süden und Norden unseres Landes zwei grosse Nationalstaaten zu bilden anschickten und dadurch in der Schweiz immer stärker das Bewusstsein ihrer Kleinheit erwachen musste. Gleichzeitig aber bahnte sich in Europa auf handelspolitischem Gebiet unter französischer Initiative ein Zug zur Liberalisierung an, welcher der Schweiz nur willkommen sein konnte.

Das Hauptinteresse galt in der Untersuchung der Frage: wie verhandelte damals ein territorial unscheinbarer, wirtschaftlich aber bereits kräftig entwickelter Staat wie die Schweiz mit einer militärischen und wirtschaftlichen Grossmacht wie Frankreich über ökonomische und juristische Fragen - wobei es sich erst noch um zwei Staaten handelte, die in ihrer innern Struktur derart voneinander abwichen? Dem Auf und Ab, dem Hin und Her und dem schliesslichen Einigwerden gehörte unser besonderes Augenmerk; mit einem Wort: uns interessierten vor allem die Unterhandlungen als Phänomen. Und dies konkret aufgezeigt an einem Beispiel, das wegen seiner Vielschichtigkeit und seiner grossen Bedeutung für die Geschichte der schweizerischen Aussenhandelspolitik eine derartige Untersuchung wohl rechtfertigt.

Der Handelsvertrag von 1864 ist nämlich das erste derart umfangreiche und komplexe Abkommen, das die Eidgenossenschaft in ihrer Geschichte auf wirtschaftlichem Gebiet abschloss. Es gelang ihr damit, Frankreich für grosse Teile der schweizerischen Industrie als Exportland erst eigentlich zu erschliessen, eine Tatsache, die sich natürlich auf verschiedene Exportzweige stimulierend auswirken musste. Ausserdem wurde der Vertrag auch zu einem Modell für ähnliche Regelungen mit den andern Nachbarländern in den darauffolgenden Jahren. Der Vertrag von 1864 war demnach eine entscheidende Wegmarke in einer Entwicklung, über die gesagt worden ist: "Von den wirtschaftlichen Klauseln der 'Ewigen Richtung' von 1516 zwischen Franz I. und den Eidgenossen, welche den eidgenössischen Kaufleuten eine privilegierte Stellung auf dem französischen Markte einräumten, bis auf den

heutigen Tag steht unsere Handelsvertragspolitik im Zeichen der Abwehr des Protektionismus der andern, vorab der Grossstaaten. Sie war und ist ihrem Wesen nach eine reaktive, eine abwehrende, auf Verteidigung bedachte Politik geblieben" (Schaffner) (1).
Auf Frankreichs Wunsch war mit den Verhandlungen über den Handelsvertrag auch die Revision des Niederlassungsvertrages von 1827 eng verknüpft worden. So nahm die Frage der Niederlassungsfreiheit für die französischen Israeliten in der Schweiz bei den Unterhandlungen und in den Diskussionen innerhalb unseres Landes einen breiten Raum ein. Die psychologischen Aspekte dieser Frage vermengten sich dabei mit den divergierenden Auffassungen über die Zuteilung der Kompetenzen zwischen Bund und Kantonen beim Abschluss von Staatsverträgen. Nach einer grundsätzlichen Ausmarchung zwischen den Föderalisten und den Anhängern einer stärkeren Zentralgewalt wurde mit der Annahme der Verträge ein wichtiger Schritt auf dem Wege zu einer Mehrung der Bundesbefugnisse getan. Für die schweizerische Verfassungsgeschichte besonders bedeutsam war, dass der neue Niederlassungsvertrag den Anstoss zur Revision der Bundesverfassung von 1866 gab.
Indem die Schweiz ausserdem Hand bieten musste zu einer Uebereinkunft zum Schutz des geistigen Eigentums, fand zudem der Gedanke, Fabrikmarken, Musterzeichnungen usw. seien schutzwürdig, erstmals in unserem Lande Eingang.

Neben dem bereits hervorgehobenen Hauptaspekt dieser Arbeit tauchte aber noch eine Reihe von weiteren Fragen auf: Welches waren die wirtschaftlichen und handelspolitischen Voraussetzungen für die Verhandlungen über einen Handelsvertrag? Wie näherten sich die beiden Partnerstaaten an? Auf welche Weise formierte sich in beiden Ländern die Ausgangsposition? Wie war der Einfluss der interessierten Wirtschaftskreise? Wie gestaltete sich das Verhältnis zwischen dem Bundesrat und seinem bevollmächtigten Unterhändler? Welche Rolle spielten die eidgenössischen Parlamentarier, die wirtschaftliche Interessen zu verteidigen hatten? Welche Wechselwirkungen zwischen den politischen und den wirtschaftlichen Problemen lassen sich feststellen? Wie vollzog sich die Auseinandersetzung zwischen den Befürwortern einer verstärkten Bundeskompetenz und den Anhängern einer weitgehenden Kantonalsouveränität?
Nicht alle Antworten auf diese Fragen können eindeutig und schlüssig ausfallen; die Darstellung vieler einzelner Vorgänge wird aber doch zeigen, wie unzutreffend die Behauptung Emil Dürrs war, die er vor vierzig Jahren niederschrieb: "Dass in diesen ersten Jahrzehnten des neuen Bundes die wirtschaftlichen Motive in der Politik noch nicht so deutlich und gewichtig hervortraten, hatte seinen Grund darin, dass noch lange die alten staatsrechtlichen und ideologischen Gegensätze in unverminderter Kraft weiter bestanden, wie Zentralismus und Föderalismus, politischer Liberalismus

und Konservatismus, kirchlicher Freisinn und Orthodoxie in beiden Konfessionen" (2).
Es wird sich im Gegenteil weisen, dass rein wirtschaftliche Motive sogar sehr stark hervortraten - so etwa, wenn es um die Interpretation von Bundesverfassungsartikeln ging - und dass sie sich häufig mit den alten, von Dürr angeführten Problemen überschnitten oder diese überlagerten; das Vorherrschen wirtschaftlicher Einflüsse in der schweizerischen Politik erst für die Zeit nach 1874 anzunehmen, geht keineswegs an. Für die ersten Jahrzehnte nach 1848 ist es bloss so, dass dies im Einzelnen eben noch gar nicht richtig untersucht worden ist. Allerdings vermittelt Schneider (-Dierauer) im fünften und siebenten Kapitel doch interessante Einblicke in die Verflechtungen zwischen den politischen und den wirtschaftlichen Vorgängen; bei Gitermann und Fueter finden sich weitere aufschlussreiche Hinweise (3). Das im allgemeinen geringe Interesse der Historiker an ökonomischen Fragen einerseits und der selten vorhandene Sinn der Nationalökonomen für die konkrete historische Einzelforschung andererseits bilden den Grund dafür, dass in der schweizergeschichtlichen Forschung die wirtschaftlichen Aspekte häufig zwischen Stuhl und Bank fallen. Dabei darf doch als unbestritten gelten, welch ausschlaggebende Bedeutung diese Einflüsse haben, deren Untersuchung allerdings oft weniger spektakulär und weit undankbarer ist als das Studium diplomatischer, militärischer oder geistesgeschichtlicher Vorgänge.

Ueber die Unterhandlungen und alle damit zusammenhängenden Probleme stand ein reiches, unveröffentlichtes Quellenmaterial in verschiedenen Archiven - vor allem im Bundesarchiv in Bern - zur Verfügung; die Abschnitte B und C, also die Hauptteile der Arbeit, stützen sich ausschliesslich auf dieses Material, während für den ersten und den letzten Teil vorwiegend gedruckte Quellen und Darstellungen verwendet wurden. Die zeitgenössische Presse wurde nur in denjenigen Fällen beigezogen, wo dies zur Erläuterung oder Ergänzung bestimmter Vorgänge notwendig war.

Besonders aus den unveröffentlichenQuellen ist ausgiebig und häufig zitiert worden. Sollte aus diesem Grund vielleicht der Eindruck entstehen, die Darstellung gehe oft zu sehr ins Einzelne, so darf an ein Wort von Johannes v. Müller erinnert werden, der in einer Rezension sagte: "Ein solches Werk, so eingeschränkt sein Gegenstand sein mag, ist mehr wert als manche Universalhistorie; denn die Détails sind das Lehrreichste; ohne ihre Kenntnis ist das allgemeine Raisonnement, wie glänzend es sei, Geschwätz" (4).

A. DIE VORAUSSETZUNGEN

I. Exportindustrie, Aussenhandel und Aussenhandelspolitik der Schweiz bis 1862

1. Die Entwicklung bis 1848

Obschon sich die vorliegende Untersuchung auf die handelspolitischen Verhältnisse im neuen Bundesstaat nach 1848 konzentriert, können wir uns einige Rückblicke auf die Entwicklung vor der Bundesrevision nicht versagen, um dadurch die Grundlagen zum Verständnis der Vorgänge nach 1860 zu schaffen; eine knappe Darstellung der früheren Phasen des schweizerischen Aussenhandels wird ausserdem auch zeigen, dass es wesentliche, bis zum Beginn der Sechzigerjahre gültige Konstanten in dieser Handelspolitik gab, deren Wurzeln bis in die Zeit unmittelbar nach der Napoleonischen Kontinentalsperre zurückreichen. Wiederum neue, entscheidende Umwälzungen brachte dann erst die Freihandelsära; ebenso die zweite Hälfte des 19. Jahrhunderts mit dem Aufkommen wichtiger neuer Wirtschaftszweige in der Schweiz und dem Entstehen einer eigentlichen "Weltwirtschaft".
Bei diesem Ueberblick können natürlich nur die allgemeinen Grundzüge zur Sprache kommen, weil für unsere Zwecke eine breitere Darstellung nicht notwendig ist und zudem für diese Zeitspanne von 1848 die Angaben über den Umfang des Aussenhandels "nur sehr spärlich und wenig zuverlässig"(5)zu sein scheinen.
Dass die Schweiz als ein Binnenland von altersher unter einem grossen Handicap gegenüber den meisten andern Industrienationen leiden musste, war und ist eine der grundlegenden unveränderbaren Belastungen ihrer Konkurrenzfähigkeit. Wenn Emminghaus, auf die Geschichte des schweizerischen Aussenhandels in der ersten Hälfte des 19. Jahrhunderts zurückblickend, ausführt: "... (sie) stellt einen unaufhörlichen Kampf mit den Hindernissen dar, welche mit der Lage der Schweiz als eines Binnenlandes von nur mittlerer Grösse und nur verhältnismässig günstigen politischen Machtverhältnissen auf das Innigste zusammenhängen," (6) so darf man getrost beifügen, dass dieser Kampf auch seither mit der genau gleichen oder wo möglich noch schärferen Intensität weitergegangen ist.
Neben diese wichtigste geographische Bedingtheit trat als weitere natürliche Erschwerung zu Beginn des Industriellen Zeitalters der Umstand, dass beinahe sämtliche Rohstoffe für die Industrie importiert werden mussten und die Landwirtschaft nicht imstande war, mit ihren Erzeugnissen die Bedürfnisse der rasch anwachsenden Bevölkerung zu decken (7).
Viel bezeichnender und für unsere Untersuchung viel aufschlussreicher ist aber nicht die Frage, wie die Schweiz diese <u>natürlichen</u> Hindernisse zu

überwinden trachtete, sondern wie sie den Kampf gegen die handels- und zollpolitischen Massnahmen der meisten europäischen Staaten - und dabei besonders ihrer Nachbarmächte - zu führen und über weite Strecken auch siegreich zu bestehen vermochte.
Wie noch in einem andern Zusammenhang zu zeigen sein wird, begann für die Schweiz das Zeitalter der Maschine während und unmittelbar nach der Kontinentalsperre. Innerhalb der Textilindustrie, die sich sehr bald zur weitaus exportstärksten Industrie entwickelte, stand die Baumwollverarbeitung an erster Stelle. Noch vor 1815 wurden die ersten mechanischen Spinnereien eröffnet, denen in den Dreissiger- und Vierzigerjahren auch die maschinellen Webereien nachfolgten. Den fas explosionsartigen, stetigen Aufschwung der Baumwollspinnerei besonders gegen und nach der Mitte des 19. Jahrhunderts dokumentieren folgende Zahlen: (8)

1830 :   400'000 Baumwollspindeln
1836 :   588'600   "
1841 :   660'000   "
1853 :   907'800   "
1857 : 1'151'600   "
1866 : 1'600'000   "
1872 : 2'060'000   "

Auf den Import von englischen Baumwollgarnen konnte die baumwollverarbeitende Industrie in der Schweiz seit dem Ende der Dreissigerjahre im Wesentlichen verzichten; anlässlich der Weltausstellung in London im Jahre 1851 wurde die schweizerische Spinnerei-Industrie von den Engländern als ebenbürtige Konkurrenz anerkannt (9). Die mechanische Weberei blieb demgegenüber bis zur Jahrhundertmitte zahlenmässig eher etwas im Rückstand: neben den neuen Webstühlen blieb sehr lange eine grosse Anzahl von Handwebstühlen im Betrieb. So gab es im Jahre 1866 neben 13'000 Maschinenwebstühlen in der ganzen Schweiz immer noch über 45'000 Handwebstühle (10), wobei die Arbeitsleistung von wenigen Maschinen natürlich die Produktion der grösseren Zahl von Handwebstühlen um ein Vielfaches übertraf (11).

Einen weiteren bedeutenden Zweig der Textilbranche bildete die Seidenindustrie; in der Ostschweiz - ganz besonders im Kanton Zürich, später auch im Kanton St. Gallen - war die Seidenstoffweberei führend vertreten, während die Herstellung von Seidenbändern ihr Zentrum vor allem in Basel hatte (12). Dort waren in den Vierzigerjahren schon rund 15'000 Personen in der Bandindustrie beschäftigt. Sie war im übrigen der einzige schweizerische Exportindustriezweig, der in die unmittelbaren Nachbarländer einzudringen vermochte (13).

Das Bedürfnis nach einer zuerst nur beschränkten, im Laufe der Jahrzehnte aber immer mehr umsichgreifenden Technisierung und Rationalisierung in den beiden eben genannten Zweigen der Textilindustrie rief fast zwangsläufig einen weiteren Industriezweig, die Maschinenindustrie, ins Leben (14). Vor der Kontinentalsperre waren die ersten Maschinen, die zum Teil noch sehr verbesserungsbedürftig waren, aus ihrem Erfinderland eingeführt worden. Als dies wegen der Sperre nicht mehr möglich war, hatten besonders in der Ostschweiz rührige Männer begonnen, sich mit der Herstellung und der stetigen Vervollkommnung von Textilmaschinen, vorerst noch für schweizerischen Eigengebrauch, zu befassen. Bald schon ging die Maschinenindustrie auch zum Export über, was erst eigentlich den grossartigen Aufschwung dieser Industriebranche zu bewirken vermochte (15). Der Durchbruch zur Exportindustrie mit weltweiten Absatzmärkten gelang der Maschinenindustrie allerdings erst nach 1865 (16). Doch schon in der Mitte der Vierzigerjahre gab es in den Kantonen Zürich, Bern, Solothurn, Basel, St. Gallen, Aargau und Thurgau eine beachtliche Zahl von mechanischen Werkstätten und Maschinenfabriken, von denen der grösste Betrieb, Escher, Wyss & Co., bereits im Jahre 1845 über 600 Menschen beschäftigte (17). Ein Dutzend Jahre später konnte im Bericht über die 3. Industrieausstellung in Bern vermerkt werden, dass sich in den Jahren von 1850 bis 1857 der gesamte Ausfuhrüberschuss an Maschinen und Maschinenbestandteilen auf 114'260 q belaufen habe (18). Zu diesem beachtlichen Wachstum hatte nicht zuletzt die Schaffung des einheitlichen gesamtschweizerischen Wirtschaftsraumes und besonders auch der Eisenbahnbau wesentlich beigetragen. Durch das neue Verkehrsmittel wurde die Zufuhr von Rohstoffen, welche die Metall- und Maschinenindustrie benötigte, beschleunigt und vermehrt, während der Bahnbau und -betrieb selbst wieder eine Menge von Erzeugnissen in Eisen und Stahl benötigte (19).

Als letzter der seit Anfang des 19. Jahrhunderts exportierenden Industriezweigen ist noch die Uhrenindustrie zu nennen. In den Kantonen Genf, Waadt, Neuenburg, im Berner Jura, später auch in Baselland, Solothurn und Schaffhausen nahm die Uhrenherstellung bald einmal vor allem dank einer ausgeklügelten Arbeitsteilung und einer weitgehenden Spezialisierung sowie verschiedenen technischen Vervollkommnungen einen ausserordentlichen Aufschwung. Zwischen 1827 und 1846 stieg beispielsweise die Zahl der Uhrenarbeiter im Kanton Neuenburg (wo die stärkste Zunahme zu verzeichnen war) von 5'000 auf das Doppelte (20). In der ganzen Schweiz waren im Jahre 1857 rund 40'000 Menschen in der Uhrenindustrie tätig, deren Produkte einen Totalwert von ungefähr 50 Mio. Fr. erreichten (21).

Neben den drei erwähnten Industriezweigen fielen bis zur Mitte des 19. Jahrhunderts und noch darüber hinaus die meisten andern Wirtschaftszweige für den schweizerischen Aussenhandel viel weniger stark ins Gewicht. War es nämlich einerseits so, dass auf dem Landwirtschaftssektor die Schweiz trotz beträchtlichen Wandlungen doch in grossem Masse auf den Import angewiesen war - der Bauholz-, Käse- und Vieh-Export vor allem nach Frankreich und Italien bildeten die Ausnahmen - , so waren anderseits die übrigen

erst später bedeutenden Exportindustrien (chemische Produkte, Elektroindustrie, Nahrungs- und Genussmittelindustrie u. a.) nur in bescheidenen Ansätzen vorhanden (22).
Und doch brach ein zeitgenössischer Beobachter und genauer Kenner der Schweiz, Emminghaus, angesichts der industriellen Entfaltung des kleinen Binnenlandes in folgende enthusiastische Schilderung aus: "... es entfaltet sich in grossartigem Masstabe und durch keine Schranken gehemmt der industrielle Geist dieses Volkes; die Hauptindustriezweige, deren sich dieser vorwärtsstrebende Geist bemächtigt hat, brauchen Massen von Roh- und Hilfsstoffen, die der ferne Süden zeitigt, oder die, wenn auch europäischen Ursprungs, doch weit genug herbeigeführt werden müssen. Viele Tausende von Händen rühren sich, viele Tausende von Rädern, Walzen und Spindeln drehen sich rastlos, um in geschäftigem Vereine Massen von Erzeugnissen des Gewerbefleisses zu Tage zu fördern, die zu verbrauchen die kleine Schweiz zu klein wäre, und die, zum Teil noch durch die nachbarlichen Zollschranken gehindert, sich ihren Hauptmarkt über dem Ozean in weiter Ferne suchen müssen; keine Fessel hemmt die Erzeugung; keine nennenswerte Schranke hemmt den Eingang fremder Erzeugnisse; Kapital- und Kreditreichtum fördern alle Unternehmungen; ein praktischer, immer aufs Nächste gerichteter, aber auch vor den kühnsten Unternehmungen nicht zurückschreckender Sinn, eine ungeschwächte Willenskraft, bilden die schöne Mitgift dieses Volkes, dessen staatliche Einrichtungen keine Kräfte absorbieren, sondern nur Kraft erzeugen, dessen politische Stellung an sich vor vielen günstig, aber auch mutvoll und kräftig gewahrt ist. Sollte sich da nicht auch der internationale Handel zu mächtiger Ausdehnung entfalten? Muss nicht auf solchen Grundlagen, selbst der dem grossen Verkehrsleben nicht günstigen natürlichen Lage zum Trotz, die Schweiz in ihren internationalen wirtschaftlichen Beziehungen einer gesunden und grossartigen Entwicklung sich zu erfreuen haben?" (23).
Fragen wir nun aber nach den <u>Absatzgebieten</u> dieser exportorientierten Industrien, so stellen wir trotz den nur sehr lückenhaften Unterlagen eine ganz spezifische Eigenheit der schweizerischen Exportströme fest: da die eigentlich natürlichsten Absatzmärkte, die umliegenden Staaten, sich entweder schon seit Napoleons Sturz (Frankreich und Oesterreich) oder dann spätestens in den Dreissiger- und Vierzigerjahren (die Italienischen Staaten und der Deutsche Zollverein) durch Einfuhrverbote und überhöhte Schutzzölle abschlossen, blieb daher der schweizerischen Industrie kein anderer Weg übrig, als sich jenseits dieser "Sperrzonen" in überseeischen Gebieten neue Absatzmärkte zu erobern. Welchen Aufwand an Energie, Findigkeit, Risikobereitschaft, ja mitunter sogar einer tüchtigen Portion Abenteuerlust diese zähe, friedliche Eroberung der Welt durch die schweizerischen Exportunternehmer und den Ueberseehandel gekostet haben mag, lässt sich nur annähernd erahnen! Die Textilindustrie ging dabei pionierhaft voran und

schuf die Basis für alle nachfolgenden Exportausweitungen der andern Industriezweige (24). Bereits 1815 fanden St. Galler-Textilien ihren Weg in die Levante und nach Aegypten (25). Die Batiktücher aus dem Toggenburg und dem Kanton Glarus gelangten bis nach Vorder- und Hinterindien (26). Aber auch nach dem Westen hin wurden schon sehr früh wertvolle Verbindungen angeknüpft. Junge Kaufleute aus St.Gallen reisten in den Zwanzigerjahren nach den USA, um die Bedürfnisse des amerikanischen Marktes zu erforschen und für die schweizerischen Produkte zu werben (27). New York entwickelte sich bald zum Hauptstapelplatz der schweizerischen Erzeugnisse (hauptsächlich Baumwollprodukte und Uhrenfabrikate); die schweizerischen Exporteure erkannten sehr früh, welche glänzenden Zukunftsperspektiven sich ihnen angesichts des ständig wachsenden amerikanischen Gemeinwesens darboten (28). Die Erschliessung der südamerikanischen Staaten, vor allem Brasiliens, erfolgte erst etwas später und erreichte seinen Höhepunkt vor allem in der zweiten Hälfte des 19. Jahrhunderts. Aehnlich verhielt es sich mit den Ländern des fernen Ostens, wo der schweizerische Handel aber doch bald nach dessen Oeffnung für die ausländischen Mächte rasch Fuss zu fassen vermochte (29). Schon im Jahre 1860 soll der Warenverkehr mit Ostasien die Summe von 100 Mio. Franken überschritten haben (30).

Selbstverständlich begegneten der schweizerischen Exportindustrie auf den aussereuropäischen Absatzgebieten auch scharfe Konkurrenten; für die Textilindustrie waren es vor allem die britischen Erzeugnisse. Bald spielte sich aber eine gewisse Art von Arbeitsteilung ein: während die englische Industrie in erster Linie billige Massenartikel herstellte und absetzte, konzentrierte sich der Grossteil der schweizerischen Erzeuger auf die Produktion von Spitzenqualitäten; gewisse Zweige allerdings - etwa die glarnerische Baumwolldruckerei - fabrizierten ebenfalls Massenprodukte für die Levante und Südostasien(31).
Beim Bestreben der schweizerischen Exporteure, bei ihrer Durchdringung der vielversprechenden Ueberseemärkte die grösstmögliche Effektivität zu erreichen, entwickelte sich die besondere Form der "Exportassoziation". Da diese verschiedenen Gesellschaften erst in den Fünfziger- und Sechzigerjahren gegründet wurden und erst dann zur - nur vorübergehenden - Blüte gelangten, braucht hier nicht weiter darauf eingegangen zu werden, da sie für unser eigentliches Thema nicht von besonderem Interesse sind (32).

Die weitgehende Orientierung auf die aussereuropäischen Märkte war nicht die einzige Eigenheit, durch die sich die schweizerische Volkswirtschaft in der ersten Hälfte des 19. Jahrhunderts gegenüber fast allen europäischen Ländern unterschied. In einer andern Beziehung stand sie seit langem und für lange Zeit allein auf weiter Flur: bereits seit dem Ende der Napoleonischen Herrschaft bekannte sich die Eidgenossenschaft grundsätzlich zum Prinzip des Freihandels und wandte diese Grundsätze - mit Ausnahme des

kläglich verlaufenden Intermezzos des "Retorsionskonkordates" - auch
konsequent zu einer Zeit an, da alle wirtschaftlich starken Nationen noch
weit davon entfernt waren, diesen Prinzipien nachzuleben. "Heutzutage",
so konnte deshalb Emminghaus im Jahre 1861, also zu Beginn der allgemeinen Freihandelsära, feststellen, "wo wir Deutschland jedes Mal in zwei
Lager sich spalten sehen, wenn die Frage: ob Schutzzoll, ob Freihandel?
gelegentlich zur öffentlichen Verhandlung kommt - heutzutage hört man in
der Schweiz eine solche Frage gar nicht mehr aufwerfen; sie ist längst entschieden und die schweizerische Volkswirtschaft kann es mit tausend Beweisen erhärten, dass die getroffene Entscheidung gut war."(33) Hier sollen
nicht etwa diese Diskussionen, die besonders in den Dreissigerjahren sehr
intensiv geführt worden waren, nachgezeichnet und analysiert werden (34),
sondern wir müssen uns mit einigen kurzen Streiflichtern begnügen; als
aufschlussreich erweisen sich vor allem die Beobachtungen und Urteile ausländischer Autoren über die freihändlerische Haltung der Schweiz.
Friedrich List, der vehementeste Vorkämpfer des Schutzzolles in Deutschland, wies in seinem Werk "Das nationale System der politischen Oekonomie" (erschienen im Jahre 1841) darauf hin, dass dem Kleinstaat, der über
keine natürlichen Hilfsquellen verfüge, nicht im Besitze der Mündungen
seiner Ströme oder auch sonst nur ungenügend arrondiert sei, gar keine andere Möglichkeit übrigbleibe, als sich vom Schutzzollsystem abzuwenden,
wenn er damit nicht entscheidende Misserfolge erleben wolle (35). Dieser
Ansicht zufolge hätte demnach die Schweiz gar keine Wahl gehabt; aus einer
puren Notwendigkeit hätte sie also eine Tugend gemacht und bilde sich nun
ganz fälschlicherweise etwas ein auf ihre freisinnige Handelspolitik.

Die Frage, ob die von der Schweiz angewandten Grundsätze als ihr Verdienst
besonders zu loben seien oder ob es sich um nichts anderes als um ein
blosses, selbstverständliches Gebot der Nützlichkeit handle, ist wohl kaum
so leicht zu beantworten. Bei der näheren Betrachtung des Problems zeigt
sich aber bald einmal deutlich, dass eine besonders positiv wertende Beurteilung gar nicht von den Schweizern selbst - weder von behördlicher Seite
noch von den betroffenen Wirtschaftskreisen - stammte, sondern ganz eindeutig von den ausländischen Beobachtern, die dabei aber noch andere Zwecke
verfolgten als die blosse Analyse der schweizerischen Volkswirtschaft. Ihnen
ging es vielmehr darum, den blühenden Zustand der Schweiz anderen Staaten
als nachahmenswertes Vorbild vor Augen zu führen, um damit wirksame
Propaganda für einen Durchbruch des Freihandelsprinzips im eigenen Lande
machen zu können.
Der berühmte und vielzitierte Bericht des englischen Unterhausabgeordneten Dr. John Bowring stand deutlich im Zeichen dieser Agitation (36). Im
Jahre 1835 bereiste er die Schweiz und äusserte sich anschliessend enthusiastisch über die erfreulichen Auswirkungen der freihändlerischen Grundsätze auf die schweizerische Volkswirtschaft. Seine Schrift fand in England,

von wo aus die Agitation der Freihändler ihren Ausgang über ganz Europa hinweg nahm, einen nachhaltigen Widerhall und lieferte als die eigentliche "Streitschrift der freihändlerischen Agitation" (37) die Argumente für Peel, Cobden, Bright und andere Vorkämpfer des "free trade movement".
Diesen ausländischen Stimmen (38) gegenüber muten die schweizerischen sehr viel nüchterner an. Das scheint wohl darin seine Ursache zu haben, dass sich in der Schweiz selbst sowohl die Konservativen wie die Liberalen und die Radikalen im wesentlichen einig waren im Urteil über die vorteilhaften Auswirkungen des Freihandels für die Schweiz (39). Auch unter den Industriellen und bei den Handelshäusern war die Ueberzeugung fast allgemein verbreitet, dass der Nichteinmischung des Staates und dem Fehlen von schutzzöllnerischen Massnahmen der Aufschwung und die Konkurrenzfähigkeit der schweizerischen Exportindustrie zu verdanken seien. Vereinzelte Forderungen nach einem Schutzzoll, wie sie etwa gegen das Ende der Dreissigerjahre und anfangs der Vierziger von gewissen notleidenden Industriezweigen oder von einzelnen Sektionen des "Schweizerischen Gewerbevereins" erhoben worden waren, stiessen sofort auf allgemeine, dezidierte Ablehnung und vermochten zu keinem Zeitpunkt die Handelspolitik der einzelnen Kantone oder der Tagsatzung zu beeinflussen (40). (Ueber die schon erwähnte Ausnahme - das Retorsionskonkordat - soll in anderem Zusammenhang Näheres gesagt werden.) Vielmehr blieb die Schweiz - wir sind geneigt zu sagen: wohl oder übel - durch die Dreissiger- und Vierzigerjahre hindurch unentwegt "eine europäische Freihandelsinsel, umringt von hohen, zum Teil unüberwindbaren Zollmauern, aber ohne Waffen, mit denen sie die Nachbarländer zu einer wesentlichen Ermässigung oder gar Niederlegung dieser Handelsschranken hätte veranlassen können" (41).

2. Die Neuregelung des schweizerischen Zollwesens 1848/1850

Bevor wir die Entwicklung der schweizerischen Aussenhandelspolitik unter den Auspizien des neuen Bundesstaates weiterverfolgen können, müssen wir uns näher mit der Neuordnung eines wichtigen Fundamentes dieser Handelspolitik befassen: mit der Schaffung, beziehungsweise Revision, des gesamtschweizerischen Aussenzolltarifes.
Unter den Postulaten der fortschrittlich Gesinnten war bei der Bundesrevision natürlich die Neuordnung (im Sinne einer Zentralisierung und Vereinheitlichung) der Zollfragen ganz obenan gestanden. Wenn man Emil Frey glauben kann, so soll diese Neugestaltung des Zollwesens sogar im Mittelpunkt des Interesses bei der Mehrzahl der Bürger gestanden haben (42). Mag dies vielleicht auch etwas übertrieben sein, so muss man doch gewiss annehmen, dass alles, was mit dem betreffenden Gebiet zu tun hatte, den Bürger tatsächlich finanziell stark berührte und er daher an einer für ihn vorteilhaften, sachgerechten Lösung gewiss einigermassen interessiert war.

Die grundlegenden Richtlinien für das neu zu schaffende Zollgesetz wurden in den Artikeln 23 bis 32 der Bundesverfassung niedergelegt. Diese verfassungsmässige Verankerung der zollpolitischen Grundsätze (mit ziemlich detaillierten Bestimmungen) war als eine besondere Eigenheit des schweizerischen Verfassungswerkes den Verfassungen anderer Staaten weitgehend unbekannt und ist es auch bis in die Gegenwart geblieben (43). Das Zollwesen wurde zur Sache des Bundes erklärt (Art. 23), die Binnenzölle zum grössten Teil gegen Entschädigung aufgehoben und dem Bund die Befugnis eingeräumt, an der Grenze Eingangs-, Ausgangs- und Durchgangszölle zu erheben (Art. 24). Der Art. 25 legte zwar nicht die absolute Höhe der Ansätze fest - das war Gesetzesmaterie - aber doch die Relationen zwischen den einzelnen zu erhebenden Zöllen: beim Import sollten sowohl Rohstoffe wie Lebensmittel möglichst gering belastet werden, während die Luxusgegenstände der höchsten Taxe unterliegen sollten. Transit- und Exportgebühren hielt man so tief wie möglich. In weiteren Artikeln wurden Vorschriften über die Verwendung und Verteilung der Erträge und allgemeine Regeln betreffend Transitfragen usw. aufgestellt.

Diese Grundsätze, die bald darauf einsetzende Arbeit am neuen Zolltarif und die Analyse der Positionen des Tarifes von 1849 (44) zeigen deutlich genug, dass sich die Schöpfer dieser Ordnung von einigen wenigen, klar erkennbaren Grundgedanken leiten liessen:

1) Die Errichtung eines einheitlichen gesamteidgenössischen Zollgebietes war unumgänglich geworden. Mit der Aufhebung der Binnenzölle war ein altes Postulat der Liberalen und eine unentbehrliche Voraussetzung für den weitern Aufschwung der schweizerischen Wirtschaft erfüllt worden. Aber auch gegen aussen, bei allfälligen Vertragsverhandlungen, musste es für die Schweiz natürlich von besonderem Nutzen sein, wenn sie als geschlossenes Zollterritorium auftreten konnte. Dass eine solche Auffassung sehr viel Problematisches und Illusionäres enthielt, darauf wird im Laufe unserer Untersuchung noch bei verschiedenen Gelegenheiten zurückzukommen sein (45).

2) Die Zölle als Haupteinnahmequelle des Bundes (46) sollten keinerlei schutzzöllnerischen Charakter tragen, sondern reine Fiskalgebühren sein (47). Ausfuhr und Durchfuhr würden dabei gemäss den Interessen der gesamten Volkswirtschaft und des Verkehrswesens nur minimal belastet werden; die Schweiz als Exportland par excellence brauchte ja die Ausfuhrzölle bloss zu Kontrollzwecken und zur teilweisen Entschädigung für aufgehobene Binnengebühren (48).

3) Die Einfuhrzölle sollten so wirken, dass sie im wesentlichen einer Einkommenssteuer gleichkamen, d.h. die vermögenden Schichten, die sich in erster Linie die Luxuswaren leisten konnten, sollten auch dementsprechend am stärksten belastet werden, während die unentbehrlichen Rohstoffe der Industrie und die Gegenstände und Waren des täglichen Ver-

brauchs nur geringen Zollansätzen unterworfen wurden (49).

Wie war nun der "Generalzolltarif", der über dreissig Jahre lang in Kraft bleiben sollte, im einzelnen gestaltet worden? Er war eigentlich "sehr einfach in der Anlage" (50), hatte aber als Klassentarif, der alle Waren in drei Kategorien (nach Stück, Wert, Gewicht) eingliederte, auch den Nachteil der Unübersichtlichkeit, da besonders in der Rubrik "vom Gewicht" eine grosse Anzahl von Waren zusammen genommen wurden, die zueinander kaum in irgendwelcher Beziehung standen (51).

Der grösste Teil der Waren fiel in die Kategorie, die nach dem Gewicht taxiert wurde. Die sehr mässigen Ansätze (52) schwankten dabei zwischen 15 Rappen und 15 Franken pro Zentner; der grösste Teil der Waren wurde in die untersten Zollkategorien eingeteilt. Am stärksten belastet wurden Kleider, Schmucksachen, Schokolade, Zigarren, Hüte, Seidenstoffe, Senf, Spitzen, Tee, Uhren, Flaschenweine (53), womit die Forderung auf stärkere Belastung der Luxusgegenstände erfüllt war.

Mit diesem Generaltarif bewaffnet, trat der neue Bundesstaat nun in die handelspolitischen Auseinandersatzungen der nächsten Jahrzehnte ein, wobei sich aber leider sehr bald neben den unbestreitbaren Vorteilen der neuen Regelung auch deren schwerwiegenden negativen Seiten bemerkbar machen sollten.

Wegen der Münzreform vom Jahre 1850 wurde im folgenden Jahr eine Tarifreform notwendig; man nahm jedoch dabei, abgesehen von geringfügigen Erhöhungen einzelner Ansätze und einigen wohltuenden Erleichterungen im Grenzverkehr, keine grundsätzlichen Veränderungen des Tarifs vor.

Ohne grosse Schwierigkeiten spielte sich das neue Zollsystem ein; die Vorteile des nunmehr ungehinderten Binnenverkehrs traten für den Industriellen wie für den einzelnen Bürger viel nachhaltiger als ein Positivum in Erscheinung gegenüber dem Nachteil einer nur geringfügig erhöhten Aussenzollbelastung. Auf die weitere Entwicklung der Industrie, beispielsweise etwa der Baumwollindustrie, hatte der neue Zolltarif einen nur geringen, schwer abzuschätzenden Einfluss (54). Für deren weiteren Aufschwung und die durchgehende Aufrechterhaltung des konsequent angewendeten Freihandelsprinzips waren andere Faktoren massgebender (55): die Ausweitung des Transits durch die Schweiz, die Zunahme des Austausches von Gütern innerhalb der Eidgenossenschaft, das allmähliche Aufkommen des Fremdenverkehrs, der Ausbau des Speditions- und Exporthandels, die ungestörte Kapitalkonzentration für industrielle Zwecke; die Heranbildung einer Arbeiterschaft, die durch ihre Verbindung mit der Landwirtschaft vor den unheilvollen Auswirkungen einer Wirtschaftskrise und dem Absinken in ein Proletariat nach ausländischen Beispielen weitgehend verschont blieb; zudem bewährte sich nun die langjährige Tradition und Erfahrung der Schweizer Industrie, die einer nur geringen Besteuerung unterworfen war in einem Land, das kaum ins Ge-

wicht fallende Militärlasten kannte.
Die Zollreform stellte aber doch einen entscheidenden Schritt im schweizerischen Wirtschaftsleben dar. Bisher hatte es wohl einzelne Wirtschaftsregionen gegeben; aber trotz der Tatsache, dass die Schweiz schon seit dem Ende des 18. Jahrhunderts dasjenige kontinentaleuropäische Land war, das die verhältnismässig stärkste Industrialisierung aufzuweisen hatte, war der anachronistische Zustand der Aufsplitterung in viele kleine Wirtschaftsräume unverständlich lange aufrechterhalten worden. "Mit der Bildung eines einheitlichen Zollgebietes war endlich ein schweizerisches Wirtschaftsgebiet ins Leben getreten" (Bodmer) (56). Wenn es auch wegen der Vielfalt der beteiligten Faktoren schwierig ist, die Wirkung der Komponente "Wirtschaftsraumvergrösserung" gesondert zu betrachten, so darf doch - auf Grund von analogen Fällen (Deutscher Zollverein u. a.) - angenommen werden, dass auch dieser Faktor zum weitern Wachstum der schweizerischen Volkswirtschaft wirksam beigetragen hat (57); in einem Satz zusammengefasst: die Aufhebung der Binnenzölle hat auf die Schweizer Wirtschaft stimulierend gewirkt, während die Neugestaltung des Aussenzolltarifs keine oder nur geringfügige Auswirkungen gezeitigt hat.

3. Die Entwicklung im neuen Bundesstaat

Seit dem Beginn des 19. Jahrhunderts hatte die Eidgenossenschaft in verschiedenen Anläufen, jedoch meist vergeblich, versucht, mit den Nachbarstaaten - vor allem aber mit Frankreich - die Handelsbeziehungen auf eine vertragsmässige Basis zu stellen. Das neue Zollgesetz mit dem dazugehörigen Zolltarif weckte in der Schweiz die Hoffnungen, dass man jetzt ein taugliches Instrument besässe, um diese langgehegten Wünsche nach vertraglichen Regelungen in Erfüllung gehen zu sehen. Die frühere Ohnmacht schien nun überwunden. Zwar hatte dem Bund ja bereits seit der Mediationsverfassung das Recht zum Abschluss von Zoll- und Handelsverträgen mit ausländischen Staaten zugestanden, doch hatte die Tagsatzung diese Befugnis in der Praxis aus den sattsam bekannten Gründen nie wirkungsvoll ausnützen können. In der Bundesverfassung von 1848 war diese Kompetenz in Art. 8 niedergelegt worden. Jetzt führte nicht mehr die von partikularistischen Interessen beherrschte Tagsatzung die Aussenhandelspolitik, sondern eine handlungsfähiges Gremium, der Bundesrat, im Zusammenwirken mit den beiden Kammern (58).
Verfolgen wir nun, ob und welche Erfolge die schweizerische Handelspolitik in den Fünfziger- und zu Beginn der Sechzigerjahre zu verzeichnen hatte.

Die Bereitschaft der Schweiz, gegenüber wertvollen Zugeständnissen einzelner ausländischer Staaten die eigenen Zölle ebenfalls zu senken, hatte für keinen der Staaten des Kontinents einen besondern Anreiz, weil ja eben das Gefälle sehr stark zu Ungunsten der Schweiz verlief. Von Frankreich und

Oesterreich waren ihrer bisherigen Absperrungspolitik gemäss ohnehin keine entgegenkommenden Schritte zu erwarten (59); der Deutsche Zollverein, der seit den Vierzigerjahren seine Zölle sukzessive erhöht hatte und anfangs der Fünfzigerjahre beinahe alle deutschen Staaten (mit Ausnahme von Oesterreich, Mecklenburg und den Hansestädten) umfasste, liess sich zu keinen Vereinbarungen herbei.
Der erste Vertrag, den der junge Bundesstaat abschliessen konnte, wurde am 8. Juni 1851 mit dem Königreich Sardinien vereinbart (60). Es war dabei nicht eigentlich das Verdienst der Schweiz, dass es zu diesem Vertrag kam, der denn auch während der ganzen Fünfzigerjahre die einzige bemerkenswerte Errungenschaft der eidgenössischen Handelspolitik bleiben sollte (61). Cavour hatte sich nämlich nach dem Scheitern seiner militärischen Expansionsversuche im Zeichen einer allgemeinen Liberalisierung - womit er die Gunst der andern italienischen Staaten zu gewinnen hoffte - auch in wirtschaftlicher Beziehung stark von den Prinzipien des Freihandels leiten lassen und seine Aussenhandelspolitik mit verschiedenen Staaten daher neu geregelt. Der Schweiz kam einzig das Lob zu, diese günstige Gelegenheit sofort beim Schopf gepackt zu haben, ohne dass sie selbst aber etwa die Initiative dazu ausgelöst hätte (62). Es bedurfte denn auch nur kurzer Verhandlungen, um den Vertrag unter Dach zu bringen. Die beiden Partnerstaaten gewährten sich neben der gegenseitigen Meistbegünstigungsklausel verschiedene Einfuhrzollermässigungen: Sardinien gegenüber dem schweizerischen Käse, die Schweiz dagegen auf Reis, Fleisch und Teigwaren aus Sardinien.
Der Vertrag brachte der Schweiz in zollpolitischer Hinsicht etwas Neuartiges, nämlich den ersten Differentialzoll, da die Sardinien gegenüber gewährten Ermässigungen nicht etwa verallgemeinert, sondern nur diesem Land gegenüber angewendet wurden. Am Generaltarif wollte die Schweiz nach wie vor festhalten, um ihn gegebenenfalls als "Verhandlungszoll" verwenden zu können; neue Unterscheidungszölle sollten erst aus den Verhandlungen mit andern Ländern resultieren. In seiner Botschaft an die Bundesversammlung nahm der Bundesrat zu dieser Frage ausdrücklich Stellung, indem er erklärte: "Wenn wir nicht, wenigstens für eine Zeitlang, gewisse Unterscheidungszölle eintreten lassen, so wird es uns nicht gelingen, aus unserem Zollsystem alle diejenigen Vorteile zu ziehen, welche es uns zu gewähren vermag, und welche vornehmlich in dem Abschluss vorteilhafter Handelsverträge mit andern Staaten liegen" (63). Eigenartig ist bloss, welchen Illusionen über das Ausmass des Spielraumes bei allfälligen Verhandlungen man sich doch immer noch hinzugeben schien - oder waren es bloss verbale Beteuerungen, welche die ohnmächtige Lage der Schweiz kaschieren sollten?

Der Vertrag enthielt neben einer Sonderregelung der Beziehungen Genfs zu den sardinischen Freizonen auch Bestimmungen über die Niederlassung der Staatsangehörigen beider Länder; mit Ausnahme der sardinischen Israeliten, die vom Vertrag ausgenommen wurden, galt das Prinzip der gegenseitigen

Gleichberechtigung. Die Schweiz verpflichtete sich zudem, nach Möglichkeit das Ihre beizutragen, damit eine Bahn zwischen Sardinien und dem Gebiet des Deutschen Zollvereins errichtet würde.
Dadurch, dass die Bundesversammlung diesem Handelsvertrag, der auch Fragen der Niederlassung betraf, zustimmte, erhielt dieser Akt in bundesrechtlicher Hinsicht den entscheidenden Charakter eines Präzedenzfalles: wenn bisher noch Unklarheit geherrscht hatte über die Frage, ob der Abschluss von Niederlassungsverträgen in den Kompetenzbereich der Kantone oder des Bundes gehörte, so war nun ein für alle Male die Entscheidung zugunsten des Bundes gefallen. Als dann bei den parlamentarischen Debatten anlässlich der Verträge mit Frankreich im September 1864 von einzelnen, stark föderalistisch gesinnten Nationalratsmitgliedern (von Segesser, Philippin) diese Kompetenz des Bundes angefochten wurde, konnte Bundespräsident Dubs zu Recht auf die seit 1848 geübte Praxis hinweisen und damit die Einwände der Föderalisten entkräften (64). Mit dem schweizerisch-sardinischen Vertrag hat diese Praxis ihren Ausgang genommen, wobei eben bei allen Verträgen zwischen 1851 und 1864 die ausländischen Nichtchristen ausdrücklich ausgenommen werden mussten (65). Dies macht wohl deutlich, dass es sich bei den Diskussionen von 1864 nicht nur um Auseinandersetzungen prinzipieller Natur über die Kompetenzabgrenzungen zwischen Bund und Kantonen handelte, sondern eben doch - wenn auch versteckt - um die Gleichberechtigung der Juden (66).
Ueber das Zustandekommen des Vertrages mit Sardinien herrschte sowohl in den Räten wie in den Kreisen von Industrie und Landwirtschaft und in der Oeffentlichkeit eitel Freude und Genugtuung. Die konkreten Zugeständnisse Sardiniens und vor allem die zu erwartenden vorteilhaften Aussichten der Meistbegünstigungsklausel rechtfertigten ja wirklich einen solchen Optimismus und führten denn auch in den kommenden Jahren zu einem erfreulichen Anwachsen des Güteraustausches zwischen beiden Ländern (67).
Leider strahlte das freihändlerische Verhalten Sardiniens nicht als Vorbild auch auf die andern kontinentaleuropäischen Wirtschaftsmächte aus. Das starre Festhalten am Protektionismus durch Frankreich, Oesterreich und den Deutschen Zollverein zeigte nur allzu deutlich, dass die Zeit für einen Umschwung der Anschauungen anscheinend noch nicht reif war. Auch die langsame Abwendung Englands vom Schutzzollsystem fand auf dem Kontinent vorderhand noch keine Nachahmung (68). So ist es kaum verwunderlich, dass es der Schweiz nicht gelingen konnte, die Hoffnung auf weitere Verträge, welcher der Bundesrat in seiner Botschaft anlässlich des Vertrages mit Sardinien Ausdruck gegeben hatte (69), auch zu verwirklichen. Es gab eben zu dieser Zeit das allgemeine Netz von Handelsverträgen zwischen den europäischen Mächten noch nicht, wie es sich dann in den Sechzigerjahren über ganz Europa ausbreitete. Mit Frankreich gelangte die Schweiz nicht weiter als zu einer Regelung über den Grenzverkehr mit dem Pays de Gex im Jahre

1853 [70]. Im Verhältnis zum Deutschen Zollverein trat sogar eine fühlbare Verschlechterung ein; hauptsächlich die süddeutschen, sächsischen und rheinpreussischen Textilindustriellen befürchteten, durch eine Liberalisierung der Einfuhr von der kräftig dastehenden schweizerischen Baumwoll- und Seiden-Industrie erdrückt oder doch empfindlich konkurrenziert zu werden (71). Da sie ihren Einfluss auf die Zollpolitik des Deutschen Zollvereins nachhaltig geltend zu machen wussten, war es für die Schweiz einzig möglich, nur begrenzte Uebereinkommen mit dem Grossherzogtum Baden (1852) und dem Königreich Bayern (1853), in denen Grenz- und Schiffahrtsfragen geregelt wurden, abzuschliessen (72). Im übrigen aber musste sich die Schweiz in ihren wirtschaftlichen Beziehungen gegenüber den Nachbarmächten mit einer abwartenden Haltung begnügen, die Emil Frey folgendermassen charakterisierte: "Da in den Fünfzigerjahren der Gedanke an eine Retorsionspolitik nicht aufkam, konnten sich die schweizerischen Behörden bei ihren Bemühungen sehr in der Geduld üben und mussten manchen Nachteil Jahre hindurch gleichgültig hinnehmen." (73) Einer optimalen Regelung stand allerdings bei den Verhandlungen mit verschiedenen Partnerländern noch etwas anderes als nur gerade die abweisende Haltung dieser Staaten im Wege: die Bestimmung in Art. 41 der Bundesverfassung nämlich, wonach nur den Schweizern christlicher Konfession die freie Niederlassung im Gebiet der ganzen Eidgenossenschaft gewährleistet war, während für Nichtchristen in den verschiedenen Kantonen ganz unterschiedliche Regelungen über die Niederlassung und die Ausübung eines Gewerbes bestanden. Hätte nun die Eidgenossenschaft einen Handels- und Niederlassungsvertrag mit einem ausländischen Staat abgeschlossen (diese beiden "Materien" wurden damals meistens gleichzeitig geregelt), bei dem den nichtchristlichen Angehörigen dieses Staates das freie Niederlassungsrecht in der ganzen Schweiz gewährt worden wäre, so wären damit einerseits die schweizerischen Juden gegenüber den ausländischen Juden benachteiligt gewesen und andererseits hätten solche Abmachungen die Souveränitätsrechte der Kantone berührt.
An diesen Hindernissen wären beinahe die Verträge gescheitert, welche nach langwierigen Verhandlungen mit den Vereinigten Staaten von Amerika und Grossbritannien im Jahre 1855 abgeschlossen werden konnten. Der Beschränkung der Niederlassungsfreiheit auf amerikanische bzw. englische Christen entsprach im Vertrag die Regelung, dass Schweizer in den beiden Staaten sich zwar frei niederlassen durften, aber keine Grundstücke erwerben konnten, ausser wenn es - in den USA - die einzelnen Unionsstaaten erlaubten (74). Beide Verträge, in welche die Meistbegünstigungsklausel aufgenommen wurde, vermochten aber die Vertragskontrahenten nicht völlig zufriedenzustellen. Gegenüber den USA brachte die Zusicherung der Meistbegünstigung ohnehin für die Schweiz nicht viel ein, da die Amerikaner ihre hohen Schutzzölle weiterhin gegenüber allen ausländischen Nationen beibehielten, was aber, wie schon oben erwähnt, die schweizerischen Exportin-

dustrien nicht davon abhalten konnte, den wichtigen, zukunftsträchtigen amerikanischen Markt in stets wachsendem Umfang zu beliefern. Gegenüber Grossbritannien allerdings bedeutete die Meistbegünstigung in dem Masse einen wachsenden Vorteil, als diese Nation immer stärker zur gewichtigen Vorkämpferin des Freihandelsprinzips wurde.
Ein bereits ziemlich weit gediehener Handelsvertrag mit Persien scheiterte aber an den Niederlassungsbeschränkungen der Eidgenossenschaft und wurde den eidgenössischen Räten gar nicht erst vorgelegt (75). Ein für die Schweiz jedoch viel wichtigerer Vertrag mit Holland - die holländischen Kolonien in Hinterindien waren bereits ein bedeutendes Absatzgebiet für die schweizerische Industrie - war im Januar 1863 von den beiden Räten schon genehmigt worden, als aber die zweite Kammer des holländischen Parlamentes wegen der Diskriminierung der Juden den Vertrag zurückwies und die gegenseitige Ratifizierung daher nicht zustandekommen konnte (76).
Während die Regelung mit dem Königreich beider Sizilien, die nur mit grosser Mühe hatte abgeschlossen werden können, der Schweiz bloss geringe Erleichterungen brachte und ausserdem durch das Zustandekommen der italienischen Einigungsbestrebungen bald einmal obsolet geworden war (77), kam es vor dem in verschiedener Hinsicht entscheidenden französisch-schweizerischen Vertragsabschluss noch zu einem Uebereinkommen mit dem Königreich Belgien. Dieses Land war der einzige Staat, der die schweizerischen Erzeugnisse noch mit Unterscheidungszöllen belastete. Verschiedentlich hatte die Schweiz dagegen diplomatische Demarchen unternommen (78); nun, da durch die veränderten Zollverhältnisse (als Folge des französisch-belgischen Vertrages von 1861) die französischen Produkte gegenüber den schweizerischen auf dem belgischen Markt derart im Vorteil waren, dass der Verkauf schweizerischer Seidenstoffe in Belgien in beängstigendem Masse zurückgegangen war, drängte die Eidgenossenschaft seit 1861 auf vertragliche Vereinbarungen, die ein Jahr später abgeschlossen werden konnten. Neben der Meistbegünstigungsklausel gewährte Belgien eine stufenweise Senkung der Zölle auf schweizerischen Importen von Baumwollstoffen und Halbwollstoffen. Es war aber ein Vertrag, " der indessen die Schweiz wenig befriedigte" (79).
So stand nun also die Schweiz zu Beginn der Freihandelsära und vor dem Abschluss eines Vertrages mit Frankreich, dem wichtigsten traditionellen Handelspartner, in sehr verschiedenartigen vertraglichen Verhältnissen mit Sardinien (1851) und den Vereinigten Staaten (1855), Grossbritannien (1855) und Belgien (1862), während handelspolitische Regelungen mit allen andern Staaten entweder an den schweizerischen Niederlassungsbedingungen oder an der starren Schutzzollpolitik der andern Länder gescheitert waren. Erst die allgemeine grosse Wende in der internationalen Handelspolitik, durch Napoleon III. herbeigeführt, ermöglichte es der Schweiz, aus der unangenehm gewordenen Umklammerung und Abschliessung gegenüber den unmittelbaren Nachbarn auszubrechen.

II. Allgemeine Tendenzen in den internationalen Handelsbeziehungen seit den Zwanzigerjahren - Der Durchbruch des Freihandelsprinzips

1. Grossbritannien

Im französischen Senat erklärte im April 1867 der Baron de Butenval, als er einen Rückblick auf die wirtschaftlichen Beziehungen Frankreichs mit den andern Staaten unternahm, in selbstbewusstem Stolz: "La réforme économique restera un des grands titres de ce règne. En 1860, la France se décide à traiter avec l'Angleterre; et le branle est, à l'instant, donné au reste du monde. Toutes les puissances s'abouchent, les barrières s'abaissent, les communications s'établissent... C'est l'arrivée de la France sur le terrain qui a décidé du gain de cette bataille." (80). Also Frankreich als Vorkämpferin, leuchtendes Vorbild und Vollenderin des allgemeinen Sieges des Freihandelsprinzips? Diese Interpretation ist objektiv kaum haltbar, denn sie resultiert aus einer falschen Betrachtungsweise: gewiss hat der Abschluss des Vertrages von 1860, der von französischer Seite angeregt wurde, die Freihandelsära inauguriert; aber dies war - wenn man die ganze Geschichte des Freihandels betrachtet - eigentlich eine recht späte, im wesentlichen auch passive Leistung Frankreichs, das nichts anderes zu tun hatte, als einfach seine bisherige ablehnende Haltung aufzugeben. Das Verdienst, dem Freihandel den Weg gebahnt zu haben, kommt ganz unzweifelhaft den Engländern zu - wenn man von der Schweiz absieht, die leider wegen ihrer Kleinheit und des mangelnden Gewichtes nicht als ein nachzuahmendes Vorbild zu wirken vermocht hatte. Die Feststellung zweier angelsächsischer Autoren über den britischen Anteil an dieser Entwicklung ist daher sehr zutreffend: "Britain's adoption of free trade was one of the turning points in European economic history." (81)

Grossbritannien hat die liberalen Handelsprinzipien natürlich nicht von einem Tag auf den andern adoptiert; der Kampf um die stetige Weiterentwicklung der Ideen und ihre schrittweise Verwirklichung erstreckten sich über ein halbes Jahrhundert hin - anders als in der Schweiz, wo die Freihandelsgrundsätze bald nach 1815 theoretisch mehr oder weniger unbestritten und auch praktisch realisiert waren. Im Jahre 1846, mit der Aufhebung der Kornzölle durch den Ministerpräsidenten Peel, wurde ein ganz wesentlicher Schritt zum Durchbruch des wirtschaftlichen Liberalismus getan (82).

Für den endgültigen Sieg des Freihandels wurden aber diejenigen Zollreformen besonders wichtig, die Gladstone in den Fünfzigerjahren durchsetzte. Bis zum Jahre 1860 beseitigte diese Regierung sämtliche noch bestehenden Schutzzölle; mit Zöllen rein fiskalen Charakters wurden nur noch Waren belastet, die entweder in England selbst nicht erzeugt werden konnten (Südfrüchte, Tabak, Kakao, Tee, Kaffee, Spezereien) oder die auch als landeseigene Produkte gewissen Akzisen oder Stempelabgaben unterworfen waren

(Spirituosen, Spielkarten, Wein), womit also die einheimischen Erzeugnisse keinen Vorsprung gegenüber den importierten genossen (83). Alle agrarischen, gewerblichen oder industriellen Produkte, die in Grossbritannien erzeugt wurden, durften von Ende der Fünfzigerjahre an ohne Zollbelastung aus andern Ländern eingeführt werden. Als ein Land, das sich nun uneingeschränkt dem Freihandel verschrieben hatte, konnte England von einem allgemeinen Umsichgreifen der liberalen Grundsätze nur profitieren und ergriff daher bereitwillig die Hand, welche ihm Kaiser Napoleon III. am Ende der Fünfzigerjahre entgegenstreckte.

2. Frankreich

Unter den Gründen, weshalb Frankreich auch nach dem Zusammenbruch des Napoleonischen Regimes hartnäckig an seiner Schutzzollpolitik festhielt, ja, sie bis in die Vierzigerjahre hinein ständig verschärfte und trotz des Werbens führender französischer Wirtschaftstheoretiker für die freihändlerischen Prinzipien nicht daran dachte, von seiner bisherigen Linie abzugehen, waren wohl die folgenden besonders ausschlaggebend:
Bis weit ins 19. Jahrhundert hinein war Frankreich das menschenreichste aller europäischen Länder; sein innerer Markt war gross genug, um der französischen Wirtschaft genügend Absatz zu gewährleisten und sie dabei auf einen blühenden Stand zu bringen; dadurch, dass sich die Autarkiebestrebungen lange Zeit für die französische Industrie und Landwirtschaft sehr günstig ausgewirkt hatten, erhielt der französische Aussenhandel für ebenso lange Zeit nicht im entferntesten etwa die Bedeutung, die er für Grossbritannien, die Niederlande oder die Schweiz hatte (84). Die ausschlaggebende Mittelschicht, das konservative Bürgertum, verhinderte im Verein mit den Vertretern der Agrarinteressen, die im Parlament besonders Gewicht besassen, jedes Aufgehen des staatlichen Schutzes, an den sie sich nun einmal gewöhnt hatten. Nicht nur durch Prohibitivzölle, sondern auch durch zahlreiche Einfuhrverbote oder -beschränkungen (85) schloss sich das Land ab. "Frankreich wurde das Land des ausgesprochenen Solidarschutzes mit Verboten und sehr hohen Zöllen, die in den Vierzigerjahren noch eine wesentliche Verstärkung fanden." (Eulenburg) (86)
Seit der Mitte der Vierzigerjahre aber, mit dem Vormarsch des Freihandels in England, begannen sich auch in Frankreich wenn noch nicht die Anschauungen, so doch die Verhältnisse langsam umzuformen, die zu einer Abkehr von der bisherigen wirtschaftspolitischen Linie zwangsläufig beitragen mussten, wie sehr sich auch die konservativen Kreise weigerten, von dieser Entwicklung Kenntnis zu nehmen. Der allgemeine weltweite Wirtschaftsaufschwung, angeregt durch neue Goldfunde in Kalifornien und Australien, die immer weiter fortschreitende Verbesserung der Verkehrsmittel, die tiefgreifenden sozialen Umschichtungen und Strukturverschiebungen, das Aufkommen von neuen, tonangebenden Schichten (Industrielle, Kaufleute, selb-

ständige Gewerbetreibende, Gelehrte), der Abbau der letzten Reste einer
zünftischen Gewerbepolitik, das Zurücktreten der agrarischen Interessen
vor denen der erstarkten Industrie, die langsam den Wert fremder Absatzmärkte einzusehen lernte - dies alles schuf auch in Frankreich die Voraussetzungen für einen Gesinnungswandel (87).
Gegen die Jahrhundertmitte traten speziell für Frankreich zwei Tatsachen
noch besonders in Erscheinung: zum einen nahm die Landflucht immer stärker zu, zum andern stagnierten die Bevölkerungszahlen; so sank Frankreichs
Anteil an der europäischen Bevölkerung, der ums Jahr 1770 noch 20 Prozent
betragen hatte, bis zum Jahre 1850 auf 10 Prozent (88). Diese relative Be-
völkerungsarmut schwächte natürlich Frankreichs wirtschaftliches Gewicht
im internationalen Rahmen.
Für die Abkehr Frankreichs vom Protektionismus waren aber doch nicht so
sehr diese objektiven Tatsachen ausschlaggebend, sondern in entscheidender
Weise das ganz persönliche Interesse und Engagement des Kaisers Napoleon
III. Er war während seines Exils in Grossbritannien mit den Verfechtern der
freihändlerischen Prinzipien in Berührung gekommen und war nach seiner
Thronbesteigung unbeirrbar darangegangen, gegen alle sich ihm entgegen-
stellenden Widerstände sein Land auf diesen Kurs zu bringen (89). Sein schein-
bar planloses, in gewissen Zeitabständen wiederkehrendes Vorprellen in
diesen Fragen, die halben oder vollständigen Rückzüge, das Ausweichen auf
Nebengeleise, das Verschleiern seiner wahren Absichten, schliesslich das
überraschende Vorgehen zu Beginn des Jahres 1860, wo nun die Katze aus
dem Sack gelassen und Industrie, Landwirtschaft und breite Oeffentlichkeit
mit einem Schlag vor ein fait accompli gestellt wurden, zeigen beispielhaft
den Charakter und die politische Handlungsweise des zweiten Franzosenkai-
sers, der damit die Handelspolitik seines Reiches, die noch sein Onkel begründet hatte, völlig umkrempelte. Auch als Kaiser blieb ihm immer noch
etwas vom Verschwörer der frühen Jahre; doch war er eben gerade deshalb
fähig, über lange Zeit hinweg eine Idee, die er für richtig anerkannt hatte,
mit erstaunlicher Beharrlichkeit weiterzuverfolgen: " Il n'abandonnait jamais
ses projets, mais les mettait silencieusement en réserve, et souvent les ti-
rait de l'ombre quand nul n'y pensait plus." (90)
Napoleon III. hatte nun aber nicht etwa, trotzdem er sich häufig und gern mit
seinem Wirtschaftsberater Michel Chevalier unterhielt, bestimmte festum-
rissene nationalökonomische Vorstellungen; dazu besass er auch zu wenig
Sachkenntnis (91). Viel stärker als rein wirtschaftliche Ueberlegungen waren
für ihn aussen- und innenpolitische Gründe massgebend, als er den steten
Kurs auf den Freihandel und vor allem dann auf eine Annäherung an Grossbritannien verfolgte. Unter diesen Ueberlegungen war besonders stark das
Anliegen des Kaisers, durch die Förderung des Aussenhandels die Waren-
preise in Frankreich zu senken und die Arbeitslöhne in die Höhe zu bringen,
um so dem auf unsicheren Beinen stehenden Regime die Unterstützung durch

die breiten Arbeitermassen zu sichern; dieser Gedanke traf sich mit seinem gewiss echten Bedürfnis "d'améliorer le sort des classes pauvres." (92)
Noch vor der Wiederaufrichtung des Kaiserreiches war Michel Chevalier, der bedeutendste Vorkämpfer des Freihandels in Frankreich, von Louis Napoleon zum Mitglied des Conseil d'Etat ernannt worden (93), wo er eine ausschlaggebende Rolle bei der Gestaltung der Handels- und Zollpolitik spielen konnte. Eine sehr folgenreiche legislative Aenderung brachte nach der Proklamation des Kaiserreiches ein Senatsbeschluss vom 25. Dezember 1852, kraft dessen der Kaiser die alleinige Kompetenz erhielt, Handelsverträge mit ausländischen Staaten abzuschliessen (mit Zolltarifänderungen und Einfuhrverbotsrevisionen), ohne dabei das Parlament konsultieren zu müssen (94). Damit war dem Kaiser ein wichtiges Instrument in die Hand gegeben, um seine freihändlerischen Pläne auf dem Umweg über aussenpolitische Vereinbarungen zu realisieren. Diese Kompetenz des Kaisers bzw. seiner bevollmächtigten Delegierten wirkte sich ja dann auch im Sommer und Herbst 1864 beim Abschluss des schweizerisch-französischen Vertrages aus: während in der Schweiz die Vereinbarungen noch der parlamentarischen Beratung und Genehmigung unterworfen werden mussten, war dies auf französischer Seite nicht mehr nötig.
Die nächsten Jahre, von 1852 bis 1855, brachten in Frankreich vorerst nur bescheidene Erfolge für die Freihandelspartei. Erst nach und nach, gegen ein widerstrebendes Parlament, wurden die Zölle auf verschiedenen Lebensmitteln, Vieh, Frischfleisch und Spirituosen, später auch auf Kohle, Gusseisen, Stahl und Maschinen herabgesetzt (95). Dies wurde aber von Napoleon III. nur als das Vorspiel zu einer weiterreichenden Reform betrachtet.

Nach dem grossartigen Abschneiden Frankreichs auf der Pariser Weltausstellung von 1855 erhielten die Verfechter der liberalen Prinzipien neuen Wind in ihre Segel. Im folgenden Jahre (am 9. Juni 1856) wurde im Corps législatif von der Regierung, die nun zu einem neuen Vorstoss die Zeit reif glaubte, eine Gesetzesvorlage eingebracht, welche alle bestehenden Einfuhrverbote aufheben sollte; an deren Stelle waren hohe Schutzzölle vorgesehen (96). Sofort erhob sich eine mächtige Opposition, ausgehend von den Vertretern der Eisen- und Spinnereiindustrie, die befürchteten, der englischen Konkurrenz nicht standhalten zu können. Als sich der Widerstand gegen den Gesetzesvorschlag über das gesamte Land ausbreitete, wagte die kaiserliche Regierung es nicht, weiterhin darauf zu bestehen und ihre gegenwärtige Popularität aufs Spiel zu setzen. Sie zog deshalb die Vorlage mit dem Versprechen, die Sache einige Jahre ruhen zu lassen, zurück (97). Der Kaiser und seine Berater, durch diesen Misserfolg gewarnt, hielten jedoch gleichwohl an der Richtigkeit des eingeschlagenen Kurses fest; es schien ihnen aber taktisch klüger, in Zukunft anders vorzugehen (98).

3. Der britisch-französische Vertrag von 1860

Nur indem sich Frankreich durch handelsvertragliche Abmachungen Grossbritannien annäherte - davon überzeugten sich Napoleon III. und seine wirtschaftlichen Berater in den Jahren nach dem Rückschlag von 1856 - konnte der innerfranzösische Widerstand gegen eine Oeffnung zum Freihandel hin überwunden - oder eigentlich: umgangen werden. Des Kaisers persönliche Bindungen an England, die engen Beziehungen zwischen den führenden britischen und französischen Freihändlern und die aussenpolitischen Erfolge des Second Empire, die Napoleons Selbstbewusstsein und seine Stellung innen- und aussenpolitisch gestärkt hatte, erleichterten zwar die Aufnahme von Kontakten mit Grossbritannien, doch war gerade in den Jahren 1856 bis 1859 die Stimmung dort eher frankreichfeindlich. Erst Palmerstons Rückkehr an die Macht, verbunden mit der Tatsache, dass der neue Premierminister auf die Unterstützung durch die sog. "Manchesterschule" (Cobden und Bright) angewiesen war, schuf die endgültigen Voraussetzungen dafür, dass sich auch die englische Seite zu Verhandlungen bereitfand (99).
Diese begannen, auf französischer Seite von Michel Chevalier und den Ministern Rouher und Fould, auf englischer Seite von Richard Cobden (100) geführt, im Oktober 1859 in einer Sphäre völliger Geheimhaltung in Paris. Bereits nach kurzer Zeit kam es zum Abschluss eines Abkommens, das aber der französischen Oeffentlichkeit zuerst noch vorenthalten wurde (101).

Bevor der Vertrag veröffentlicht wurde, unternahm der Kaiser am 15. Januar 1860 nämlich einen überraschenden Schritt: er liess im "Moniteur" einen Brief erscheinen, den er am 5. Januar des gleichen Jahres an Finanzminister Fould geschrieben hatte und der eine fundamentale Darlegung seiner gesamten wirtschaftlichen Prinzipien und die Pläne für die französische Wirtschaftspolitik des nächsten Jahrzehnts enthielt (102). Noch vier Jahre später - dies vermag zu zeigen, welchen Widerhall dieser Proklamation beschieden war - sprach der Bundesrat in seiner Botschaft an die Bundesversammlung betreffend die Verträge mit Frankreich "vom bekannten Programm des Kaisers vom 5. Januar 1860." (103)
Es bezeugte deutlich den Willen Napoleons, die Opposition der Protektionisten nun ein für allemal zu brechen; der Brief sollte die Oeffentlichkeit auf die Bekanntmachung des eben abgeschlossenen Vertrags vorbereiten.
In einem ersten allgemeinen Teil betonte der Kaiser, dass es unbedingt notwendig sei, die Mittel zum Austausch im innern und äussern Handel zu vervielfältigen; er sang das Lob der Konkurrenz als des besten Stimulationsmittels und verwarf die bisherigen restriktiven Einfuhrregelungen, die sich auf die Landwirtschaft und die Industrie unheilvoll ausgewirkt hätten. Was im einzelnen jetzt geplant sei, umriss er mit folgenden Worten:
" - Suppressions des droits sur la laine et les cotons;
  - Réduction successive sur les sucres et les cafés;

- Amélioration énergiquement poursuivie des voies de communication;
- Réduction des droits sur les canaux, et par suite abaissement général des frais de transport;
- Prêts à l'agriculture et à l'industrie;
- Supressions des prohibitions;
- Traités de commerce avec les puissances étrangères.

Par ces mesures, l'agriculture trouvera l'écoulement de ses produits; l'industrie, affranchie d'entraves extérieures, aidée par le gouvernement, stimulée par la concurrence, luttera avantageusement avec les produits étrangers, et notre commerce, au lieu de languir, prendra un nouvel essor." (104) Die Verwirklichung dieses Programms, das wurde sowohl in Frankreich wie in ganz Europa sofort begriffen, musste weitreichende, beinahe revolutionäre Folgen nach sich ziehen. Seit den Berliner Dekreten von 1806, so urteilt Levasseur, sei in der Geschichte der französischen Zollgesetzgebung kein Akt erfolgt, der solch rasche Auswirkungen auf den Wirtschaftszustand des Landes verursacht habe (105). Kein Wunder allerdings, dass die betroffenen Industriellen in ganz Frankreich lebhaft dagegen protestierten; diesmal aber trat der Kaiser keineswegs mehr den Rückzug an, sondern lehnte es sogar kurzerhand ab, die Protektionisten in Audienz zu empfangen. Unterdessen wurde nun am 23. Januar 1860 der "Cobden-Chevalier-Vertrag" unterzeichnet und bald darauf von beiden Regierungen ratifiziert (106).

Welche Bestimmungen enthielt dieses Uebereinkommen, das nicht nur die Freihandelsära einleitete, sondern auch als Modell diente für die meisten der Abkommen, die Frankreich in der Folge mit vielen andern Nationen - so auch mit der Schweiz - schloss (107)? Wir greifen hier neben den wichtigsten Neuregelungen vor allem diejenigen Bestimmungen heraus, die im schweizerisch-französischen Vertrag in gleicher oder ähnlicher Form wieder auftauchen werden:

Die bisherigen französischen Einfuhrverbote wurden gegenüber dem Vertragspartner stillschweigend fallengelassen; dies bedeutete eine stille Revolution im französischen Aussenhandel, die sich bald einmal für Frankreich und Europa als segensreich erweisen sollte.

Für die französischen Einfuhrzölle wurde folgendes festgelegt: auf Textilerzeugnissen aus England (Garnen, Geweben etc.) sollten während des ersten Jahrfünfts Wertzölle von 30 Prozent, im zweiten Jahrfünft solche von 20 Prozent erhoben werden; die gleichen Ansätze galten auch für Eisen, Gusseisen, Stahl, Maschinen und Werkzeuge (Artikel I) (108). Englische Kohle und Koks sollten bei der Einfuhr nach Frankreich mit den halben bisherigen Zöllen belastet werden; für später sah man weitere Reduktionen vor (Artikel II). Mit diesen Konzessionen von französischer Seite wurde erstmals seit langer Zeit der französische Markt für eine grosse Anzahl englischer Erzeugnisse geöffnet.

Noch besser stand es für die französische Ausfuhr nach Grossbritannien:

mit ganz wenigen Ausnahmen (Wein, Spirituosen etc.) konnten die französischen Produkte - dies war schon seit den Gladstoneschen Zollreformen der Fall gewesen - weiterhin zollfrei eingeführt werden (Artikel V). Für die französischen Weine wurden besondere Regelungen getroffen (Artikel VI-VIII). In Artikel IX wurde beiden Partnerstaaten zugestanden, dass sie für den Fall, dass ein einheimisches Produkt mit einer Verbrauchssteuer belegt würde, das betreffende importierte Produkt mit einer Eingangsgebühr belasten dürften, damit das einheimische Erzeugnis nicht benachteiligt wäre. Diese Regelung werden wir auch im schweizerisch-französischen Vertrag finden. Ausser verschiedenen technischen Bestimmungen über Geltungsbereich, Aufschubfristen usw. (Artikel X - XVIII) war im Artikel XIX die Meistbegünstigungsklausel enthalten, die mehr noch als alle andern Bestimmungen des Vertrages für viele spätere Abkommen zum Modell werden sollte:"Chacune des deux Hautes Puissances contractantes s'engage à faire profiter l'autre Puissance de toute faveur, de toute privilège ou abaissement dans les tarifs de droits à l'importation des articles mentionnés dans le présent traité, que l'une d'elle pourrait accorder à une tierce Puissance. Elles s'engagent en outre à ne prononcer l'une envers l'autre aucune prohibition d'importation ou d'exportation qui ne soit en même temps applicable aux autres nations." Durch diese Bestimmung wurde die Wirkung der konkret gewährten Konzessionen noch potenziert, der Wert des Handelsvertrages damit entscheidend gesteigert; "gleich einem elektrischen Funken" (109) sprang von nun an diese Meistbegünstigungsklausel von Nation zu Nation und bewirkte einen rapiden allseitigen Zollabbau (110). Kaum einer der Verträge, die in den Sechzigerjahren zwischen den meisten europäischen Nationen vereinbart wurden, enthielt diese Klausel nicht (111).
Die Dauer des Vertrages wurde auf zehn Jahre festgelegt (Artikel XXI); er sollte darüber hinaus in Kraft bleiben, wenn er nicht zwölf Monate vor Ablauf der zehn Jahre von einer Partei gekündigt wurde, und so fort, Jahr für Jahr. Die Möglichkeit einer Revision "d'un commun accord" war jederzeit gegeben.

Durch den Vertrag, das muss hier ausdrücklich festgehalten werden, hatte Frankreich also nicht etwa das integrale Freihandelsprinzip adoptiert, sondern nur einen entscheidenden Schritt in dieser Richtung gemacht, dem bald weitere folgen sollten; England hingegen hatte nichts anderes zu tun gehabt, als seine bisher einseitige liberale Praxis in einem Handelsvertrag gegenüber einem wichtigen Partnerland niederzulegen.

Die öffentliche Meinung, die betroffenen Wirtschaftskreise und das Parlament in Frankreich, die vom Inhalt des Vertrages vorerst nur durch den Umweg über London Kenntnis erhielten (112) waren völlig überrumpelt worden und mussten sich wohl oder übel mit den vollendeten Tatsachen abfinden. Wie es das "Programm vom 5. Januar" vorsah, wurde in der Folgezeit die In-

dustrie, die nun dem etwas rauheren Klima der Konkurrenz ausgesetzt war
- obschon der Vertrag für Frankreich ja noch nicht den letzten Schritt zum
vollständigen Freihandel gebracht hatte - mit staatlichen Anleihen in den
Stand gesetzt, sich den neuen Gegebenheiten und Bedürfnissen anzupassen.
Für die Bestreitung dieser ausserordentlichen Ausgaben kam es der französischen Regierung sehr zustatten, dass aus dem Vorjahre von den 500 Mio.
Franken, welche das Anleihen für den Krieg in Italien eingebracht hatte, wegen der kurzen Dauer des Feldzuges noch 160 Mio. Franken übriggeblieben
waren, die jetzt zur Durchführung des Reformprogrammes ausgegeben werden konnten (113). Im übrigen ist es schwierig, sich über die konkreten Auswirkungen des britisch-französischen Vertrages für unser Nachbarland ein
klares Bild zu verschaffen (114), da die weitere wirtschaftliche Entwicklung
durch viele andere Ereignisse stark beeinflusst wurde, so z.B. einerseits
durch den Amerikanischen Bürgerkrieg, der ein völliges Versiegen der Baumwollieferungen mit sich brachte und anderseits durch den baldigen Abschluss
von weiteren Verträgen zwischen Frankreich und andern europäischen Ländern (mit Belgien am 1. Mai 1861, mit dem Deutschen Zollverein am 2. August 1861 usw.).
Wenn sich also der Einfluss der einzelnen Faktoren in ihrer Wirkung auf die
französische Wirtschaft nicht genau nachweisen lässt, so kann man doch
gleichwohl festhalten, dass die Sechzigerjahre für Frankreich eine Zeitspanne
des allgemeinen ökonomischen Aufschwunges waren (115), für dessen Zustandekommen man sicher den Anteil des Cobden-Chevalier-Vertrages als gewichtig veranschlagen muss. Viel wichtiger und folgenreicher war jedoch die
Wirkung auf die internationale Handelsvertragspolitik. Im Jahrzehnt von 1860
bis 1870 wurden ungefähr 120 Verträge abgeschlossen, die alle dem einen
grossen Modell mehr oder weniger nachgebildet waren (116).

III. Die schweizerisch-französischen Handelsbeziehungen seit der Auflösung
des Ancien Regimes

1. Die Verhältnisse bis 1848

Die Grundlage für die eidgenössischen Handelsprivilegien in Frankreich und
die gegenseitigen wirtschaftlichen Beziehungen ganz allgemein bis zum Ende
der Alten Eidgenossenschaft bildeten die einschlägigen Bestimmungen des
Ewigen Friedens vom 29. November 1516 [117]. Es waren blosse Rahmenartikel, innerhalb derer sich die Tätigkeit der schweizerischen Kaufleute in
Frankreich entfalten konnte. Nach der letzten Allianz der Alten Eidgenossenschaft mit Frankreich von 1777 scheiterte der Versuch, die handelspolitischen
Probleme vertraglich genauer zu fixieren, an der Uneinigkeit der eidgenössischen Orte und dem mangelnden Willen Frankreichs zu einer solchen vertrag-

lichen Regelung (118). Die französische Revolution, vor allem aber der Einmarsch der französischen Invasionsarmee in die Schweiz bereiteten dem alten Zustand ein jähes Ende. Die Beziehungen zwischen dem revolutionären Frankreich und ihrem Vasallen gestaltete sich fortan völlig nach dem Diktat des Stärkeren. In der aufgezwungenen Offensiv- und Defensivallianz vom 19. August 1798 wurde im Artikel 15 zwar festgelegt: " Il sera incessamment conclu entre les deux Républiques un Traité de Commerce basé sur la plus complète réciprocité d'avantages. En attendant, les citoyens des deux Républiques seront respectivement traités comme ceux des Nations les plus favorisées. " (119) Doch beides - die hier erstmals in den schweizerisch-französischen Beziehungen auftauchende Meistbegünstigungsklausel und der für sofort in Aussicht gestellte Handelsvertrag - blieben nichts als leere Versprechen (120). Die Verhandlungen für einen Vertrag kamen überhaupt nie richtig in Gang, hingegen musste die Helvetische Republik jährlich zu übersetzten Preisen 250'000 q Salz aus Frankreich beziehen (121). Eine schier unerträgliche Belastung bildeten ausserdem die hohen Kontributionen an die französischen Besatzungsarmeen (122). Frankreich senkte auch keineswegs etwa die hohen Zölle gegenüber der Schweiz, sondern schloss die schweizerischen Konkurrenzwaren weiterhin durch Einfuhrverbote oder Prohibitivzölle von seinen Märkten aus, während andererseits die Schweiz für die französischen Waren beinahe ungehindert offenstand.

Die Position der Schweiz schien sich mit dem Inkrafttreten der Mediationsverfassung und durch den Abschluss der Defensivallianz vom 27. September 1803 zu bessern. Wiederum wurde in Handelssachen der Grundsatz der gegenseitigen Meistbegünstigungsklausel proklamiert und ein "Handelsreglement" in Aussicht genommen. Bald fiel der erste Rauhreif auf die neuerwachten schweizerischen Hoffnungen. Schon am 6. Brumaire des Jahres 12 (29. Oktober 1803) erhöhte Frankreich nämlich die Zölle auf Baumwollwaren jeder Art (123). Die Kontinentalsperre warf bereits ihre Schatten vorauf. Diese Massnahme war deutlich gegen die englische Baumwollindustrie gerichtet, doch sie zog damit gleichzeitig selbstverständlich auch den damals wichtigsten Exportzweig der Schweiz, die ostschweizerische Textilindustrie, arg in Mitleidenschaft. Alle noch so hartnäckig betriebenen Versuche, Frankreich zu einer Revision seiner Haltung gegenüber der Eidgenossenschaft zu bewegen, scheiterten an der unnachgiebigen Einstellung des Ersten Konsuls. Es wurde im Gegenteil nur noch schlimmer: 1805 erhöhte das Kaiserreich die Zollansätze für Baumwollwaren auf das Doppelte; im folgenden Jahre schliesslich wurde ein vollständiges Einfuhrverbot für Baumwollwaren erlassen und die Schweiz dem Kontinentalsystem angeschlossen. Der einzige Exportmarkt für die schweizerische Textilindustrie blieb während der Zeitspanne bis zu Napoleons Sturz Deutschland, doch hatten die unsicheren Zeiten während der häufigen Kriegswirren und das Ausbleiben aller Rohstoffe aus England oder Uebersee für die schweizerische Volkswirtschaft ganz ver-

heerende Folgen: viele Exportfirmen mussten liquidiert werden; Bankrotte, Arbeitslosigkeit und sogar Hungersnöte wurden immer häufiger. So erreichte die schweizerische Aussenwirtschaft in der Zeit der Kontinentalsperre einen derartigen Tiefstand wie er kaum je vorher oder nachher zu verzeichnen gewesen ist (124).
Und doch hatte dieser Tiefstand, nicht nur seine negativen Seiten: er spendete nämlich auch die Impulse, die zu einem erneuten Aufschwung der schweizerischen Industrie den Anstoss verliehen. Durch den völligen Ausschluss der englischen Konkurrenz vom europäischen Absatzgebiet wurde es der Schweiz möglich, sich durch einen raschen, von anerkennenswert kühnem und regem Unternehmergeist getragenen Uebergang zur mechanischen Baumwollverarbeitung die Basis zu schaffen für den Aufbau der modernen schweizerischen Industrien überhaupt (125). Das Kontinentalsystem mit seinem unfreiwilligen Erziehungsschutz scheidet so deutlich zwei Epochen der schweizerischen Wirtschaftsgeschichte voneinander: von hier aus nahm die Epoche des Maschinenzeitalters in der Schweiz ihren Ausgang.
Der Zusammenbruch des Kontinentalsystems brachte neben der Ueberschwemmung des europäischen Kontinentes mit englischen Waren aus den lange angestauten Lagern zu Schleuderpreisen (126) für die Eidgenossenschaft auch eine zollpolitische Neuheit: die Tagsatzung setzte auf den 1. Dezember 1813 einen neuen eidgenössischen Grenzzolltarif in Kraft. Es war der "erste ganz aus eigener schweizerischer Initiative entstandene" (127) Zolltarif. Seine niedrigen Ansätze und die Tatsache, dass sehr viele lebenswichtige Einfuhrgüter zollfrei geblieben waren, zeigten aber deutlich, dass damit vorwiegend fiskalische Zwecke verfolgt wurden (128). Doch diesem sehr bescheidenen Zollansatz blieb keine lange Lebensdauer beschieden. Besonders die ostschweizerischen Textilindustrien befürworteten schon sehr bald dessen Aufhebung, indem sie es als wünschenswert bezeichneten, dass die Rohstoffe ohne Zollbelastung eingeführt werden konnten und sie sich ausserdem auch durchaus stark genug fühlten, um auf den Zollschutz für industielle Halb- und Fertigfabrikate verzichten zu können. Dieser freiwillige Verzicht auf jede Protektion durch die schweizerische Industrie selbst verdient besondere Beachtung, vor allem auch, wenn man die Haltung ausländischer Industrieller damit vergleicht. Dieser Verzicht auf Zollschutz ist daher auch schon geradezu als "Markstein auf dem Entwicklungsweg der schweizerischen Aussenhandelspolitik" (129) bezeichnet worden.
Auf den 31. Juli 1814, nach nur achtmonatiger Geltungsdauer, hob die Tagsatzung denn auch den Grenzzolltarif vom Dezember des Vorjahres wieder auf (130). "Dem schweizerischen Handel war damit die ungestüm zurückverlangte, vollständig freie Bewegung wieder zuteilgeworden, und er mochte nun zusehen, wie er sich dabei in den neuen Verhältnissen zurechtfand " (Wartmann) (131). Durch die rapid zunehmende Mechanisierung stärker geworden, überstand die ostschweizerische Textilindustrie nicht nur die Krisenjahre

von 1816/17 ohne Schaden, sondern konnte sich zur gefährlichen Konkurrentin der englischen Textilindustrie, besonders in der Produktion von Baumwollgarnen, entwickeln (132).

Als man sich in der Schweiz der Illusion hingab, dass der Wechsel von der napoleonischen zur bourbonischen Monarchie auch eine Abkehr vom bisherigen rigorosen Protektionismus mit sich bringen würde, folgte die Ernüchterung und Enttäuschung sehr bald (133). Nichts lag der restaurierten Monarchie so fern wie eine Hinwendung zu freihändlerischen Prinzipien! Der Hochschutzzoll wurde als das alleinige Mittel angesehen, um die französische Industrie, die sich während der Kontinentalsperre wie in einem Treibhaus hatte entwickeln können (134), vor der starken englischen Konkurrenz zu schützen. Die Zollgesetze der Bourbonenmonarchie (das erste vom 17. Dezember 1814, dann ein noch schärfer gefasstes vom 28. April 1816) schlossen die schweizerischen Textilerzeugnisse völlig vom französischen Markt aus.

Bei den Verhandlungen um den Abschluss von Militärkapitulationen zwischen Frankreich und der Schweiz, d.h. den einzelnen Kantonen, schien es eine Zeitlang noch möglich, für die schweizerischen Handelsinteressen einige Konzessionen auszuhandeln. Nachdem aber die Kapitulationen unter Dach waren (135), ohne dass Frankreich konkrete Handelsvorteile gewährt hatte, gingen die französischen Diplomaten später auf die Wünsche der Schweiz nach einer vertraglichen Regelung oder nach einer Reduktion der hohen Zollansätze überhaupt nicht mehr ein. Zum kläglichen Scheitern der schweizerischen Bemühungen hatte ausser dem von der Natur vorgegebenen Uebergewicht des Grossstaates über den kleinern Nachbar vor allem folgendes beigetragen: zum einen der Umstand, dass die Militärkapitulationen von den einzelnen Kantonen abgeschlossen wurden, während handelspolitische Verhandlungen von der Tagsatzung hätten geführt werden müssen. Da sich unter den Kantonen aber kein einheitlicher Wille über das Vorgehen bei den Verhandlungen mit Frankreich bilden konnte, war es für die französischen Unterhändler ein Leichtes, diese taktische Ueberlegenheit voll zu ihren Gunsten auszunutzen (136). Zum andern war aber die Eidgenossenschaft natürlich insofern auch in einer ungünstigen Verhandlungsposition, als sie wegen des Fehlens jeglicher Grenzzölle nicht imstande gewesen wäre, eine Taktik des Gebens- und-Nehmens anzuwenden, ohne die nichts erreicht werden konnte. Sie blieb so wirklich auf die Gnade Frankreichs angewiesen - doch diese Gnade wurde ihr eben nun nicht gewährt.

Von diesen beiden belastenden Faktoren verschwand der erste mit der Bundesrevision von 1848, während der negative Aspekt der freihändlerischen Haltung - die Unmöglichkeit, Tarifkonzessionen als eine entgegenkommende Geste gewähren zu können - sich für die schweizerische Handelspolitik wie ein roter Faden durch das ganze 19. Jahrhundert bis in die Achzigerjahre hinzog. Dass aber in der Schweiz während der Restaurationszeit auch angesichts dieses

Handicaps niemand ernsthaft daran dachte, vom Prinzip des Freihandels abzuweichen, nur um sich dadurch bessere Verhandlungspositionen zu verschaffen, darf als ein erfreuliches Zeichen dafür angesehen werden, dass man nicht um kurzfristiger Vorteile willen die unabdingbaren Grundlagen und Voraussetzungen für eine Expansion auf weite Sicht zerstören wollte (137).

Der Zustand der völligen Grenzzollfreiheit (wir können hier für unsere Zwecke das dornenvolle Problem der Binnenzölle beiseite lassen) seit der Aufhebung des ersten eidgenössischen Grenzzolltarifs auf den 31. Juli 1814 wurde durch die Regelung der Zollverhältnisse im Bundesvertrag erneut revidiert. Artikel 3 sah für die Finanzierung der neugeschaffenen Kriegskasse vor: "Zur Bildung dieser Kriegskasse soll eine Eingangsbebühr auf Waren gelegt werden, die nicht zu den notwendigsten Bedürfnissen gehören.

Diese Gebühren werden die Grenzkantone beziehen und der Tagsatzung alljährlich darüber Rechnung ablegen.

Der Tagsatzung wird überlassen, sowohl den Tarif dieser Eingangsgebühr festzusetzen, als auch die Art der Rechnungsführung darüber, und die Massnahmen zur Verwahrung der bezogenen Gelder, zu bestimmen " (138).

Gestützt auf diesen Artikel erliess die Tagsatzung anfangs August 1816 eine Vollziehungsverordnung, in der festgelegt wurde, welche Einfuhrgüter zu den "notwendigen Bedürfnissen" gehörten (139); alle andern Güter wurden, ob für die Durchfuhr, den Zwischenhandel oder den internen Verbrauch bestimmt, mit einer Abgabe von einem oder zwei Batzen (dem sogenannten "Grenzbatzen") belegt. Die geringe Höhe der Gebühr und die Liste der befreiten Güter machen deutlich, dass es sich bei diesem Zoll um eine rein fiskalische Kontrollgebühr handelte; jedes Merkmal eines Schutz- oder Kampfzolles fehlte vollständig (140).

Zu Beginn der Restaurationsepoche hatte sich Frankreich noch damit begnügt, bloss seine Industrie gegen die ausländische Industrie abzuschirmen. Eingangs der Zwanzigerjahre erhielten jedoch die agrarischen, ungehemmt protektionistisch eingestellten Kräfte im französischen Parlament immer stärker die Oberhand. Neben einem Einfuhrverbot auf Seidengeweben (im Jahre 1820) wurden die Zollsätze auf Käse um 25 Prozent erhöht, was besonders die Interessen des Kantons Freiburg empfindlich traf. Zwei Jahre später erliess Frankreich ein neues Zollgesetz (nach Scheven war dies der "Höhepunkt der protektionistischen Gesetzgebung in der Restaurationszeit " (141)), durch welches die prohibitiven Zollmassnahmen auch auf die landwirtschaftlichen Produkte ausgedehnt wurden.

Diese neuen Massnahmen schreckten die schweizerischen Kantone auf. Die kurze, letztlich sehr unrühmliche Episode des "Retorsionskonkordates" konnte aber nur wieder bestätigen, was schon zu Beginn der Restaurationsepoche zu Tage getreten war: der lockere Föderativstaat war in handelspolitischer Hinsicht gegenüber dem Ausland zur Ohnmacht verurteilt (142). Nach kurzer

Zeit musste dieser erste Versuch, eine selbständige schweizerische Zoll- und Handelspolitik durch die Anwendung von Kampfzöllen zu inaugurieren, aufgegeben werden, ohne dass die geheimen Hoffnungen, man könnte Frankreich damit dazu bewegen, die Handelsverhältnisse vertraglich zu regeln, in Erfüllung gegangen wäre (143). Was das Konkordat vor allem zu Fall brachte, war einerseits der Umstand, dass eine grosse Anzahl von Kantonen abseits geblieben war und sich auch die mitmachenden Kantone über die Zweckmässigkeit der Massnahmen niemals richtig einig werden konnten, andererseits aber die Tatsache, die zu beobachten für die Schweiz besonders schmerzlich sein musste: Frankreich zeigte sich nämlich aus gut verständlichen Gründen von den Retorsionsmassnahmen überhaupt nicht ernsthaft beeindruckt und schien von Anfang an mit dem baldigen Zusammenbrechen der schweizerischen Massnahmen zu rechnen. So brachte das Jahr 1824 daher bereits wieder die Rückkehr zum "integralen" Freihandelsprinzip. Von diesem Grundsatz wich nun die Schweiz in der Praxis bis in die Achzigerjahre hinein nicht mehr.

Nach der Aufhebung des Retorsionskonkordates blieben die handelspolitischen Beziehungen zu Frankreich weiterhin unerfreulich. In Frankreich hatten die schutzzöllnerischen Elemente in der Legislative gegenüber der etwas gemässigter eingestellten königlichen Regierung ein derartiges Uebergewicht erhalten (144), dass Bittschreiben oder sonstige diplomatische Vorstösse von seiten der Eidgenossenschaft gänzlich ohne jeden Erfolg blieben. In der Tagsatzung verbreitete sich ein allgemeines Gefühl der Resignation (145), zum Teil sogar eine wahre Ohnmachtstimmung, die nicht nur in der Eröffnungsrede des Präsidenten des Jahres 1827 zum Ausdruck kam (146), sondern auch darin, dass es die Tagsatzung im gleichen Jahre beim Abschluss des Niederlassungsvertrages mit Frankreich für absolut nutzlos hielt, auf einen Antrag Solothurns einzugehen, der verlangte, dass auch die Handelsverhältnisse in die Beratungen mit den Franzosen einzubeziehen seien. Die Tagsatzung beschränkte sich darauf, die früheren Weisungen an das Vorort zu erneuern (147).

Auch in der Zeit nach der Julirevolution von 1830 und den Umwälzungen in den meisten eidgenössischen Kantonen blieben die handelspolitischen Verhältnisse nicht nur gegenüber Frankreich, sondern auch gegenüber den andern Nachbarstaaten der Schweiz beinahe stationär, so dass wir uns darüber ganz kurz fassen können. Die einzige Erleichterung, die von Frankreich gewährt wurde, war die Erlaubnis zum Transit für Waren, die nach Frankreich selbst nicht eingeführt werden durften. Diese Transitbewilligung war aber immerhin für die schweizerische Industrie deshalb von wachsender Bedeutung, weil sie eben gerade in dieser Zeitspanne begann, sich in immer grösserem Ausmass die überseeischen Märkte als Absatzgebiete zu erschliessen. Alle andern Bemühungen aber, von Frankreich weitere Konzessionen zu erhalten, scheiterten; die Lage verschlimmerte sich im Gegenteil noch, da die

Regierungen der Julimonarchie ihre Schutzzollpolitik beständig verschärften (148). Bis zur Aufnahme der Verhandlungen, die schliesslich zum Abschluss des Vertrages von 1864 führten, blieben nun die unerfreulichen handelspolitischen Beziehungen zwischen der Schweiz und Frankreich abgesehen von unbedeutenden Veränderungen so ziemlich konstant. Es gelang der Schweiz leider auch nicht, die Handelsbeziehungen mit den andern Nachbarländern auf eine befriedigende Weise zu regeln.

Die einzigen, kaum nennenswerten Massnahmen der Tagsatzung auf zollpolitischem Gebiet stellten die geringen technischen Aenderungen und Verbesserungen zum Bezug und zur Verwaltung des "Grenzbatzens" dar. So erliess man im Jahre 1835 eine Verordnung, wonach diese Eingangsgebühren so lange bezogen werden sollten, bis der eidgenössische Kriegsfonds auf 4,277 Mio. Franken angewachsen sei; da dies nie eintraf, behielt man die Bezugsregelung bis 1848 bei.

Will man das Wesen der schweizerisch-französischen Handelsbeziehungen in der ersten Hälfte des Jahrhunderts in wenigen Worten zusammenfassen, so kann man dies folgendermassen tun: Frankreich hat seine überlegene Stellung gegenüber der wirtschaftlich um vieles schwächeren Schweiz durch eine rigoros angewandte einseitige Abschliessungspolitik rücksichtslos zu seinen Gunsten ausgenutzt. Die Schweiz wiederum, den Einfuhren aller andern Länder weit offenstehend, begann nach dem Scheitern des Retorsionskonkordates die allein erfolgversprechenden Konsequenzen zu ziehen, indem sie ihre Bemühungen um Konzessionen von französischer Seite fast völlig aufgab, ihre Industrie sich aber hinfort immer mehr auf die überseeischen Märkte auszurichten begann.

2. Die Verhältnisse nach 1848

Um die Entwicklung der Handelsbeziehungen des neuen Bundesstaates mit der französischen Republik, dann mit dem Zweiten Kaiserreich darzustellen, erweist sich folgendes Vorgehen am zweckmässigsten:
Zuerst einmal soll gezeigt werden, wie die neuen Bundesbehörden die Beziehungen und ihre allfälligen Verbesserungsmöglichkeiten und Zukunftsaussichten beurteilten und welche konkreten Schritte in Betracht gezogen oder auch unternommen wurden, um die Lage der Schweiz zu verbessern. Die leider nur spärlichen Ausführungen in den Geschäftsberichten des Bundesrates und die Kommentare der parlamentarischen Kommissionen dienen uns dabei sozusagen als Seismograph für die realen Vorgänge.
Damit wir als Ausgangspunkt für die Beurteilung der Vertragsverhandlungen von 1863/64 eine feste Grundlage gewinnen, soll sodann anschliessend daran anhand der allerdings nicht gerade reichlich vorhandenen statistischen Angaben versucht werden, den Umfang und das allfällige Anwachsen oder Stagnieren des schweizerisch-französischen Handels in den Jahren vor dem

Vertragsabschluss in Zahlen darzustellen.

Auch der Umschwung, der in Frankreich die Rückkehr zur republikanischen Staatsform brachte, führte zu keiner Revision der bisherigen handels- und zollpolitischen Grundsätze Frankreichs. Die Ereignisse dieser kurzen Periode folgten sich überdies zu hektisch, als dass die leitenden Staatsmänner überhaupt je Zeit und Kraft gefunden hätten, sich mit Fragen der Aussenhandelspolitik ernsthaft auseinanderzusetzen. Erst im Juni 1851 kam es im Parlament zu einer aufschlussreichen Debatte über die Handelspolitik, in welcher Thiers als Verteidiger des bisherigen protektionistischen Systems über die Vertreter des Freihandels anscheinend zu triumphieren vermochte, so dass ihn in der abschliessenden Abstimmung eine imposante Mehrheit der Deputierten unterstützte (149). Auf der Seite der Verfechter des Schutzzolles, so bemerkte später Thiers maliziös, hätten sich verschiedene Männer befunden, die in der Folgezeit unter Napolon III. wichtige politische Stellungen einnahmen und dessen Freihandelspolitik gegen ein widerstrebendes Parlament durchsetzen mussten; unter ihnen spielte Rouher als späterer Wirtschaftsminister auch bei den Verhandlungen mit der Schweiz eine wichtige Rolle.

Dieser neue Sieg des Protektionismus vermochte in der Schweiz, die sich ja im Verkehr mit dem westlichen Nachbarn seit langem stets auf das Unangenehmste gefasst zu machen gewohnt war, kein besonderes Echo auszulösen. Der Bundesrat schien auf dem Tiefpunkt der Resignation angelangt zu sein, so dass er darin noch fast die Tagsatzung der Zwanziger- und Dreissigerjahre übertraf. Im Geschäftsbericht für das Jahr 1851 kam seine Ueberzeugung deutlich zum Ausdruck, dass es in den schweizerisch-französischen Handelsbeziehungen auf jeden Fall nur noch aufwärts gehen könne: "In Frankreich sind die Aussichten zu einiger Milderung des bisherigen Systems wenigstens nicht trüber geworden, und da dort das Abschliessungssystem auf den höchst möglichen Punkt hinaufgeschraubt ist und in manchen Punkten auf die Länge nicht haltbar erscheint, so kann jede dort stattfindende Aenderung in den Regierungsansichten nur zu Gunsten einer freieren Handelsbewegung wirken, welche bei der gegenwärtigen Verfassung des Landes mit weit grösserer Leichtigkeit ins Leben treten wird als bisher " (150). Mit seiner Hoffnung, der Umstand, dass Frankreich wieder eine Republik sei, könnte eine Hinwendung zum Freihandel bewirken oder doch zum mindesten erleichtern, gab sich der Bundesrat einer Täuschung hin; diese Illusion - die freihändlerische Republik sympathisiert mit der neu entstandenen Republik - war jedoch auch in andern Ländern bei Republikanern und Freihändlern allgemein verbreitet. Es sollte sich aber zeigen, wie an anderer Stelle schon ausgeführt wurde, dass es paradoxerweise gerade der Rückkehr Frankreichs zur kaiserlichen Monarchie mit ihren absolutistischen Zügen bedurfte, um das Land zur Abkehr vom Protektionimus und zur Anwendung liberalerer Grundsätze zu bewegen; mehr Freiheit auf wirtschaftlichem Gebiet durch mehr

Zwang in anderen Bereichen: man könnte diese Vorgänge als ein besonders raffiniertes Beispiel dafür ansehen, wie eben die Hegelsche "List der Geschichte" zuweilen arbeitet! Diese allmähliche, in mehreren Schüben sich vollziehende Revision der gesamten französischen Handelspolitik unter Napoleon III. ist weiter oben in einem andern Rahmen bereits dargestellt worden, weshalb hier auf das dort Ausgeführte verwiesen sei (151).
Wie haben der Bundesrat und das Parlament auf diese Veränderungen reagiert? Wie den Geschäftsberichten des Bundesrates zu entnehmen ist, wurden die Vorgänge in Frankreich sorgfältig und eingehend verfolgt. Wenn auch der Grundtenor der Ausführungen, die das Verhältnis zum westlichen Nachbarland betrafen, meistens eher pessimistisch gestimmt war, so kam doch immer wieder an verschiedenen Stellen ununterdrückbar eine geringe Hoffnung auf Besserung zum Ausdruck; so im Rückblick auf das Jahr 1852: Der "wichtige Nachbar" Frankreich hat, so hiess es, seine Märkte zwar immer noch nicht in zufriedenstellender Weise geöffnet. Das Ausschliessungssystem kann aber unmöglich noch lange bestehen bleiben; die Zeit und die rasche Verkehrsentwicklung werden es unfehlbar früher oder später umstossen und durchbrechen (152).
Im Rückblick auf 1853 wurde erfreut festgehalten: die Menge der Rohstoffe, welche im Transitverkehr durch Frankreich in die Schweiz gekommen ist, steigt beständig an, ebenso die Durchfuhr von Kolonialwaren und amerikanischem Getreide. Dass der Bundesrat schon nur die Transitvergrösserung als bemerkenswert zu verzeichnen für nötig fand, zeigt genügend deutlich, wie bescheiden die Erwartungen der Schweiz schon geworden waren. Die ersten Schritte Napoleons III. auf zollpolitischem Gebiet wurden folgendermassen kommentiert: "Mehrere Erlasse der französischen Regierung lassen darauf schliessen, dass sie in Hinsicht auf die Zolleinrichtung sich liberaleren Grundsätzen zu nähern gedenkt. Es unterliegt keinem Zweifel, dass eine solche Umgestaltung für die Schweiz von bedeutenden Folgen sein müsste, obgleich noch vieles geschehen müsste, um den schweizerischen Fabrikaten die Konkurrenz mit der französischen Industrie in Frankreich selbst zu ermöglichen" (153). Also wieder: vorsichtiger Optimismus, gepaart mit einer bezeichnenden Zurückhaltung bei der Beurteilung der Zukunftsaussichten!
In dieser Berichtsperiode konnte mit der französischen Regierung immerhin ein Abkommen geschlossen werden, das die Beziehungen des Pays de Gex mit der Stadt Genf regelte (154).
Der Geschäftsbericht für das Jahr 1854 enthielt die bedauerliche Feststellung, dass wegen der unveränderten Lage in Frankreich dort der Absatz von Schweizerfabrikaten unbedeutend geblieben sei. Zum ersten Mal allerdings - der Bundesrat schien selbst höchst erstaunt zu sein - waren Schweizerweine zu einem Ausfuhrartikel nach Frankreich geworden!
Aus dem Bericht über das Jahr 1855 muss folgender Passus genauer betrachtet werden, da er eine grundsätzliche Bemerkung über den Charakter des

Handelsverkehrs zu der in Frage stehenden Zeit enthält und zeigt, welche Rolle die staatlichen Stellen innerhalb dieser Sphäre spielten: "Da der Handelsverkehr reine Privatsache ist, und namentlich mit Rücksicht auf Herkunft oder Bestimmung der Waren keiner Kontrolle unterliegt, so haben wir keine hinreichenden Angaben, um daraus einen eigentlichen Handelsbericht geben zu können. (...) Unser Handels- und Zolldepartement hat zwar sein Möglichstes getan, die erforderlichen Mitteilungen zu erhalten; allein die ihm zugegangenen Berichte sind, mit wenigen Ausnahmen, ganz allgemein gehalten und ohne genauere Angaben (155)". Die Aufgabe des Staates, so lässt sich aus den angeführten Bemerkungen schliessen, war es also - gemäss der fast durchgängig anerkannten liberalen Wirtschaftsauffassung um die Mitte des 19. Jahrhunderts -, der Industrie und dem Handel durch ein möglichst geringfügiges Eingreifen die bestmöglichen Voraussetzungen zu schaffen für ihre ungehemmte Entfaltung. Die eidgenössischen Behörden sollten sich also, wenn wir dies auf den vorliegenden Problemkreis anwenden, nach der Anschauungsweise der massgebenden Wirtschaftskreise zur Hauptsache darauf beschränken, in aussenpolitischen Belangen durch vertragliche Vereinbarungen der privaten Wirtschaft ein Maximum an günstigen Absatzmärkten zu erschliessen, im übrigen aber von allen Eingriffen absehen. Das Verschweigen oder Verweigern von konkreten Zahlenangaben, auf das der bundesrätliche Bericht etwas hilflos hinweist, bestätigt die eben festgestellte Tendenz der Privatwirtschaft; die zahme und zurückhaltende Art, in der Bundesbehörde diese Verschleierungstaktik darstellt, kann wohl als ein Beweis dafür gelten, dass die Behörden darüber nicht allzu unglücklich waren und sich im grossen und ganzen auch mit der ihnen zugedachten Rolle als blosse "Nachtwächter" einverstanden erklären konnten (156).

Im Verkehr mit Frankreich konnte der Bundesrat 1855 erstmals einen Lichtblick verzeichnen: von Basel aus, das seit dem Anschluss ans französische Eisenbahnnetz ein wichtiges Eingangstor für den französischen Import in die Schweiz zu werden versprach, nahmen in diesem Jahr auch ca. 10'000 Stück Grossvieh mehr als im Vorjahr ihren Weg nach Frankreich (157). Dies war die positive Auswirkung der französischen Zollsenkungen auf diesen Gütern.

In den folgenden fünf Jahren waren die Ausführungen über den Handel mit Frankreich sehr knapp gehalten, obschon andererseits die Berichte über den Stand der schweizerischen Handelsbeziehungen mit dem gesamten übrigen Ausland beständig umfangreicher wurden. Es wurde bloss darauf hingewiesen - sozusagen als durchlaufende Grundmelodie -, dass zwar die Einfuhr französischer Produkte in die Schweiz recht bedeutend sei, während auf der andern Seite aber bloss schweizerisches Bauholz und Vieh in nur beschränktem Umfang nach Frankreich ausgeführt würden. Dagegen wachse, so wurde besonders hervorgehoben, der Transitverkehr schweizerischer Erzeugnisse durch Frankreich nach überseeischen Ländern sehr stark an (158). Die statistischen Aufstellungen weiter unten werden dies bestätigen.

Der überraschende Schritt Napoleons III. im Januar 1860 wurde natürlich auch in der Schweiz mit grösstem Interesse registriert und fand seinen Niederschlag im Geschäftsbericht des Bundesrates. Dort wurden verschiedene grundsätzliche Ueberlegungen zum Cobden-Chevalier-Vertrag, zur schweizerischen Position bei allfälligen Zollverhandlungen und zu allgemeinen Fragen des schweizerischen Aussenhandels angestellt. Die Bedeutung, die man dem Vertrag in der Schweiz beimass, wird auch erhellt durch die Tatsache, dass er bald nach seinem Bekanntwerden bezeichnenderweise im vollen Wortlaut im Bundesblatt, allerdings ohne jeden Kommentar, wiedergegeben wurde (159)! Doch nun zu den Betrachtungen, die der Bundesrat im Geschäftsbericht für das Jahr 1860 niedergelegt hat:
Mit grosser, unverhohlener Genugtuung - man glaubt sogar aus den Worten des Bundesrates den selbstbewussten Unterton des "Wir-haben-es-ja-schon-immer-gesagt, es-musste-doch-früher-oder-später-so-kommen" herauszuhören - wurde berichtet, die Ueberzeugung verbreite sich allgemein, dass "eine gedeihliche Fortentwicklung der nationalökonomischen Zustände notwendig ein grösseres Mass von Freiheit im Austausch der Produkte von Nation zu Nation erfordere;"(160) der Bundesrat anerkannte gebührend die Bereitschaft der Franzosen, ihr altes Prohibitiv- und Schutzzollsystem zugunsten liberalerer Regelungen aufzuheben. Bei der genaueren Prüfung der Frage aber, welche Haltung die Eidgenossenschaft gegenüber dem Problem allfälliger Handelsvertragsverhandlungen einnehmen sollte, stiess der Bundesrat auf einige wesentliche Punkte vorwiegend negativer Art:
Einmal war es so, dass in der Schweiz "auf diesem Felde bereits dasjenige längst geboten wird, was von andern Staaten erst durch Verträge und Gegenkonzessionen erlangt werden muss" (161). Der niedrige schweizerische Zolltarif, das war dem Bundesrat nach den verschiedenen Erfahrungen der Fünfzigerjahre nun völlig klar, war eine gänzlich stumpfe Waffe im Kampf um gegenseitige Zollkonzessionen.
Zum andern wurde auf ein weiteres ebenfalls belastendes Moment der schweizerischen Zollordnung hingewiesen: "Nun aber ist unser Staatshaushalt für seine Bedürfnisse hauptsächlich auf die Zolleinnahmen angewiesen; eine Reduktion der Zölle würde demnach sogleich nachteilig auf die Finanzzustände des Bundes einwirken, ohne dass auf der andern Seite Kompensationen damit verbunden wären" (162). Bei den Schutzzollstaaten zeige sich, nach den bundesrätlichen Ausführungen, dass bei deren Zollsenkungen der Ausfall an Zolleinnahmen in der Regel durch die Vermehrung des Verkehrs nach und nach - oft sogar sehr schnell - wiederum gedeckt werde. Einen solchen Aufschwung hatte aber die Schweiz, die ohnehin beinahe allen Waren offenstand, nicht mehr zu erhoffen. Der Schweiz ging es übrigens, so betonte der Bundesrat, nicht um die Mehreinnahmen an Einfuhrzöllen oder um besondere Vergünstigungen von irgend einem besonderen Staat; was die Schweiz anstrebte, war vielmehr die Gleichstellung ihrer Exportprodukte in den Nachbarländern mit

denjenigen anderer Staaten, damit sie ihre Konkurrenzfähigkeit aufrechterhalten konnte.
Anknüpfend an diese grundsätzlichen Ueberlegungen (es handelte sich eigentlich um handelspolitische "Binsenwahrheiten", die aber deswegen nicht weniger gewichtig waren) beschäftigte sich der Bundesrat mit der Relation von Einfuhr und Ausfuhr im schweizerischen Handel mit Frankreich. Einzig die Ausfuhr von schweizerischen Uhren und Seidenbändern - diese letzteren blieben trotz hoher Zollbelastung in Frankreich konkurrenzfähig - erreichte eine bemerkenswerte Höhe; die Hauptbeträge des übrigen schweizerischen Exportes bildeten einige Rohprodukte wie Holz, Häute und Vieh, während andererseits der französische Export nach der Schweiz sich auf den rund dreifachen Betrag der schweizerischen Exportgüter belief (163).
Die bundesrätliche Stellungnahme - die ausführlichste öffentliche Darlegung des behördlichen Standpunktes vor der Aufnahme von Verhandlungen - schloss mit den Worten, die zuversichtlich und vorsichtig, skeptisch und hoffnungsvoll in einem waren: "Bringt man nun noch den bedeutenden Transit in Anschlag, durch den die Schweiz die französischen Transportwege und Transportmittel alimentiert, so hat man ein ziemlich getreues Bild von der Wichtigkeit und der bevorzugten Stellung des Handelsverkehrs Frankreichs mit der Schweiz. Es wird sich in kurzem zeigen, ob Frankreich geneigt ist, bei allfälligen Unterhandlungen für einen Handelsvertrag diese Verhältnisse nach ihrem wahren Werte zu würdigen und der Schweiz die ihr billigermassen zukommende Gleichberechtigung mit andern Nationen einzuräumen. Nach unserer Ueberzeugung hängt hievon die Zukunft dieses Handels ab, der, ohne eine solche Gleichstellung, nach und nach seine gegenwärtige grosse Bedeutung wider verlieren müsste" (164).
Damit hatte also die Exekutive ihre Position zu einem Zeitpunkt grundsätzlich umrissen, als auf dem Feld der internationalen Handelsvertragspolitik bereits eine fieberhafte Tätigkeit herrschte und die Schweiz sich beeilen musste, wenn sie in Verhandlungen mit dem westlichen Nachbarland zu einer möglichst vorteilhaften Regelung der einschlägigen Fragen gelangen wollte. Fragen wir hier noch kurz nach dem Standpunkt, den die eidgenössischen Räte gegenüber den neuen Tendenzen der internationalen Handelspolitik und allfälligen Initiativen der Schweiz einnahmen. Was lässt sich darüber aussagen?

Im Plenum kamen diese Fragen nicht zur Sprache (165); doch legte die nationalrätliche Kommission in ihrem Bericht über die Geschäftsführung des Bundesrates während des Jahres 1860 ihre Gedanken dazu kurz dar. Mit besonderer Freude stellte sie fest, dass "die Lehren der Handelsfreiheit selbst einen kaiserlichen Schüler gewonnen habe" (166), bedauerte aber hinwiederum die abweisende Haltung Frankreichs und betonte nachdrücklich, welch grosses Interesse die Schweiz haben müsse, nicht erst "vesperascente" in Verhandlungen mit dem Nachbarland einzutreten. Frankreich dürfte immerhin die Tatsache, dass die französische Einfuhr in die Schweiz ein Mehr-

faches der entsprechenden schweizerischen Einfuhr nach Frankreich betrage, gebührend berücksichtigen und Hand bieten zu einem gewissen Ausgleichen der gegenseitigen Handelsbeziehungen. Dem Bundesrat wurde versichert, dass alle seine Bemühungen in dieser Richtung befürwortet, aufmerksam verfolgt und unterstützt würden.
Da aber solche Verhandlungen bis zum Ende des Jahres 1862 nicht in Gang kamen - den Gründen für diese lange Verzögerung wird später genauer nachzugehen sein - , tauchte nun von der parlamentarischen Seite her überraschend eine Anregung auf, die für die schweizerische Handelspolitik zwar neuartig schien, im Grunde genommen aber nichts als einen Rückgriff auf alte, in der Schweiz allerdings nur erst einmal angewandte Praktiken darstellte. In einem "Spezialbericht der nationalrätlichen Büdgetkommission vom 27. Juni 1862 anlässlich des Voranschlags des Zoll- und Handelsdepartementes pro 1863" wurde diese für schweizerische Verhältnisse gewiss ungewohnte Idee zur Verbesserung der zollpolitischen schwachen Verhandlungsposition der Schweiz gegenüber Frankreich in die Diskussion geworfen (167). Worum ging es bei diesem, wie uns heute scheinen will, eigentlich naheliegenden Vorschlag?
Nach dem grundsätzlichen Bekenntnis zu den Prinzipien des Freihandels legte die Kommission die grossen Aenderungen in der internationalen handelspolitischen Lage dar. Sie wies dann darauf hin, in welch ungünstige Position die Schweiz dadurch versetzt worden sei, dass die neuen Handelsverträge bereits ein ganzes System von Differentialzöllen zuungunsten der Schweiz errichtet hätten, wodurch die Konkurrenzfähigkeit schweizerischer Produkte auf den wichtigsten europäischen Märkten sich nochmals entscheidend verschlechtert hätte. In einer aufschlussreichen Analyse (168) wurde daran anschliessend dargelegt, welchen schwerwiegenden Mehrbelastungen die schweizerischen Erzeugnisse bei den französischen Käufern gegenüber den englischen, belgischen und preussischen Produkten ausgesetzt waren (169). Wie konnte dieser unvorteilhafte Zustand verbessert werden? Nach Auffassung der Kommission eigentlich nur dadurch, dass die Schweiz von ihrem starren Zolltarif abgehen sollte und so folgendes erreichen könnte: "....dass Staaten, welche in ihren Differentialsystemen zuungunsten der Schweiz beharren, die Verhältnisse in einem andern Lichte beurteilen werden, sobald anerkannt wäre, dass unser Tarif nicht für jedermann eine erworbene Tatsache ist, dass einzelne Sätze desselben zu Gunsten gewisser Nationen herabgesetzt, andere zuungunsten gewisser Nationen erhöht werden dürfen" (170). Das schweizerische Zollsystem war nach Ansicht der Kommission viel zu gleichförmig, es hatte "keine Gunst für freundliche, noch eine Ungunst für unfreundliche Staaten" und bot für den Bundesrat leider nicht in genügenden Masse " Anhaltspunkt, Stoff und Waffe zu kommerziellen Unterhandlungen mit andern Nationen". Daher also sei nun der Gedanke aufgetaucht, die Schweiz sollte sich ernsthaft mit der Frage auseinandersetzen, ob nicht durch Diffe-

rentialzölle, die als Kampfzölle wirken würden, sich ihre Vertragsposition verbessern liesse. Doch auch hier wieder einmal der Hinweis auf Zurückhaltung und Diskretion: "Wir wollen die in dieser Beziehungen wirkenden Faktoren und gemachten Erfahrungen nicht näher betonen, weil sie einem Gebiet angehören, welches öffentlich zu besprechen weder nützlich noch ratsam wäre". Eine andere heikle Frage schnitt aber die Kommission auch noch an: es war das alte Lied von den politischen Konzessionen, die der Kleinstaat gegenüber wirtschaftlichen Vorteilen einzuräumen gezwungen sein konnte. Diese Gefahr wurde verneint (der "Patriotismus und der unabhängige republikanische Sinn der eidgenössischen Behörden" würden sich einer solchen Zumutung wohl zu erwehren wissen!) und demgegenüber vor allem der Gedanke einer gerechten "Reziprozität" zwischen den einzelnen Nationen in den Vordergrund gestellt. Der Bericht, nachdem er nochmals die Idee eines Schutzzolles weit von sich gewiesen hatte, mündete ein in ein Postulat an den Bundesrat, in welchem dieser eingeladen wurde "zu untersuchen, ob nicht Veranlassung sei, im Grundsatze zu beschliessen, dass einzelne Ansätze des Zolltarifs zugunsten solcher Staaten ermässigt werden können, welche die Schweiz auf dem Fusse der begünstigtesten Nationen behandeln und ebenso, dass einzelne Ansätze zu Lasten solcher Staaten erhöht werden dürfen, welche der Schweiz den Rang der am meisten begünstigten Staaten nicht einräumen."

Welches war das Schicksal dieses deutlich aus der Not und der Ungeduld des Augenblicks hervorgewachsenen Vorschlags? (171)

Bereits in der nächsten Session kam das Postulat in beiden Räten zur Sprache. Am 9. Juli begründete Feer-Herzog (AG) im Nationalrat mit einem eingehenden Votum die Ansicht der Kommissionsmehrheit, während Hoffmann (SG) als Minderheitsvertreter dagegen auftrat. Hoffmann warnte vor entsprechenden Schritten, da man dadurch nur die Repressalien des Auslandes heraufbeschwören würde; deshalb sollte die Schweiz davon absehen, "sich selbst eine Ohrfeige zu versetzen" (172). Eine solche Massnahme sei überdies im Zeitpunkt, da sich die Handelspolitik der umliegenden Staaten zunehmend liberalisiere, unangebracht. In der längeren Diskussion, an der sich mehrere Redner dafür und dawider äusserten, vertraten verschiedene Gegner des Postulates zudem auch gerade die Auffassung, dass die Schweiz sich überhaupt nicht zu Handelsverträgen herbeilassen sollte, da diese bloss den Handel "genieren" würden (Demiéville, Kaiser und Hoffmann). Bundesrat Frey-Herosé, der Vorsteher des Handels- und Zolldepartementes, sprach sich im Gegensatz dazu für die Prüfung der Frage von Differentialzöllen aus und vertrat die Ansicht, dass sich die Schweiz nur mit Handelsverträgen vor der Auswanderung ihrer Industrie in die Nachbarländer schützen könne. Dr. Schneider (BE) schaltete sich mit einem vermittelnden Vorschlag in die Diskussion ein: von einem allgemein gehaltenen Antrag sollte man zwar absehen, aber doch das Postulat so abändern, dass der Bundesrat einzuladen sei, "auf den Fall, dass ein für die Schweiz günstiger Handelsvertrag dadurch bedingt sein sollte, zu untersuchen, ob nicht Veranlassung vorhanden sei, einzelne Ansätze des Zolltarifs zugunsten solcher Staaten zu ermässigen, welche die Schweiz auf dem Fusse der begünstigsten Nationen behandeln etc." (Fortsetzung nach ursprünglicher Fassung). Der Antrag war also nun viel konkreter auf einen der unmittelbar zu erwartenden Fälle bezogen - man dachte sicher an Belgien und Frankreich - und wurde denn auch in dieser Form mit 45 zu 25 Stimmen angenommen.

Als das Geschäft vor den Ständerat gelangte (am 23. Juli), war die Stimmung in den beiden Räten und in der ganzen Schweiz eben von der Aufregung über die Annexionsrede Bixios in Turin beherrscht. Sutter (AR) begründete das Postulat hier, wo es Bundesrat Frey-Herosé wiederum mit voller Ueberzeugung unterstützte. Weber (LU) rügte aber als Vertreter der Kommissionsminderheit den allzu abstrakten Charakter des Postulates und wollte es der Klugheit des Bundesrates überlassen, aus eigener Initiative jeweils die nötigen Schritte zu unternehmen. Den Antrag auf Nichteintreten begründete er damit, dass es einfach unklug wäre, "schon jetzt Europa die Meinung der eidgenössischen Räte über einen noch nicht vorliegenden Fall zu verkünden" (173). Nachdem Stähelin ebenfalls negativ dazu Stellung genommen hatte, beschloss der Rat mit 22 zu 13 Stimmen Nichteintreten.

Das Geschäft musste also wieder zurück an den Nationalrat. Dort war ihm diesmal die Stimmung auch nicht günstig; die Kommission hatte nicht einmal einen Antrag gestellt. Hoffmann, der die Meinung äusserte, das Postulat werde unter den vorliegenden Umständen sowieso keine Resultate zeitigen, beantragte Anschliessen an den Ständerat. Das Auftreten von Peyer im Hof, der das Postulat nun aktiv bekämpfte, scheint auf den Rat einen starken Eindruck zu haben. Er wandte sich gegen eine Verwässerung des Freihandelsprinzips und beteuerte, das Ganze würde höchstens mit der Erhöhung einzelner Tarifpositionen enden, was nur den Schweizern schaden und als Repressalie im Ausland doch ganz wirkungslos bliebe. Nach weitern Pro- und Kontravoten wurde das Postulat nun auch vom Nationalrat "mit überwiegender Mehrheit" fallengelassen (174).

In Paris, wo man sich ja damals bereits auf die Verhandlungen mit der Schweiz vorbereitete, vermerkte man diese Vorgänge, über welche die französische Botschaft in Bern berichtete, sehr aufmerksam. Nach dem Scheitern des Vorstosses wurde befriedigt konstatiert: "dans l'intérêt de nos négociations avec la Suisse, nous avons lieu de nous féliciter que ce pays ait renoncé à la pression qu'un certain parti voulait exercer sur la France par l'adoption du principe des tarifs différentiels" (175).

So endete denn dieser Vorstoss, der um taktischer Vorteile willen einen Einbruch in eine der "geheiligten" Traditionen schweizerischer Handelspolitik bedeutet hätte, sang- und klanglos, kurz nachdem er lanciert worden war. Während fast zwanzig Jahren kam in der Schweiz niemand mehr auf den Ge-

danken eines Kampfzolles zurück - so etwas war jetzt wirklich nicht mehr
zeitgemäss. Nach 1880 wurde das dann wieder anders.

3. Statistische Angaben für den Zeitraum von 1851 bis 1864

Versuchen wir nun, uns ein konkretes Bild davon zu machen, welchen Umfang der schweizerisch-französische Handel hatte und wie er sich seit der Jahrhundertmitte entwickelt hatte. Für die Eruierung der tatsächlichen Mengen und vor allem der Werte, die dieser Handel umfasste, sind die schweizerischen Zolltabellen oder andere statistische Angaben unergiebig oder mangelhaft. Wir müssen daher - genau wie die eidgenössischen Behörden, die Statistiker und die interessierten Wirtschaftskreise zu Beginn der Sechzigerjahre, als der Vertrag mit Frankreich ausgehandelt werden sollte - auf die französischen Statistiken zurückgreifen, die vom eidgenössischen Handels- und Zolldepartement in allerdings wenig übersichtlicher Weise ausgewertet und für die schweizerischen Bedürfnisse der Stunde zusammengestellt wurden (176).

Wir nehmen dabei drei Dinge heraus: erstens die Entwicklung der gegenseitigen Handelsbeziehungen im Zeitraum von 1851 bis 1864; zweitens den Stand der Handelsbeziehungen - mit detaillierten Angaben nach Warenkategorien - in den Jahren 1862 bis 1864, also unmittelbar vor dem Abschluss des Vertrages: drittens geben wir einen summarischen Vergleich des allgemeinen Warenaustausches der Schweiz mit den umliegenden Ländern im Jahre 1862.

Vorab ist aber noch eine terminologische Abklärung notwendig: in den Statistiken wird stets unterschieden zwischen den Kategorien "Generalhandel" und "Spezialhandel". Was ist darunter zu verstehen?
Die Schweiz übernahm dafür die Definitionen der französischen Zollverwaltung, die folgendermassen lauteten:
"A l'importation, le commerce général embrasse tout ce qui arrive de l'étranger... sans égard ni à l'origine première des marchandises, ni à destination ultérieure, soit pour la consommation, soit pour l'entrepôt, le transit ou la réexpoartation. Le commerce spécial ne comprend que ce qui est entré dans la consommation intérieure du pays.
A l'exportation, le commerce général se compose de toutes les marchandises qui passent à l'étranger, sans distinction de leur origine, soit française, soit étrangère. Le commerce spécial comprend seulement les marchandises nationales et celles qui, après avoir été nationalisées par le payement des droits d'entrée ou autrement, sont exportées" (177).
Auf die Schweiz bezogen, hiess das also: beim Generalhandel der schweizerischen Ausfuhr nach Frankreich war der ganze Export nach Uebersee, der im Transit durch Frankreich ging, inbegriffen; der Spezialhandel - zahlenmässig viel bescheidener - umfasste die Waren, die in Frankreich selbst

abgesetzt wurden. Anderseits war beim Generalhandel der schweizerischen Einfuhr auch die ganze Warenmenge enthalten, die aus Frankreich stammend die Schweiz nur im Transit mit Ziel in andern Ländern durchquerte; nur diejenigen französischen Waren also, die in der Schweiz konsumiert wurden, zählten zum Spezialhandel.

a) Der schweizerisch-französische Handel von 1851 bis 1864

Betrachten wir die Tabelle A (siehe Anhang) und vergleichen sie zudem mit der Graphischen Darstellung A (siehe Anhang), so können wir daraus folgende Tatsachen entnehmen:
Beim <u>schweizerischen Export nach Frankreich</u> konstatieren wir eine mit den Jahren immer grösser anwachsende Diskrepanz zwischen dem Spezialhandel und dem Generalhandel. Betrug der Unterschied zwischen den beiden Kategorien im Jahre 1851 rund 100 Mio. Franken, so hatte er im Jahre 1864 einen Betrag von rund 280 Mio. Franken erreicht. Der Generalhandel stieg - wenn auch zum Teil mit erstaunlichen Schwankungen, so beispielsweise infolge der Wirtschaftskrise von 1857, aber auch von 1859 von 1861 - doch stetig an, vermochte sich einige Jahre sogar über dem Import aus Frankreich (Generalhandel) zu halten und war um 1864 ungefähr gleich hoch wie dieser. Im Generalhandel könnte man also von einer ausgeglichenen Handelsbilanz zwischen den beiden Ländern sprechen, doch wäre dies wenig sinnvoll. Für die Handelsbilanz sind die Zahlen des Spezialhandels relevant: wir stellen hier ein nur langsames Ansteigen (mit einem Rückschlag während und nach der 1857er-Krise) fest und ein eigentliches Stagnieren in den acht Jahren von 1856 bis 1864, während denen der Export nach Frankreich zum dortigen Konsum nur mehr um magere 2,5 Mio. Franken zunahm.

Demgegenüber bemerken wir beim <u>französischen Export nach der Schweiz</u> ein stetiges Anwachsen des Spezialhandels (in den zehn Jahren von 1854 bis 1864 um über 140 Mio. Fr.!), so dass aus dem ursprünglichen Unterschied zwischen dem Exportvolumen beider Länder (Spezialhandel) von 32 Mio. Franken im Jahre 1851 ein solcher von 141 Mio. Franken im Jahre 1864 entstand. Diese Zahlen waren es, welche die schweizerischen Behörden, Industriellen und Kaufleute beunruhigten; eine im gleichen Sinne weiterlaufende Entwicklung hätte bald einmal eine kaum mehr erträgbare Ausweitung der negativen Handelsbilanz für die Schweiz ergeben! Beim Import in die Schweiz verlaufen die Linien für General- und Spezialhandel im grossen und ganzen parallel, abgesehen von einem mit der Zeit stärkeren Anwachsen des Generalhandels, denn für den französischen Export (Spezialhandel) in die Schweiz war einer weiteren Expansion wahrscheinlich wegen der beschränkten Aufnahmefähigkeit des schweizerischen Marktes eine Schranke gesetzt.
Die klaren Schlüsse, die sich ziehen lassen, liegen auf der Hand: in der Zahlentabelle und in der graphischen Darstellung dazu spiegelt sich ganz deutlich

der Einfluss der verschiedenartigen Zollsysteme und die daraus resultierende "Kanalisierung" des Warenstromes: während beide Länder den Transit liberalisierten (wodurch die Schweiz grosse Werte nach Uebersee durch französische Häfen zu führen imstande war), verhinderte die französische Prohibitions- und Schutzzollpolitik, dass der schweizerische Spezialhandel in einem natürlichen Masse hätte wachsen können. Die französische Exportindustrie wusste demgegenüber die liberale Zollpolitik der Schweiz in steigendem Masse auszunützen.

b) Der Spezialhandel zwischen der Schweiz und Frankreich von 1862 bis 1864

Welches waren nun in den Jahren unmittelbar vor dem Abschluss des Handelsvertrages die wichtigsten "Posten" des gegenseitigen Warenverkehrs? Darüber geben die Zahlen auf der Tabelle B und der Graphischen Darstellung B (für beide siehe Anhang) Auskunft. Aufgeführt werden dabei diejenigen Erzeugnisse, die entweder (beim Import oder Export) wertmässig einen gewissen Umfang schon vor 1864 besassen oder bei denen wegen des Handelsvertrages nach 1864 eine beträchtliche Steigerung der Warenwerte (vor allem auf schweizerischer Seite) erfolgen konnte.

Es waren in erster Linie landwirtschaftliche Produkte und halbbearbeitete Rohstoffe (Flockseide), welche im schweizerischen Export nach Frankreich wertmässig am stärksten dominierten; die gewerblichen oder industriellen Erzeugnisse - mit Ausnahme der Uhren und Uhrenbestandteile - rangierten um ein Beträchtliches hinter ihnen. Von diesem letzteren Sektor mussten daher die dringendsten Wünsche für eine Verbesserung der schweizerischen Positionen kommen.

Bei der französischen Einfuhr nach der Schweiz lässt sich dagegen feststellen, dass neben hohen Einfuhrwerten für Roh- und Flockseide und Wein auch Textilprodukte (vor allem Seidenstoffe) in beträchtlichem Umfang vertreten waren. Frankreich war daher kaum sehr stark an einer Aenderung des status quo interessiert, höchstens an einer Neuregelung der Ohmgelder der einzelnen Kantone.

c) Der Warenverkehr der Schweiz mit den Nachbarländern im Jahre 1862

Zusammenstellungen über den Handelsverkehr der Schweiz mit dem gesamten Ausland existieren leider für die zur Diskussion stehende Zeit nicht und sind mit dem fragmentarischen Material, das zur Verfügung steht, auch nicht zu machen. Einzig für die umliegenden Länder lassen sich Zahlenangaben finden, die gewisse Anhaltspunkte zu Vergleichen bieten können.

<u>1862</u>   Spezialhandel (in Mio. Fr.) <u>der Schweiz mit:</u>

	Export	Import	Handelsbilanzdefizit
Frankreich	58	137	79
Dt. Zollverein	78	190	112
Italien	83	146	63
Oesterreich	4	4	0
Total	223	477	254

Alle vier Länder - ausgenommen Sardinien als Teil des Königreiches Italien - betreiben die gleiche Politik der hohen Schutzzölle. Es kann daher nicht verwundern, dass die Schweiz im Warenverkehr mit diesen Ländern ein derartiges Handelsbilanzdefizit aufzuweisen hatte, dass es sogar die Höhe der gesamten schweizerischen Ausfuhr nach diesen Ländern um über 30 Mio. Franken übertraf! Bemerkenswert ist daneben auch noch der sehr niedrige Stand der schweizerisch - österreichischen Handelsbeziehungen.

Im gleichen Jahr, das sei hier ebenfalls noch beigefügt, stand die Schweiz mit ihrer Ausfuhr (Spezialhandel) nach Frankreich an 9. Stelle der Einfuhren aller Länder nach diesem Land; mit ihren Einfuhren aus Frankreich stand sie an 5. Stelle der gesamten französischen Ausfuhr (hinter Grossbritannien, Belgien, dem Deutschen Zollverein und Italien, aber vor den Vereinigten Staaten von Amerika, Spanien etc.). Der Anteil der Einfuhren aus der Schweiz an den gesamten französischen Einfuhren (Spezialhandel) machte 2,7 Prozent aus, der Anteil der Ausfuhren nach der Schweiz an den gesamten Ausfuhren Frankreichs (Spezialhandel) dagegen 6,2 Prozent.

B. DIE VORBEREITUNGEN

I. Die Phase des Abtastens (Januar 1860 - Juli 1862)

1. Erstes Interesse (Januar - März 1860)

In verschiedenen schweizerischen Zeitungen erschienen unmittelbar nach der Veröffentlichung des Briefes von Kaiser Napoleon III. an Fould im "Moniteur" bereits kurze Hinweise darauf oder Auszüge davon, schliesslich in mehreren Blättern sogar ein Abdruck in extenso (178). Im allgemeinen anerkannten die etwas später erscheinenden, meist nur kurzen Kommentare die positiven Seiten des neuen Programms, betonten aber gleichzeitig, dass mit der Aufhebung der Prohibitionen von Frankreich nicht etwa ein neuer Weg in der Handelspolitik eingeschlagen worden sei, sondern dass hier das Kaiserreich nur nachhole, was in den andern europäischen Ländern längst zur selbstverständlichen Politik geworden war (179). Andererseits wurde doch bedauert, dass Napoleon zwar für die Hebung des materiellen Wohls seiner Bürger grosse Anstrengungen unternehme, die geistige Freiheit aber leider nach wie vor geknebelt bleibe (180).
Gleichzeitig tauchten auch die ersten, noch als unbestätigte Gerüchte gekennzeichneten Meldungen über die bevorstehende Unterzeichnung eines französich-englischen Handelsvertrages auf. Der "Pays" in Paris hatte erklärt, Frankreich gedenke ausserdem - nach dem Abschluss des Vertrages mit England -, auch mit andern Staaten solche abzuschliessen (181).
Alle diese Meldungen waren es wohl, die den Waadtländer Marmorbruchbesitzer de Grenus veranlassten, bereits am 17. Januar 1860 vom Bundesrat in einer Petition zu verlangen, dass dieser in Paris die nötigen Schritte unternehmen sollte, damit der rohe schweizerische Marmor und der Käse vom französischen Einfuhrzoll befreit würde (182). Dies war die allererste konkret fassbare Reaktion in der Schweiz. Wie stellte sich der Bundesrat zu dieser Anregung? Er unterrichtete einige Tage später Minister Kern über die Petition und unterstrich die Wichtigkeit der Vorgänge in Paris, entschied sich aber in folgendem Sinn: "qu'actuellement le moment n'est pas encore venu de faire les démarches y relatives auprès du Gouvernement de l'Empereur, quoique nous vouions déjà à présent à cette affaire toute l'attention qu'elle mérite" (183). Der Gesandte wurde angewiesen, die Vorkehren der französischen Regierung genau zu verfolgen, den Bundesrat ständig auf dem laufenden zu halten und Kontakte mit den schweizerischen Kaufleuten in Paris aufzunehmen beziehungsweise weiter aufrechtzuerhalten, um so auch von dieser Seite Wünsche, Anregungen oder nützliche Informationen erhalten zu können.

Der Bundesrat verlegte sich also vorderhand - ob aus mangelnder Einsicht in die Tragweite des sich anbahnenden Umschwungs oder aus einer allgemeinen Skepsis gegenüber Frankreich, ist schwer zu entscheiden - deutlich aufs Abwarten.
Umso eifriger war Kern in Paris tätig; am 1. Februar 1860 berichtete er über seine Recherchen nach Bern. Auf seine Anfrage beim Chef du Cabinet du Ministère du Commerce, welchen Weg diejenigen Staaten einschlügen, die mit Frankreich einen Vertrag abschliessen möchten, erhielt er den Bescheid, dass sie sich mit einem entsprechenden Gesuch ans Aussenministerium wenden müssten. Kern erfuhr ebenfalls, dass dies schon von Portugal und vom Deutschen Zollverein gemacht worden sei. Ueber allfällige Verhandlungen mit der Schweiz hatte sich anscheinend der Kaiser auch schon geäussert und dabei auf zwei Tatsachen hingewiesen, die für den Abschluss eines Handelsvertrages Schwierigkeiten verursachen konnten: einmal die grosse Produktivität der Schweiz, die eine unliebsame Konkurrenz darstelle, zum andern aber das Faktum, dass die Schweiz ihre Vergünstigungen ja allen Ländern gegenüber gewähre, Frankreich aber natürlich auf besondere Konzessionen erpicht sei. "Ich weiss sehr wohl", bemerkte Kern zu dieser Vorhaltung, "welche Sprache wir gegen diesen Einwurf führen können; aber die Frage ist nur, ob man derselben Gehör leihe, wie es die Billigkeit fordert" (184). Er hatte also von allem Anfang an keine Illusionen über die zu erwartende Haltung Frankreichs! Sodann machte er dem Bundesrat den Vorschlag, dass er beim Handelsministerium mündlich einige Informationen über die Stimmung und die Geneigtheit einziehen könnte, bevor offizielle Schritte unternommen würden; er bat den Bundesrat um dessen Stellungnahme.
Da sich Kern bisher selten oder nie mit Handelsfragen beschäftigt hatte, ergab sich für ihn eine weitere Sorge: um sich in diese Probleme einarbeiten zu können, bedurfte er dringend "einiger Direktionen" und Materialien, die vor allem über folgende Punkte Auskunft gaben:
Wie gestaltete sich der Handelsverkehr zwischen Frankreich und der Schweiz in den letzten Jahren?
Für welche Artikel und in welchem Umfang hätte die Schweiz Erleichterungen zu verlangen?
Welche Vergünstigungen hätte die Schweiz anzubieten?
Die in Paris ansässigen schweizerischen Kaufleute hätten ihm kaum brauchbare Auskünfte geben können; was er brauche, sei neueres statistisches Material, eventuell auch Informationen von Mitgliedern der Bundesversammlung, die in diesen Fragen bewandert seien (er nannte Gonzenbach, Feer-Herzog, Fierz und Mercier). Hier in Paris könne er mit den französischen Partnern nur verhandeln, wenn er mit positiven Zahlen aufzurücken imstande sei. Mit besonderem Nachdruck wies er bei dieser Gelegenheit darauf hin, wie wünschbar der Ausbau der Statistik in der Schweiz sei.
Mitte Februar befasste sich der Bundesrat mit der grundsätzlichen Frage,

ob jetzt eine Initiative der Schweiz angezeigt sei. Der Vorsteher des Handels- und Zolldepartementes, Knüsel, trug seine Ansicht darüber vor mit der Absicht, gleichzeitig "einen Leitfaden für die Gesandtschaft in Paris zu schreiben, an der Hand dessen der Herr Minister seine Schritte regeln kann und worin er möglichst allseitig Aufschlüsse finden soll" (185). Nach einer Uebersicht über die Handelsbeziehungen von 1842 bis 1858 wies Knüsel auf das altbekannte Dilemma der schweizerischen Zollpolitik hin (keine Reduktion ohne Einbusse bei den Staatseinnahmen) und umriss das Ziel: Gleichstellung der Schweiz auf dem französischen Markt mit allen andern Nationen. Er deutete dann an, dass die Schweiz im äussersten Fall gegenüber Frankreich Differentialzölle einführen könnte, "was wir nicht hoffen wollen". In der entscheidenden Frage war Knüsel der Ansicht, dass im Augenblick noch zu wenig sichere Anhaltspunkte bestünden - der englisch-französische Vertragstext war noch nicht einmal veröffentlicht worden -, um bereits die Anknüpfung von Verhandlungen in die Wege zu leiten. Dringlich wäre vorerst, dass der Gesandte zu erfahren suche, nach welchen Prinzipien Frankreich überhaupt zu verhandeln gewillt sei, und ob der Vertrag mit Grossbritannien sozusagen die Norm für künftige Verträge wäre oder ob Frankreich von jedem Land spezielle Vorteile zu erreichen suche? "Der Abschluss wenigstens zwei solcher Verträge wird hierüber Bestimmtheit verschaffen, und der sollte wenigstens abgewartet werden. In etwelchem Verzug kann das Departement durchaus keine Nachteile erblicken". Zur Information sollte dem Gesandten vorderhand verschiedenes statistisches Material zugesandt werden. Um diese Unterlagen weiter vervollständigen zu können, hätte das Departement die nötigen Erkundigungen eingezogen, über deren Resultate später berichtet würde. Der Bundesrat erklärte sich ganz mit dem Handels- und Zolldepartement einverstanden.
Bereits Ende Januar hatte nämlich dieses Departement so etwas wie ein erstes Vernehmlassungsverfahren eingeleitet, indem es ein Kreisschreiben an verschiedene interessierte Kantonsregierungen (BE, AR, AG, FR, VD, NE, GE) und Handelskammern (Handelskollegium von Basel-Stadt, Kaufmännisches Direktorium von St. Gallen, Handelskammer von Zürich und Handelskommission von Glarus)(186) sandte. Einer kurzen Orientierung über die Vorgänge in der internationalen Handelspolitik und den Vorkehren des Bundesrates beziehungsweise des schweizerischen Gesandten in Paris folgte die Bitte - um zu gegebener Zeit für Demarchen bei der französischen Regierung bereit zu sein -"à bien vouloir lui désigner promptement les points que vous estimeriez devoir être pris en considération en cas de négociations avec la France sur cet objet". Man schien sich in Bern offenbar der Illusion hinzugeben, eine solche Stellungnahme und die anschliessende Meinungsbildung durch den Bundesrat könnte sich in sehr kurzer Zeit ergeben, und man hatte - glücklicherweise - noch keine Vorstellungen von der Langwierigkeit des bevorstehenden Unternehmens.

Von den Empfängern des Kreisschreibens antworteten bis Mitte August 1860 alle ausser die Regierungen von Neuenburg und Waadt; die meisten hatten vorgängig die Industriellen und Kaufleute ihres Kantons angehört. Bei einer zusammenfassenden und vergleichenden Analyse der verschiedenen Antworten lassen sich vorweg einige gemeinsame Züge feststellen. So beantworteten alle ausser Basel und Bern die Frage nach der Wünschbarkeit eines solchen Vertrages grundsätzlich positiv, wenn auch mit unterschiedlichen Hoffnungen und Erwartungen. Der bernische Regierungsrat wies in einem langen Exposé auf die enttäuschende Geschichte der schweizerisch-französischen Handelsbeziehungen seit der Französischen Revolution hin und betonte, dass nun gewiss nicht etwa politische Rücksichten massgebend sein sollten beim Erreichen von Handelsvorteilen - ohne aber direkt auf die Savoyerfrage zu sprechen zu kommen. Er berief sich auch auf (ungenannte) anerkannte Nationalökonomen, die grundsätzlich vor dem Abschluss von Handelsverträgen abrieten, "weil eine Nation in Zoll- und Handelssachen stets ihre volle Souveränität bewahren und sich nicht durch einen Vertrag binden soll"; er verstieg sich sogar zu der völlig falschen Prophezeiung, dass sich diese Ansicht in England, Frankreich und den andern Staaten Europas bald einmal durchsetzen werde (187). Diese Ablehnung hinderte aber die bernische Regierung dann doch nicht, für eventuelle Verhandlungen, wie wir noch sehen werden, spezielle Wünsche vorzubringen.
Die ablehnende Haltung des Handelskollegiums von Basel hatte zwei Gründe: einmal versprach man sich in Basel wegen des niedrigen schweizerischen Zolltarifs kaum ein namhaftes oder vorteilhaftes Entgegenkommen Frankreichs, nahm also schon von Anfang an eine sehr resignierte Haltung ein; zum andern aber fürchteten die Basler ganz offenkundig die Regelung zum Schutz der Fabrik- und Handelszeichen, der Muster und der Modezeichnungen, wie dies im Artikel 12 des französisch-englischen Vertrages niedergelegt worden war. Einer solchen Verpflichtung, die nach unserem heutigen - und auch dem damaligen - Empfinden nichts als recht und billig war, stellten sich die Seidenbandfabrikanten, die sich in der Mode und im Geschmack völlig nach den französischen Vorbildern richteten und diese auch ungehemmt kopierten, heftig entgegen: "(so) würde jeder Vorbehalt zugunsten des französischen Erfindungsgeistes, der schon längst nach solchen Monopolen und Zwangsmassnahmen lüstern ist, zu den willkürlichsten Handlungen Anlass geben" (188). Die Behauptung, die Schweiz habe auf einen direkten Warenverkehr mit Frankreich ja ohnehin verzichten gelernt, tönt ausserdem eigenartig von seiten eines Kantons, dessen Seidenbandexport nach Frankreich immerhin seit vielen Jahren ganz erheblich war. Lieber waren die Basler nach ihrer eigenen Aussage - ihr schlechtes Gewissen ist herauszuspüren - bereit, auf einen Handelsvertrag zu verzichten, als dass sie irgend einen Vorbehalt wegen des Musterschutzes hätten akzeptieren können.
Eine weitere Gemeinsamkeit aller Antworten war die Forderung nach der

Meistbegünstigungsklausel, die nur von Appenzell A.Rh. und Freiburg nicht erwähnt wurde. Freilich gab es auch da wieder Abstufungen. Das Kaufmännische Direktorium in St. Gallen fand diese Forderung allzu selbstverständlich, als dass man auch nur mehr als einen Augenblick dabei verweilen musste (189), während die Handelskommission von Glarus darauf hielt, dass in erster Linie das Prinzip des Freihandels ganz allgemein und erst im Speziellen dann dasjenige der Meistbegünstigung vertreten werden sollte (190). Die bernische und die genferische Regierung argumentierten beide gleich: sie wiesen darauf hin, dass schon in den Verträgen von 1798 und 1803 die Meistbegünstigunsklausel enthalten gewesen sei und deshalb nur eigentlich erneuert werden musste. "Il n'est pas à notre connaissance", schrieb der Staatsrat von Genf in bezug auf die Allianz von 1803, "que ce traité ait été modifié par une convention ultérieure..." (191), riet aber, sich auf diese Klausel allein zu beschränken und im übrigen dem Beispiel Englands zu folgen. Für Basel galt die Bemühung um die Meistbegünstigung nur insofern, als keine Verpflichtungen wegen des Musterschutzes eingegangen werden mussten.

Einige der Antworten enthielten auch bereits schon speziellere Wünsche betreffend die Reduktion bestimmter französischer Tarifpositionen oder die Aufhebung von Prohibitionen. Für Appenzell A.Rh. waren es die Stickereien, für die der Zoll in Zukunft nicht mehr als 20 Prozent ad valorem betragen sollte (192). Eine längere Liste wies Bern vor: auf Roheisen, Käse, Butter, Uhrenfabrikaten, Leinenprodukten und Töpfereien sollten Reduktionen erlangt werden (193). Für Freiburg schien es wichtig, dass die französischen Zölle auf den landwirtschaftlichen Produkten gesenkt würden, besonders auf Käse und Vieh, zudem auf Strohgeflechten (194).
Ausführliche Wünsche formulierte auch der aargauische Regierungsrat: die Zölle auf Seidenbändern, Seidenstoffen, Baumwollgarnen und -stoffen, mathematischen Werkzeugen und Strohfabrikaten sollten reduziert werden (195). St. Gallen wollte noch keine konkreten Vorschläge machen, bevor nicht die Grundlagen des neuen französischen Generaltarifs bekannt wären, während auch die andern Kantone auf die Formulierung besonderer Forderungen vorläufig verzichteten. Von Glarus hingegen wurde angeregt, dass der schweizerische Importzoll auf verschiedenen Rohstoffen allgemein erheblich herabgesetzt werden sollte, während das Kaufmännische Direktorium in St. Gallen die Vereinfachung und Abschaffung lästiger Formalitäten im französischen Transit und die Errichtung eines "Entrepôts" für ausländische Waren in Paris vorschlug.
Welchen Gebrauch das Handels- und Zolldepartement von diesen Einsendungen machte, ist aus den Akten nicht ersichtlich. Sie wurden jedenfalls vorderhand auch Kern nicht zugestellt. Anscheinend begnügte man sich in Bern damit, sie einfach entgegenzunehmen und zu den Akten zu legen - es erfolgten denn auch weder Mahnungen an die Nichtantwortenden noch Rückfragen oder

Bitten um Präzisierungen an diejenigen, die nur summarisch geantwortet hatten.
Mittlerweile hatte sich nämlich aus allgemeinen politischen Gründen das Klima für Handelsvertragsverhandlungen derart verschlechtert, dass vorderhand wenig Aussicht auf erspriessliche Gespräche bestand: seit am 1. März 1860 der französische Herrscher seine Absicht auf die Annexion von Savoyen bekannt gegeben hatte, war die Erregung in der Schweiz bis zur Siedehitze gestiegen, und erst nach und nach wandelte sich die kriegerische Stimmung in eine resignierte Haltung, wobei aber das Gefühl, von Frankreich auf grobe Weise verletzt worden zu sein, natürlich nichts zur Förderung der schweizerischen Verhandlungsbereitschaft beitrug (196). Bis fast zum Ende des Jahres 1860 bemühte man sich daher schweizerischerseits nicht mehr um Verhandlungen für einen Handelsvertrag. Man kann wohl kaum, wie dies Schneider tut (197), den Stillstand in den Kontakten wegen eines Handelsvertrages einseitig dem Kaiserreich in die Schuhe schieben. Da ja die Schweiz einen solchen Vertrag wünschte, so musste die Initiative eindeutig von ihr ausgehen. Bis Ende 1860 ruhten aber die Kontakte, weil sie von schweizerischer Seite gar nicht richtig aufgenommen worden waren - wenn auch der Grund für die Verzögerung selbstverständlich im französischen Vorgehen bei der Savoyerangelegenheit lag. In dieser Phase war also die Schweiz eindeutig dafür verantwortlich, dass die Verhandlungen nicht aufgenommen wurden - von späteren Verzögerungen und deren Gründen wird an anderer Stelle die Rede sein müssen.

2. Neue Initiative der Schweiz (Ende November 1860 - März 1861)

Die aus politischen Gründen erzwungene Ruhepause wurde weder vom Bundesrat noch vom Gesandten in Paris unterbrochen, sondern von dritter, direkt interessierter Seite: mit einem Schreiben an den Bundesrat versuchte das Kaufmännische Direktorium in St. Gallen im November 1860, die erstarrten Fronten wieder in Bewegung zu bringen. Nach der Pause, die es zutreffenderweise der politischen Spannung zuschrieb, schien es dem Kaufmännischen Direktorium nun aber angezeigt, den richtigen Zeitpunkt für die Aufnahme von Verhandlungen nicht zu verpassen, da Frankreich, soviel man wisse, in der Zwischenzeit die Unterhandlungen mit verschiedenen Staaten schon sehr weit vorgetrieben hätte. Frankreich sei wohl imstande, politische und wirtschaftliche Gesichtspunkte auseinanderzuhalten; auch in der Schweiz müsse sich die gleiche Einsicht durchsetzen. Das Schreiben endete mit dem Gesuch, der schweizerische Gesandte in Paris möchte beauftragt werden, Verhandlungen auf der Grundlage der Meistbegünstigung anzuknüpfen (198). Dieses Gesuch wurde von Oberst Gonzenbach, dem Vizepräsidenten des Direktoriums, persönlich nach Bern gebracht, was das grosse Interesse belegt, welches die St. Galler einem Vertragsabschluss entgegenbrachten.

Das Handels- und Zolldepartement betonte in seinem Antrag an den Bundesrat zwar, dass es seine Stellungnahme vom 12. Februar des gleichen Jahres grundsätzlich beibehalten wollte, da die Zeit seiner Ansicht noch keineswegs gekommen wäre, wo man zu besondern Schritten drängen musste, doch erschien ihm andererseits "die Eröffnung von Unterhandlungen mit Frankreich ohne Gefährde für die Stellung der Schweiz" (199). Eine überraschend zurückhaltende Ausdrucksweise desjenigen Departementes, das doch eigentlich als eine treibende Kraft an der Spitze der Entwicklung hätte stehen müssen! Offenbar nur widerstrebend stellte Knüsel den Antrag, "den schweizerischen Gesandten in Paris zu beauftragen, in Paris anzufragen, ob Frankreich geneigt wäre, mit der Schweiz in Unterhandlungen für einen Handelsvertrag zu treten", und zwar auf der Grundlage der Meistbegünstigung; Kern sollte wenn möglich bereits die französischen Gegenforderungen in Erfahrung zu bringen suchen. Diesem Auftrag - vorsichtig, unverbindlich, misstrauisch und skeptisch gegenüber Frankreich (mit einem gewissen Recht) - stimmte der Bundesrat zu und überliess Kern vorläufig alles Weitere (200).

Um sich seine Informationen "unter der Hand" zu verschaffen, brauchte Kern erheblich Zeit und konnte daher erst fast zehn Tage nach Neujahr 1861 darüber Bericht erstatten (201). Unter den massgebenden französischen Politikern schienen die Ansichten über die Wünschbarkeit von Verhandlungen mit der Schweiz vorderhand noch auseinanderzugehen. Während von den Industriellen die schweizerische Konkurrenz gefürchtet wurde, sahen Angehörige des Handelsministeriums (deren Namen Kern nicht preisgeben wollte (202)) solchen Verhandlungen - zwar nicht sogleich, aber doch in absehbarer Zeit - mit Interesse entgegen. Durch Kontakte mit Diplomaten anderer Länder konnte Kern ausfindig machen, dass die Verhandlungen mit Belgien kurz vor dem Abschluss, mit dem Deutschen Zollverein in vollem Gang und mit Holland im Stadium der ernsthaften Annäherung stünden. Diese Tatsache und die Art und Weise, wie sich der Kaiser am Neujahrsempfang ihm gegenüber geäussert hatte, liessen ihn zur Ueberzeugung gelangen, "dass man nicht länger zuwarten sollte als etwa bis Ende dieses Monats, wo die Verhandlungen mit Belgien zu Ende gehen werden". Dringend notwendig schien ihm jetzt allerdings eine gründliche materielle Vorbereitung zu sein; statistische tabellarische Zusammenstellungen sollten ihm Auskunft geben über das Verhältnis der verschiedenen europäischen Zolltarife, die Quantitäten des schweizerisch-französischen Handels und der möglichen schweizerischen Konzessionen mit deren finanziellen Auswirkungen für den Bundesfinanzhaushalt. Kern wies dabei auf die Zusammenstellungen der Belgier hin, von denen ihm der belgische Minister in Paris berichtet hatte und die den Gang der Verhandlungen sehr stark erleichtert und beschleunigt hätten. Der schweizerische Gesandte in Paris, das spürt man deutlich aus dieser und den nachfolgenden Depeschen, begann sich nun nämlich sehr gewissenhaft und mit vorausschauendem Realismus in ein Gebiet einzuarbeiten, in dem er sich bisher kaum bewegt hatte. Er nutzte die verschiedensten ihm zugänglichen Quellen, um seine Kenntnisse in dieser Materie fortwährend zu vertiefen; dies alles aus durchaus eigenem Antrieb. Ausserdem zeichnete sich jetzt immer mehr ab, dass Kern gegenüber dem eher zurückhaltenden Handels- und Zolldepartement und dem zögernden Bundesrat die Rolle des Vorwärtsdrängenden übernahm. Bis zum Abschluss der Unterhandlungen sollte dies eigentlich immer so bleiben. Dass auch ein gewisses Interesse Frankreichs an Verhandlungen mit der Schweiz bestand, zeigte die Tatsache, dass der französische Konsul in Genf, Martial Chevalier (ein Bruder des berühmten Freihändlers), den Direktor des 6. Zollarrondissements, Lentulus in Genf, im Auftrag des Handelsministeriums in Paris über verschiedene Dinge betreffend den schweizerisch-französischen Warenaustausch angefragt hatte (203). Allerdings erwies sich bei dieser Gelegenheit, dass Frankreich seine Informationen nur erst auf Konsulatsebene einholte.

Am 21. Januar war Kern in der Lage, seinen Bericht mit wichtigen Informationen über die Stellungnahme eines einflussreichen und gutinformierten Regierungsmitgliedes zu ergänzen. Es handelte sich um Rouher, den Minister für Landwirtschaft, Handel und Oeffentliche Arbeiten. Dieser hatte Kern versichert, nach dem bald zu erwartenden Abschluss des französisch-belgischen Vertrages würden die Unterhandlungen mit dem Deutschen Zollverein weiter vorangetrieben "und sofern die Schweiz uns ebenfalls Unterhandlungen anerbieten sollte, so würde ich auch ihr gegenüber nach den gleichen Grundsätzen handeln. Meine Stimmung ist: wir sollen uns in diesen Dingen liberal zeigen" (204). Rouher bewies gleichzeitig auch, wie gut er über den schweizerischen Zolltarif unterrichtet war. Graf Persigny, so erfuhr Kern anderweitig, stehe ebenfalls positiv zu solchen Verhandlungen. Allerdings, so betonte Kern in der nächsten Depesche, seien von französischer Seite weder direkte noch indirekte Wünsche je geäussert worden; was ja auch ganz verständlich war (205).

Einer Anregung von französischer Seite (sie kam von einer ungenannten Person im Handelsministerium), man könnte gleichzeitig auch die Savoyerfrage materiell erledigen, widersetzte sich Kern vehement, da er gemäss der Linie des Bundesrates die Savoyerfrage als ein wichtiges europäisches Problem betrachtete, das streng von den handelspolitischen Problemen getrennt werden musste. Er bat den Bundesrat um entsprechende feste Instruktionen in dieser Frage wie auch in der des weiteren Vorgehens. Seiner Ansicht nach sollten noch innerhalb eines Monats offizielle Schritte unternommen werden (206).

In der sogenannten "Konnexionsfrage" befand sich der Bundesrat in voller Uebereinstimmung mit dem Gesandten, d.h. er vertrat ebenfalls strikte die Meinung, dass es keine Verbindung zwischen der Savoyerfrage und dem Handelsvertrag geben durfte. Er wies Kern vielmehr an, aufmerksam darüber zu wachen, dass daraus nicht etwa eine conditio sine qua non werden konnte (207).

Bevor der Bundesrat aber überhaupt richtig Zeit gefunden hatte, sich mit Kerns Anträgen zu befassen, drängte dieser in einer neuen Depesche, es sollten unverzüglich offizielle Schritte getan werden, denn "bei dieser Sachlage ist ein langes Zögern nach meiner innersten Ueberzeugung nicht in unserem Interesse", weil besonders die Vertreter der Industrie in den gesetzgebenden Kammern nicht untätig seien und versuchten, einen Handelsvertrag mit der Schweiz schon in den Anfängen zu vereiteln. Der Gesandte hatte es sogar so eilig, dass er dem Bundesrat vorschlug, dieser solle ihm für den Fall der bundesrätlichen Bereitschaft zu offiziellen oder offiziösen Schritten bloss telegraphieren: "d'accord"!

Am 23. Februar befasste sich der Bundesrat nun erstmals wieder nach einer Pause von ziemlich genau einem Jahr intensiver mit dem Problem des Handelsvertrages (209). Frey-Herosé, der wieder in sein angestammtes Handels- und Zolldepartement zurückgekehrt war, führte für die lange Verzögerung drei Gründe an, von denen nur der zweite wirklich stichhaltig war: erstens hätte die Schweiz zugewartet, bis im November 1860 die Spezialtarife zwischen Frankreich und England veröffentlicht worden waren; zweitens hätte sich ein Aufschub aus dem Grund ergeben "als die Vermutung nahelag, Frankreich dürfte geneigt sein zu versuchen, die Lösung der brennenden politischen Lage von allfälligen Konzessionen auf dem Gebiete der Zölle abhängig zu machen" (210); und drittens wären längere Vorbereitungen notwendig gewesen (Vernehmlassung, Erkundigungen einziehen usw.), um zu Verhandlungen gerüstet zu sein.

Das Drängen des schweizerischen Handelsstandes, die Kenntnis der internationalen Vorgänge und die Gefahr, dass in Frankreich die Opposition gegen einen Vertrag nur noch wachsen konnte, hätten das Departement jetzt zum Schluss geführt, nun wäre der Zeitpunkt gekommen, um Unterhandlungen nachzusuchen. Einem Tour d'horizon über die Expansion der schweizerischen Industrie und die Dimensionen des schweizerisch-französischen Handels schloss sich die kluge Einsicht in die bevorstehende handelspolitische Entwicklung an: "Wenn nämlich nicht alles trügt, sind wir an einem wichtigen Wendepunkt der Vertragsverhältnisse in Europa angelangt". Die Schweiz dürfe aber den richtigen Zeitpunkt nicht versäumen, um sich hier anzuschliessen, wenn ihre Industrie sonst nicht einen empfindlichen Schaden nehmen sollte, denn andere könnten sich in der Zwischenzeit auf den französischen Märkten festsetzen. Von einem nahen Markt, der weit grössere Sicherheit und viel rascheren Absatz böte, erhielte die schweizerische Industrie selbstverständlich neue wohltuende Impulse. Als besonders zu berücksichtigende Punkte - die Hauptanstrengung müsste zweifelsohne auf die Meistbegünstigungsklausel gelegt werden - nannte Frey-Herosé charakteristischerweise nur gerade die beiden Wünsche der St. Galler: Vereinfachung des Transits in Frankreich und Errichtung eines Warenfreilagers in Paris; die persönliche Ueberreichung des Gesuchs im November hatte also schon gewisse Früchte getragen! Die schweizerischen Gegenleistungen wurden nur ganz kurz und knapp gestreift: man könnte sich verpflichten, die Einfuhrzölle auf Produkten, die für Frankreich wichtig wären, nicht zu erhöhen und den Transit nicht zu erschweren. Anscheinend hatten die Bundesbehörden zu diesem Zeitpunkt noch ganz unklare Vorstellungen von den französischen Forderungen, die ja dann in der Folge erheblich weiter gingen.

Der Antrag des Departementes, der Gesandte in Paris sei zu beauftragen, zuerst offiziös und bei ermutigender Antwort offiziell anzufragen, ob Frankreich zu Verhandlungen bereit sei, wurde vom Bundesrat in dieser Form genehmigt (211); ausserdem: "Im übrigen ist über diese Angelegenheit Stillschweigen beschlossen worden" (212).

Der genaue Wortlaut des Auftrages an Kern erlitt aber noch eine - auf nicht eruierbare Gründe zurückführende - Abänderung. Im Konzept des Briefes an Kern von Kanzler Schiess und auch im kopierten Schreiben ist nämlich nachträglich die Einschränkung: "zuerst offiziös und wenn die Antwort ermunternd lauten sollte..." (213) wieder durchgestrichen worden, so dass nun der Auftrag lautete: "Gestützt auf dies Aktenstück (gemeint war der beiliegende Bericht des Departementes an den Bundesrat) werden Sie beauftragt, (hier die gestrichene Stelle) offiziell anzufragen, ob Frankreich zu Unterhandlungen mit der Schweiz geneigt wäre". Ob Schiess dies aus eigenen Stücken strich oder auf Betreiben eines der Bundesräte, ist nicht mehr auszumachen. Die Differenz zur ursprünglichen Fassung zeigt jedenfalls, dass es gewisse Leute in Bern gab, die eigenmächtig genug waren, um in Missachtung von Bundesratsbeschlüssen die Einleitung von Verhandlungen möglichst zu beschleunigen.

Nun lief aber die ganze Angelegenheit in der Folge doch nicht so reibungslos ab, wie es die schweizerische Regierung und wohl in erster Linie auch Kern erwartet hatten. Der Minister hatte nämlich bereits zwei entsprechende Gesuche in der Tasche (eines für den Handelsvertrag, das andere für die Passvisafrage), als er beim Aussenminister Thouvenel in der Audienz vom 8. März auf dessen zurückhaltende Einstellung traf und dieser ihm geradewegs mitteilte, Frankreich sei noch nicht für Verhandlungen mit der Schweiz bereit: "il vaut mieux d'attendre" (214), worauf Kern die Noten in seiner Tasche behielt. Zwar brachte ihm eine Unterredung mit Michel Chevalier wieder etwas mehr Mut, denn diesen fand er für Verhandlungen mit der Schweiz günstig gestimmt: "Wie könnte es anders sein", so habe Chevalier gesagt, "die Schweiz mit ihrem Freihandelssystem war uns ja die praktische Autorität, auf die wir uns bei unsern Bestrebungen, die gleichen Prinzipien nach und nach für Frankreich zur Geltung zu bringen, oft berufen haben" (215). Da nun Persigny und Thouvenel bei einer neuen Unterredung wieder einmal anregten, es sollten doch gleichzeitig mit dem Handelsvertrag noch die alten Streitfragen - Savoyerhandel und Grenzstreitigkeiten - gleich miterledigt werden, so verlangte Kern, um des Kaisers Ansicht hierüber zu erfahren, bei diesem eine Audienz. Sie fand am 23. März statt und brachte eine nicht unwesentliche Klärung der Situation.

Nachdem Kern von Napoleon "in gewohnt freundschaftlicher Weise begrüsst" (216) worden war, schnitt der Gesandte bald einmal die Hauptfrage an: Soll die Frage des Handelsvertrages mit derjenigen Savoyens verknüpft werden? Kern erklärte dem Kaiser die Ansicht des Bundesrates; dieser "werde politisch-internationale Fragen, die er selbst vor den europäischen Mächten anhängig gemacht habe, in keiner Weise in Verbindung bringen lassen mit Fragen über Zollverhältnisse und Polizeivorschriften". Die französische Regierung sollte auf jeden Fall auf die "Konnexionstendenzen" verzichten. Der Kaiser wies darauf hin, dass Thouvenels Bedenken tatsächlich mit der Haltung zusammenhingen, welche die Schweiz letztes Jahr in der Savoyerfrage eingenommen hatte und fragte dann, ob wirklich eine gleichzeitige Erledigung beider Fragen unmöglich sei? Kern konnte daraufhin natürlich nur das bisher Geäusserte bekräftigen und brachte dann einige Ueberlegungen vor, welche anscheinend in der Folge den Kaiser zu beeindrucken imstande waren. Erstens einmal lehnten die Bundesversammlung und die öffentliche Meinung der Schweiz eine Konnexion vehement ab. Zweitens würde es in der Schweiz ganz negativ wirken, wenn Frankreich zwar mit allen andern Staaten, nicht aber mit der Schweiz einen Handelsvertrag abschlösse. Noch ungünstiger wäre aber drittens der Eindruck, wenn bekannt würde, dass Frankreich nur unter dem Vorbehalt einer Regelung der Savoyerfrage überhaupt in Unterhandlungen eintreten würde. So oder so würden sich also die Beziehungen zwischen den beiden Nachbarstaaten nicht bessern, sondern Missstimmung und Erbitterung wären das Resultat. Der Kaiser schien - dies immer nach Kerns Bericht - nicht unbeeindruckt von diesen Ueberlegungen und erwiderte, er begreife wohl, was Kern hier an Bedenken und Einwänden vorgebracht habe; er beabsichtigte, darüber mit Thouvenel nochmals zu sprechen. Auf die direkte Frage Kerns, ob zwischen den beiden Ländern in Handelssachen überhaupt eine Verständigung möglich wäre, lautete Napoleons Antwort wenig eindeutig: er sehe gewisse Schwierigkeiten voraus, doch dürfe man deswegen gewiss nicht von vornherein aufs Verhandeln verzichten. Frankreich anerkenne und schätze die liberale schweizerische Handelspolitik. Wenn auch in Frankreich die Industriellen im grossen und ganzen gegen einen Handelsvertrag eingestellt seien, so gäbe es auch unter ihnen, besonders im Elsass, eifrige Befürworter eines solchen Abkommens.

Kern zog aus der Zusammenkunft mit dem Kaiser folgenden Schluss: "Nachdem ich bei dieser Audienz Gelegenheit erhalten habe, dem Kaiser selbst mit aller Offenheit und aller Bestimmtheit zu erklären, in welchem Sinn allein die schweizerischen Behörden zu Unterhandlungen mit Frankreich sich bereit finden, und nachdem ich während derselben die Ueberzeugung gewinnen konnte, dass der Kaiser es selbst einsieht, dass jede Konnexität zwischen der Savoyerfrage und den materiallen Interessen, für welche allein wir uns zu Unterhandlungen geneigt erklären, unzulässig ist und jedenfalls erfolglos wäre, so glaube ich nun nicht länger anstehen zu sollen, im Sinn des von Ihnen erhalte-

nen Auftrages eine offizielle schriftliche Eingabe abgehen zu lassen" (217).
Diesem Ungetüm von einem Satz fügte er ein Postskriptum bei, in dem er den
Bundesrat bat, diese Mitteilungen vertraulich zu behandeln. Thouvenel habe
es nämlich ungern, wenn man in Opposition zu ihm direkt mit dem Kaiser verkehre. Thouvenel aber werde wohl zusammen mit Rouher die französische Regierung bei den Unterhandlungen repräsentieren, daher sollte man ihn nicht
unfreundlich stimmen.
Ueber diese Audienz berichtete Kern ebenfalls an seinen alten Freund Alfred
Escher, mit dem er auch von Paris aus eine ziemlich rege Korrespondenz
unterhielt. Allerdings sind nicht die Mitteilungen über das Gespräch mit Napoleon III. für uns hier besonders aufschlussreich, sondern vielmehr die etwas liebedienerischen, zuträgerischen Bemerkungen, mit denen Kern die Haltung des Bundesrates bedachte. So beklagte er sich darüber, wie schwierig
es für ihn gewesen sei, nach dreimonatigem Drängen die Ermächtigung des
Bundesrates zu erhalten, damit er um Unterhandlungen habe nachsuchen
können. Nun sei immerhin der erste Schritt getan, doch werde wohl bis zum
Beginn der Negotiationen noch etwas Zeit vergehen. Ohne dass er dafür eigentlich konkrete Beweise hatte, behauptete er, man hätte dies in Bern in jeder Weise zu verhindern gesucht.
Indem er Escher bat, diese Mitteilungen vertraulich zu behandeln und darauf
hinwies, auch seine Berichte an den Bundesrat seien konfidentiell gewesen,
fügte er sarkastisch bei: "und derselbe hat - was eine Seltenheit ist - denselben bisher auch als solchen für sich zu behalten gewusst" (218). Schliesslich
ging Kern sogar soweit - offenbar, um sich dadurch weiterhin Eschers Gunst
zu sichern -, ihm ein ganz unverblümtes Angebot zu machen: "Hast du seiner
Zeit dies oder jenes, was für Handelsinteressen von besonderer Bedeutung
ist, mir zu melden oder zur besonderen Berücksichtigung zu empfehlen, so
werde ich mein Möglichstes tun, ihnen Geltung zu verschaffen. Am liebsten
wäre mir, wenn du selbst für einige Wochen zu den diesfälligen Unterhandlungen nach Paris kommen könntest, was ich freilich kaum zu hoffen wage".
Damit überschritt Kern eindeutig die Grenzen, die ihm als Vertreter der gesamtschweizerischen Interessen gesetzt waren; die schon damals eben häufige enge Verflechtung von wirtschaftlichen Sonderinteressen und politischer
Einflussnahme zeigen sich hier ohne die sonst übliche Verschleierung.
Allerdings stieg Escher nicht auf dieses Angebot ein. Fast ausschliesslich mit
den Eisenbahn- und Bankangelegenheiten beschäftigt, zeigte er bis zum Ende
der Verhandlungen kein irgendwie konkret fassbares, direktes Interesse an
den Verträgen; auch aus seiner Korrespondenz mit Dubs, Feer-Herzog,
Peyer im Hof und Fierz (219) lässt sich nichts darüber ausfindig machen. Da
ein völliges Desinteressement des politisch und wirtschaftlich so einflussreichen Mannes aber unwahrscheinlich ist, muss vermutet werden - trotz des
Einwandes "quod non est in actis, non est in factis" -, dass Escher seinen
Einfluss zugunsten der Verträge auf indirektem Wege, etwa über befreundete

oder ihm ergebene oder von ihm abhängige Politiker geltend machte.

3. Einreichung des schweizerischen Gesuchs: Abwarten (März 1861-April 1862)

Am Tag nach der Audienz Kerns beim Kaiser ging das Gesuch um Verhandlungsaufnahme ans französische Aussenministerium ab (am 24. März)(220); anfangs April erfolgte darauf eine positive Antwort. Thouvenel bezog sich auf die Grundsätze des Programms vom 5. Januar 1860 und fügte bei: "La question va donc être immédiatement mise à l'étude dans les diverses administrations compétentes; il y sera procédé avec toute l'activité que le permettent les négociations actuellement pendantes avec d'autres Etats étrangers, et j'aurai soin de vous faire connaître aussitôt que possible, Monsieur, le moment où les pourparlers pourront être entamés" (221). Zwei Dinge waren dabei besonders bemerkenswert: erstens die grundsätzliche Bereitschaft zum Verhandeln und zum ungesäumten Prüfen der diesbezüglichen Probleme; zweitens aber wurden die schweizerisch-französischen Verhandlungen denjenigen mit andern Staaten unverkennbar untergeordnet. Kern wies deshalb in seinem Begleitschreiben mit leiser Vorahnung darauf hin, dass bis zum Verhandlungsbeginn sicher wohl noch einige Zeit vergehen würde (222) - dass es fast zwei Jahre werden würden, konnte damals auch der ausgekochteste Pessimist nicht voraussehen!

Thouvenel seinerseits orientierte seinen Kollegen Rouher über das schweizerische Gesuch und benützte die Gelegenheit zu einer kurzen Beurteilung der französischen Ausgangslage, aus der folgende Ueberlegungen hervorgehoben seien: Da auf dem wirtschaftlichen Sektor in Verhandlungen mit der Schweiz wohl kaum ein Gleichgewicht bei den gegenseitigen Konzessionen erwartet werden konnte, so müsste Frankreich die Gelegenheit ausnützen, um verschiedene seit langem hängige Fragen jetzt zu erledigen. Als solche erwähnte er: die freie Niederlassung der Juden, die Revision des Vertrages über die Grenzverhältnisse von 1828, der Schutz des industriellen (geistigen) Eigentums, die Zollverhältnisse der Zonen um Genf (Pays de Gex, Chablais und Faucigny); dazu auf rein wirtschaftlichem Gebiet die Forderung nach Transitfreiheit in der Schweiz, die gegenseitige Angleichung der Tarife beider Länder und die Revision der schweizerischen Weingebühren. Die missbräuchliche Nachahmung der französischen Modezeichnungen durch die Basler und Zürcher Industriellen hätten seit geraumer Zeit den berechtigten Unwillen der Fabrikanten von Mulhouse, Lyon und St. Etienne hervorgerufen. Thouvenel urteilte daher ganz richtig, wenn er prophezeite: "Je n'hésite donc pas à penser, Monsieur et cher Collègue, que l'une des conditions primordiales de la conclusion d'un traité de commerce avec la Suisse devrait être un accord ou tout au moins la promesse d'une coopération sérieuse pour la répression de ce genre de fraude"(223). Dem schweizerischen Zolltarif bescheinigte er, dass dieser liberal sei, aber eben gegenüber allen Staaten auf gleiche Weise. Beim Wein

- wo die Stellung des Bundesrates gegenüber den Kantonen ganz zutreffend als schwach beurteilt wurde, was die Konsumogebühren anbelangte - sollte deshalb gefordert werden:"Suppression du droit de douane sur nos vins et... l'engagement de provoquer le nivellement des droits cantonaux en assimilant nos vins à ceux de la Suisse" (224).

In dieser vorläufigen Bestandsaufnahme durch den französischen Aussenminister waren denn auch bereits alle Punkte angeschlagen, über die zwei oder drei Jahre später konkret verhandelt wurde.

Zu einem Zeitpunkt, da der französisch-belgische Vertrag unterzeichnet wurde (am 1. Mai 1861), versuchte Kern noch ohne jeden Erfolg, von den massgebenden Stellen in Paris einige Aufschlüsse über die Forderungen Frankreichs zu erhalten. Von untergeordneten Stellen erfuhr er bloss, dass anscheinend zwei Forderungen im Vordergrund stehen würden: der Schutz des geistigen Eigentums und die freie Niederlassung der Juden, zu der Kern seufzend beifügte: "...eine Frage, welche uns beim Abschluss jedes Handelsvertrages Schwierigkeiten macht" (225). Wenn dies auch nur spärliche Informationen waren, so stellten sie doch die ersten konkreten Auskünfte über die französischen Forderungen überhaupt dar. Etwas später erfuhr Kern - der sich darüber beklagte, dass sich die kritischen Aeusserungen in der westschweizerischen Presse zum Thema "Konnexion" bei den französischen Regierungsstellen ungünstig auswirkten - Näheres über die Frage des Schutzes der Fabrikzeichen: Die französischen Industriellen verlangten mit berechtigtem Nachdruck, gegen einen solchen Diebstahl geschützt zu werden. Dagegen sei Kern, wie er maliziös schrieb, wohl bekannt, dass die schweizerischen Industriellen in diesem Punkt grosse Zurückhaltung empföhlen "und nicht gern von bisheriger Praxis (wie man es nennt) abgehen möchten" (226).

Nur zu bald sollte sich aber erweisen, dass damit einer der Hauptverhandlungspunkte berührt war.

Anfangs Juni war Kern bei Thouvenel in Audienz, um sich nach dem Zeitpunkt des Verhandlungsbeginn zu erkundigen. Bevor die Verhandlungen mit dem Deutschen Zollverein beendet seien, so vernahm Kern, käme die Aufnahme von Negotiationen mit der Schweiz keinesfalls in Frage. Dies könnte erst etwa Anfang Oktober des gleichen Jahres der Fall sein, da bis dahin der Directeur de la Section commerciale im Aussenministerium, Herbet, von den laufenden Verhandlungen vollständig in Anspruch genommen sei. Zudem käme ja jetzt ohnehin die "saison morte". Im daran anschliessenden Gespräch über den Schutz der Muster und Zeichnungen legte Kern nochmals den ablehnenden Standpunkt der Schweizer Industriellen dar, gewann dabei aber den Eindruck, dass Frankreich an diesen Forderungen unbedingt festhalten würde. Kern sah bereits die Gefahr, dies könnte zu einer conditio sine qua non werden (227).

Kern, dem man attestieren muss, dass er auch in der Sauregurkenzeit versuchte, möglichst viele Informationen von französischer Seite zu erhalten, besuchte Mitte Juli Herbet, den Mann also, der so etwas wie der Spezialist des Aussenministeriums für die Handelsverträge war und der offenbar auch bei Verhandlungen mit der Schweiz eine wichtige Rolle spielen würde. Ueber die Tariffragen, so versicherte Herbet, würde man sich bald einmal verständigt haben. In den beiden andern Punkten aber - Musterschutz und Judenfrage - müsse Frankreich unbedingt auf seinem Standpunkt beharren. Der erste sei für die französische Industrie unerlässlich und bereits in den Handelsverträgen mit andern Staaten verankert. Zum zweiten Punkt bemerkte Herbet, derartige Beschränkungen seien "bei der fortgeschrittenen Zivilisation" in keinem Land mehr haltbar, und Frankreich könne sich unmöglich zum Abschluss eines Handelsvertrages herbeilassen, der seinen Staatsangehörigen ungleiche Rechte schaffen würde. "Ehe man über diese beiden Hauptfragen einig sei, wäre es überflüssig, ... in irgendwelche Erörterungen über Tariffragen einzugehen" (228). Damit war auch gleich schon für zukünftige Verhandlungen die Prioritätsordnung in ihren Grundzügen festgelegt - sie änderte sich in der Tat eigentlich nicht mehr wesentlich. Beim Gespräch mit Herbet hatte sich Kern deutlich davon überzeugen können, dass sich die Aufnahme von Verhandlungen mit der Schweiz eindeutig deshalb verzögert hatte, weil Frankreich auf alle Fälle zuerst den Vertrag mit dem Zollverein unter Dach bringen wollte, dabei aber auf grössere Schwierigkeiten gestossen war, als man ursprünglich erwartet hatte. Aus verschiedenen, bei E. Franz (229) eingehend dargestellten Gründen zog sich die Einigung zwischen Frankreich und Preussen, das die Verhandlungen für die Staaten des Zollvereins führte, aber noch sehr weit hinaus. Für die Schweiz gab es also vorderhand keine andere Möglichkeit, als diese Einigung abzuwarten.

In Bern befasste man sich in diesem Jahr nur ein einziges Mal im grösseren Rahmen mit den französischen Forderungen. Unter dem Präsidium von Bundesrat Frey-Herosé fand am 23./24. Juli in Bern eine Konferenz von Parlamentariern, vornehmlich Vertretern der Industriekantone statt, die sich mit den allgemeinen Problemen der schweizerischen Volkswirtschaft beschäftigte und besonders auch die Aspekte des Aussenhandels diskutierte (230). Der Departementsvorsteher orientierte über die bis jetzt bekanntgewordenen französischen Forderungen und bat um die Stellungnahme der Konferenzteilnehmer. Die überwiegende Mehrheit der Anwesenden sprach sich für einen Vertrag aus, da er für die wichtigen Industriezweige beachtliche Vorteile bringen musste. Zur Judenfrage wurde erklärt, der bestehende Niederlassungsvertrag sollte eigentlich genügen, nur wäre er einfach im liberalen Sinne zu interpretieren. Es wurde sogar die Meinung vertreten, die Kantone sollten vorgängig die Beschränkungen aufheben. Damit war eine ganz wichtige Frage ins Blickfeld gerückt: Soll die Schweiz die Konzessionen, die von ihr gefordert werden, schon vor Beginn der Verhandlungen machen, um dadurch das Terrain für eine schnelle Einigung zu ebnen, oder sollte sie diese Zugeständnisse nicht vielmehr als Verhandlungsobjekte möglichst teuer gegen französische Konzessionen einzutauschen versuchen? Sehr bald entschied man sich in der Schweiz -

aus verständlichen Gründen - für die zweite Lösung. Auch mit der Verpflichtung zum Schutz des geistigen Eigentums zeigten sich die meisten einverstanden. In verschiedenen Kantonen war ja die Nachahmung von Fabrik- und Handelszeichen verboten (nicht in allen) und wurde als eine "unmoralische Handlung" verurteilt. Ausserdem wurde anerkannt, dass sich die Konvention über das sogenannte literarische Eigentum, die Genf im Jahre 1858 mit Frankreich abgeschlossen hatte, als nützlich und nachahmenswert erwiesen hatte.

Hingegen wurde gegen die französische Forderung, die Muster und Zeichnungen sollten ebenfalls geschützt werden, heftig opponiert. Es wurde vorgebracht, die Einrichtung brächte viel zu grosse Unannehmlichkeiten mit sich (Problem der Beschlagnahmung, der gerichtlichen Erledigung usw.), weshalb die Schweiz beim Eingehen entsprechender Verpflichtungen sehr vorsichtig sein müsse. Im übrigen redete man aber ganz offensichtlich um den heissen Brei herum.

Die Konferenz, bei der fast nur Befürworter eines Vertrages zu Wort gekommen waren, hatte im gesamten wenig Neues und Konkretes erbringen können. Man hatte sich in der Schweiz auch damit abgefunden, dass man im Augenblick faute de mieux nichts anderes tun konnte, als abzuwarten, bis Frankreich geruhte, die Verhandlungen aufzunehmen. Die Savoyerkrise stand dem nicht mehr im Wege, sondern es handelte sich um Gründe, auf die von der Schweiz aus kein Einfluss genommen werden konnte.

Mitte September 1861 erfuhr Kern in einer Audienz beim Aussenminister, die Hauptschwierigkeiten mit dem Zollverein wären jetzt zwar beseitigt, doch gehe das Ganze eben doch langsamer vorwärts, als man gehofft hätte. (231) Weil aber das Ergebnis der französisch-deutschen Verhandlungen auch auf die Schweiz einen Einfluss haben könnte, müsste das Ende der Konferenzen mit Preussen abgewartet werden. Dies war ein neues Argument, das offenbar dazu diente, die Schweiz auf elegante Weise abzuspeisen und zu vertrösten. Herbet sagte Kern bei anderer Gelgenheit, die Vorarbeiten für die schweizerisch-französischen Verhandlungen seien nun abgeschlossen und der Abschluss des französisch-deutschen Vertrages sollte Ende Oktober 1861 perfekt sein, woran aber Kern - wie sich herausstellte, zu Recht - stark zweifelte. Hingegen hob Kern im gleichen Bericht besonders hervor, dass Frankreich in all seinen bisherigen Verträgen und in den im Entstehen begriffenen den Schutz des literarischen, künstlerischen und industriellen Eigentums geregelt habe (232). Für die Schweiz musste es also schwer sein, sich einer solchen Verpflichtung zu entziehen.

Für mehrere Monate herrschte nun in der Frage der Verhandlungen völlige Flaute; Kern sandte bis Mitte Januar 1862 keine einzige Depesche mehr, in der Neuigkeiten zu diesem Thema enthalten gewesen wären. Erst nach diesem Datum vernehmen wir dann, die Aussichten für den Abschluss des französisch-deutschen Vertrages hätten sich zwar gebessert, doch sei andererseits die französische Industrie in eine Krise geraten: erstens wirkten sich der amerikanische Bürgerkrieg und die versiegenden Baumwollieferungen nachteilig aus; zweitens komme der Handelsvertrag von 1860 vornehmlich den Engländern zugut, so dass z.B. laut "Moniteur" in England ganze Städte nur für den Export nach Frankreich arbeiteten. Der französische Markt, von englischen Waren überschwemmt, bilde für die Engländer einen willkommenen Ersatz des amerikanischen Absatzgebietes, dessen Aufnahmefähigkeit durch den Krieg weitgehend beeinträchtigt wurde. "Eine solche Ausgleichung", fügte Kern bei, " wäre auch für unsere schweizerische Industrie sehr am Platze" (233).

Die bedrängte Situation der französischen Industrie kam bald auch in den Debatten des Corps législatif zum Ausdruck. Immer stärker und lauter erhob sich nun die Opposition unter den Industriellen gegen den Abschluss weiterer Verträge auf der gleichen Grundlage wie desjenigen mit Grossbritannien: "Man warnt vor weiteren Verträgen, vor weiteren Negotiationen!" (234) Für die Schweiz konnte sich also unter Umständen die Gefahr ergeben, dass die Verhandlungen mit ihr dieser Opposition zum Opfer fielen. In Berlin war man nun in die fast hektische Schlussphase der französisch-deutschen Verhandlungen eingetreten und bereitete im März die endgültige Redaktion der Abkommen - Handelsvertrag, Konvention über den Schutz des geistigen Eigentums und die Regelung über Schiffahrtsfragen - vor. (235)
Die Hoffnung auf eine Wendung zum Bessern schien auch Kern, der ohne Möglichkeiten zum Einwirken und Beschleunigen als ungeduldiger Beobachter der Vorgänge in Paris sass, nun doch langsam, aber unaufhaltsam abhanden zu kommen: auf einem Tiefpunkt war er im April 1862 angelangt. Damals konnte er zwar berichten, dass der französisch-deutsche Vertrag jetzt paraphiert sei und die Bestimmungen über den Schutz der Fabrikzeichen nicht so bindend seien wie in den frühern Verträgen. Ausserdem sei der - in der Schweiz verpönte - Patentschutz nicht in den Vertrag aufgenommen worden. Da in der Schweiz eben ein negatives Gutachten über diese Materie verfasst worden war, bat Kern um die Uebersendung einiger Exemplare, um den ablehnenden schweizerischen Standpunkt bei den französischen Stellen und den Vertretern anderer Staaten, die noch mit Frankreich Verträge abzuschliessen gewillt waren, bekannt machen zu können. So wäre es vielleicht dem Vertreter der Norddeutschen Städte in Paris möglich, bei der französischen Regierung im schweizerischen Sinn vorzuarbeiten - "für den Fall, dass es einmal auch mit der Schweiz wirklich zu Negotiationen kommen wird" (!) (236). Derart tief waren seine Hoffnungen gefallen; und doch muss man anerkennen, dass er auch jetzt noch nicht dazu neigte, die Flinte ins Korn zu werfen. Mit nach wie vor anhaltender Aufmerksamkeit suchte er sich den mannigfaltigen Schwierigkeiten zum Trotz auf dem laufenden zu halten und dem Bundesrat nach Möglichkeit in seinen jetzt spärlicher abgesandten Berichten nützliche Informationen zu übermitteln.

4. Ein diplomatischer Zwischenfall (Mai - Juni 1862)

Das Stadium der Stagnation, in dem die Frage des Handelsvertrages nun schon seit längerer Zeit verharrte, wurde durch einen Zwischenfall im Mai 1862 unterbrochen; obschon dieses Zwischenspiel nichts zu einer entscheidenden Aenderung der Situation beitragen konnte, resultierte doch daraus schliesslich eine gewisse Klärung und Besserung zugunsten der Schweiz.
Der Anlass zu der ganzen Geschichte war recht belanglos. Thouvenel beschwerte sich in einer Note vom 19. Mai an den französischen Gesandten in Bern, Marquis Turgot, über einen Passus im Bericht des Bundesrates über seine Geschäftsführung im Jahre 1861. Im Abschnitt über die Verhandlungen mit ausländischen Staaten hatte der Bundesrat geschrieben, dass er im Frühjahr 1861 den Minister in Paris beauftragt hätte, die französische Regierung anzufragen, ob sie zu Handelsvertragsverhandlungen mit der Schweiz bereit wäre; der Bericht fuhr dann so fort: "La réponse arriva peu de temps après, était conçue en termes favorables; elle contenait l'assurance que le Gouvernement Impériale français ferait étudier immédiatement la question par ses administrations, et cela avec toute la promptitude que permettaient les négociations encore pendantes avec d'autres Etats. Il sera, ajoutait - il, fait des ouvertures ultérieures aussi promptement que possible. Dès lors il s'est écoulé près d'une année, durant laquelle la Belgique a consenti un traité avec la France. En ce qui concerne les Etats de l'Union douanière allemande et le Royaume d'Italie, les tractations sont fort avancées, tandis que pendant ce long laps de temps nous n'avons pu avancer d'un seul pas, et que nous attendons encore les ouvertures ultérieures mises en perspective. Aux demandes que nous adressâmes à ce sujet, il fut répondu à réitérées fois que l'affaire se trouvait dans la phase des études préliminaires. Et en effet le discours du trône tenu à l'occasion de l'ouverture des Chambres françaises mentionne en termes positifs les négociations qui vont s'ouvrir au sujet d'un traité de commerce avec la Suisse" (237). Turgot, der dem Aussenminister diesen Bericht ususgemäss zugesandt und auf die zitierte Stelle besonders hingewiesen hatte, zeigte sich mit der darin ausgesprochenen Darstellung grundsätzlich einverstanden. Er riet daher, man sollte der Schweiz den Klagegrund entziehen "en adressant, d'ici à quelque temps, au Conseil fédéral ou à Son représentant à Paris les 'ouvertures ultérieures' que l'on réclame de notre part" (238).

Thouvenel hingegen bestritt aber die Richtigkeit der Behauptung, Frankreich habe seit einem Jahr keine Eröffnungen mehr über die Frage allfälliger Verhandlungen mit der Schweiz gemacht. Minister Kern, so sagte Thouvenel, sei immerfort mündlich auf dem laufenden gehalten worden und hätte zudem versichert, er werde seinerseits bei seinem Urlaub in Bern den Bundesrat ins Bild setzen. Hingegen habe der schweizerische Gesandte seit längerer Zeit nichts mehr von sich verlauten lassen, weshalb dann das folgende geschehen sei: "...nous avons dû en conclure que le Conseil fédéral n'était point préparé

pour le moment à donner suite à ses premières ouvertures" (239). Die Tendenz ist unverkennbar und sehr durchsichtig: der französische Aussenminister, anscheinend durch sein schlechtes Gewissen dazu veranlasst, versuchte nun, die Verzögerung unrechtmässigerweise der Schweiz in die Schuhe zu schieben, den Schwarzen Peter also der Gegenseite anzuhängen!
Die Sache war aber für die Schweiz nicht ohne positive Seiten, denn die Note enthielt anschliessend an diese Beschwerden auch noch aufschlussreiche Präzisierungen der französischen Verhandlungsposition. So war man in Paris zur Gewährung all jener Zollermässigungen bereit, die man gegenüber den andern Vertragspartnern gemacht habe. Andererseits würden von der Schweiz aber folgende Konzessionen erwartet: eine allgemeine Tarifanpassung, die Aufhebung sowohl des Transit- wie des Exportzolls auf französischen Waren, ein "remaniement" der Konsumogebühren und die Garantie des Schutzes für das sog. geistige Eigentum. Daneben wäre anzustreben (nach Thouvenels Formulierung "subsidiairement"): die Niederlassungs- und Gewerbefreiheit für alle Franzosen, die Revision des Vertrages vom 18. Juli 1828 betreffend die Grenzverhältnisse und schliesslich die Aufhebung aller schweizerischen Einfuhrzölle für sämtliche Erzeugnisse aus dem Pays de Gex, dem Chablais und dem Faucigny. Da die Schweiz durch einen Vertrag ja Zugang erhalte zu einem Markt von 40 Mio. Menschen, seien diese Forderungen keineswegs übertrieben!
Der letzte Satz der Note stand im frappanten Gegensatz zu den am Anfang vorgebrachten Beschwerden und enthüllte deutlich die Absichten Frankreichs: "J'ajouterai que l'ouverture de négociations avec la Suisse demeure tout naturellement subordonné à la conclusion de nos traités avec le Zollverein"(240). So stand demnach also die Sache - "tout naturellement" den Verhandlungen mit dem Zollverein untergeordnet; das wusste man ja in der Schweiz auch, deshalb waren aber die Vorwürfe an die Adresse des Bundesrates kaum haltbar. Gewiss mutet dessen realistische und unverblümte Darstellung im Geschäftsbericht etwas plump und brutal an, traf aber doch, wie die französische Reaktion zeigt, einen empfindlichen Nerv.
Wie war es möglich, dass dieses Schreiben in die Hände des Bundespräsidenten Stämpfli gelangte ? Es scheint, als habe sich im Getriebe der französischen Diplomatie eine kleine Panne ereignet, die der Schweiz wichtige Informationen lieferte. Thouvenel hatte Turgot damit beauftragt, beim Bundespräsidenten wegen der inkriminierten Stelle zu protestieren; Turgot tat dies zuerst mündlich und bekräftigte schliesslich seine Beschwerde am 29. Mai in einem Schreiben, dem er aber eigenartigerweise eine Kopie der Note Thouvenels beilegte! Dass dies gewiss nicht die Absicht des Absenders in Paris gewesen war, zeigte sich einige Zeit nachher, als Kern mit Herbet über die ganze Angelegenheit eine Unterredung hatte. Herbet war sehr verwundert, dass der Bundesrat eine vollständige Abschrift der Note erhalten hatte statt einer blossen mündlichen Mitteilung. Kern aber meinte: "Ich aber freue mich, dass

Sie (d.h. der Bundesrat) mir diese Abschrift einzuhändigen wussten, weil sie mir zur Audienz und zur Rechtfertigung unseres Verfahrens Anlass geboten hat" (241). Diese Rechtfertigung unternahm Kern, der auf schweizerischer Seite ja der Hauptbeteiligte war, sogleich mit grosser Energie, sobald er eine Abschrift der Note erhalten hatte. In schnell aufeinanderfolgenden Briefen berichtete er über seine Bemühungen an den Bundesrat, aus denen deutlich seine Erregung zu spüren ist (242).

Zuerst rekapitulierte er in einem längeren Schreiben, welche Schritte er im Verlaufe der letzten Jahre unternommen hatte, um dann mit einem Monstersatz zu schliessen: "Die vorstehenden auf meinen amtlichen Depeschen basierten Nachweisungen dürften mehr als genügen, um auch den geringsten Zweifel darüber zu heben, auf welcher Seite in Tat und Wahrheit die Ursache liegt, dass ungeachtet der von mir in Ihrem Namen schon unterm 24. März 1861 in einer Note gemachten Proposition zu Unterhandlungen und ungeachtet der vom Ministerium schon am 1. April 1861 erklärten Bereitwilligkeit und ungeachtet mehrfacher Anfragen und Erinnerungen an die Zusicherung vom 1. April dennoch im Laufe von 14 Monaten es noch nicht möglich geworden ist, diese Negotiationen zu eröffnen" (243).

Selbstverständlich ging Kern selbst zu Thouvenel, um seine Ansicht dort darzulegen; allerdings gestand Kern, nach der ersten Lektüre der Note "so befremdet, so indigniert gewesen zu sein, dass er seinen Besuch beim Aussenminister um ein, zwei Tage verschieben musste, da er sonst "die nötige diplomatische Kaltblütigkeit und Ruhe" nicht hätte aufbringen können (244).

Zuerst sprach er deshalb bei Herbet vor und legte diesem dar, was er unter offiziösen Auskünften und festgelegten Grundlagen ("bases arrêtées") verstand. Während er wohl gewisse Auskünfte erhalten hatte, seien dagegen nie, wie Thouvenel behauptet hatte, förmliche "bases arrêtées" ausgetauscht worden, weder mündlich noch schriftlich. Vielmehr hätte er, Kern, durch die Note vom 19. Mai erstmals Genaueres über die französischen Verhandlungsgrundlagen erfahren können. Auf seine Anfragen nach dem Verhandlungsbeginn sei er vielmehr immer wieder mit dem Hinweis abgespeist worden, das Material sei noch nicht gesammelt, später: der Abschluss des Handelsvertrages mit dem Zollverein müsse abgewartet werden.

Herbet musste offenbar, wenn wir Kerns Darstellung folgen, die Richtigkeit dessen anerkennen, was Kern vorbrachte (245), und sagte ihm zum Abschied, er, Kern, solle Herrn Thouvenel mitteilen, er, Herbet, teile Kerns Ansicht völlig (246). Der Aussenminister, dem der Gesandte das gleiche wie Herbet vorbrachte, musste denn auch eingestehen, dass Kern im Recht war, was der schweizerische Gesandte fast triumphierend an den Bundesrat berichtete: "Damit ist also der Grundgedanke der Depesche vom 19. Mai, als hätte die Schweiz die Verzögerung verursacht, nicht bloss widerlegt, sondern die Richtigkeit der Widerlegung auch zugestanden" (247). Allerdings hatte Thouvenel erwidert, dass im Geschäftsbericht ein Ton angeschlagen worden sei, durch den

Frankreich des "mauvais vouloir" beschuldigt werde, was gewiss nicht zutreffe. Der Bundesrat hätte demgegenüber vielmehr den Hauptgrund der Verzögerung, die Verhandlungen mit dem Zollverein, deutlich erwähnen sollen.

Viel wichtiger als die Richtigstellung der französischen Vorwürfe war aber, dass Kern bei dieser günstigen Gelegenheit - Thouvenel und Herbet quasi auf dem Rückzug - die vorläufige schweizerische Stellungnahme (248) zu den neuesten französischen Forderungen umreissen konnte; dabei ergab sich eine gewisse Flurbereinigung. Für die Schweiz resultierten daraus über die französischen Wünsche wertvolle Aufschlüsse, die ihr bisher weitgehend gefehlt hatten.

Der Schutz für Erfindungen durch Patente, so brachte Kern vor, würde von Frankreich verlangt, obschon er nicht im französisch-deutschen Vertrag enthalten sei und auch z.B. Michel Chevalier die französische Gesetzgebung in diesem Punkte als völlig verfehlt betrachte. Der Bundesrat und das Parlament würden eine solche Forderung mit aller Beharrlichkeit verwerfen.

Anhand von Zahlenvergleichen (249) versuchte Kern im weitern nachzuweisen, dass die französische Forderung ungerechtfertigt sei, wonach die Schweiz ihre Zölle auf allen denjenigen Positionen senken sollte, wo die französischen Zölle niedriger seien. Auf den allermeisten Positionen hatte ja die Schweiz bedeutend niedrigere Tarife als Frankreich, und sie betrachtete es daher mit einigem Recht als unzumutbar, wenn sie auf den wenigen andern (z.B. Seidengeweben) ihre Zölle auf das französische Niveau senken sollten, ohne dass die Franzosen dann auf allen andern Positionen entsprechende Gegenkonzessionen machen würden. Die genau gleiche Forderung - als "nivellement des tarifs" bezeichnet - hatte Frankreich in den Verhandlungen mit dem Zollverein ungefähr ein Jahr vorher auch schon erhoben (250). Die hartnäckig ablehnende Haltung der preussischen Unterhändler veranlasste aber die Franzosen, diese Forderung zu revidieren; man fand sich dann im März 1862 nach zähen Verhandlungen zu einem Kompromiss auf mittlerer Linie zusammen (251). Natürlich waren damals diese Vorgänge weder dem Bundesrat noch dem schweizerischen Gesandten bekannt, doch hofften sie aber wahrscheinlich instinktiv, Frankreich werde von seinen Forderungen in dieser Form wieder absehen.

Eine sichere Bereitschaft zum Entgegenkommen von schweizerischer Seite - so versicherte Kern den französischen Vertretern - wäre gewiss hingegen dann zu erwarten, wenn Frankreich seine Tarife den schweizerischen angliche, also dem Prinzip der Reziprozität nachleben würde. Dass dies allerdings eine rein utopische Anregung war, dessen musste sich Kern ohne Zweifel bewusst sein.

Was die Ohmgelder betraf, wies Kern darauf hin, dass Belgien weit höhere Gebühren zugestanden worden waren, als sie in der Schweiz erhoben wurden. Einer Freistellung _aller_ Produkte aus dem Pays de Gex und einer Erweiterung der Freizonen auf die neu annektierten savoyischen Provinzen müsse sich ausserdem die Schweiz aus verschiedenen Gründen (252) widersetzen. Zur

Frage der freien Niederlassung der französischen Juden wiederholte er das bereits früher Erwähnte.
Allem Anschein nach machten Kerns Erklärungen auf den Minister und den Handelsdirektor einen ziemlich nachhaltigen Eindruck. Herbet kam gleich auf viel mildere frühere Vorschläge zurück, pries das liberale Zollsystem der Schweiz und eröffnete Kern zu dessen Erstaunen, Frankreich wolle nicht an den Erfindungspatenten festhalten. Wie es aber denn gekommen sei, erkundigte sich hierauf Kern, dass diese Forderung unter die "bases arrêtées" aufgenommen worden sei? Herbets fadenscheinige Antwort, dies sei vermutlich nur ein Fehler in der Abschrift des Briefes, kommentierte Kern mit der hämischen Bemerkung: "Was doch die armen Kopisten nicht schon alles verschuldet haben! Aus Versehen vom Kopisten hat man der Schweiz das Dappental zugeteilt; und nun hätte man fast aus Versehen ihr noch gar das prozessschwangere französische Brevetsystem aufdringen wollen!? - ! Gut, wenn man zu rechter Zeit solche Kopiefehler noch entdeckt und aufdeckt! -"Auch auf Kerns Frage nach der Bedeutung des Wortes "subsidiairement" in Thouvenels Schreiben an Turgot trat Herbet teilweise den Rückzug an, indem er den schweizerischen Gesandten beschwichtigte, dass Frankreich bestrebt sein werde, wenn irgend möglich darüber eine Einigung zu erzielen. Dadurch fühlte sich Kern deutlich in seiner früher geäusserten Ansicht bestätigt, dass verschiedene der französischen Bedingungen keineswegs als unumstösslich zu gelten hatten, sondern durchaus heruntergehandelt werden konnten.
Damit war der Zwischenfall beigelegt. Die Schweiz, vor allem aber Kern, hatte nicht nur volle Satisfaktion erlangt, sondern zudem wertvolle Einblicke in die französische Verhandlungsposition erhalten. Gleichzeitig waren die französischen Vertreter für einige Zeit in die ihnen sicher unangenehme Rolle derjenigen gedrängt worden, die einen Rückzug anzutreten hatten und sich entschuldigen mussten. Für die Zukunft konnte bedeutsam werden, dass nun zu erwarten war, Frankreich würde von jetzt an mit solchen unhaltbaren Vorwürfen gewiss vorsichtiger operieren und sich wahrscheinlich ganz allgemein einer möglichst fairen Haltung gegenüber dem schwächeren Verhandlungspartner befleissigen. Kern wusste aber, dass das Rechtbehalten in dieser Angelegenheit ja nicht etwa dazu verführen durfte, diese Genugtuung in der Schweiz öffentlich auszuschlachten. Das französische Selbstbewusstsein wäre schnell verletzt und damit die Aussichten, dass Frankreich sich zu baldigen Verhandlungen auf entgegenkommender Basis herbeiliesse, auf längere Zeit zerstört gewesen. Kern riet daher dem Bundesrat eindringlich, die ganze Angelegenheit streng vertraulich zu behandeln. Die Sache liege ja viel günstiger, als man nach der Kenntnisnahme von Thouvenels Schreiben hätte annehmen müssen. Dieser Ansicht schloss sich der Bundesrat kommentarlos an (253).

II. Die Zeit der intensiven Vorbereitung

1. Der Verhandlungsbeginn rückt näher (August - Dezember 1862)

Als der deutsch-französische Handelsvertrag und die zugehörigen Abkommen am 2. August 1862 durch die Repräsentanten Preussens und Frankreichs unterzeichnet wurden, war damit nicht nur für die beiden beteiligten Länder eine wichtige Etappe zurückgelegt worden, sondern auch für die Schweiz war dieses Ereignis von einigem Interesse: erst jetzt konnte sie an die Reihe kommen. Aber: es war nur erst Preussen, das den Verträgen zustimmte, während die andern Staaten des Deutschen Zollvereins noch zuwarteten, bevor sie ihre Unterschriften unter die Verträge setzten. Bei den mittel- und süddeutschen Staaten war noch mit dem harten Widerstand der einflussreichen schutzzöllnerisch gesinnten Kreise zu rechnen. Bevor dieser Widerstand nicht überwunden war, kam für Frankreich, wie Kern von Herbet vernahm, der Beginn von Verhandlungen mit der Schweiz nicht in Frage (254).

Kern hatte jetzt glücklicherweise seinen Pessimismus, der ihn noch ein paar Monate vorher beherrscht hatte, wieder überwunden, denn nun zeichnete sich doch langsam - obschon die Franzosen immer noch zurückhaltend blieben - die Aufnahme von Unterhandlungen innerhalb einer absehbaren Frist ab. Rouher hatte ihm nämlich anfangs August eröffnet, das Handelsministerium wäre für die Negotiationen gerüstet und nach ihm sollte es möglich sein, anschliessend an die übliche Sommerpause, also im Oktober, die "pourparlers" aufzunehmen, "sofern nicht politische, ihm nicht bekannte Gründe vorliegen", die einen Aufschub mit sich bringen könnten (255). Was er damit meinte, wusste auch Kern nicht zu interpretieren.

Inzwischen war man in Bern noch damit beschäftigt, sich - ohne grosse Eile - weitere Informationen zu beschaffen, die bei Verhandlungen von Interesse sein konnten. So musste z.B. Kern einen Bericht über die Konsumogebühren in Frankreich erstatten (256). Das Politische Departement prüfte die Probleme, die sich wegen der Freizonen um Genf ergaben oder ergeben könnten (257). Im Oktober hatte Kern seine erste Audienz beim neuen französischen Aussenminister, Drouyn de Lhuys (258), der ihm sagte, dass er zuerst die bisher geführte Korrespondenz einsehen müsse, bevor er zur Sache etwas sagen könne. Drouyn zeigte sich aber entschlossen, "etwas zur Wiederherstellung und Befestigung guten Einvernehmens zwischen beiden Staaten während seiner Amtsführung beitragen zu können" (259). Dies tönte verheissungsvoll, war aber eigentlich nicht mehr als eine der üblichen diplomatischen Beteuerungen. Kern unternahm sogleich einen neuen Vorstoss bei Herbet, der nach dem Wechsel im Ministerium nun erst recht - als der mit den Geschäften vertraute Mann - eine Schlüsselfigur werden musste. Kern gab ihm zu bedenken, dass eine weitere Verschiebung des Verhandlungsbeginns in der Schweiz nicht verstanden würde. Beim jetzigen Stand der Verhältnisse im Deutschen Zollverein

wäre es wohl möglich, mit den Unterhandlungen anzufangen: sie würden ohnehin von längerer Dauer sein, und man könnte auf alle Fälle festlegen, dass der schweizerisch-französische Vertrag erst in Kraft träte, wenn die Sache mit dem Deutschen Zollverein im Reinen wäre. Damit war auch Herbet im Prinzip einverstanden und bekräftigte bei dieser Gelegenheit nochmals, dass die Freizügigkeit für die Juden eine der allerwesentlichsten Bedingungen darstelle, die Frankreich aufrechthalten müsse. Kern schloss seinen Bericht über diese Besprechungen mit der Bemerkung, der Wechsel im Aussenministerium habe ihm die Hoffnung gegeben, Frankreich würde nun mit der Aufnahme von Verhandlungen nicht mehr so lange zuwarten.
In seiner zweiten Audienz bei Drouyn am 30. Oktober demonstrierte Kern anhand von Statistiken, wie ungünstig für die Schweiz der Warenverkehr mit Frankreich verlaufe, und er erreichte, dass der Aussenminister den schweizerischen Wunsch nach einer Verbesserung dieser Situation als gerecht anerkannte. Da sowohl Herbet wie Rouher, die er beide in den nächsten Tagen aufsuchte, der gleichen Meinung schienen, musste der Verhandlungsbeginn nicht mehr fern sein. Kern empfahl daher dem Bundesrat, "es dürfte angemessen sein, wenn nun schweizerischerseits die Instruktionen vorbereitet werden, so weit dies nicht bereits schon geschehen sein sollte" (260). Nein, so weit war man in Bern beileibe noch nicht, dafür glaubte man - zu Recht - immer noch genügend Zeit zu haben.
Mit einer Note an Drouyn (261) bekräftigte Kern nochmals das bereits mündlich Gesagte und legte erneut Wert auf die Tatsache, dass der Bundesrat es als ungünstig erachten würde, wenn der schweizerisch-französische Handelsvertrag viel später als der deutsch-französische in Kraft träte. Dem Bundesrat konnte Kern erfreut berichten, dass sich - neben den zahlreichen Gegnern eines Handelsvertrages mit der Schweiz unter den französischen Industriellen - der Fabrikant Jean Dollfuss aus Mulhouse bei den massgeblichen Stellen in Paris sehr intensiv zugunsten eines solchen Vertrags eingesetzt habe.
Die schriftliche Antwort des Aussenministers vom 18. November auf Kerns Note bestätigte nur nochmals, dass der Vertrag mit der Schweiz demjenigen mit dem Deutschen Zollverein untergeordnet sei und Frankreich unter diesem ausdrücklichen Vorbehalt bereit sei, so bald als möglich mit den Verhandlungen zu beginnen (262). Gleichentags orientierte Drouyn seinen Kollegen Rouher über Kerns erneutes Drängen und fragte ihn an, ob das Handelsministerium zur Aufnahme von Verhandlungen bereit wäre? (263) Rouher bestätigte dies und bat Drouyn, den Termin für den Beginn von Verhandlungen festzusetzen (264).
Aus einer Aeusserung Herbets erfuhr Kern, dass dies noch im kommenden Dezember, spätestens aber im Januar des nächsten Jahres der Fall sein würde (265). Noch Konkreteres vernahm der schweizerische Gesandte an einer Audienz bei Drouyn, der den Beginn der Konferenzen provisorisch auf die Tage zwischen dem 12. und 15. Januar 1863 festlegte. Nun endlich, nach den

langen Monaten des Wartens und Geduldübens auf der schweizerischen Seite stand wenigstens der Termin zur Aufnahme der Gespräche fest! Kern regte an, die vom Bundesrat delegierten Fachleute sollten etwas früher nach Paris kommen; gleichzeitig brachte er sehr behutsam noch einen andern wesentlichen Punkt zur Sprache, die Frage nämlich, ob "es überhaupt in Ihren Absichten liegt, dass ich (in ähnlicher Weise wie die ordentlichen Gesandten von Grossbritannien, Belgien und Italien ihre Staaten repräsentierten) bei diesen Negotiationen die Schweiz vertreten solle...". Das schien ja nun wohl höchst wahrscheinlich der Fall zu sein. Kern war offensichtlich trotz der zurückhaltenden Form der Frage davon auch überzeugt.

Zum Vorgehen bei den Verhandlungen war auch bereits schon festgelegt worden, dass zuerst die strittigen Hauptfragen gelöst werden sollten, bevor die Diskussion über die Tariffragen aufgenommen würde. Kern sprach gleichzeitig auch den Wunsch aus, die bundesrätlichen Instruktionen sollten im Interesse der Schweiz nicht etwa vorzeitig publik gemacht werden, sondern darüber sollte - nach dem Vorbild der andern Staaten - striktes Stillschweigen bewahrt werden. Der Gesandte, mit den diplomatischen Gepflogenheiten (und Pannenmöglichkeiten) vertraut, gestattete sich also wieder einmal, dem Bundesrat, bei dem er vielleicht eine gewisse Unbekümmertheit, mangelnde Erfahrung oder fehlende Vorsicht vermutete oder befürchtete, diese elementaren Grundregeln in Erinnerung zu rufen.

Auf der andern Seite konnte Kern einige Tage später im Gespräch mit Herbet Gewissheit erlangen über die Hauptpunkte, "welche Frankreich bei allen abgeschlossenen Verträgen festgehalten habe und auch der Schweiz gegenüber festhalten werde" (266). Es handelte sich um folgende Punkte:
1) Schutz des literarischen und industriellen Eigentums, nach dem Muster des belgisch-französischen Vertrages;
2) Abschaffung aller schweizerischen Transitzölle;
3) Gleichberechtigung der französischen Juden mit den Franzosen christlicher Konfession in der Schweiz.
Zudem:
4) Freie Einfuhr aus dem Pays de Gex, dem Chablais und dem Faucigny, mit Reziprozität;
5) "Remaniement" der kantonalen Konsumogebühren;
6) Reduktion der schweizerischen Importzölle auf Artikeln, die nach Frankreich und andern Staaten zollfrei oder zu niedrigen Tarifen eingeführt werden können.

Vergleichen wir diese Aufstellung mit Thouvenels Schreiben vom 19.Mai 1862: es sind ziemlich genau die gleichen Forderungen, doch ist allerdings die Frage der Erfindungspatente nun endgültig fallengelassen worden!

Kern beschäftigte sich zur gleichen Zeit, wie seine längeren Ausführungen im Schreiben vom 13.Dezember beweisen, auch mit dem Problem des Verhältnisses von Bund und Kantonen beim Abschluss von Verträgen mit andern Staa-

ten. Der ehemalige Redaktor der Revisionskommission, welche die Bundesverfassung von 1848 geschaffen hatte, konnte mit Befriedigung - nach einem ausführlichen Rückblick auf die Entwicklung seit 1815 - feststellen, dass in Artikel 74, Absatz 5 und im Artikel 90, Absatz 7 der Bundesverfassung den Bundesbehörden das eindeutige Recht zur Regelung der Beziehungen mit dem Ausland eingeräumt worden war und dass die bisherige Praxis dies nur bestätigt habe. Eigentümlicherweise berührte Kern aber bei seinen Erörterungen die beiden Artikel 8 und 9 der Bundesverfassung nicht, um deren Interpretation sich später alle Auseinandersetzungen drehten. Kein Wunder, dass er dem Bund die Kompetenz zu den Verträgen mit dem Ausland deshalb so schnell zusprechen konnte. Er vertrat im weitern die Ansicht, es könnten durch die Aufnahme schweizerisch-französischer Unterhandlungen die noch ausstehenden Ratifikationen des Vertrages mit dem Zollverein gefördert und beschleunigt werden, was ja sicher auch im französischen Interesse liegen musste. Ueber die unübersichtliche Situation im Zollverein war Kern nämlich recht gut orientiert. Prinz Reuss, der preussische Legationssekretär in Paris, hatte ihm verschiedentlich Neuigkeiten über den Widerstand der süddeutschen Staaten gegen eine Ratifikation mitgeteilt. Kern erhielt sogar - von anderer Seite, die er nicht nennen wollte - Einblicke in das konfidentielle Protokoll einer Konferenz der süddeutschen Staatenvertreter in München, aus dem ersichtlich war, wie diese Staaten nach wie vor an höheren Schutzzöllen, als dies im deutsch-französischen Vertrag vorgesehen war, festzuhalten bestrebt waren. Einige Ausführungen mehr technischer Art beweisen uns ausserdem, dass der schweizerische Gesandte den Verhandlungen und Verträgen Frankreichs mit seinen bisherigen Partnern auf den Grund zu gehen versuchte. Durch eine ständig wachsende Sachkenntnis qualifizierte er sich deshalb nur umso mehr für den Posten eines Bevollmächtigten der Schweiz bei den kommenden Unterhandlungen. Es war aber vorderhand noch keine Reaktion des Bundesrates auf die diesbezügliche Anfrage Kerns erfolgt; man darf dies wohl so interpretieren, dass für den Bundesrat Kern ganz selbstverständlich der geeignete Mann war, der die Schweiz vertreten würde. Früher oder später musste der Bundesrat aber dazu natürlich formell Stellung nehmen.
Da die Verhandlungen nun ganz plötzlich unvermittelt vor der Tür standen, entschloss sich der Bundesrat, in einem Kreisschreiben vom 13. Dezember an die Kantone (267), diese dazu einzuladen, Sachverständige für eine Konferenz anfangs Januar 1863 zu bezeichnen, welche alle einschlägigen Probleme besprechen und dem Bundesrat dadurch die nötigen Unterlagen zur Abfassung der Instruktion für die Unterhändler beschaffen sollten. Seine Aufforderung hatte der Bundesrat, der nur personelle Vorschläge wollte, etwas unklar formuliert (268), wodurch dann zwei Gruppen von Antworten eintrafen (269): während sich die meisten Kantone (13 1/2) mit der Nennung ihrer Vertreter begnügten, traten Luzern, Unterwalden (z.T. stellvertretend für die andern Urkantone), Freiburg, Tessin und Wallis materiell auf ihre Wünsche ein. Dies

ist für uns hier insofern von Vorteil, als einige dieser Kantone nicht an der Januarkonferenz vertreten waren oder sich dort nicht zum Wort meldeten und wir ihre Stellungnahme einzig aus diesen Schreiben kennenlernen können.

Luzern wünschte die Befreiung der agrarischen Produkte von den französischen Importzöllen, die Möglichkeit der unbeschränkten Einfuhr von Rohstoffen für die schweizerische Industrie aus Frankreich und plädierte dafür, dass auch die an der Expertenkonferenz nicht teilnehmenden Kantone sich zur Instruktion sollten äussern können. Ein problematischer Vorschlag, wenn man die knappe Zeit und die Möglichkeiten der Indiskretion in Rechnung stellte! Unterwalden hoffte auf eine "angemessene Berücksichtigung " der Agrarprodukte aus der Urschweiz. Desgleichen nannte Freiburg die freie Einfuhr von Käse, Vieh und Holz nach Frankreich als wünschbar, war andererseits aber bereit, einige Zugeständnisse zu machen, darunter die Gewährung des Schutzes des literarischen Eigentums.

Die Tessiner Regierung legte dar: "...non rileviamo effervi nel nostro Cantone molti speciali oggetti di commercio a noi esclusivi in relazione alla Francia. Con questo Stato noi non abbiamo frontiera, ed i rapporti commerciali nostri col medesimo sono al mezzo degl'intermedi Cantoni Confederati; e la maggior parte degli oggetti di commercio nostro sono communi cogli altri Cantoni, ed in questi naturalmente in maggiori proporzioni". Neben den Strohwaren und den Ziegenhäuten hätten sie, so fügten die Tessiner bei, ein besonderes Interesse an den Niederlassungsbedingungen für Schweizer in Frankreich: "Noi che abbiamo molti emigranti in Francia per arti e mestieri ..."; die bestehenden Vereinbarungen genügten ihrer Ansicht nach nicht (270).

Aufschlussreich und bemerkenswert, allerdings gänzlich isoliert, lautete die Stellungnahme des Wallis, hélas! Zwar stand es mit seiner Forderung, der schweizerische Einfuhrzoll auf Wein und Glaswaren dürfte nicht gesenkt werden, nicht allein. Doch die Begründung dazu - ein Lob der Autarkie und ein prinzipieller Angriff auf die Grundsätze des Freihandels - war in der ganzen Schweiz zu diesem Zeitpunkt sonst von nirgendwoher derart unverblümt zu hören:"Il est une vérité, en matière d'économie domestique, qu'il a profit pour l'individu et la famille à produire le plus qu'ils peuvent par eux-mêmes; celui qui produit par lui-même garde son argent; celui qui achète le travail des autres se défait de son numéraire et s'appauvrit". Und nun die Nutzanwendung für die gesamte Volkswirtschaft: "Cette vérité s'applique aussi jusqu'à un certain point à l'économie politique et il est plus à craindre que, par une trop grande extension du libre échange dans le traité à conclure avec la France, la Suisse n'obtienne pas une exportation balançant la quantité des marchandises qui y seront importées de France, d'où suit nécessairement un échange de numéraire au désavantage de la Suisse" (271). Von Smiths oder Ricardos grundlegenden Ansichten über den internationalen Warenaustausch hatten die Verfasser dieser Argumentation wohl noch nie etwas läuten hören;

zur Befürchtung betreffend die Handelsbilanz wäre nur zu bemerken, dass diese für die Schweiz im Verkehr mit Frankreich sicher nur besser werden konnte, wenn der jetzige Zustand revidiert wurde. Dass die Schweiz dabei nicht ohne Zugeständnisse davonkommen würde, war vollkommen klar. Legitim war ja auch der Wunsch der Walliser nach einem gewissen Schutz für ihre Produkte, doch war auffällig, dass sie ihre spezifischen Anliegen in grundsätzliche, von neueren nationalökonomischen Einsichten allerdings ungetrübte Theorien einbetteten.

Keine Antworten erfolgten von Solothurn, Basel-Land und Appenzell-Innerrhoden, während Graubünden und Zug ausdrücklich darauf verzichteten, an der Konferenz vertreten zu sein und dem Bundesrat (so ZG) "die vorläufige Regelung der sachbezüglichen Instruktionen Ihrem weisen Ermessen mit vollkommenem Vertrauen" überliessen. Graubünden kam anscheinend später auf seinen Entscheid zurück und sandte dann doch seinen Ratsschreiber.

Auch Kern wurde für die Konferenz auf den 6. Januar 1863 nach Bern eingeladen. Das Justiz- und Polizeidepartement wurde beauftragt, die Fragen, die mit der freien Niederlassung der französischen Juden und dem Schutz des geistigen Eigentums zusammenhingen, zu begutachten. Die Idee des Handels- und Zolldepartementes, der Bundesrat sollte aus den personellen Vorschlägen, die von den Kantonen eingereicht worden waren, die ihm passenden Delegierten auswählen und zur Konferenz einladen, wurde vom Bundesrat nicht gutgeheissen. In einem neuen Kreisschreiben vom 26. Dezember lud der Bundesrat die Kantone dazu ein, eine oder höchstens zwei Personen ("natürlich auf unsere Kosten") auf den 6. Januar 1863 nach Bern zu entsenden, überliess die Wahl der Vertreter richtigerweise den Kantonen selbst und fügte nur den Wunsch bei, es möchte mitgeteilt werden, ob und durch wen sich die einzelnen Kantone vertreten lassen wollten. Von den meisten trafen diese Meldungen bald einmal ein; Zug und Appenzell-Innerrhoden sowie Schwyz ("im Hinblick auf die Minderwichtigkeit der Handelsbeziehungen unseres Kantons mit Frankreich") verzichteten formell auf eine Teilnahme. Eigenartiger- oder vielleicht charakteristischerweise wurde später von eben diesem Kanton aus die stärkste Opposition gegen die fertig abgeschlossenen Verträge laut.

Am 30. Dezember erstattete Dubs als Vorsteher des Justiz- und Polizeidepartementes das Gutachten, zu dem er vom Bundesrat beauftragt worden war. Vorweg erörterte Dubs, seinen Neigungen und Interessen gemäss, die staatsrechtliche Frage nach der Kompetenz des Bundes zur Regelung dieser Materien. Seine Ansicht darüber muss für den Bundesrat ausschlaggebende Bedeutung gehabt haben, und Dubs vertrat sie in ihren Grundzügen unverändert auch noch im September 1864, als er in seiner Eigenschaft als Bundespräsident die Verträge im Nationalrat gegen die Angriffe der Föderalisten verteidigen musste. Es besteht daher aller Grund, sich hier schon mit seiner Argumentation eingehend zu befassen. Er ging davon aus, dass es drei Gruppen von Staatsverträgen mit dem Ausland gäbe: a) über zentralisierte Materien

(Post etc.); b) über Dinge, die völlig in den Kompetenzbereich der Kantone fielen; c) über gemischte Materien, teils zentraler, teils kantonaler Natur. Während nun die Fälle a) und b) klar lägen, gäbe es bei c) naturgemäss Meinungsverschiedenheiten. Die Ansicht, wonach beide Instanzen zusammenspielen müssten, hätte den grossen Nachteil, dass dies in der Praxis zu unüberwindlichen Schwierigkeiten führen müsste: denn oft verlangten fremde Staaten, die Erleichterungen für die ganze Schweiz gewährten, dagegen Konzessionen auf Gebieten, die in der Schweiz nicht zentralisiert seien. Widerstrebende Kantone könnten solche, für die gesamte Schweiz wichtige Abmachungen auf diese Weise vereiteln. Wenn man dieser Auffassung von der Mitwirkung der Kantone huldige, so liefe dies "dem Sinn und Geist der neuen Bundesverfassung schnurstracks zuwider" (272). Dubs sah die Lösung des Problems so: bei den gemischten Materien sollte sich das Verfügungsrecht nach der Bedeutung der wichtigsten Seite des Vertrags regulieren. Ein Zusammenwirken von Bund und Kantonen in diesen Belangen kenne die Bundesverfassung auch gar nicht, sondern sie habe dem Bund allein das Recht zu Verträgen über Zollfragen, Niederlassungsangelegenheiten usw. verliehen (in Art. 8). Seit 1848 hätte der Bund von dieser Kompetenz denn auch in Verträgen mit verschiedenen Staaten Gebrauch gemacht: "Er hat mit einem Worte die Dispositionsbefugnis immer nach der Hauptmaterie des Vertrages für das Ganze reguliert, und es ist dagegen auch noch von keiner Seite irgend eine Eingabe erfolgt". Daher, so lautet die eindeutige Schlussfolgerung von Dubs in dieser Frage, könne der Bund in Vertragshandlungen mit Frankreich über gewisse Materien verfügen, die sonst eigentlich in die Kompetenz der Kantone fiele.
Anschliessend nahm er diese Materien genauer unter die Lupe:
1) Die Israelitenfrage: Die Einschränkungen der Bundesverfassung wären nur für schweizerische Juden gültig. Wenn die Kantone aber berechtigt wären, die Niederlassungsfreiheit von Nichtschweizern zu beschränken ("es liegt dies in den Attributen der Souveränität"), so hätte demgegenüber der Bund auch die Möglichkeit, den Ausländern in der Schweiz durch Staatsverträge "eine gesicherte Rechtsstellung" zu verschaffen, also im vorliegenden Fall den französischen Juden die freie Niederlassung und die Gewerbeausübung in der ganzen Schweiz zu gewährleisten. Wie Dubs sich das weitere Vorgehen dachte, zeigte der folgende Satz: "Den Kantonen mag in der Folge die Entscheidung über die Frage, ob den schweizerischen Israeliten nicht ebenso viel Rechte wie den fremden einzuräumen seien, überlassen bleiben". Diese Konzession sollte aber den Franzosen gegenüber nicht etwa als eine Selbstverständlichkeit gewährt werden, sondern zu denjenigen Gegenständen gehören, die nur im Austausch gegen französische Eingeständnisse zu bewilligen wären.
2) Der Schutz des geistigen Eigentums: Auch wenn bisher diese Materie noch in den Kompetenzbereich der Kantone falle, so dürfte dies den Bund keineswegs hindern, sich Frankreich gegenüber vertraglich zu verpflichten. Für

den Schutz gegen Nachahmung spräche ein gewisses Billigkeitsgefühl, und
die Schweiz könne sich der im allgemeinen schon weit fortgeschrittenen
Entwicklung in den zivilisierten Ländern nicht entziehen. Allerdings: da
das juristische Fundament noch sehr schwankend wäre, müsste man beim
Eingehen von Verpflichtungen so zurückhaltend wie nur möglich sein. So
müsste z. B. darauf bestanden werden, dass bei Beschlagnahmungen nicht
der Verkaufsort oder der Ort der Beschlagnahme als Gerichtsstand gälte,
sondern der Wohnort des beklagten Fabrikanten. Zudem müssten Strafbestimmungen, die in beiden Ländern gälten, in den Vertrag aufgenommen
werden.

3) Die <u>Aufenthalts- und Niederlassungsgebühren</u>: In diesem Punkt sollte den
französischen Forderungen nicht entsprochen werden, denn die Schweizer
in Frankreich würden viel höher besteuert (durch Patentgebühren, Aufent-
haltstaxen usw.) als die Franzosen in der Schweiz. Würde den französischen Forderungen entsprochen, so zöge man dadurch die Finanzverhält-
nisse der Gemeinden in arge Mitleidenschaft. Als äusserste Konzession
könnte der Erlass der Gebühren während der ersten sechs Monate des Auf-
enthaltes gewährt werden.

Sehr dezidiert hatte damit der Vorsteher des Justiz- und Polizeidepartementes seine Ansichten zu den fraglichen Problemen dargelegt und dem Bundesrat wie auch Kern dadurch gewissermassen die Legitimation verschafft,
in Verhandlungen mit Frankreich einzusteigen.

Auch in Paris begann man zum gleichen Zeitpunkt, sich materiell auf die Verhandlungen vorzubereiten; einerseits entsprach dies den französischen Gepflogenheiten, die schon bei der Vorbereitung von Verträgen mit den andern
Staaten geherrscht hatten, andererseits waren die Verantwortlichen wohl durch
die Berichte Turgots und des Konsuls Chevalier in Genf hellhörig geworden.
Diese Schreiben vermögen die Situation, die zu dieser Zeit in der Schweiz zu
beobachten war, anschaulich zu beleuchten. So vermerkte der Gesandte: "Les
Suisses, ainsi que l'Ambassade a déjà eu l'occasion de le faire connaître,
attachent une importance extrême à ce traité" (273); daher böte der Bundesrat auch alles in seiner Macht Stehende auf, um zusammen mit den Kantonen
die Verhandlungsgrundlagen festzulegen. Turgot schilderte sodann dem Aussenminister die Aktivität des Bundesrates im Monat Dezember und fügte bei:
"Votre Excellence peut voir, par l'adoption de ces mesures et l'éveil des
esprits en Suisse, qu'on n'y néglige rien pour s'entourer, vis-à-vis de nous,
de toutes les sources d'informations et de toutes les garanties possibles. Les
négociateurs qui se présenteront pour la Confédération à Paris seront donc,
tout porte à le croire, très forts sur leur terrain, et le Gouvernement de l'
Empereur y verra sans aucun doute une raison d'être non moins ferme dans
ses résolutions". Diese ziemlich unverhüllte Warnung Turgots, wachsam zu
sein, wurde ergänzt durch einen Bericht des Konsuls in Genf, der die in dieser Stadt betriebenen Vorbereitungen schilderte; gleichzeitig wies er aber da-

rauf hin, dass dieser "mode d'informations" in allen Kantonen der Schweiz praktiziert würde, was Zeugnis ablege für die Wichtigkeit, welche der Bundesrat der Tatsache beimesse, alle Stimmen in der Schweiz kennenzulernen "en mettant d'ailleurs complètement sa responsabilité à couvert sur les conséquences du futur traité de commerce par la participation directe de toutes les parties intéressées à l'étude préliminaire du projet comme à la réunion des documents et des renseignements d'après lesquels il doit être établi" (274).

Diese Berichte verfehlten ihre Wirkung in Paris nicht; die verschiedenen Anfragen an Turgot über wirtschaftliche und juristische Verhältnisse in der Schweiz, einige in den Archives Nationales in Paris zu findende Vorbereitungsunterlagen der beteiligten Ministerien und schliesslich die Beschlagenheit der französischen Bevollmächtigten in den Verhandlungen selbst beweisen, wie intensiv sich auch die französische Seite für die Gespräche mit der Schweiz rüstete.

Zu eben dieser Zeit konnte ein alter Streit zwischen der Schweiz und Frankreich gütlich beigelegt werden: am 8. Dezember 1862 wurde mit dem Dappentalvertrag die Aufteilung der umstrittenen Gebiete an der Juragrenze endgültig geregelt. Sicher wirkte sich diese glückliche Lösung indirekt auch günstig auf den Beginn der Handelsvertragsverhandlungen aus; ein unmittelbarer Zusammenhang lässt sich aber aus den Akten nicht nachweisen. (275)

Am 7. Januar des neuen Jahres teilte Drouyn Rouher mit, dass sie beide vom Kaiser die Vollmacht zu Verhandlungen mit der Schweiz erhalten hatten und dass er, Drouyn, die erste Konferenz auf den 26. Januar festgelegt habe; als Grund gab er das Drängen Kerns an, der unbedingt gewollt habe, dass man noch während der Januarsession der eidgenössischen Räte (Drouyn sprach von der "Diète"!) mit den Verhandlungen beginne. (276) Kurz vorher hatte sich der Aussenminister konkret zu den Verhandlungsgegenständen geäussert und die Meinung des Handelsministers erbeten. In der Judenfrage, so war Drouyn überzeugt, würden sich die Kantone stark wehren. Wenn Frankreich aber den richtigen Druck ausübte, so hätte dadurch der Bundesrat ein geeignetes Mittel in der Hand, um diesen Widerstand zu brechen. Eine ähnliche Situation, bei der allerdings die Abneigung von seiten der Industriellen käme, wäre beim Schutz der industriellen Zeichnungen zu erwarten. Da Frankreich aber bereits in konzilianter Weise die Forderung nach dem Patentschutz fallengelassen hatte, konnte wohl gehofft werden, dass sich der Bundesrat einsichtig zeigte und dem berechtigten Drängen der Industriellen in Frankreich Folge leistete. (277) Was den Wein anbelangte, so wollte Drouyn vom Bundesrat verlangen, dass dieser sich verpflichten sollte, neben der Abschaffung des Weineinfuhrzolls, den Kantonen die Erhöhung der Konsumogebühren auf französischen Weinen zu untersagen. (278) Der Handelsminister erklärte sich grundsätzlich mit diesen Vorschlägen einverstanden. (279)

2. Die Konferenz der Kantonsdelegierten (6.-9. Januar 1863)

Die Aufgabe der Konferenz, zu der unter dem Vorsitz von Frey-Herosé und im Beisein von Kern 33 Delegierte aus fast allen Kantonen (280) versammelt waren, umriss Kern in einem seiner Voten während der Konferenz in klarer Weise: "Es handle sich in der gegenwärtigen Versammlung nicht um Erteilung von Instruktionen, sondern um Ratschläge an den Bundesrat, die derselbe dann, bei Bestellung der Instruktion, mit in Berücksichtigung ziehen werde - übrigens sei auch er der Ansicht, dass voraussichtlich diese Instruktion wiederholten Abänderungen unterliegen werde".
In seinem einleitenden Votum ging Frey-Herosé nach einem geschichtlichen Rückblick, der 1481 begann und 1862 endete, gleich medias in res: Soll sich die Schweiz durch einen Handelsvertrag mit Frankreich überhaupt binden? Sind die zu leistenden Konzessionen der Schweiz gegenüber den zu erwartenden Vorteilen gerechtfertigt? Diese Fragen sorgfältig abzuwägen, sei jetzt die Gelegenheit geboten. Alle wären sich wohl einig, dass die Schweiz unter keinen Umständen politische Konzessionen machen dürfte. Bevor er Kern das Wort erteilte, machte er die Delegierten darauf aufmerksam, die Beratungen müssten geheimgehalten werden, da durch die Veröffentlichung der geäusserten Ansichten die Interessen der Schweiz geschädigt würden. Obwohl Kern diese Ermahnungen ebenfalls vorbrachte, wurden sie dennoch nicht befolgt, wie sich noch zeigen wird, womit Kerns frühere Befürchtung in dieser Hinsicht prompt bestätigt wurde.
Aus Kerns langem Referat ist uns, da wir alles Vorausgegangene kennen, das meiste schon vertraut, weshalb wir uns hier kurz fassen können. Es ging ihm zuerst darum zu zeigen, dass die Ursachen für die lange Verzögerung nicht bei der Schweiz lagen. Er stellte dann die von Frankreich in Aussicht gestellten Erleichterungen einerseits und die Forderungen der Schweiz andererseits dar und kam dann auf einige speziellere Fragen in diesem Zusammenhang zu sprechen.
Der Departementsvorsteher legte hierauf, gestützt auf Kerns Ausführungen, die Traktandenliste für die Konferenz fest:
1) Der Schutz des a) literarischen und künstlerischen und
                b) industriellen Eigentums
2) Die Gleichstellung der Juden
3) Die Tariffragen und die Konsumogebühren
4) Die Zonen um Genf
Gonzenbach (BE) wünschte, dass vor der Diskussion über diese konkreten Punkte über die Grundfrage diskutiert würde: ist es opportun, in Verhandlungen mit Frankreich einzutreten? Gegenüber Handelsverträgen seien ja die Ansichten darüber, ob diese wünschbar seien, grundsätzlich geteilt. Er selbst befürwortete jede Anstrengung der Schweiz, um die ruinösen Differenzialzölle zu beseitigen. Seit 1860 sei die Gefahr der Auswanderung schweizerischer Industrien noch grösser geworden als sie bisher schon war. Ein Handelsver-

trag auf der Basis der Meistbegünstigung und Schutzbestimmungen für das literarische und artistische Eigentum auf der Grundlage des schweizerischen Konkordates von 1856 müssten daher angestrebt werden. Feer-Herzog (AG), der grösste Seidenbandfabrikant der Schweiz (281), Mitglied mehrerer Verwaltungsräte von Banken und Eisenbahngesellschaften, wusste dieses eben gefallene Votum um so mehr zu verdanken, als es von einem Vertreter eines Argrarkantons stammte. Für Feer selbst stellte sich aber die Frage überhaupt nicht: "Unter den gegenwärtig in Europa bestehenden Verhältnissen sei das Betreten der Bahn der Handelsverträge eine Notwendigkeit"; und zwar sollte dies so rasch wie irgend möglich getan werden.

Skeptischer war demgegenüber der andere bernische Vertreter, Dr. Schneider (282). Die bisherigen Informationsmöglichkeiten schienen ihm ungenügend, denn von den finanziellen Auswirkungen der Konzessionen, welche von der Schweiz verlangt würden, hätte er keine Ahnung. Bevor man sich also die Hände binde, müssten alle Aspekte sorgfältig geprüft werden, so dass die Schweiz mit gutem Gewissen langfristige Verpflichtungen eingehen könne.
Diese Grundsatzdiskussion schien bei den meisten Anwesenden auf kein grosses Echo zu stossen. Bald geriet man in die Besprechung technischer Einzelfragen zum Problem des Schutzes des geistigen Eigentums. Frey-Herosé zeigte offensichtlich ebenfalls keine Bereitschaft, im jetzigen Zeitpunkt noch über ein grundsätzliches Ja oder Nein zu beraten. Lange genug hatte die Schweiz nun in Paris antichambriert; jetzt ging es darum, aus der günstigen Gelegenheit das beste herauszuholen. Da dies auch den Vorstellungen der meisten Konferenzteilnehmer entsprach, wurde deshalb - folgt man dem Protokoll - die Grundsatzfrage sang- und klanglos fallengelassen und mit der Besprechung über das heikle Problem des Schutzes des industriellen Eigentums begonnen.
In dieser Frage zeichneten sich bald zwei Lager ab: Während die einen (Peter Jenny, GL, Brunner, SO, Feer-Herzog, AG und verschiedene andere) die Nachahmung französischer Muster als prinzipiell verwerflich und den Musterschutz als gerecht und billig erachteten und bereit waren, dementsprechende Verpflichtungen einzugehen, warnten die andern (Sutter, AR, Stickereifabrikant und Landammann und Oswald, BS, Bankier und Handelsmann) vor derartigen Konzessionen: Paris mache nun mal die Mode (283), und wenn die schweizerische Textilindustrie ihre Produkte verkaufen wolle, so müsse sie sich nach diesen Vorbildern richten. (!) Vermittelnd wurde dann von Kern vorgeschlagen, die Schweiz sollte sich auf der Grundlage des Artikels 28 im deutsch-französischen Handelsvertrag verpflichten. Ohne dass sich eine Einigung abzeichnete, wurde die Weiterbesprechung auf den nächsten Tag verschoben.

Fazy (GE), mit drei andern neu hinzugekommen, erging sich am nächsten Morgen - da ihm die Traktandenordnung nicht bekannt war oder er sich nicht darum bemüht hatte, sie zu erfahren - in einem weitschweifigen Votum über die Aspekte, welche sich durch den Abschluss eines Vertrages für Genf ergeben müssten. In polemischer Weise bemerkte er, verschiedene der von Frankreich vorgeschlagenen Tarife schienen ihm einzig darauf angelegt zu sein, "den Handel Genfs vollständig zu vernichten, um auf diese Weise Genf reif zur Annexion an Frankreich zu machen". Die Forderung nach freien Einfuhren aus dem Pays de Gex und den nordsavoyischen Provinzen bezeichnete er als "exorbitant" und beantragte schliesslich, es sollte kein Handelsvertrag abgeschlossen werden, sondern nur der Niederlassungsvertrag von 1827 erneuert und zugunsten der französischen Juden verbessert werden; damit könnte man die Vermischung der Interessen der industriellen und agrikolen Kantone vermeiden.

Fazys Versuch, die antifranzösische Stimmung der Savoyerkrise wieder heraufzubeschwören, stiess auf keinen Widerhall. Instinktiv spürten wohl die meisten, dass eine solche Mobilisierung von alten Affekten nichts anderes bedeutete, als die klare Sicht auf die eigentlichen Probleme zu vernebeln und dadurch die Interessen der Schweiz auf eine Art und Weise zu verspielen, die nur zu bedauern gewesen wäre. Wenn irgend möglich sollte nun auf schweizerischer Seite die Savoyerfrage vergessen bleiben. Feer-Herzog monierte, man sollte sich jetzt an die vereinbarte Traktandenliste halten, was auch geschah.

Ratsherr Koechlin-Geigy, Seidenbandfabrikant (BS), befasste sich mit dem Musterschutz und dessen allfälligen Auswirkungen auf die baslerische Industrie. Weil die französischen Industriellen nicht nur den Schutz bestehender Muster, sondern denjenigen ganzer Mustergattungen verlangten, könnte sich die Schweiz dazu niemals verpflichten. Koechlin klagte über die Stagnation in der Seidenbandindustrie und prophezeite gleich, dass die Einführung des Musterschutzes den Fortbestand dieses Industriezweiges, der doch eine der Hauptindustrien der Schweiz bilde, auf das schwerste gefährden müsste. Basel sollte auf alle Fälle bei der endgültigen Ausarbeitung einer Stipulation (die keinesfalls weitergehen dürfte als der Artikel 28 des deutsch-französischen Handelsvertrages (284) noch angehört werden. Gegen dieses unverhüllte Vorbringen spezieller Interessen nahm nicht etwa ein Vertreter der nichtindustriellen Kantone Stellung, sondern Ratsherr Peter Jenny, Textilindustrieller (GL) (285). Nachdem er das Eingehen einer Musterschutzverpflichtung für die Schweiz als eine Ehrensache bezeichnet hatte, brachte er mit beherzigenswerten Worten am Votum des Vorgängers die notwendige Korrektur an: "Man dürfe übrigens bei den bevorstehenden Unterhandlungen nicht auf die speziellen Interessen Rücksicht nehmen, indem in diesem Falle dann noch viel zu sagen wäre". Adressiert waren diese Worte wohl direkt an Koechlin, viel mehr aber doch auch an den Bundesrat, der die Instruktion auszufertigen hatte. Vorbringen konnte man seine besondern Interessen schon; ob sie aber eine Berücksichtigung verdienten und auch erhielten, war eine andere Sache. Den Wünschen der Seidenbandherren aus Basel würde sich allerdings der Bundesrat nur sehr schwer entziehen können.

Sutter (AR) wandte gegenüber Jenny ein, das Fehlen einer Gesetzgebung über den Musterschutz in der Schweiz wäre gewiss keine Unehre, denn viele andere Länder hätten sie auch nicht. Peyer im Hof, Tuchhändler und neuerdings führend im Eisenbahnbau und -betrieb (SH), hieb in die gleiche Kerbe und befürwortete die bisherige Freiheit in der Schweiz in diesen Belangen. Gonzenbach (BE) verlas dann - wie dies noch verschiedene Male im Verlaufe der Konferenz geschah - aus dem Protokoll der Verhandlungen, welche die "Vereinigte bernische Kommission des Handels, der Industrie und des Gewerbes" abgehalten hatte, eine Stelle vor, aus der die Ablehnung des Musterschutzes sichtbar wurde. (Die Verlesung dieser Protokollstellen begründete Gonzenbach damit, dass es für den Bundesrat nicht nur wichtig und aufschlussreich wäre, die Ansichten der Konferenzteilnehmer, sondern auch der Bevölkerung, die sie verträten, kennenzulernen.)

Bundesrat Frey-Herosé fasste nun die Diskussion über diesen Punkt zusammen: es hätte sich also ergeben, dass man in der Schweiz bereit wäre, den Artikel 28 aus dem deutsch-französischen Vertrag anzunehmen, in Verbindung mit dem Schutz des literarischen und artistischen Eigentums und der Präzisierung wegen des Gerichtsstandes. Kern konnte dazu beruhigende Erklärungen abgeben: Frankreich werde, dies zeichne sich seit einiger Zeit ab, in dieser Beziehung von der Schweiz nicht mehr verlangen als vom Deutschen Zollverein.

Man schritt zum nächsten Traktandum, der Gleichstellung der französischen Juden mit ihren christlichen Mitbürgern. Die Aussprache hierüber wurde sehr ausgiebig geführt, da es - wie Peyer im Hof im Verlauf der Diskussion meinte - zur Gewissenssache zu werden schien, dass sich jeder Anwesende dazu äusserte. In der Tat trafen hier Ansichten aufeinander, die nicht vernunftmässig begründet waren, sondern naturgemäss aus der emotionellen Sphäre stammten (bei Gegnern wie bei Befürwortern), wenn auch oft der Argumentation eine rational anmutende Note gegeben wurde - etwa, indem bundesstaatsrechtliche oder sonstige theoretische Gesichtspunkte ins Feld geführt wurden.

Gutzwiller (BL), der Vertreter eines Kantons mit einem Gesetz, das scharfe Ausschliessungsmassnahmen gegenüber Juden enthielt, begann gleich mit einem pointierten Votum, in dem die antisemitische Tendenz kaum oder überhaupt nicht verhüllt zu Tage trat. Weil die jüdische Bevölkerung im Elsass ebenfalls Ungleichheiten unterworfen sei, tendiere sie dazu, sich nach der Schweiz hin zu verlagern. Würde die freie Niederlassung gewährt, so käme es zur Abschiebung von Juden nach der Schweiz, "so dass namentlich die Grenzkantone von der jüdischen Bevölkerung des Elsasses überschwemmt würde". Dem Bund sprach Gutzwiller das Recht ab, den Kantonen die Aufnahme fremder Juden aufzuzwingen (wie er sich tendenziös ausdrückte). Die Bundesverfassung würde verletzt, wenn den französischen Juden mehr Rechte gewährt würden als ihren schweizerischen Glaubensgenossen. Wenn er einerseits dann auf dem Souveränitätsrecht der Kantone bestand, so appelierte er andererseits an die Ehre der Bundesbehörden, doch nicht etwa das Bundesrecht "Frankreichs halber" ändern zu wollen. Mit der von ihm sicher witzig gemeinten Bemerkung: "Juden seien übrigens kein Aus- oder Einfuhrartikel und gehören deshalb auch in keinen Handelsvertrag" versuchte er, seine Ansicht zu untermauern, die Schweiz sollte an demjenigen Standpunkt festhalten, den sie seinerzeit beim Handelsvertrag mit den USA eingenommen habe.

Feer-Herzog - nachdem er abgewägt hatte, ob er als Vertreter des aargauischen Volkes oder nach eigenem besten Wissen und Gewissen zu votieren habe (286), und sich für ihn nur die zweite Möglichkeit als massgebend erwiesen hatte - schickte sich an, "sich mit voller Entschiedenheit gegen das soeben gefallene Votum" zu erheben, sowohl aus humanitären Erwägungen wie im Hinblick auf die Vorgänge in allen andern Kulturstaaten. Bundesrechtlich schien ihm kein Hindernis zu bestehen für eine Regelung durch die eidgenössischen Behörden, denn mehrere Präzedenzfälle für ähnliche Vorgänge lägen bereits vor (287). Ohne die Gleichberechtigung für die Juden gäbe es sicher einfach keinen Vertrag - und was bedeutete dieser für die schweizerische Industrie? "...der Vertrag ist für sie eine Lebensfrage". Also müsse den Franzosen in diesem Punkt entsprochen werden.

Durch diese beiden Voten waren gleich die Grundtöne für die ganze nachfolgende Diskussion angeschlagen. Jeder der zahlreichen Votanten schloss sich der einen oder andern Seite an; wir beschäftigen uns dabei nur mehr mit denjenigen, die wesentlich neue Gesichtspunkte vorzubringen imstande waren.

Anders als sein Vorredner sah es der andere aargauische Vertreter, Schilplin, Handelsmann aus Brugg, als seine Pflicht an, hier die "Volksmeinung" zur Geltung zu bringen. Im Aargau habe nämlich die kürzliche Volksabstimmung klar gezeigt, dass das Volk sich entschieden gegen eine Zulassung der Juden stelle; Gutzwiller käme ihm eben noch als ein Mann des Volkes vor. Das Nichtzustandekommen eines Handelsvertrages mit Frankreich wäre ganz gewiss kein Unglück. Die Bundesbehörden hätten jedenfalls kein Recht, dem Volk die Meinung in der Niederlassungsfrage zu oktroyieren.

Fazy, das Hauptgewicht auf die Kantonssouveränität legend, sah - in klarer Voraussicht ganz richtig - nur einen einzigen gangbaren Weg: zwar sollte der Vertrag von 1827 revidiert werden, doch müssten anschliessend ohne Verzug die betreffenden Artikel der Bundesverfassung geändert und dem Volk zur Abstimmung vorgelegt werden.

In klugen Worten äusserte sich Brunner (SO) nicht zur rechtlichen, sondern zur menschlichen, zur psychologischen Seite des Problems. Ausgehend von den Vorwürfen, mit denen man gemeinhin die Juden überschütte (dem Schacher, dem Wucher usw.) und welche das Klima zwischen ihnen und den Christen ständig vergifte, analysierte er zutreffend, dass dies alles seine Wurzeln in der Isoliertheit habe, in welche die Juden überall gedrängt seien.

Wie, so fragte sich Brunner dann, wäre denn der Weg aus diesem Dilemma heraus? "Das Mittel, um diesem abzuhelfen, liege darin, dass man sich ihnen nähere, sie zu sich heranziehe und ihre bedeutende Intelligenz zu benutzen und ihr eine bessere Richtung zu geben versuche". Und an die Adresse derer gewandt, die sich als Sprecher des Volkes und des "gesunden Volksempfindens" - das bis heute nun so völlig über Gebühr strapaziert wurde, dass man sich scheut, diesen Ausdruck überhaupt zu gebrauchen - fühlten, sagte Brunner wiederum sehr einsichtig, es gehe eben darum, das Volk zu belehren und aufzuklären, zur Toleranz zu erziehen und nicht darum, seine Unwissenheit zu demagogischen Zwecken zu missbrauchen.

Gonzenbach (BE) gab zu bedenken, dass der alte Rechtsgrundsatz "Pacta frangunt leges" auch hier anzuwenden sei. Es handle sich nicht um eine durch Bundesrecht geschützte Sache (wie z.B. die Pressefreiheit oder das Vereinsrecht), sondern um Bestimmungen der Kantonalgesetzgebung, die man - wenn es das allgemeine Interesse der Eidgenossenschaft erfordere - durch Staatsverträge modifizieren könne. Er glaubte aber zu Unrecht, eine vorausgehende bindende Zusage an Frankreich, man würde in der Folge den Vertrag von 1827 dementsprechend revidieren, dürfte genügen. Offensichtlich machte er sich ein falsches Bild von der Entschlossenheit der Franzosen in diesem Punkt.

Ein heisses Eisen griff Koechlin auf: nicht etwa religiöse Gefühle, sondern die Furcht vor der Konkurrenz bestimmten die ablehnenden Gefühle der Bewohner in den Grenzkantonen. Er gestand aber - offensichtlich widerwillig - zu, dass man sich dem Andrängen der Zeitforderungen wohl nicht länger entziehen konnte, doch dürfte der Bund nicht einfach die Judenfrage von sich aus erledigen, da er sonst die Unzufriedenheit unter der Bevölkerung beider Basel hervorrufen würde.

Hier schaltete sich nun Bundesrat Frey-Herosé ein. Er hatte sich, wie seine Ausführungen zeigen, vollständig die Ansichten seines Kollegen Dubs, die wir schon aus dessen Gutachten kennen, zu eigen gemacht. Demnach hatte der Bund ja unbestreitbar das Recht, solche Verpflichtungen einzugehen. Etwas anderes aber wäre demgegenüber die Frage, ob es auch klug wäre, darauf so ohne weiteres zu bestehen. In diesem Punkt sei ihm die Meinung der Anwesenden sehr wesentlich und verdiene die gebührende Beachtung. Besonders aufmerksam müsste der Vorschlag geprüft werden, die beiden Materien seien voneinander getrennt in verschiedenen Verträgen unterzubringen. Bisher hätte man die beiden Materien meistens gleichzeitig in ein und derselben Vereinbarung geregelt; es wäre zu prüfen, ob hier nicht eine andere Regelung vorzuziehen wäre. Zum Schluss bat er die Versammlung, die aargauische Judenfrage nicht etwa mit dem vorliegenden Problem zu verwechseln, denn während es im Aargau um die Einbürgerung der Juden mit all ihren rechtlichen Folgen gehe, handle es sich hier bloss um die Frage ihrer Niederlassung.

Fierz (ZH), Sutter, Oswald, Gonzenbach (SG) und Lüthi (TG) traten alle ganz uneingeschränkt für die Gewährung der Niederlassungsfreiheit ein - für sie stand der Handelsvertrag im Vordergrund, und da sie die Einsicht gewonnen hatten, dass dieser Vertrag ohne die verlangte Konzession nicht zu haben war, ergab sich ihre Stellungnahme von selbst.

Noch gaben sich aber die Verteidiger der Kantonalsouveränität nicht geschlagen. Fazy wandte sich gegen die Argumente des Departementvorstehers und regte an, dass der Bund bei der Lösung des Problems unbedingt die Mitwirkung der Kantone vorsähe. Zgraggen, alt Landammann (UR), anerkannte wohl, dass der Handelsvertrag für die ganze Schweiz von Vorteil wäre, doch schloss er sich in der Judenfrage der Ansicht Gutzwillers an und wollte Uris Souveränitätsrechte gewahrt wissen. Fazys Meinung wurde von Dupasquier (NE) bekräftigt, wogegen aus dem Votum von P. Jenny deutlich hervorging, wie aufgebracht er war, dass man jetzt, nachdem man mit viel Geduld seit langem auf den Handelsvertrag hingearbeitet hätte und ein solcher in Aussicht stände, von den Gegnern nichts als reine Vorurteile in der Judenfrage zu hören bekäme. Regierungsrat Schaller (FR) machte föderalistische Argumente geltend, unterstützt von Staatsrat Roguin (VD). Auch für Landammann Michel (OW) stand dieser Gesichtspunkt im Vordergrund, ausserdem schien ihm der Zeitpunkt für eine Zulassung der Juden grundsätzlich noch nicht gekommen; in dieser Auffassung wurde er etwas später von Polizeidirektor Jaun (NW) unterstützt. Staatsrat Riedmatten (VS) betonte - ganz im Gegensatz zum vorher angeführten Antwortschreiben der Walliser Regierung auf das Kreisschreiben des Bundesrates - die Wichtigkeit des Handelsvertrages für die Schweiz und war auch zu gewissen Gegenleistungen bereit, sprach aber dem Bund die unbeschränkte Kompetenz ab. Er gab sich allerdings der falschen Vorstellung hin, Frankreich liesse sich zufriedenstellen mit der Zusicherung, dass die freie Niederlassung in den meisten Kantonen (so auch im Wallis) existiere und die Aussicht bestünde, auch die andern Kantone würden noch nachfolgen.

Damit war das Arsenal der Meinungen erschöpft; einige Redner kamen nochmals auf ihre bereits vorher umrissenen Positionen zurück, doch trug niemand mehr Wesentliches zur Diskussion bei. Ein Rückblick auf die gefallenen Voten zeigt uns, dass die Scheidung in die zwei Lager ganz deutlich auch einer andern Scheidung entsprach: Während nämlich die Industriellen und Kaufleute vornehmlich des Mittellandes und der Ostschweiz zugunsten der Niederlassungsfreiheit der Juden eintraten, waren es die Männer, die in den Kantonen der Innerschweiz und des Welschlandes Regierungsämter versahen, die sich entweder der Zulassung der Juden widersetzten oder dem Bund die Kompetenz zum Abschluss eines Vertrages in dieser Materie absprachen. Kann daraus geschlossen werden, dass die einen "judenfreundlich", die andern aber antisemitisch gesinnt waren? Bei einigen mag dies ganz gewiss zutreffen; bei der grossen Mehrzahl aber lässt sich jedoch eine solche Ausscheidung nicht vornehmen. Einmal schon abgesehen davon, dass wir die damalige Einstellung zu den Juden, deren Emanzipations- und Assimilationsbestrebungen auch in andern europäischen Ländern noch erst in einem "mittleren" Stadium steckten, nicht so ohne weiteres mit unsern heutigen Anschauungen vergleichen dürfen, wenn auch Grundsätze der Toleranz und Humanität nicht zeitgebunden sein sollten; sie sind es eben doch. Diejenigen Leute, die an einem Handelsvertrag am stärksten interessiert waren und sich davon mannigfache Vorteile versprachen, waren aus diesen Gründen bereit, den Stein des Anstosses aus dem Wege zu räumen. Ueber ihre wirkliche Einstellung zu den Juden lässt sich daher aber nichts Eindeutiges aussagen.

Kern, der mit Bedacht bis zu diesem Augenblick zugewartet hatte (288), ergriff nun das Wort, um einmal mehr den Standpunkt Frankreichs in dieser Frage darzulegen - wobei er schier entschuldigend die Versicherung beifügte, in Paris werde er selbstverständlich dann die Anschauungsweise und die Interessen der Schweiz und die Instruktionen des Bundesrates vertreten... In Paris, das legte er mit aller Deutlichkeit klar, habe er überall nur eine Ansicht angetroffen: Frankreich würde keinen Vertrag unterzeichnen, der eine Zurücksetzung seiner jüdischen Mitbürger enthielte. An einer vertraglichen Regelung der Handelsbeziehungen sei ja vor allem die Schweiz interessiert, also müsse sie diese Verpflichtung in Kauf nehmen. Der Vorwurf verschiedener Votanten, Frankreich wolle der Schweiz die Zulassung der Juden oktroyieren, sei unzulässig; man versetze sich doch einmal in die Lage der Franzosen, dann werde man wohl begreifen, dass es ihnen vor allem darum gehe, die Gleichbehandlung aller ihrer Staatsbürger gewährleistet zu wissen. Die französische Regierung nehme dabei Rücksicht auf die öffentliche Meinung, die diese Gleichstellung gebieterisch verlange und die es nicht zuliesse, dass ein Vertrag unterschrieben würde, bevor dies schweizerischerseits anerkannt wäre. Nachdem Kern sich anschliessend mit der Frage des formellen Vorgehens (289) befasst hatte, erörterte er das Kompetenzproblem, worüber wir seine Ansicht ja kennen. Die Judenfrage, so beteuerte er, müsste in der Schweiz nun doch endlich gelöst werden, da sie sonst in Zukunft den Abschluss weiterer Verträge erschweren oder verunmöglichen müsste. Für die Instruktion, so schloss er sein Votum, schlage er deshalb folgendes vor: nach Möglichkeit sollte der schweizerische Unterhändler nicht auf diese Frage eintreten, jedoch nachgeben dürfen, wenn Frankreich diese Forderungen vorbrächte und darauf beharrte.

Es war jetzt die Aufgabe von Bundesrat Frey-Herosé, das Fazit zu ziehen. Er stellte einmal fest, dass sich zwei Kantone und drei Halbkantone gegen die Zulassung der Juden ausgesprochen hätten (LU, UR, OW, NW und BL). Geteilte Ansichten wären unter den Delegierten von Aargau und Basel-Stadt festzustellen gewesen. Alle andern hätten sich dagegen positiv dazu gestellt. Was die formelle Regelung der Sache anbeträfe, so wünschte die überwiegende Mehrzahl der Delegierten, dass in den Handelsvertrag selbst keine Bestimmung betreffend die Juden aufgenommen würde, dass jedoch die Geneigtheit bestünde, den alten Niederlassungsvertrag im entsprechenden Sinn anzupassen. Eine weitere Möglichkeit wäre auch der Verzicht der Schweiz auf den

Vorbehalt, den der französische Gesandte de Rayneval in seiner Note vom 7. August 1826 zuungunsten der französischen Juden eingegangen war (290). Damit schloss er den zweiten Sitzungstag.
Am nächsten Morgen schritt man gleich zur Beratung von Punkt 4, die Freizonen um Genf, bevor dann am Schluss die Beratung über einzelne Tarifpositionen einsetzen sollte.
Bundesrat Frey-Herosé gab vorweg einige Aufschlüsse über die bisherigen Regelungen. Seit 1853 bestand eine Vereinbarung mit Frankreich über den Warenverkehr zwischen dem Kanton Genf und dem Pays de Gex: es gab z. T. Zollfreiheit, z. T. auf ein Viertel des eidgenössischen Zollansatzes reduzierte Tarife für die Einfuhr von Rohstoffen und Agrarprodukten sowie einigen Gewerbeerzeugnissen, wobei die Quantitäten durch bestimmte Kontingente begrenzt waren. Da sich die Industrie des Ländchens in diesen zehn Jahren weiter entwickelt hätte, verlange Frankreich seit einiger Zeit die Ausweitung der Konzessionen von seiten der Schweiz. Neu dazugekommen wäre nun die Forderung, dass alle Produkte aus dem Pays de Gex, dem Chablais und dem Faucigny von schweizerischen Eingangszöllen befreit werden sollten. Dies aber, so führte Frey-Herosé aus, würde aus verschiedenen Gründen eine Beeinträchtigung, ja den Ruin des genferischen Handels und der Industrie bedeuten. Ausserdem stellte sich die Frage, ob es politisch klug wäre, dieser Forderung zu entsprechen? Dies verneinte Frey-Herosé entschieden. Frankreich, so meinte er, möchte nämlich eine Art von Simonie betreiben, deren Kosten aber gewiss die Schweiz zu tragen hätte. Wenn man sich gegenüber den neuen französischen Provinzen zu entgegenkommenden Schritten bereitzeigen wollte, so wäre dies höchstens im Sinne der bisherigen Regelung für das Pays de Gex möglich.
Die Meinungen der Delegierten waren aber kaum geteilt, und die Diskussion fiel dementsprechend knapp und eindeutig aus. Fazy, dessen Votum besonders Gewicht haben musste, betonte, die freie Weineinfuhr aus den drei Provinzen hätte für den Weinbau der Kantone Genf, Waadt und Wallis verheerende Folgen, ausserdem würde durch die Gewährung dieser Konzession und weiterer französischer Forderungen das schweizerische Zollsystem auf den Kopf gestellt. Auf keinen Fall könnte daher die Schweiz auf dieses Ansinnen, dessen Konsequenzen von Frankreich gar nicht richtig überlegt worden seien, eingehen. Ganz vehement äusserte sich anschliessend Roguin (VD); in seinen Worten spiegelte sich die Erregung, die in der Waadt infolge der Gerüchte um die drei Provinzen entstanden war. Man fürchtete dort um den Absatz des Weines (291), und Roguin als Regierungsvertreter widersetzte sich allen Konzessionen gegenüber den Savoyarden.
Sutter bezeichnete die Sache als eine allgemein schweizerische Sache, bei der alle mitzureden hätten. Seiner Ansicht nach hätte er selten eine Forderung gehört, "die etwas so Verletzendes, ja Beleidigendes an sich trage" wie die eben vernommene. Sie wirke wie ein Faustschlag ins Gesicht, und es gäbe für

die Schweiz nur eine mögliche Haltung: "Nicht ein Jota dürfe man in dieser Richtung nachgeben". Diese Provinzen im jetzigen Zeitpunkt zu begünstigen, wäre politisch höchst unklug. Weitere Votanten unterstützten ihn in der gleichen Richtung.

Kern, mit der Absicht, die Diskussion zu verkürzen, gab zu verstehen, dass er bereits mehrmals in Paris an massgeblicher Stelle deutlich gemacht hätte, die Schweiz könne auf solche Forderungen nicht eintreten. Er hoffe, vom Bundesrat auch eine entsprechende Instruktion zu erhalten. Die waadtländische Delegation versuchte er im besondern durch den Hinweis zu beruhigen, dass Frankreich auf diesem Punkt nicht speziell beharrt hätte und es daher nur von Vorteil wäre, wenn möglichst wenig Lärm um diese Angelegenheit entstünde, da die Verhandlungen sonst leicht durch Gegendemonstrationen in Savoyen erschwert werden könnten.

Gonzenbach (BE) versuchte dann, allerdings mit sehr vielen Einschränkungen, auch die positiven Aspekte der französischen Forderungen aufzuzeigen, doch stiess er damit auf wenig Verständnis. Koechlin, die Interessen seiner Stadt in Erinnerung rufend, wünschte, dass der Unterhändler in Paris ganz allgemein Grenzerleichterungen auszuhandeln versuchen sollte.

Der Departementsvorsteher resümierte wiederum. Einer Erweiterung der Konzessionen gegenüber dem Pays de Gex wäre die Schweiz nicht abgeneigt, doch müsste Frankreich entsprechende Gegenkonzessionen bieten, die er aber nicht benannte. Sicher wäre jedenfalls, dass die französische Forderung in ihrer jetzigen Form entschieden abzulehnen wäre!

Nach der Behandlung der ersten drei Traktanden, die grundsätzliche, über nationalökonomische Belange hinausreichende Probleme enthalten hatten, konnten zum Schluss nun die mehr technischen, zollpolitischen Fragen in Angriff genommen werden.

Der schweizerische Einfuhrzoll auf Wein und die kantonalen Konsumogebühren wurden, da sie ihrer Natur gemäss eng zusammenhingen, auch gleichzeitig besprochen. Bundesrat Frey-Herosé erklärte vorweg, dass ein Entgegenkommen bei den Fassweinen nicht möglich wäre, bei den Flaschenweinen hingegen durchaus erwogen werden könnte (292). Roguin berichtete, dass sich in seinem Kanton eine grosse Aufregung ergeben habe, als gerüchteweise verlautete, der Zoll auf Fassweinen sollte herabgesetzt werden. Der weitere Verlauf dieser Stimmung hinge nun sehr stark davon ab, welche Haltung die Konferenz in diesen Fragen einnähme. Als er zur Frage Stellung nahm, welchen Charakter der bestehende Weinzoll eigentlich hätte, spürte man deutlich, wie mühsam er sich dabei winden musste und sich in Widersprüche verstrickte: "Der schweizerische Zoll auf Wein in Fässern sei kein Schutzzoll, sondern ein reiner und mässiger Finanzzoll, der in keiner Weise hemmend auf die Einfuhr wirke. Beweis: das enorme Quantum, das jährlich verzollt werde. Der Weinbauer halte nichtsdestoweniger sehr daran, dass dieser Zoll nicht reduziert werde, indem er immerhin eine allzugrosse Einfuhr abhalte (!) und ihm eini-

germassen den Verkauf erleichtere". So völlig ohne schützende Wirkung, wie Roguin dies zuerst behauptet hatte, war der Zoll anscheinend doch auch nicht. Da in Frankreich selbst ziemlich hohe interne Gebühren - weit höher als in der Schweiz - auf alkoholischen Getränken erhoben würden, hätte Frankreich gar keine Berechtigung zu einer solchen Forderung. Höchstens bei den Luxusweinen könnten Konzessionen gemacht werden, die aber auch nicht zu weit gehen dürften. Auch gegen eine Reduktion der Konsumogebühren wandte er sich, denn im Artikel 32 der Bundesverfassung wäre ja den Kantonen nur die Erhöhung dieser Abgaben auf inländischen, nicht aber auf ausländischen Weinen und geistigen Getränken verboten.
Oswald hingegen wünschte eine Unterscheidung zwischen Weinen hoher und geringer Qualität, wobei der Zoll bei den letzteren auf die Hälfte herabgesetzt werden könnte. Er fand das Begehren der weinbauenden Kantone unbillig, weil es auf Kosten der industriellen Kantone ginge. Da Basel Weine geringerer Qualität ("für die arbeitende Klasse bestimmt") aus dem Ausland bezöge, belastete der Importzoll die untern Bevölkerungsschichten sehr beträchtlich.
Für Brunner hingegen standen - wie er sagte, leider! - die Interessen des kantonalen Fiskus im Vordergrund, weshalb keine Konzessionen in dieser Frage gewährt werden könnten.
Kern konnte berichten, dass er in Paris aus inoffiziellen Quellen vernommen hätte, welche Forderungen Frankreich zu stellen gedächte: die Reduktion der Zölle auf Elsässerweinen um die Hälfte. Er selbst stellte sich dem entschieden entgegen; möglich war jedoch seiner Meinung nach eine Konzession auf Flaschenweinen. Seinen anschliessenden langen Ausführungen über die französischen Konsumogebühren liess sich folgendes entnehmen: während in der Schweiz die Konsumogebühren und Octrois durchschnittlich auf rund einen Franken pro Kopf kamen, betrugen in Frankreich die Getränkeabgaben an den Staat rund vier Franken pro Kopf, zu denen dann noch ganz ungleich hohe Octrois der Gemeinden (in Paris z.B. bis 18 Fr. /hl!) dazukamen. Für allfällige Verhandlungen in dieser Frage stünde die Schweiz also sehr gut da. Kerns Ansicht war daher, das Verlangen sowohl nach der Zollreduktion wie der Ohmgelderrevision sollte abgewiesen werden. Vielleicht könnte man sich verpflichten, die Ohmgelder während der Vertragsdauer nicht zu erhöhen.
Feer-Herzog bezeichnete den Zoll auf gewissen Weinsorten in Fässern als "wirklichen Protektionszoll". Obschon er eigentlich gegen eine Reduktion war, plädierte er aus verhandlungstaktischen Gründen für eine flexible Instruktion, indem "wo möglich" hinzugesetzt werden sollte. Dupasquier konterte Oswalds Bemerkungen wegen der vitikolen Kantone: da der Handelsvertrag vor allem den industriellen Kantonen zugute kämen, sollten die Konzessionen eben nicht auf dem Rücken der weinbauenden Kantone gemacht werden. Gonzenbach (BE) befürwortete wie Feer-Herzog eine möglichst wenig einengende Instruktion in dieser Frage. Er wies ausserdem auf die Tatsache hin, Frankreich sei darauf angewiesen, die Schweiz in dieser Sache zu schonen, "denn sie (= die

Schweiz) sei sein grösster und bester Weinabnehmer auf dem ganzen Erdenrund", und die Schweizer konsumierten ja pro Kopf auch mehr französischen Wein als die Franzosen selbst. Zu grundsätzlichen Aspekten der zu erteilenden Instruktion äusserte sich nun, nachdem bereits in zwei Voten darauf angespielt worden war, auch der Departementsvortsteher. Für ihn war es selbstverständlich, dass die Instruktionen nicht von allem Anfang an bis zum Schluss unveränderlich sein sollten, sondern es war durchaus vorgesehen, sie jeweils der ändernden Lage entsprechend anzupassen. Aber auf das Verhältnis des Bundesrates zum Unterhändler anspielend, sagte er: "Gebe man daher nicht von Anfang an durch dehnbare Instruktionen gleichsam das Messer aus der Hand". Nach einer Attacke Koechlins auf den Schutzcharakter des Zolls auf Weinen geringer Qualität fasste Frey-Herosé die Ansichten der Anwesenden zusammen: der Zoll auf Fassweinen sollte keinesfalls reduziert, derjenige auf Flaschenweinen jedoch könnte herabgesetzt werden. Da die Konsumogebühren aber in die Zuständigkeit der Kantone fiele, wäre die Einwirkung des Bundes unzulässig (diese Argumentierung mutet nachdem, was er über die Bundeskompetenz in der Judenfrage gesagt hatte, eigenartig unkonsequent und wenig überzeugend an; wie noch zu zeigen sein wird, machte sich der Gesambundesrat aber später diese Ansicht nicht zu eigen, was ihm einige herbe Kritiken eintragen sollt). Vorbehalten bliebe einzig die Neueinteilung der Weine in verschiedene Kategorien, die unterschiedlich hoch belastet werden konnten.

Frankreich forderte die Abschaffung der schweizerischen Transitzölle. Gleichzeitig mit diesem Problem sollte hier nun auch eine Revision der Ausfuhrzölle diskutiert werden. 1861 hatten die Ausfuhrzölle einen Ertrag von 466'623 Franken, die Transitzölle einen solchen von 46'822 Franken ergeben (293). Dupasquier fand, dass sich auf diesem Feld am ehesten Konzessionsmöglichkeiten ergeben könnten. Die Abschaffung der Transitzölle und der damit verbundenen lästigen Formalitäten könnte sich seiner Auffassung nach nur positiv auf die Konkurrenzfähigkeit der schweizerischen Eisenbahnen auswirken. Andere wie Koechlin, P. Jenny und Michel wollten noch weitergehen und propagierten auch die Abschaffung der Ausfuhrzölle, was aber wiederum bei verschiedenen Votanten Widerspruch hervorrief. Sutter, Fierz, Peyer im Hof und Gonzenbach (BE) vertraten die Ansicht, mit der Reduktion der Exportzölle besonders auf Holz und Lumpen müsste man vorsichtig sein und zwar aus zwei Gründen: einmal müsse man auf die Bundesfinanzen Rücksicht nehmen, zudem könnte die Lage für die Papierindustrie kritisch werden, und es bestünde die Gefahr, dass der Zuwachs an Holz nicht im richtigen Verhältnis zu Ausfuhr stünde, mit andern Worten der bisherige Raubbau an den Wäldern weiterginge.

Kern sah sich wiederum gezwungen, die undankbare Rolle desjenigen zu spielen, der den französischen Standpunkt darstellen musste. In der Frage des Aus- und Durchfuhrzolls werde Frankreich höchst wahrscheinlich nicht nachgeben. Die Ausgangslage wäre daher für die Schweiz nicht gut. Ein Ausweichen würde kaum möglich sein, da Frankreich in dieser Beziehung von allen bisherigen Vertragspartnern das Verlangte erhalten hätte. Die Instruktion musste auf alle Fälle beweglich gehalten sein. Zuerst sollte man sich auf keine Konzession einlassen, dann eventuell bereit sein, die Transitzölle abzuschaffen und die Exportzölle zu reduzieren. Damit konnte sich Frey-Herosé einverstanden erklären.

Ganz kurz gestaltete sich die Diskussion über die französische Forderung nach einer Reduktion der schweizerischen Importzölle. Wenn man in der Schweiz vom jetzigen System abginge, führte Frey-Herosé aus, also die Rohstoffe vom Zoll befreite, die Getreidezölle aufhöbe und die ausländischen Produkte nach dem Grad ihrer Verarbeitung belastete, so wäre dies mit einem Zollverlust von 1'048'000 Franken verbunden. Feer-Herzog wies darauf hin, dass bereits Belgien von der Schweiz die freie Einfuhr von Rohstoffen verlangt hatte, doch sei dies deutlich abgewiesen worden. Es wäre nämlich einfach unvereinbar mit dem schweizerischen Zollsystem, "indem Finanzzölle keine ausgedehnte Zollbefreiung zuliessen". Genau der gleichen Meinung war auch der Departementsvorsteher, der auf Artikel 25 der Bundesverfassung verwies, wo der Rohstoffzoll verankert war. Da auch Kern diese Forderung als "exorbitant" bezeichnete und erklären konnte, er hätte mit Thouvenel bereits in diesem Sinne gesprochen und ein Festhalten Frankreichs an dieser Forderung wäre kaum zu erwarten, war die Stellungnahme der Schweiz in dieser Frage vorderhand klar und eindeutig. Im Verlauf der Verhandlungen musste aber doch auf diese Probleme wieder zurückgekommen werden.

Zum Abschluss der Konferenz sollten nun noch die mannigfaltigen Wünsche und Anregungen zu einzelnen Tarifpositionen zur Sprache kommen. Dies geschah, indem anhand der französischen Zolltarifliste die einzelnen Zollgüter der Reihe nach systematisch behandelt wurden. Hier sollen, der Uebersichtlichkeit halber, nicht etwa diese Diskussionen (ein richtiges Wunschkonzert! (294)) nachgezeichnet werden, sondern nur deren Ergebnisse in tabellarischer Form festgehalten werden. Wo Bemerkungen wünschenswert erschienen, wurden sie den einzelnen Tarifpositionen beigefügt.

Artikel	Wünsche, eventuelle Bemerkungen
Metalle:	
Eisenguss en masse	BE und SO wünschen im Interesse der jurassischen Eisenindustrie Reduktion.
Eisendraht	VD verlangt Reduktion um die Hälfte.
Kupfer und Zink	BE verlangt entweder Anpassung des französischen an den schweizerischen Tarif oder Erhöhung des schweizerischen Tarifs auf französisches Niveau.

Werkzeuge aus Eisen	VD und GE verlangen Reduktion, da sonst der Export nach Frankreich unmöglich ist.
Uhren und Uhrenbestandteile:	BE, NE, VD und GE erklären übereinstimmend, dass das neue französische Verzollungssystem (in den neuen Verträgen) dem schweiz. Export nach Frankreich höchst schädlich würde, da die Wertzölle gerade die Uhren hoher Qualität zu stark belasteten. Fazys Vorschlag: teure Uhren per Stück, billigere nach dem Wert zu verzollen. Lambelet (NE) weist auf die Schmuggelgefahr bei hohen Zöllen hin. NE, GE und BE verlangen die Aufnahme der Uhrenbestandteile in die Tarifliste.
Eisenbahnmaterial:	SH verlangt, dass diese Materialien zu möglichst günstigen Tarifen in die Liste aufgenommen werde, da französische Fabrikanten von derartigem Material in der Schweiz viel besser stehen als schweiz. in Frankreich. Interessant zu wissen: Peyer im Hof, der diesen Wunsch vorbrachte, hatte zehn Jahre vorher die Schweiz. Waggonfabrik Neuhausen (ab 1863 Schweiz. Industriegesellschaft) gegründet, war ausserdem seit 1857 Direktor der Nordostbahn (295).
Holz und Holzwaren:	
Gesägte Bretter	NE wünscht Gleichbehandlung der rohen wie geschnittenen Bretter, im Interesse der einheimischen Sägereien.
Parquetterie	BE, SO und FR verlangen Reduktion um die Hälfte.
Holzschnitzereien	BE verlangt das gleiche wie bei Parquetterie.
Möbel	GE wünscht Reduktion
Textilindustrie:	
Flachs- und Hanfgewebe	BE verlangt Reduktion der hohen Wertzölle auf 10 Prozent und Vereinfachung der Tarife.
Baumwolle:	
Garne und rohe Tücher	Vereinfachung der Tarife, da zuviele Subdivisionen vorhanden sind. GL verlangt Reduktion der Wertzölle auf 7%. Der

	bisherige Freipassverkehr zum Bedrucken (rohe Tücher aus Frankreich eingeführt, nach dem Bedrucken zollfrei ausgeführt) sollte, da dies für die Schweiz sehr vorteilhaft war, unbedingt <u>vertraglich</u> festgelegt werden.
Gewebe	TG schlägt folgende Vereinfachung und gleichzeitige Reduktion vor: 1. Klasse -.35/kg 2. Klasse -.45/kg Klassierung je nach 3. Klasse a) -.80/kg Fadenzahl b) 1.50/kg Lüthi, der dies vorschlug, fügte hinzu: wenn dies nicht zu erreichen wäre, müsste der Handelsvertrag abgelehnt werden!
Gaze, Mousseline, Stickereien (sog. St. Galler- und Appenzeller Artikel)	SG verlangt sowohl Vereinfachung als auch Reduktion, ausserdem die Vereinigung der Hand- und Maschinenstickereien in <u>einer</u> Kategorie und Reduktion auf 10% Wertzoll.
Bedruckte Gewebe	GL verlangt Reduktion des Zolls, da Frankreich in dieser Sparte ohnehin überlegen sei; verlangt die Errichtung von Entrepôts in Frankreich. Kern wünschte von der Baumwollindustrie eine schriftliche Zusammenstellung aller Desiderien, nach Hauptbranchen zusammengestellt.
<u>Seide:</u>	Während die Seidenstoffe Zollfreiheit erhalten hatten, stand es anders für die
<u>Seidenbänder:</u>	AG konstatierte, dass durch den Einfluss der Seidenbandfabrikanten von St. Etienne die Zölle auf den Seidenbändern <u>nicht</u> reduziert worden waren und der schweiz. Export nach Frankreich seit 1860 ständig zurückgehe. Unterstützt von ZH, BS und BE, verlangt Feer-Herzog die Gleichstellung der Bänder mit den Stoffen (also zollfrei) oder wenigstens die Reduktion der jetzigen Schutzzölle auf die Hälfte.
<u>Käse:</u>	BE und FR verlangen die Gleichbehandlung des schweiz. Käses mit dem englischen und deutschen, wenn möglich Senkung auf das Niveau des schweiz. Zolls. Gleichzeitig plädieren einige Anwesende für die Senkung des schweiz. Einfuhrzolls auf Käse und die Angleichung der französischen und schweizeri-

schen Ansätze.

Butter und Milch:	BE und TG wünschen Zollfreiheit, zudem ganz generell Erleichterungen für alle agrarische Produkte.
Strohwaren:	AG und FR verlangen Gleichbehandlung wie englische und belgische Produkte.
Glaswaren:	FR und VS wollen, dass der schweizerische Importzoll nicht gesenkt werde, da dies eine Lebensfrage für die Glashütten bedeutet.
Kirschwasser:	LU verlangt Reduktion des französischen Zolls.

Unter den zusätzlichen Wünschen, die nicht einzelne Tarifpositionen betrafen, seien noch hervorgehoben:
Angeregt wurde von Neuenburg die Errichtung von gemeinsamen französisch-schweizerischen Zollstätten im Eisenbahnverkehr, über deren Wünschbarkeit aber unter den baslerischen Vertretern Uneinigkeit herrschte.
Bern brachte den Wunsch zum Ausdruck, die Vertragsdauer dürfte zwölf Jahre nicht übersteigen, und die schweizerische Unabhängigkeit müsste voll und uneingeschränkt gewahrt bleiben. Ausserdem sollte der Bezug von Waffen und Munition aus Frankreich bzw. der Transit durch Frankreich für die Schweiz wie bisher gewährleistet bleiben. Basel-Stadt wollte im Vertrag festgehalten wissen, dass gegenseitige Lebensmittelsperren verboten sein sollten und die Ausfuhr von Steinkohle nicht eingeschränkt werden durfte.
Kern versprach, diese Wünsche in Paris mit dem nötigen Nachdruck zu vertreten. Für die Entgegennahme zusätzlicher Wünsche erklärte er sich bis Ende Januar bereit.
In der Frage der drei Fachleute, deren Beistand für die Verhandlungen von Kern gefordert worden war, konnte man sich vorderhand nicht einigen, so dass die Erledigung dieses Problems dem Bundesrat vorbehalten blieb (296). Die Konferenz hatte ihm nun auch genügend Unterlagen geliefert zur Abfassung der Instruktion. Am 19. Januar wurde Kern vom Bundesrat offiziell zum Bevollmächtigten für die Verhandlungen mit Frankreich ernannt und ihm eine entsprechende Urkunde zugestellt. Aus deren Text (297) geht hervor, dass der Bundesrat in diesem Zeitpunkt nur erst an den Abschluss eines Handelsvertrages, nicht aber an weitere zusätzliche Vereinbarungen dachte, denn die Vollmacht lautete nur zum Verhandeln, Abschliessen und Unterzeichnen - unter Ratifikationsvorbehalt - eines Handelsvertrages. Streng genommen hätte also die Vollmacht gar nicht ausgereicht für das, was Kern dann in der Folge tat, doch nahm der Bundesrat seine Vollmacht offensichtlich nicht so streng buchstabengetreu, um so mehr, als sich ja die Differenzierung der Verhand-

lungsgegenstände in verschiedene Vertragsmaterien erst im Verlaufe der Unterhandlungen klar herausschälte.
Ungefähr zur gleichen Zeit gab Kern in einem Brief, den er aus dem Thurgau an den Bundesrat richtete (298), seiner Entrüstung darüber Ausdruck, dass trotz den Ermahnungen an die Konferenzteilnehmer wichtige Informationen - ganze Referate, Stellungnahmen einzelner Repräsentanten - in die öffentlichen Blätter gelangt waren. So etwas, stellte er empört fest, könnte die Stellung der Schweiz bei den kommenden Verhandlungen nur erschweren und wäre auf alle Fälle den Interessen der Eidgenossenschaft entschieden abträglich! Hinterher waren also nun - Kern tönte dies zwar nicht einmal an - seine bisherigen Mahnungen auf unangenehme Weise aktuell geworden und hatten sich als nur allzu berechtigt erwiesen. Umso nötiger sei jetzt, betonte Kern nachdrücklich, dass sowohl die ersten wie alle nachfolgenden Instruktionen streng geheimgehalten würden, denn Turgot würde sicher alles daransetzen, um den Inhalt dieser Instruktionen erhalten und nach Paris senden zu können. Wenn sogar dies geschähe, so müsste sich die schweizerische Position in Paris vollends ganz schwierig und unvorteilhaft gestalten. Nach der Panne, die jetzt passiert war, könnte man in Frankreich ja immer noch sagen, es handle sich hier um die unmassgebliche Meinung einzelner Delegierter, doch für die nötige Diskretion in der Zukunft sollte der Bundesrat dringend die gebotenen Vorkehren treffen. Eine aktenmässig fassbare Reaktion des Bundesrates auf diese berechtigten Bemerkungen lässt sich nicht nachweisen; der Bundesrat zeigte aber von nun an eindeutig mehr Sorgfalt in diesen Dingen.
Turgot hatte in der Tat über die Delegiertenkonferenz für das Aussenministerium einen ausführlichen Bericht verfasst, in dem in zuverlässiger Weise der Verlauf der Diskussionen in ihren wesentlichsten Punkten dargestellt waren (299). Dazu war er wahrscheinlich dank direkter Kontakte zu Konferenzteilnehmern, aber auch durch die Berichte in welschen Zeitungen (300) imstande gewesen. Das Aussenministerium in Paris teilte seinerseits die wichtigsten Punkte daraus dem Handelsministerium mit, was wieder zu beleuchten vermag, welches Interesse man den Vorbereitungen auf schweizerischer Seite widmete (301).
Wieder nach Paris zurückgekehrt, verdankte Kern die Vollmacht und versprach, sein bestes zu geben (302). Ueber das Verhandlungsprogramm hatte Kern in einer Audienz mit Drouyn nun definitiv festgelegt, dass zuerst die Hauptfragen besprochen werden sollten und nachher die Tarifprobleme in Angriff genommen würden, zu denen dann erst die Experten aus der Schweiz beigezogen werden müssten. Kern hatte ausserdem erfahren, dass am 17. Januar nach 19-monatigen Verhandlungen der französisch-italienische Handelsvertrag unterzeichnet worden war und in Kürze vor die italienische Kammer käme. Unterhandlungen mit den Niederlanden sollten demnächst beginnen. Vom sächsischen Gesandten hatte Kern gehört, die süddeutschen Staaten würden sich der öffentlichen Meinung in Norddeutschland nicht mehr lange entgegenstellen

können, und ihre Ratifikation des französisch-deutschen Vertrags würde in Kürze erfolgen. Bevor wir aber an die Darstellung der schweizerisch-französischen Unterhandlungen herangehen können, müssen wir uns noch mit folgenden Problemen befassen: mit den Eingaben von Kantonen und Privaten an den Bundesrat mit Wünschen zum Handelsvertrag; mit der Instruktion für Minister Kern; mit der Ernennung von Experten für die Verhandlungen; schliesslich mit den Eingaben an die kaiserliche Regierung aus der französischen Wirtschaft.

3. Die Eingaben an den Bundesrat und an den Bevollmächtigten

In der Januarkonferenz hatte Kern den Delegierten mitgeteilt, dass er bis Ende Januar zur Entgegennahme von Wünschen bereit sei, die im Zusammenhang mit dem Handelsvertrag stünden. Dies liessen sich die Vertreter der verschiedensten Exportzweige nicht zweimal sagen. Bis Ende März 1863 liefen beim Bundesrat (der die meistens kommentarlose Weiterleitung besorgte) oder bei Kern direkt die Eingaben aus der ganzen Schweiz - von Kantonsregierungen, Handelskammern, Industriellenvereinigungen und Privaten - in grosser Zahl ein. Der Bevollmächtigte hatte alle Hände voll zu tun, um sie alle durchzuarbeiten (303).

Doch schon in den drei Jahren seit dem ersten Interesse der Schweiz an einem Handelsvertrag waren vereinzelte Wünsche an den Bundesrat oder das Handels- und Zolldepartement eingereicht worden. Nachdem dann Ende März 1863 die Hauptwoge verebbt war, gab es noch einige wenige Nachzügler im nächsten Jahr.

Bei der Durchsicht der Eingaben wird sofort deutlich, dass wir uns noch in der Zeit _vor_ der Gründung der grossen gesamtschweizerischen Wirtschaftsverbände befinden. Nur in vereinzelten Fällen, vor allem bei der Baumwollindustrie, gab es ganze Exportzweige, die ihre Wünsche gemeinsam vorbrachten. Sehr häufig wurde die Koordination von den kantonalen Regierungen übernommen, wie dies etwa besonders klar bei den Eingaben der Weinproduzenten der Fall war.

Damit ein Ueberblick über die ungefähr hundert verschiedenen Gesuche gewonnen werden kann, sollen die Eingaben nach Exportzweigen geordnet aufgeführt werden. Zudem beschränken wir uns jeweilen darauf, nur einige besonders exemplarische Gesuche näher zu betrachten, die restlichen hingegen summarisch zu behandeln.

a) Grosse Exportbranchen

Baumwolle: Jeder der vier grossen Fabrikationszweige - Spinnerei, Weberei, Druckerei und Stickerei - brachte seine Wünsche vor; bei den ersten drei hatten sich die Industriellen selbst zusammengetan, während für die Stickerei und die St. Galler- und Appenzeller-Artikel (feine Gewebe, sog. Gaze und Mousseline) die beiden Kantonsregierungen zwei gleichlautende Eingaben einreichten. Die 44 Spinnerei- und 29 Webereibesitzer aus den Kantonen Zürich, Thurgau, Glarus und Schaffhausen wiesen in einem langen Memorial (304) auf die Notwendigkeit hin, dass Frankreich für Garne und Gewebe gegenüber der Schweiz niedrigere Zölle gewähre, als sie in den bisherigen Handelsverträgen festgelegt worden waren, da sonst der schweizerische Export nach Frankreich "eine vollständige Unmöglichkeit" wäre. Da aber in diesem Industriezweig in der Ostschweiz ungefähr 200 Mio. Franken investiert seien, lohne sich ein Einsatz zugunsten dieser Branchen wohl. Die französischen Zollsätze sollten auf die Hälfte herabgesetzt werden; war dies nicht zu erreichen, so sollte der Handelsvertrag nur auf fünf Jahre abgeschlossen werden; wie in der Konferenz (und in den andern Eingaben aus der Textilindustrie) wurde erneut die vertragliche Fixierung des Freipassverkehrs und die Errichtung eines Entrepôt gewünscht.

Die Druckereibesitzer der Kantone Zürich und Glarus brachten ihre Wünsche in zwei ähnlich lautenden Gesuchen vor. Im einen wurde geklagt: "...der Zweig der Druckerei ist unstreitig derjenige, welcher von den gesamten Baumwollindustrien am meisten notleidet und die trübste Aussicht in die Zukunft hat, falls ihr ein Absatz in unsere Hauptnachbarländer nicht geöffnet werden kann" (305). Im andern wurde die Zollpolitik dieser Staaten angeprangert: "...alle unsere Nachbarländer (haben sich) durch eine chinesische Mauer von enormen Schutzzöllen gegen unsere Baumwollindustrie abgesperrt" (306). Da der französische Zoll auf bedruckten Tüchern von 15 Prozent einen Export nicht zuliess, sollte eine Reduktion auf 5-7 Prozent angestrebt und die lästigen Zuschläge abgeschafft werden; die Glarner wünschten ausserdem, dass Stipulationen über den Musterschutz abzulehnen wären.

Offensichtlich vorher miteinander abgesprochen hatten sich die Regierungen von St. Gallen und Appenzell-Ausserrhoden (307). Sie forderten eine Reduktion und Vereinfachung der französischen Zollsätze für feine Gewebe: bei Konfiskationen sollte der Beschlagnahmer eine höhere Kaution (10%) als bisher (5%) leisten müssen; es war anzustreben, dass die Hand- und Maschinenstickereien in die gleiche Zollkategorie (zu 10%) eingeteilt würden.

Der Thurgauer Baumwollindustrielle Lüthi, der ebenfalls an der Januarkonferenz teilgenommen hatte, wandte sich in einem persönlichen Brief direkt an Kern, in welchem er den Gesandten auf ganz besondere Weise ansprach. Lüthi wies auf die grossen Neuinstallierungen von mechanischen Webstühlen im Kanton Thurgau während der letzten Jahre hin und brachte dann die gleichen Wünsche vor, wie sie auch im Memorial der Spinner und Weber enthalten waren. So weit, so gut. "Ihr Heimatkanton und dessen junge leidende Industrie", beschwor er aber dann den Gesandten, "werden es Ihnen Dank wissen, wenn Sie ihrer bei den wichtigen Unterhandlungen mit Teilnahme gedenken. Als einer der Hauptbeteiligten bitte ich Sie mit aller Wärme darum" (308). Den Fabrikanten, dem das Wasser bereits damals offenbar am Hals stand (309), konnte aber auch der Handelsvertrag mit Frankreich nicht mehr retten, denn er geriet noch vor dessen Inkrafttreten in Konkurs...

Seidenbänder: Während aus dem Kanton Aargau der dort Hauptbeteiligte, Feer-Herzog, selbständig an Kern einen orientierenden Brief schrieb, der weiter unten noch zur Sprache kommen wird (310), sandten die Regierungen beider Basel die Wünsche ihrer Bandindustrie ein; Basel-Stadt formulierte sie ausführlich (311), und der Regierungsrat von Basel-Land schloss sich ausdrücklich an diese Eingabe an (312). Auf die entscheidende Bedeutung des Industriezweiges für die Bevölkerung der beiden Kantone hinweisend, zeigten sich die Gesuchsteller vom Rückgang der Exporte nach Frankreich sehr besorgt. Sie forderten daher eine Reduktion des französischen Zolles von Fr. 8.-/kg auf die Hälfte. Den Musterschutz lehnten beide Kantone ab - die Stadt mit einer langen, vehementen Begründung.

Strohwaren und Rosshaargeflechte: Bereits 1861 hatte ein aargauischer Strohflechter (313) gewünscht, der französische Zoll möchte reduziert werden. Das gleiche Verlangen brachten anfangs 1863 weitere 13 Strohgeflechthersteller aus dem Kanton Aargau vor, indem sie befürchteten, durch die Zolldiskriminierung würden die schweizerischen Erzeugnisse auf dem französischen Markt durch die italienische und belgische Konkurrenz verdrängt (314). Andererseits verlangten die Fabrikanten von Rosshaargeflechten aus den Kantonen Aargau und Luzern, dass ihre Produkte bei der Einfuhr nach Frankreich den gleichen Zollsätzen unterliegen sollten wie die Strohgeflechte (315). Im August 1863 traf dann noch ein verspätetes Gesuch des Bezirksrates von Onsernone ein, die einzige Eingabe aus dem Tessin überhaupt. Da die fertigen Strohhüte gegenüber den Geflechten mit zu hohen Zöllen belastet wurden, konnten nur Geflechte exportiert werden, und die jungen Tessiner wanderten den Sommer über ins Ausland aus, wo sie die Hüte fertigstellten und so die Zollmauer überwanden. Damit diese ständige Wanderung mit den damit verbundenen Beschwerlichkeiten aufhören konnte, sollten die Hüte mit einem möglichst geringen Gewichtszoll belastet werden (316).

Uhren und Bijouterie: Auch in dieser Branche waren schon seit dem April 1861 von einzelnen Fabrikanten aus dem Jura Gesuche eingegangen, in denen vor allem für die von Frankreich hoch belasteten Uhrenbestandteile Erleichterungen verlangt wurden (317). Fundierte Eingaben für die ganze Uhrenindustrie machten dann anfangs 1863 die "Commission des négociants genevois" und die neuenburgischen Delegierten an der Januarkonferenz. Von diesen beiden Seiten wurde verlangt, dass für die feinen Uhren ein reduzierter Stückzoll angestrebt werden sollte; ganz besonderes Gewicht müsste aber auf die Errichtung von Kontrollbureaux für Uhren und Bijouterie an der Schweizergrenze gelegt werden, damit die bisherigen lästigen Hin- und Hersendungen zu den Kontrollen im Innern Frankreichs aufhörten (318). Aehnliche Wünsche trafen von der "Société commerciale et industriale du Canton de Vaud" (Präsident: der spätere Bundesrat Louis Ruchonnet) (319) und von privater Seite aus Genf ein (320).

Agrar- und Bodenprodukte: Von verschiedenen Gesuchstellern war bis Ende 1862 vereinzelt eine allgemeine Senkung der französischen Zölle auf Agrarprodukten, besonders auf Käse und Vieh, gefordert worden. Aus der Befürchtung heraus, die Belange der Landwirtschaft könnten bei den Vertragsverhandlungen vergessen werden, reichten dann aber Ende Januar 1863 50 Mitglieder der Bundesversammlung eine Eingabe mit folgender Begründung beim Bundesrat ein: "Während nämlich alle Industrien der ganzen Schweiz ihre Interessen bei diesem Vertrag gewahrt haben, ist dies bei der ackerbautreibenden Bevölkerung nicht der Fall. Sie hat kein Organ, das ihre Interessen vertreten könnte, und man hält sie in der Regel nur für sekundär dabei berührt" (321). So war das noch vor hundert Jahren; seither hat sich die Lage ja völlig verändert! Die Parlamentarier verlangten, dass der hohe französische Zoll auf Käse von Fr. 16.50/100kg auf Fr. 3.-/100kg herabgesetzt werden sollte.

Vierzehn Tage später fand in Olten eine "zahlreiche Versammlung von grossen Gutsbesitzern und Repräsentanten der grösseren Käsehandlungen der Schweiz" (322) statt. Neben der allgemeinen Reduktion der französischen Zölle auf Agrarprodukten wünschten die Anwesenden vor allem eine Reduktion des Käsezolls, begnügten sich aber mit der Forderung von Fr. 5.-/100kg.

Die Sägereibesitzer aus den Kantonen Genf und Neuenburg beklagten sich darüber, dass das französische Zollsystem die Ausfuhr von ungesägtem Holz bevorteile, wodurch den schweizerischen Sägereien ein grosser Verdienst entging; nach Möglichkeit sollte eine Gleichstellung des gesägten wie des ungesägten Holzes erreicht werden (323). Landammann Michel (OW) wünschte eine Reduktion des französischen Zolls auf Bauholz, ausserdem auch auf Vieh (324). Aus dem Traverstal sandten 17 Absinthbrenner eine Eingabe, in der für dieses Getränk die Gleichstellung des französischen Zolls mit dem schweizerischen Ansatz gefordert wurde; könnte dies nicht erreicht werden, so müsste der schweizerische Einfuhrzoll für Absinth in Fässern erhöht werden (325). Einen gleichen Schutzzoll, allerdings als Erziehungszoll für eine Industrie in ihren Anfängen, forderten fünf Grossbauern aus dem Kanton Waadt für den Branntwein aus Zuckerrüben (326).

Ein besonderes Kapitel stellten natürlich die Eingaben zugunsten der Aufrechterhaltung des schweizerischen Weineinfuhrzolls dar. Eine erste Welle von Petitionen aus den waadtländischen Rebbezirken am Genfersee langte anfangs April 1861 beim Bundesrat an. In den vervielfältigten Schreiben (327) wurde gefordert, dass der schweizerische Einfuhrzoll auf keinen Fall gesenkt wer-

den dürfte. Der gleichen Meinung gab die Regierung des Kantons Wallis Ausdruck (328).
Als sich gegen Ende des Jahres 1862 die Aufnahme von Verhandlungen abzeichnete, rief die waadtländische Regierung zu Versammlungen und zur Formulierung der Begehren auf. Am 28. Dezember 1862 fanden sich die Delegierten der Weinbezirke in Vevey zusammen und legten ihre Forderung in einer Petition nieder, die anschliessend gedruckt und an alle Gemeinden verschickt wurde. Mit den Unterschriften aller Rebbauern versehen, wurden diese Eingaben von den Gemeinden sodann an den Regierungsrat gesandt, der im Januar 1863 über 90 Petitionen mit fast 5000 Unterschriften an den Bundesrat einreichte (329). Die Forderung lautete wiederum: der Einfuhrzoll für Wein und Spirituosen darf nicht gesenkt werden. Der Regierungsrat von Waadt wies auf die aufgeregte Stimmung unter der Bevölkerung hin "vu l'immense et irréparable perturbation qu'amenerait soit dans les prix des propriétés, soit dans la condition de nos vignerons, la suppression du droit si minime qui pèse sur les vins français". Aus genferischen und neuenburgischen Gemeinden trafen gleichlautende Forderungen ein; der Landwirtschaftliche Verein des Kantons Zürich sandte eine deutsche Uebersetzung der waadtländischen Petition. Eine solch weitgreifende Bewegung konnte der Bundesrat natürlich nicht unbeachtet lassen; die Anstrengung der Waadtländer Regierung sollte denn auch schliesslich ihre Früchte tragen.

b) Kleinere Exportbranchen

Von einer ganzen Reihe von kleineren Industrien und Gewerbezweigen wurden ebenfalls Wünsche an den Bundesrat herangetragen. Für sie alle galt wohl die Begründung, mit der ein Wachstuchhersteller seine Eingabe motivierte: "Die Wahrnehmung, dass in bezug auf den mit Frankreich abzuschliessenden Handelsvertrag eine Grosszahl schweizerischer Industrieller und Produzenten sich an unsere oberste Bundesbehörde gewendet haben, um deren Schutze ihre speziellen Interessen zu empfehlen, hat auch den Unterzeichneten bewogen, dem gegebenen Beispiele zu folgen und bei hochdenselben mit einer ähnlichen Bitte einzukommen, weil seine Industrie es als eine Lebensfrage betrachten muss, sich einen grösseren Spielraum eröffnet zu sehen, der ihr bis jetzt verschlossen gewesen" (330).
Schon 1861 hatten die Gerbereibesitzer, zuerst vereinzelt, dann in einer gemeinsamen Eingabe (331) gefordert, der französische Einfuhrzoll für Leder sollte auf die Hälfte reduziert werden. Die Papierfabrikanten verlangten in unabhängig voneinander eingereichten Gesuchen (332) die Reziprozität bei den Einfuhrzöllen für Papier und die Freigabe der Ausfuhr von Hadern (des Rohstoffes für die Papierherstellung) durch Frankreich. Wäre dies nicht zu erreichen, so sollte der Status quo, der einen gewissen Schutz bot, beibehalten werden. Ebenfalls eine Annäherung und Gleichstellung der gegenseitigen Ein-

fuhrzölle, und zwar auf Büchern, Karten, alten Stichen usw. wünschte der
Schweizerische Buchhändlerverein (333). Für die Belange der Eisenindustrie
des Berner Juras - Senkung des französischen Einfuhrzolls auf rohem Gusseisen - setzte sich Regierungsrat Stockmar ein (334). Die schweizerischen
Glashüttenbesitzer forderten dagegen, dass bei ihren Produkten am gegenwärtigen Zustand nichts geändert würde, da bei einer Senkung des schweizerischen Einfuhrzolls ihre Industrie zum Sterben verurteilt wäre (335). Bei den
restlichen Eingaben, die alle von Einzelnen stammten und die sämtliche die
Senkung der entsprechenden französischen Einfuhrzölle forderten, begnügen
wir uns mit der blossen Aufzählung der Branchen: von Messerschmiedewaren
über Chemikalien, Mineralwasser, Schaumwein, gestrickten Wollwaren, Parquetterie, Klavieren, Wachstuch und Bürsten bis hin zu Kautschukriemen erstreckten sich die Wünsche (336).

c) Die Zonen um Genf

Trotz der grossen Bedeutung dieser Frage und den ausgiebigen Zeitungspo-
lemiken darüber gelangten nur sehr wenige Eingaben zu diesen Problemen an
den Bundesrat. Schon anfangs 1861 hatte die Genfer Sektion der "Helvetia" zusammen mit den von Moï'se Vautier geleiteten radikalen "Fruitiers d'Appenzell" im Anschluss an eine grosse, von diesen Gruppen organisierten Volks-
versammlung in Genf den Bundesrat davor gewarnt, einen Handelsvertrag abzuschliessen, bei dem um wirtschaftlicher Vorteile willen politische Konzessionen gemacht würden (337). Da sich der Bundesrat selbst in der gleichen
Richtung fest entschlossen zeigte, erfolgten daraufhin aus Genf keine weiteren ähnlichen Schritte.
Der Präsident der "Commission des négociants genevois" verzichtete anfangs
Februar 1863 sogar auf eine Stellungnahme zu den Zonenfragen und überliess
deren Regelung ausdrücklich dem Ermessen des Bundesrates (338). Durch
die Entsendung zweier Experten nach Paris war aber dafür gesorgt, dass die
Interessen der Genfer gebührend berücksichtigt wurden. Hingegen tat die
waadtländische "Société commerciale et industrielle" die französische Forderung nach freier Einfuhr der Produkte aus Nordsavoyen und dem Pays de Gex
mit einem barschen Satz ab: "La société considère cette exigence comme
complètement inadmissible et même peu sérieuse" (339).

4. Die erste Instruktion des Bundesrates (vom 29. Januar 1863)

Die eigentliche Instruktion (340) war nur kurz gehalten und in fünf Abschnitte
eingeteilt. In einem Begleitschreiben stellte der Bundesrat aber verschiedene
Punkte ausführlicher dar, z.T. gab er darin auch kurze Begründungen seiner

"Ansichten und Wünsche" (341). Diese Erläuterungen sollen hier, insofern sie relevant waren, ebenfalls beigezogen und wiedergegeben werden. Ferner ist es auch interessant und aufschlussreich, den Entwurf des Handels- und Zolldepartementes (342) mit der endgültigen Fassung der Instruktion zu vergleichen und sich die Streichungen durch den Gesamtbundesrat genauer anzusehen.

Endgültige Fassung	Aus dem Entwurf des HZD gestrichen
A) Die Meistbegünstigungsklausel ist als Grundlage zu betrachten, dazu sollen wenn immer möglich für die schweizerischen Produkte besondere Vorteile zu erreichen versucht werden.	

B) Französische Grundforderungen

1) Literarisches, artistisches und industrielles Eigentum

Falls Frankreich darauf beharrt, so erklärt sich die Schweiz zur Annahme einer Bestimmung im Sinne von Art. 28 des deutsch-französischen Vertrages bereit und wäre damit einverstanden, dass eine entsprechende Konvention neben dem Handelsvertrag abgeschlossen würde. Die Anerkennung der Erfindungspatente muss abgelehnt werden, ebenfalls die Schutzbestimmungen für "modèles et dessins industriels" sowie für musikalische Stücke, die in Musikdosen verwendet werden.	---"zu beseitigen trachten". Sollte dies nicht erreichbar sein, so wäre ein Einlenken im Sinne des Art. 28 des deutsch-französischen Vertrages möglich.

Gerichtsstand: es muss darauf bestanden werden, dass dies der Wohnort des beklagten Nachahmers ist.
Begleitschreiben: Wenn Frankreich dem eidgenössischen Konkordat vom 3. Dezember 1856 beiträte, wäre dies die beste Lösung. Auf den Musterschutz einzugehen, ist der Minister nicht ermächtigt, da dessen Durchführung lästig, ja sogar unmöglich ist.

2) Israelitenfrage

Vorerst ist zu verlangen, dass diese Frage einer Revision des Niederlassungsvertrages von 1827 vorbehalten bleiben sollte. Es wäre sodann die Zusicherung zu geben, der Bundesrat werde einen dem französischen Begehren günstigen Antrag an die Räte stellen und zur Annahme empfehlen.

"Sollte aber Frankreich darauf beharren, dass diese Gleichstellung gleichzeitig mit Abschluss des Handelsvertrages vertragsmässig festgestellt werde und diese Forderung sich als conditio sine qua non herausstellen, so wird der schweiz. Bevollmächtigte deswegen die Unterhandlungen nicht abbrechen, sondern zu einer solchen Vertragsbestimmung Hand bieten".

Begleitschreiben: Eine Verpflichtung wegen der französischen Israeliten muss mit Entschiedenheit abgewiesen werden, indem darauf hingewiesen wird, dass der Augenblick ganz ungünstig sei, da in der Schweiz gerade eine rege Agitation herrsche, die den Behörden stark zu schaffen mache. Frankreich sollte einsehen, dass es ein Gebot der Klugheit und Vorsicht wäre, zu warten und die endgültige Regelung zu verschieben. Nur im äussersten Fall sollte der zweite Satz der Instruktion angewandt werden.

3) Senkung derjenigen schweizerischen Tarife, die höher sind als die französischen

Bei allen Positionen, wo dies der Fall ist, muss Frankreich entgegengehalten werden: da im allgemeinen die schweizerischen Tarife viel niedriger sind als die französischen, kann die Schweiz - solange Frankreich nicht diejenigen Tarife senkt, die sehr viel höher sind als die entsprechenden schweizerischen - ihre Zölle auf diesen Positionen nicht senken. Möglich wäre höchstens

eine Senkung einzelner Posten
bei entsprechenden französischen
Gegenleistungen.

Begleitschreiben: Das Nachgeben auf diese Forderung würde bedeuten, dass die Schweiz auf ihr bisheriges System der niedrigen Finanzzölle verzichtet und zu einem Schutzzollsystem überginge, denn die wegfallenden Zölle müssten durch andere ersetzt werden. "Die Schweiz kann und will ihr gegenwärtiges System nicht ändern". Sollten französische Konzessionen gewährt werden, so wäre die Schweiz zur Reduktion ihrer Einfuhrzölle auf folgenden Produkten bereit: Kastanien, Töpferwaren, Glasflaschen, Papier, Nähseide, Kerzen, Waffen, Schlachtviehfleisch, fette Oele;
Wein, Bier und Branntwein in Flaschen: Reduktion von Fr. 15.-/50kg auf Fr. 3.50/50kg.

4) Aufhebung der schweizerischen Durch- und Ausfuhrzölle

Dieser Forderung kann im vollen Umfang nicht entsprochen werden. Sollte Frankreich darauf bestehen, so soll der Gesandte neue Instruktionen einholen.

(Schon im Entwurf durchgestrichen: "höchstens die Abschaffung der Transitzölle zugeben, und betr. die Ausgangszölle neue Instruktionen einholen".)

Begleitschreiben: Frankreich kann kaum ein Interesse haben an der Aufhebung der geringen schweizerischen Transitgebühren. Der Gesandte soll Bericht erstatten, welche Gebühren Frankreich beim Transit erhebt; daraufhin wird der Bundesrat seine Entscheidung fällen. Bevor Frankreich nicht mit der Senkung seiner Ausfuhrzölle vorangeht, kann die Schweiz die ihren auch nicht senken (343). (Eigentliche Exportzölle bezog die Schweiz nur auf Holz und Holzkohlen, Fellen, Häuten, Gerberlohe, Baumrinde, Lumpen und Makulatur).

5) Reduktion des schweizerischen Weinimportzolls

Dies ist abzulehnen; zu gewähren wäre höchstens die Reduktion auf Wein in Flaschen (siehe B 3).

Begleitschreiben: Das Eingehen auf diese Forderung würde in der Schweiz auf grosse Widerstände stossen und könnte sogar die Ratifikation des Vertrages gefährden, weshalb sie auf das bestimmteste abzuwehren ist. Die erwähnte mögliche Konzession könnte nur gewährt werden, wenn Frankreich zu entsprechenden Gegenleistungen Hand böte. Ohne Zweifel würde dies aber eine Mehreinfuhr in dieser Kategorie von Alkoholika mit sich bringen.

6) Konsumogebühren

Die Schweiz ist bereit, im Sinne des Art. 9 des schweizerisch-belgischen Vertrages von 1862 entgegenzukommen. (Darin garantierte die Schweiz, dass während der Vertragsdauer die Konsumogebühren auf belgischen Branntweinen und Liqueurs nicht erhöht würden; dies galt nicht für Wein.)

Begleitschreiben: Der Forderung nach einem "remaniement" dieser Gebühren kann nicht nachgegeben werden, da sonst die Kantonalsouveränität tangiert wäre und die kantonalen und kommunalen Finanzquellen geschmälert würden, umso mehr als die entsprechenden Taxen in Frankreich selbst sehr erheblich sind und Frankreich keine Veranlassung hat, an die Schweiz diesbezüglich Begehren zu stellen.

7) Freie Einfuhr aus dem Chablais und dem Faucigny und Erweiterung der Zugeständnisse ans Pays de Gex

Ein solches Begehren soll der Gesandte "mit aller Entschiedenheit ablehnen".	(gestrichen) "Dagegen ist er ermächtigt, zu Gunsten des Pays de Gex einige neue Zugeständnisse zu machen, im Sinn der Direktionen, welche das Begleitschreiben zu dieser Instruktion enthält".

Begleitschreiben: Da der Zusatz aus dem Entwurf des HZD gestrichen worden war, finden sich im Begleitschreiben keine weiteren "Direktionen", sondern nur nochmals die Bekräftigung, dass auf den ganzen Fragenkomplex gar nicht eingetreten werden könne, weil die Angelegenheit "im innigsten Zusammenhang mit der politisch höchst bedeutsamen Savoyerfrage" stünde. Ausserdem würden Genfs Interessen durch eine Regelung im verlangten Sinn allzu stark geschädigt.

8) Revision des Niederlassungsvertrages von 1827

Dazu ist die Schweiz bereit.

9) <u>Revision des Vertrages von 1828 über die grenznachbarlichen Beziehungen</u>
Dazu ist die Schweiz ebenfalls bereit.

10) <u>Französische Einfuhrzölle</u>

Der Gesandte hat grundsätzlich auf die Gewährung der Meistbegünstigung auszugehen, zudem soll er auf folgenden Positionen Tarifreduktionen "auszuwirken trachten":
- Baumwollgarne und -tücher
- Seidenbänder
- Garantie des Freipassverkehrs für schweiz. und franz. Baumwolltücher, die zollfrei ins andere Land eingeführt und nach dem Bedrucken wieder eingeführt werden sollten. Die bisherige Kontrolle wäre beizubehalten.
- feine Uhren: auf Stückzoll übergehen
- auf solchen Produkten, die im schweizerisch-französischen Verkehr wichtig sind, sonst aber für den internationalen französischen Handel keine grosse Bedeutung haben: auf Käse, Vieh, Kirschwasser und verarbeitete Holzwaren sollten die Zölle aufgehoben oder stark reduziert werden.
- Errichtung eines freien Entrepôt für für Musterwaren in Paris.
- Gegenseitige Verpflichtung, den Export von Getreide und Steinkohle nicht zu verbieten.
- Erleichterungen im Grenzverkehr.

<u>Begleitschreiben</u>: Zu den verschiedenen schweizerischen Tarifforderungen werden die Fachleute nähere Angaben liefern können. (Da dies in der Tat dann auch der Fall war, können wir uns hier die weiteren Ausführungen ersparen, denn sie betrafen rein technische Fragen; je nach Bedarf soll darüber im Verlauf der Verhandlungen mehr gesagt werden.)

C) Nichterhöhung und Vereinfachung der schweizerischen Tarife

Unter dem Vorbehalt der Reziprozität ist die Schweiz bereit, die Nichterhöhung ihrer Tarife während der Vertragsdauer zu garantieren sowie Hand zu bieten für eine Vereinfachung der Tarife durch die Verschmelzung verschiedener Positionen.

Begleitschreiben: Diese Konzession ist sehr bedeutend, denn die Zölle sind die Haupteinnahmequellen des Bundes, dessen Ausgaben aber von Jahr zu Jahr steigen. Frankreich muss entsprechend dargelegt werden, dass dies eine gewichtige, ja eine der hauptsächlichsten Konzessionen der Schweiz darstellt. Mit allem Nachdruck soll der Gesandte auf der Reziprozität bestehen.

D) Geltungsdauer

Zehn, höchstens zwölf Jahre; der Handelsvertrag soll von Jahr zu Jahr fortdauern, solange keine Kündigung von seiten eines Partners erfolgt.

E) Berichterstattung durch den Bevollmächtigten

Er wird dem Bundesrat über den Gang der Unterhandlungen "fleissig Bericht erstatten" und wenn sich Anstände ergeben sollten, jeweils neue Instruktionen einholen. Nach dem Abschluss der Verhandlungen erwartet der Bundesrat einen Generalbericht.

Begleitschreiben: Folgenden Punkten, die in der Instruktion nicht berührt wurden, sollte ebenfalls noch Aufmerksamkeit geschenkt werden: Französische Transitformalitäten: Verschiedentlich wurden schweizerische Sendungen beschlagnahmt. "Der Transit soll unantastbar sein". Zum mindesten sollte dies für alle plombierten Sendungen gelten, zudem auch für den Transit von Waffen und Munition für die schweizerische Armee.
Zwischenhandel mit Produkten anderer Länder nach Frankreich: Dieser Handel sollte nach Möglichkeit erleichtert werden.
Aktiengesellschaften: Solche schweizerische Gesellschaften sind beim Ersu-

chen um Zulassung in Frankreich verschiedene Male auf Schwierigkeiten gestossen. Eine Vereinbarung im Sinne des schweizerisch-belgischen Handelsvertrages (Art. 3) wäre wünschenswert: gegenseitige Garantie für Sitz und Ausübung ihrer Tätigkeit.
Abschaffung von Privilegien in Frankreich: Der Gesandte soll abklären, ob die Vorrechte, die Makler, Wechselagenten und Buchdrucker französischer Nationalität gegenüber Ausländern geniessen (für die es in der Schweiz kein Aequivalent gab), nicht abgeschafft werden könnten.
Die Instruktion - unter Kerns Mitwirkung entstanden (344) - und das sie begleitende Schreiben sind in den meisten Punkten klar und unmissverständlich und sprechen eigentlich für sich selbst. Betrachten wir die Einteilung, so müssen wir uns wundern über den unproportionierten Umfang des Abschnittes B), in den alles Mögliche hineingestopft wurde und auf diese Weise ganz ungleichgewichtige Dinge auf dieselbe Stufe zu stehen kamen. In diesen Abschnitt wurden denn auch Punkte aufgenommen, die ganz und gar nicht dorthinein gehört hätten. Diese Schönheitsfehler sind wohl nicht zuletzt darauf zurückzuführen, dass das Handels- und Zolldepartement und der Bundesrat wenig oder keine Erfahrung in diesen Dingen besassen, denn eine so komplexe Anweisung an einen Unterhändler in nationalökonomisch-staatsrechtlichen Belangen war vorher noch nie notwendig gewesen.
Es bleibt uns noch die Aufgabe, die Instruktion nach drei Gesichtspunkten hin zu prüfen:
In welchem Verhältnis steht die Instruktion zu den Diskussionen und den Ergebnissen der Delegiertenkonferenz? Welches war das Schicksal der besonders vorgebrachten Wünsche? Welchen Gesamtcharakter trug die Instruktion?
Die Antworten auf die drei Fragen durchdringen sich weitgehend, weshalb sie nicht gesondert behandelt werden sollen.
Im grossen und ganzen ergibt sich -wie nicht anders zu erwarten - eine weitgehende Uebereinstimmung zwischen Konferenz und Instruktion, womit auch nachträglich die schon früher betonte grosse Bedeutung der Konferenz für die endgültige Festlegung der schweizerischen Ausgangsposition bestätigt wird. Es kann darauf verzichtet werden, dies anhand von zahlreich vorliegenden Beispielen zu belegen. War es im Schoss der Konferenz zu prinzipiellen Kontroversen in Grundfragen gekommen - beispielsweise in der Judenfrage - , so fand dann stets die "härtere" Linie ihren Eingang in die Instruktion. Besonders deutlich sichtbar wurde dies beim Problem der Genfer Zonen: nicht einmal ein Entgegenkommen gegenüber dem Pays de Gex war in der definitiven Instruktion vorgesehen, während doch der Entwurf dieses Zugeständnis noch enthalten hatte. Die ganz eindeutig politisch motivierte Haltung des Bundesrates zeigt unverkennbar, dass die Schweizer Regierung im jetzigen Zeitpunkt, da keine politischen Spannungen mehr einer Regelung der Handelsbeziehungen im Wege standen, doch nicht gewillt war, sich indirekt politische Zugeständnisse abringen zu lassen und so nachträglich die Annexion der sa-

voyischen Provinzen zu anerkennen. Stämpfli sass ja schliesslich noch im Bundesrat; sein Einfluss auf die Entscheidung hat sich hier - obschon er nicht direkt nachgewiesen werden kann - ganz bestimmt bemerkbar gemacht.

Natürlich musste auch das Abhängigkeitsverhältnis zwischen den Zolleinnahmen und dem Bundesfinanzhaushalt, worüber in der Konferenz gesprochen worden war, in der Instruktion seinen Niederschlag finden; mehr noch: im Begleitschreiben wurde darauf Wert gelegt, dass der Bevollmächtigte die Franzosen spüren lassen müsse, welch wesentliches Opfer für die Schweiz die Verpflichtung darstellte, die Zölle nicht zu erhöhen und sie gleichzeitig zu vereinfachen.

Vergleicht man die Liste der vorgebrachten Wünsche zu einzelnen Zollkonzessionen mit der Instruktion, so ergibt sich ein deutliches Resultat: die Begehren der grossen Exportzweige (Baumwolle, Seidenbänder, Uhren und Agrarprodukte) finden wir durchwegs berücksichtigt. Diese Zweige, am besten informiert und organisiert, hatten ihre Wünsche auch am eindrücklichsten vorzubringen gewusst, ausserdem sprach natürlich ihre Kapazität für eine genügende Berücksichtigung. In der Frage des Musterschutzes hatte sich die ablehnende Haltung der Basler durchgesetzt. Die Interessen der erwähnten Branchen waren zudem noch durch einen weiteren Umstand bevorteilt: sie waren an den Konferenzen in Paris durch ihre eigenen Fachleute vertreten, die - im Gegensatz zu Kern - in keiner Weise formell an eine Instruktion durch den Bundesrat gebunden waren. Allerdings koordinierte Kern ja in der Folge, wie an einigen Beispielen zu zeigen sein wird, ihre Forderungen mit der offiziellen Linie des Bundesrates und des Gesandten. Eine besondere Berücksichtigung hatten übrigens auch die Wünsche erfahren, welche die weinbauenden Kantone vorgebracht hatten.

Andererseits vermisst man unter Punkt B 10)(Senkung der französischen Einfuhrzölle) verschiedene von den Abgeordneten vorgebrachte Wünsche, z. B. Strohwaren und andere Produkte, die dem Bundesrat wohl als zu wenig gewichtig erschienen waren, als dass er sie in die Instruktion hätte aufnehmen wollen. Das hiess aber nicht etwa, wie sich noch zeigen wird, dass sie bei den Verhandlungen überhaupt keine Berücksichtigung finden sollten, denn Kern setzte sich im gegebenen Augenblick auch für diese unscheinbareren Branchen nach Möglichkeit ein.

Im gesamten kann man der Instruktion eine gewisse Starrheit und Unelastizität nicht absprechen. Besonders deutlich tritt das hervor, wenn man den Entwurf des Departementes mit der endgültigen Fassung vergleicht, so z. B. bei B 2) (Israelitenfrage), wo nur minime Ausweichmöglichkeiten für den Bevollmächtigten vorgesehen wurden und bei B 7)(Zonen bei Genf), wo aus den bekannten Gründen der Bundesrat hier zu Beginn auch nicht zu den geringsten Zugeständnissen bereit war. Wo das Handels- und Zolldepartement noch zu einer flexibleren Anweisung Hand geboten hätte, hielt sich dagegen das Bun-

desrats-Kollegium an die bereits erwähnte Maxime von Frey-Herosé, der Bundesrat dürfe nicht schon von Anfang an durch zu dehnbare Anweisungen das Messer aus der Hand geben. Andererseits war es ganz klar, dass damit noch nicht das letzte Wort gesprochen worden war, sondern sowohl der Bundesrat wie der Bevollmächtigte waren sich darin einig, dass die Instruktionserteilung eine "dynamische" Sache werden musste, die von Fall zu Fall immer wieder à jour gehalten werden müsste je nach der Stellungnahme der Gegenseite. Im Punkt B 4) (Schweizerische Durch- und Ausfuhrzölle) war dies direkt so vorgesehen. Das Problem, wie eng oder wie weit die Instruktionen sein sollten, wird uns noch einige Male beschäftigen; es blieb bis ganz zum Schluss der Verhandlungen eines der permanenten Streitobjekte zwischen Kern und dem Bundesrat. Auf das "Geben-und-Nehmen" gegenüber Frankreich war aber deutlich auch schon diese erste Instruktion eingestellt, so im Punkt B 3) (Senkung einzelner schweizerischer Tarifpositionen) oder im Begleitschreiben zum Punkt C) (Nichterhöhung und Vereinfachung der schweizerischen Tarife), wo das Verlangen nach Reziprozität dem Bevollmächtigten zur Pflicht gemacht wurde.
Wie weit die Schweiz in Paris mit dieser ersten Plattform gelangen konnte, musste sich bald einmal erweisen.

5. Die schweizerischen Experten

Noch entscheidender als die Teilnahme an der Januarkonferenz oder die Eingabe der Wünsche an den Bundesrat musste für die einzelnen Exportzweige die Möglichkeit sein, einen eigenen Vertreter nach Paris zu senden, der, Kern beigeordnet, in den Konferenzen selbst die Ziele seiner Interessengruppe vertreten konnte. Kein Wunder, dass sich wegen dieser Expertenentsendung verschiedene Kontroversen ergaben, deren genauer Verlauf zwar nur hie und da aktenkundig geworden ist, so dass man häufig gezwungen ist, aus dem Vergleich zwischen der Ausgangslage und dem Endergebnis die nötigen Schlüsse zu ziehen.
Ursprünglich hatten der Bundesrat und Kern daran gedacht, zwei oder drei zusätzliche Bevollmächtigte (je einen pro Landesteil) nach Paris zu entsenden. Bereits in der Januarkonferenz waren dafür Gonzenbach (BE), Koechlin-Geigy und Fazy vorgeschlagen worden (345). Die Nomination von Fazy und Gonzenbach erweckte aber offenbar - aus verschiedenartigen Gründen - die Bedenken Kerns und Frey-Herosés (346). Diese beiden bearbeiteten deshalb, wenn man Turgot glauben darf, den Bundespräsidenten und die andern Mitglieder des Bundesrates, damit neben Kern keine weiteren Bevollmächtigten nach Paris delegiert würden; es sollten bloss Experten als Vertreter der grossen Exportbranchen entsandt werden (347). Der Bundesrat entschied sich bald darauf für diese Lösung (348) und forderte das Handels- und Zolldepartement auf,

entsprechende personelle Vorschläge zu unterbreiten. Nach der Ansicht des Departementes genügte es vorderhand, wenn die drei Hauptzweige der Industrie - Baumwolle, Seide und Uhren - vertreten waren (349); weitere Experten konnten später nach Bedarf ernannt werden. Der Bundesrat wählte daher vorerst, den Anträgen entsprechend, Fierz, Gonzenbach (SG) und Sutter für die Baumwolle; Koechlin-Geigy und Feer-Herzog für die Seidenbänder; Duchenne (GE) und Jeannot (NE) für die Uhren (350). Zugleich beauftragte aber der Bundesrat das Handels- und Zolldepartement, ebenfalls Experten für die Landwirtschaft und für die Frage der Zonen bei Genf vorzuschlagen. Von den Ernannten nahmen alle ausser Duchenne (Zeitmangel) und Feer-Herzog (gesundheitshalber) ihre Wahl an (351); den Antrag von Fierz, für die Baumwollspinnerei und -druckerei weitere Fachleute zu ernennen, lehnte der Bundesrat ab. Er wählte sodann Vachéron (GE) als zweiten Uhrenexperten.
Die Baumwollfabrikanten gaben aber noch nicht nach. Oberst H. Rieter, Spinnereibesitzer in Winterthur, teilte dem Bundesrat mit, dass sich für die Dauer der Verhandlungen ein Komitee gebildet habe, das die industriellen Interessen der Kantone Zürich, Glarus, Thurgau, Aargau und St. Gallen repräsentiere und welches mit dem Handels- und Zolldepartement in permanenter Verbindung zu bleiben wünsche (352). Nach einigem Drängen erreichte Rieter, dass der Bundesrat sich auf Antrag von Frey-Herosé doch bereit erklärte, Kaspar Jenny (GL) das Kreditiv als Experten auszustellen, doch musste das Winterthurer Komitee die Kosten für Jennys Reise nach Paris selbst übernehmen (353). War das nicht ein gut eidgenössischer Kompromiss? Leider wurde dann doch nichts aus dieser Reise, weil Jenny von Kern nicht rechtzeitig genug eingeladen worden war, was Rieter erneut zu einem Beschwerdebrief an den Vorsteher des Handels- und Zolldepartementes veranlasste! (354)
Für die Metall- und Eisenindustrie wurde Friedrich Bloesch, Fabrikant in Biel, für die Uhrenindustrie Lecoultre aus Lausanne als weitere Experten gewählt (355). Neue Schwierigkeiten tauchten bei den Experten für die Landwirtschaft und die Genferzonen auf. Der Bundesrat war nämlich wieder unsicher geworden, ob es wohl nötig sei, für die Agrarprodukte besondere Experten zu entsenden. Kern hatte eben noch erklärt, solche nicht zu benötigen, da er genügend Unterlagen besitze, um diese Belange in der Konferenz vertreten zu können (356). Frey-Herosé war damit grundsätzlich einverstanden, doch gab es eben noch andere Faktoren zu berücksichtigen: sollte es der Bundesrat aus politischen Gründen als wünschbar erachten, dass auch die Landwirtschaft ihre Fachleute entsenden konnte und so dem Handelsvertrag grundsätzlich viel positiver gegenüberstände, so wäre das Handels- und Zolldepartement zu entsprechenden Vorschlägen bereit. Der Bundesrat erachtete es offenbar als wünschbar (357) und ernannte Lehmann (BE) und Hunkeler (LU) als Vertreter der Landwirtschaft (358). Kern hielt dies dann doch auch nachträglich "im Interesse der Annahme eines Vertrages für zweckmässig" (359)! Ausser dieser Funktion hatte aber ihre Anwesenheit in Paris, wie sich zeigen wird, wirklich

keine Berechtigung. Anders stand es natürlich mit den Problemen, die Genf betrafen. Diese waren so komplexer Natur, dass Kern schon früh Fachleute verlangt hatte, welche die Verhältnisse an Ort und Stelle kannten. Dazu kam auch hier eine weitere Ueberlegung: "Bei dem lebhaften Interesse, das man in Genf für die bezüglichen Fragen nimmt, wird es aber klug sein, wenn auch ein von der Regierung vorgeschlagener Experte beigeordnet wird, um auch den Schein zu vermeiden, als ob man nicht diesen speziellen Interessen Genfs alle diejenige Aufmerksamkeit zuwende, die sie verdienen" (360). Die generische Regierung, vom Bundesrat gebeten, Fachleute zu benennen, hatte aber den Bundesrat unverkennbar in Schwierigkeiten gebracht, indem sie Fazy und Lentulus, den eidgenössischen Zolldirektor in Genf, vorgeschlagen hatte (361). Daher schob man in Bern vorderhand die Entscheidung hinaus; das Handels- und Zolldepartement liess dann einfach stillschweigend den Vorschlag Fazy fallen und beantragte dem Bundesrat bloss, Lentulus zu wählen (362). Der Bundesrat folgte diesem Antrag, ernannte aber noch zusätzlich (an der Stelle von Fazy) den Regierungspräsidenten Challet-Venel (363). Damit waren die Expertenwahlen abgeschlossen.

Werfen wir noch rasch einen Blick auf die Kosten, welche diese Abordnungen nach Paris für den Bund zur Folge hatten. Die Baumwollfachleute, als erste wieder in die Schweiz zurückgekehrt, stellten für jeden Teilnehmer eine Rechnung von 65 Franken pro Reise- und Aufenthaltstag. Das Handels- und Zolldepartement, mit der Entschädigung früherer diplomatischer Missionen vergleichend, fand, "dass bei dem von jenen Herren Abgeordneten zu beobachtendem Dekorum jene Ausgabe für den Aufenthalt in Paris nicht in Zweifel gezogen werden darf"; sein Antrag, pro Tag und Teilnehmer 65 Franken Kostenentschädigung und 25 Franken Diäten zu zahlen, wurde vom Bundesrat gutgeheissen (364). Die Experten hatten sich also nicht zu beklagen. Auch wenn man die Lebenskosten in Paris als höher annimmt als in der Schweiz, so waren doch die 90 Franken im Tag reichlich bemessen, vergleicht man etwa mit dem Taglohn eines Seidenwebers, der (in Basel, 1870) 2,50 bis 3 Franken ausmachte (365)! Da man annehmen muss, dass die Höhe der Entschädigungen sich eben nach dem ausrichtete, was den Experten an Verdienst entgangen war, so lässt sich daraus rückschliessend erahnen, welche Diskrepanz damals zwischen den Gewinnen der Industriellen auf der einen Seite und den Löhnen der Arbeiternehmer auf der andern Seite bestand.

6. Die französischen Eingaben an die kaiserliche Regierung

Im April 1863, während die Verhandlungen zwischen den beiden Ländern bereits seit einiger Zeit im Gang waren, sprach in Paris beim Handelsministerium eine Delegation der "Chambre de commerce de Besançon" vor, um Rouher ihre Wünsche zum Handelsvertrag mit der Schweiz vorzubringen. Als der

Handelsminister seinen Kollegen Drouyn de Lhuys darüber befragte, ob man
diese und allfällige weitere Abordnungen noch empfangen sollte, gab ihm dieser zur Antwort: "L'administration française a déjà, il est vrai, réuni toutes
les informations qui lui étaient nécessaires pour se rendre un compte exact
des intérêts engagés dans la négociation pendante" (366). Das Handelsministerium beschied daher die Delegation abschlägig, konnte aber nicht hindern,
dass später immer noch neue Wünsche vorgebracht wurden.
Bei der von ihm erwähnten Vorbereitung hatte das Handelsministerium in erster Linie auf die Ergebnisse der grossen Enquête von 1860 (367) zurückgreifen können. Weitere, speziell auf einen eventuellen Vertrag mit der Schweiz
bezogene Informationen erhielt es nun vor und nach Neujahr 1863. Zum Teil
waren diese eigens verlangt worden, zum grössern Teil jedoch aber unaufgefordert eingegangen. Von diesen Petitionen fand sich eine gewisse Anzahl in
den Archives Nationales in Paris, weit verstreut unter den gänzlich mangelhaft geordneten Papieren, welche die schweizerisch-französischen Handelsbeziehungen im 19. Jahrhundert betreffen. Sie sollen hier - stellvertretend
für weitere ähnliche Eingaben - etwas näher beleuchtet werden.
Am vordringlichsten schien es Rouher, Material über die Wünsche Nordsavoyens zu erhalten. Anfangs Januar 1863 lud er daher den Präfekten von Hochsavoyen ein, ihm die Forderungen seines Départements zu unterbreiten. Dieser brachte folgende Wünsche vor: die Produkte der nordsavoyischen Arrondissements sollten zollfrei in die Schweiz eingeführt werden können. Wäre
keine derartige generelle Freistellung zu erreichen, so müsste wenigstens
für folgende Produkte eine solche "franchise" angestrebt werden: für Wein,
Getreide, Vieh, Geflügel, Holz, Gemüse und Käse. Dem Wein sollte dabei
natürlich spezielle Aufmerksamkeit gewidmet werden. Jetzt, da wegen der
verbesserten Verkehrsverhältnisse der Wein aus der Waadt vermehrt in die
deutsche Schweiz und sogar bis nach Deutschland verkauft würde, sei Genf ein
günstigerer Markt für die Savoyerweine geworden. Neben den Tariffragen wurde die Neuregelung anderer Probleme verlangt, wie die Neugestaltung der
Niederlassungsbedingungen für Franzosen in der Schweiz, der Schiffahrt und
Fischerei auf dem Genfersee und der Passvorschriften. Die Berechtigung all
dieser Wünsche schien dem Präfekten durch den Umstand erwiesen "que les
trois arrondissements de la Haute Savoie qui forment la zône, les seuls spécialement intéressés dans les négociations, étant en quelque sorte, au point de
vue agricole, industriel et commercial, une annexe et une dépendance du
territoire helvétique, me paraissent devoir être traités comme s'ils faisaient
partie de ce territoire" (368). Das tönte ja beinahe so, als ob für den Anschluss der drei Provinzen an die Schweiz plädiert würde...
Aehnlich lautende Petitionen richteten einzelne Deputierte und Gemeinden (369)
an den Handelsminister, der die entsprechenden Forderungen ja dann auch in
den Konferenzen mit dem schweizerischen Unterhändler durchzusetzen versuchte.

Die Baumwollfabrikanten und -händler des Elsasses, mit den Zentren in Mulhouse und Colmar, beschworen in zwei Eingaben den Kaiser, der bisherige Zollschutz sollte beibehalten werden, und wenn schon ein Vertrag abgeschlossen würde, dieser nur auf zwei Jahre (!) zu limitieren wäre. Sie riefen Napoleon III. das Schicksal der elsässischen Arbeiter in Erinnerung, deren Verdienst durch die schweizerische Konkurrenz bedroht würde, und gaben ihrer Ueberzeugung Ausdruck, die französische Regierung hätte jetzt vor allem die Aufgabe "de défendre et protéger les intérêts de l'industrie cotonnière en Alsace mais que les traités trop libéraux finiraient par anéantir" (370).

Zum Wunsch der Seidenbandindustriellen von St. Etienne (143 Unterschriften), der bisherige französische Einfuhrzoll auf ihren Erzeugnissen müsste beibehalten werden, gesellte sich eine weitere wichtige Forderung: im Handelsvertrag mit der Schweiz musste unbedingt der Musterschutz verankert werden. Im übrigen verteidigten sie sich lebhaft gegen den oft gehörten Vorwurf, sie würden sich einer Liberalisierung entgegenstellen, indem sie ihre zukünftige Haltung so umrissen: "Les rubaniers ne se refusent ni au progrès ni au régime de liberté. Ils se prêteront volontiers à une diminution progressive de la protection dont ils jouissent, alors que les circonstances plus heureuses leur permettront de le faire sans compromettre l'existence de leur industrie et les intérêts de nombreux ouvriers qu'elle suffit à peine à nourrir aujourd'hui" (371). Diese Bereitschaft zur Liberalisierung konnten sie bald einmal gegenüber der Schweiz unter Beweis stellen.

Neben diesen beiden wichtigsten Textilbranchen, die durch einen Vertrag mit der Schweiz betroffen wurden, stellten kleinere Zweige ihre Begehren nach einer Reduktion einzelner schweizerischer Zollansätze (372). Vierzig Hersteller von Strohgeflechten aus Paris wünschten die Gleichstellung der schweizerischen Einfuhrzölle auf Stroh- und Rosshaargeflechten (373).

Aus den kleineren französischen Industrien lagen - allerdings erstaunlich wenige, die vor allem entweder aus der Hauptstadt oder aus den Grenzprovinzen stammten - lauter Forderungen nach der Senkung der entsprechenden schweizerischen Einfuhrzölle vor: von den Schuhen über Gips, Bier, Aluminiumsulfat, Schokolade, Früchte, Schreinerarbeiten und Eisengusswaren bis zu den Uhren (374). Eine letzte Gruppe von Eingaben betraf die Agrarprodukte. Neben den Wünschen, die aus Savoyen in dieser Beziehung eingetroffen waren, langten vorwiegend aus der Freigrafschaft (mit den Zentren Besançon und Pontarlier) Petitionen an, in denen die Aufrechterhaltung der französischen Einfuhrzölle in erster Linie auf Käse, aber auch für Vieh, Getreide, gebrannte Wasser und Häute gefordert wurde (375). Andererseits sollte der schweizerische Ausfuhrzoll für Brennholz gesenkt werden (376), und es wurde eine Uebereinkunft zur Nutzung der Grenzwaldungen gefordert (377).

Durch einen Handelsvertrag mit der Schweiz waren also, wie ein Rückblick auf die Eingaben zeigt, vor allem die beiden Textilindustriezweige und die an die Schweiz grenzenden Departements mit ihren Agrarprodukten betroffen.

Mit Ausnahme der savoyischen Forderungen ging es aber den Petitionären nicht darum, durch einen Vertrag einen Vorteil zu erreichen - wie dies bei der Mehrzahl der schweizerischen Eingaben der Fall war -, sondern ihr Streben war im Gegenteil vor allem darauf gerichtet, daraus erwachsende Nachteile möglichst zu vermeiden. Die Verhandlungen mussten nun erweisen, ob und wie sich ein Ausgleich zwischen den schweizerischen Forderungen einerseits und den Wünschen der französischen Industriellen und Agrarier andererseits zu vollziehen vermochte.

C. DIE VERHANDLUNGEN

I. Erste Verhandlungsphase

1. Die französischen Bevollmächtigten

Bevor wir uns den Verhandlungen zuwenden, sollen zuerst einmal die französischen Protagonisten, mit den Kern sich nun auseinanderzusetzen hatte, näher vorgestellt werden.

a) Der Aussenminister:

Edouard Drouyn de Lhuys (1805-1881) [378] war schon in den Dreissigerjahren Directeur du service commerciale am Aussenministerium, wurde später ein Schützling Guizots und vertrat ab 1842 Melun als Deputierter im Parlament. 1848 wurde er Mitglied der Verfassunggebenden Versammlung und amtierte dann in den nächsten Jahren in verschiedenen Kabinetten als Aussenminister (vom Dezember 1848 - Juni 1849, im Januar 1851, vom Juli 1852 - Mai 1855). Als Befürworter einer Allianz mit Oesterreich musste er 1855 zurücktreten, wurde dann aber am 15. Oktober 1862 anstelle von Thouvenel, dessen Italienpolitik dem Kaiser missfiel, wieder ins Aussenministerium berufen. Er blieb auf diesem Posten bis zum 1. September 1866, als er, nachdem Bismarck die französische Forderung nach einer Vermittlungsbelohnung (Abtretung der linksrheinischen bayerischen Besitzungen) im preussisch-österreichischen Krieg bekanntgegeben hatte, von Napoleon III. desavouiert und fallengelassen wurde. Drouyn zog sich daraufhin aus dem politischen Leben gänzlich zurück.

Aus den Protokollen der Handelskonferenzen und Kerns Berichten erhält man von ihm den Eindruck eines konzilianten, wenig in die Details eindringenden Mannes, da er sachlich zu wenig informiert war und dem Handelsvertrag mit der Schweiz aus verständlichen Gründen weniger Wichtigkeit beimass als seinen andern Amtsgeschäften. Er betrieb die Verhandlungen eigentlich nur mit der linken Hand und überliess seinem Kollegen und den untergebenen Sachverständigen die Lösung der Probleme. Zu Turgot bestand eine offenbar gegenseitige Abneigung; den Botschafter in Bern orientierte er nur sehr sporadisch, worüber sich dieser - wie dem Tagebuch von Bundesrat Dubs häufig zu entnehmen ist - sehr oft in bittern Tönen beklagte.

b) Der Handelsminister:

Der eindeutig dominierende Mann der Konferenzen war Eugène Rouher (1814 -1884) [379]. Ursprünglich Advokat in seiner Vaterstadt Riom, wurde er 1848 republikanischer Abgeordneter und machte dann Louis Napoléons Sache zu der seinigen. Zwischen 1849 und 1852 war er zweimal Justizminister und wurde 1855 zum Ministre de l'Agriculture, du Commerce et des Travaux publics ernannt. Diesen Posten versah er bis zu seiner Ernennung zum Ministre d'Etat am 18. Oktober 1863. Von da an war er der Repräsentant und Verteidiger der kaiserlichen Politik vor dem Parlament (380); seinen besondern Einsatz erforderten die Auseinandersetzungen mit der republikanischen Opposition unter Thiers. 1867 Premier ministre und Finanzminister geworden, musste er nach den Juliwahlen von 1869 abtreten, flüchtete 1870 beim Sturz des Kaisers nach England, kehrte aber 1871 wieder zurück und war von 1872 an einer der bonapartistischen Deputierten, bis er sich 1881 aus der Politik zurückzog (381).

Seine politischen und wirtschaftlichen Anschauungen waren gekennzeichnet durch eine eigenartige Mischung von Gegensätzen und Widersprüchen. Einerseits war er ein typischer "grand bourgeois" mit einem ausgeprägten Ordnungsdenken, daher auch Anhänger einer autoritären Regierungsweise, die vor einer Demokratie (für ihn gleichbedeutend mit "confusion et décadence") ohne feste Führung schützte (382). Andererseits war er stark vom Saint-Simonismus beeinflusst und befürwortete den Ausbau der technischen Ausbildung, förderte die Gründung von Banken, bekämpfte die ständige Politik des Parlamentes, Subventionen ohne Strukturreformen auszuschütten und war, zumindest von 1852 an, ein unbedingter Verfechter des Freihandels. Am schrittweisen Vormarsch Frankreichs in dieser Richtung hatte er einen entscheidenden Anteil (383). So stand auch seine Unterschrift - neben der des Kaisers und der des Aussenministers Baroche - unter dem Brief vom 5. Januar 1860; ausserdem führte er einen wesentlichen Teil der Verhandlungen mit Grossbritannien (384). Nach dem Abschluss dieses Vertrages wurde noch im gleichen Jahr unter Rouhers Aufsicht die umfassende Industrieenquête durchgeführt, die über die Produktionsverhältnisse und Arbeitsbedingungen in der französischen Industrie, über die Zolltarife des Auslandes u. a. m. erschöpfende Auskunft gab.

Rouher war ein Technokrat avant la lettre. Von ihm sagte man, dass er sich selbst bis in die Einzelheiten der Fabrikation versenkt habe; so hätte es nach dem Urteil Olliviers nie oder kaum je einen Handelsminister gegeben, der die spezialisierten Experten derart durch seine Fachkenntnisse hätte verblüffen können (385).

Diese Fähigkeiten, gepaart mit einer glänzenden Gabe für Rhetorik und Unterhandlungen, ausserdem seine zähe, unermüdliche Arbeitskraft hatten ihn, der nicht eigentlich von Anfang an zur ersten Garde der Vertrauten Napoleons gehört hatte (wie Morny, Persigny oder Walewski), in immer wichtigere Schlüsselpositionen aufsteigen lassen. So wurde er schliesslich, oft allerdings im Hintergrund verbleibend, zu einer der wichtigsten Stützen des napoleonischen Regimes: "Il pouvait être maintenu dans des positions de seconde ligne jusqu'à

se rendre indispensable dans son domaine, mais il ne serait point une vedette de la grande scène politique" (386).
Er führte oder beeinflusste durch Instruktionen alle französischen Handelsvertragsverhandlungen nach 1860, war daher Kern sachlich und verhandlungstaktisch durch eine grosse Erfahrung voraus und auch überlegen (387); ausserdem hatte er sich mit tüchtigen, häufig selbständig arbeitenden Chefbeamten umgeben. Aus verschiedenen einzelnen Vorgängen und auch aus dem Gesamteindruck heraus wird aber hervorgehen, dass Rouher diese Ueberlegenheit nicht etwa auf Kosten der Schweiz ausnützte, sondern dass gerade er es war, der - eben vor allem aus freihändlerischer Ueberzeugung, also eigentlich aus "ideologischen" Gründen - gegenüber den Forderungen der französischen Wirtschaft nach dem Beibehalten des Schutzes eine möglichst konzessionsbereite Haltung Frankreichs durchsetzte. Dass der Handelsvertrag der Schweiz so vorteilhafte Bedingungen für den Export nach Frankreich brachte, hat die Schweiz vor allem diesem Manne zu verdanken.

2. Die ersten elf Konferenzen

Die bundesrätliche Instruktion war noch nicht erteilt, als am 26. Januar 1863 im Aussenministerium in Paris bereits die erste Konferenz stattfand (388). Während Kern allein erschien, nahmen auf französischer Seite neben den beiden Bevollmächtigten noch Herbet, Barbier, Directeur général des douanes et contributions indirectes im Finanzministerium und Ozenne, Directeur du commerce extérieure im Handelsministerium teil, während Gavard mit der Redaktion des offiziellen Protokolls beauftragt war. Nur gut, dass es Kern angesichts dieser Phalanx von hochqualifizierten Unterhändlern nicht an der notwendigen Selbstsicherheit und Entschlossenheit fehlte; hatte er doch am Jahresende eben noch in einem Privatbrief geschrieben: "Auf mich wartet ein schwieriges Geschäft, die Negotiationen für einen Handelsvertrag, aber auch ein wichtiges und interessantes, und Ihr wisst, dass ich nicht leicht vor Schwierigkeiten zurückschrecke" (389). Hier konnte er nun beweisen, ob er sich dieser Eigenschaft zu Recht gerühmt hatte. Praktisch hatte er es aber meistens nur mit einem der Herren zu tun, worüber er berichtete: "... so wurde doch für die französische Regierung das Wort fast ausschliesslich von Rouher geführt, und Herr Drouyn beschränkte sich darauf, mit wenigen Worten sich an seine Raisonnements anzuschliessen" (390). Diese Feststellung galt nicht nur für diese erste, sondern für fast die meisten der folgenden Konferenzsitzungen bis zum Verhandlungsabschluss.
Man musste - dank des Zwischenfalls vom Mai/Juni 1862 - nicht mehr ganz von Null an beginnen, sondern auf Grund der Bedingungen, die Frankreich damals der Schweiz mitgeteilt hatte, konnte Kern gleich seine Wünsche nach der Gestaltung der Traktandenliste vorbringen: wie nach früheren Besprechungen

zu erwarten war, stimmten die Franzosen seinem Vorschlag zu, vorerst die grundsätzlichen Fragen betreffend die Juden und den Schutz des geistigen Eigentums zu behandeln und erst anschliessend daran die Tariffragen zu diskutieren.

Mit dem Schutz des geistigen Eigentums beginnend, erklärte Kern, die Schweiz sei bereit, den Schutz des literarischen und artistischen Eigentums auf derjenigen Basis zu gewähren, wie er in den bisherigen Verträgen Frankreichs verwirklicht worden sei. Hingegen brachte er aber dann die Abneigung der Schweiz zum Ausdruck, die in seinem Land gegen den Schutz der Modelle und Zeichnungen herrsche; er begründete es damit, dass diese "dessins" im Gegensatz zu den Fabrik- und Handelszeichen nichts Abgeschlossenes, Festumrissenes, genau Definierbares seien und der Nachweis durch die Gerichte, ob die Nachahmung aus bösem Willen erfolgt sei, nur schwer zu erbringen wäre (391). Sein Vorschlag lautete: die Sache regeln wie im Artikel 28 des französisch-deutschen Vertrags, aber die Worte "dessins de fabrique ou de commerce" auslassen!

Rouher, nach einigen Worten der Zufriedenheit über die schweizerische Bereitschaft zum Schutz der erwähnten Bereiche, legte aber dann unmissverständlich dar, dass es infolge des Drängens der französischen Industrie nach dem Musterschutz für die französischen Bevollmächtigten nur eine Ueberlegung gäbe: "qu'ils ne sauraient admettre à jouir du bénéfice de la suppression des prohibitions et des droits réduits du tarif conventionnel, les produits d'un pays qui ne placerait pas la propriété des dessins sous la garantie internationale" (392). Ganz unverkennbar also eine conditio sine qua non, die nach Kerns Urteil (393) mit der grössten Entschiedenheit und so bestimmt vorgetragen wurde, dass er sich davon überzeugen musste, Frankreich würde auf diesem Punkt wirklich bis zuletzt beharren. Rouher brachte überraschenderweise wieder die Erfindungspatente aufs Tapet und erwiderte auf Kerns Einwand, dass man in der Schweiz dies für abgetan erachtet hätte, ein so wichtiger Gegenstand sollte doch hier nicht bloss deshalb von der Diskussion ausgeschlossen sein, weil darüber bereits vorgängig Besprechungen stattgefunden hätten. Offenbar führte Rouher zwei Dinge im Schilde: einmal wollte er deutlich machen, dass sich Frankreich durch keine der vorangegangenen Fühlungnahmen bereits gebunden fühlte; zum andern hatte er wohl prüfen wollen, wie es die Schweiz in dieser Beziehung hielt und wie es mit dem Gedächtnis und der Aufmerksamkeit des schweizerischen Bevollmächtigten stand. Die Diskussion schweifte aber dann gleich auf einige Nebenfragen ab; nach einer Zusammenfassung der Punkte, in denen man übereinstimmte, nahm man dann die Frage der Gleichstellung der französischen Juden in der Schweiz auf.

Es war jetzt an Drouyn, den französischen Vorschlag zu formulieren: "Egalisation des conditions réciproques d'établissement des nationaux d'un pays dans l'autre. Les Français chrétiens ou non chrétiens devront donc être admis à séjourner, s'établir et exercer le commerce dans toutes les parties de la

Confédération, aux mêmes conditions que les ressortissants du Canton où ils se fixeront" (394). Indem sich Kern auf die Instruktion stützte, widersetzte er sich aber entschieden einer solch weitgehenden Forderung, da eine derartige Assimilation zur Folge haben müsste, dass die Franzosen in den einzelnen Kantonen bessergestellt wären als die Schweizerbürger, die aus andern Kantonen stammten. Kern verwies dabei auf alle Verträge, die von der Schweiz in den letzten Jahren abgeschlossen worden waren und nach denen, wie im Artikel 25 des französisch-deutschen Vertrags, den Ausländern einfach das "traitement national en Suisse" zustünde. Nach einigen kleineren Einwänden kam Drouyn bald auf den springenden Punkt zu sprechen und verlangte die freie Zulassung für die Franzosen jüdischen Glaubens, was sicher, wie er beifügte, eine noch stärkere Forderung an die Schweiz darstelle, der sie sich aber nicht verschliessen dürfe, denn es gehe ja dabei um folgendes: "...c'est de consacrer par une mesure générale, au profit de tous, la réforme que le Gouvernement de l'Empereur sollicite pour ses nationaux"(395). Dies dürfte wohl ein leichtes sein. Kern legte aber dar, dass eine solche Lösung nicht einen föderalistischen, sondern einen zentralisierten Staat voraussetzte und dass ein derartiges Entgegenkommen für die Schweiz auf eine Verfassungrevision hinauslaufe, worüber er aber gar nicht befugt sei, die Diskussion zu eröffnen. Sollte Frankreich am gemachten Vorschlag festhalten, so müsste er neue Instruktionen einholen.
Als man noch auf die schon seit längerer Zeit hängigen Fragen der Gebühren für Passvisa (von Frankreich erhoben, mit lästigen Umtrieben vor allem für die Bewohner der schweizerischen Grenzkantone verbunden) und Aufenthaltsbewilligungen (in der Schweiz erhoben, lästig und drückend vor allem für französische Arbeiter in der Westschweiz) zu sprechen kam, zeigte sich bald, dass diese Probleme wahrscheinlich vorderhand noch nicht so ohne weiteres gelöst werden konnten. Kern wollte sie zudem gar nicht jetzt behandelt wissen, denn ihm fehlten, wie er nach Bern schrieb, völlig die Informationen über die finanziellen Auswirkungen, weshalb er beim Bundesrat für eine Separatübereinkunft plädierte, vornehmlich wohl aus taktisch-innenpolitischen Erwägungen: "Mir scheint, wir müssen trachten, nicht allzuviel Elemente zu einer Opposition gegen den eigentlichen Handelsvertrag in den letzteren hineinzulegen" (396).
Welche Stimmung herrschte eigentlich an der Konferenz? Die offiziellen Protokolle geben uns darüber natürlich keine Auskünfte, hingegen teilte Kern in seinen Berichten an den Bundesrat - meistens noch am gleichen oder dann am folgenden Tag geschrieben - darüber gelegentlich das eine oder andere mit (397). Wenn man auch in den Sachfragen uneins sei, berichtete Kern, so könne doch andererseits gesagt werden, dass "in der Konferenz ein ganz freundschaftliches, selbst wohlwollendes Verhältnis sich kund gab. Aber es wird hie und da etwas zähe zugehen" (398). Allerdings, qui lira, verra! Es sei deutlich spürbar, meinte der schweizerische Gesandte ausserdem, dass den fran-

zösischen Bevollmächtigten genau bewusst sei, welche Vorteile der Schweiz
ein Handelsvertrag böte, und sie hätten sich auch wiederholt eine Anspielung
darauf nicht versagen können. Er vermutete sogar, Turgot hätte ihnen berichtet, die Stimmung im Bundesrat und in der Bundesversammlung wäre in
der Judenfrage entschieden zugunsten der französischen Forderung; jedenfalls sprächen sie davon wie von etwas Selbstverständlichem und Ausgemach-
tem, "ehe ich nur in den Fall kam, Instruktionen hierüber zu eröffnen!!"(399)
Aus den Berichten Turgots lässt sich keine Bestätigung für Kerns Vermutung
erhalten. Die Attitüde der französischen Bevollmächtigten war wohl einfach
ein taktischer Trick, um Kern zum schnelleren Einlenken zu bewegen.

Nach einer erneuten Klage über die negativen Auswirkungen, die durch die
Indiskretionen über die Januarkonferenz in westschweizerischen Blättern und
durch die waadtländischen Weinpetitionen verursacht worden waren - auf die
Gegendemonstrationen in Savoyen deuteten die französischen Bevollmächtigten
in Privatgesprächen mit Kern hin -, drängte dann Kern nochmals auf die baldige Uebersendung der definitiven Instruktion in französischer Sprache, damit
er je nach Bedarf in den Konferenzen gleich daraus vorlesen konnte.
Zur zweiten Konferenz (am 30. Januar) liess sich Kern von seinem Gesandt-
schaftssekretär Roth (400) begleiten, der von nun an ständig den Konferenzen
beiwohnte und ebenfalls ein Protokoll anfertigte; Roth war bis zum Abschluss
der Verhandlungen die rechte Hand des Ministers und ging ihm bei den Vorbereitungen, beim Erledigen der Korrespondenz und bei der Schlussredaktion
tüchtig an die Hand, obwohl bei der Durchsicht aller Akten deutlich wird, dass
Kern ganz persönlich sehr viele Dinge selbst erledigt hat (401). Die Konsumogebühren und der Weineinfuhrzoll der Schweiz standen nun zur Debatte. Rouher
forderte, dass die gesamten Abgaben (Zoll plus Ohmgeld) einmal in allen Kantonen nicht höher sein dürften als dort, wo die Gebühren am niedrigsten waren und dass sie zum andern bereits an der Schweizergrenze auf den aus
Frankreich eingeführten Weinen bezogen werden sollten. Da die erste Forderung bedeutet hätte, dass die Konsumogebühren in der ganzen Schweiz hätten
aufgehoben werden müssen - denn sechs Kantone bezogen keine solchen Gebühren mehr (402) -, und die Verwirklichung der zweiten Forderung eine einschneidende Reorganisation der kantonalen Finanzordnungen mit sich gebracht
hätte, opponierte Kern "mit der grössten Entschiedenheit" (403). Er unternahm es, mit einer gedrängten Darstellung der verfassungsrechtlich veran-
kerten Situation in der Konsumogebührenfrage nachzuweisen, weshalb der
französische Vorschlag für die Kantone" geradezu unmöglich" (404) und völlig
unannehmbar wäre. Durch Vergleiche der schweizerischen mit den englischen
und belgischen Getränkebelastungen und der staatlichen Einnahmen pro Kopf
in der Schweiz und in Frankreich - Vergleiche, deren Richtigkeit von Rouher
z. T. gleich widerlegt, z. T. mit Gegenbehauptungen angezweifelt wurden -
versuchte Kern zu zeigen, wie verhältnismässig gering die Belastung in der
Schweiz war. Wenn seine Zahlen stimmten, was heute kaum mehr nachzu-

prüfen ist, hatte Kern mit seinen Vergleichen recht. Zum Abschluss bot er aber folgendes an: " 1° de s'engager à ne pas élever les taxes fédérales ou cantonales au dessus du taux des droits existants; 2° de réduire de 30fr. par 100kg à 16fr. le droit de douane perçu à l'entrée sur les vins en bouteilles" (405).

Die Entgegnung von Drouyn stützte sich auf zwei Argumente, von denen das eine grundsätzlich wichtig war für den Charakter und das Ziel der Verhandlungen überhaupt, das andere hingegen sehr geschickt die schwache Stelle in der bundesrätlichen Offerte aufdeckte: Es gehe hier nicht darum, führte er aus, so etwas wie ein theoretisch gleich hohes Niveau aller Zölle und Gebühren in ganz Europa zu errichten, sondern jetzt, in diesen bilateralen Verhandlungen, gehe es nur darum "d'équilibrer réciproquement, par des moyens divers, les avantages que les deux pays se concéderont..."(406). Demnach sollte für Kern also der jeweilige Vergleich mit den Verhältnissen in andern Ländern oder den vertraglichen Regelungen zwischen Frankreich und den andern Vertragspartnern nicht statthaft sein und als Argument nicht benutzt werden dürfen. Nach dem Willen der Franzosen - weil sich dies für Frankreich natürlich vorteilhafter auswirkte, denn die Ausgangslage war ja für die Schweiz viel ungünstiger - sollte also nur zählen, was Zug um Zug, Gegenzug um Gegenzug jeder Partner dem andern konzedierte. Für Kern war es sicher aufschlussreich, dies explizit vom französischen Aussenminister zu hören - wirklich so durchgehalten wurde dieses Prinzip ja dann doch nicht konsequent, schon nur aus dem Grunde, weil die Meistbegünstigungsklausel eine Automatik in sich schloss, die Vergleiche mit den Verhältnissen in andern Ländern und die Berücksichtigung von Faktoren nötig machte, die oft von ganz ausserhalb des schweizerisch-französischen Verhältnisses hineinspielten! (407)

Zum Engagement, das der Bundesrat für die Konsumogebühren einzugehen bereit war, bemerkte Drouyn logisch ganz richtig, dass sich die eidgenössischen Behörden eigentlich auch für eine Reduktion engagieren könnten; wenn aber die kantonale Souveränität in diesen Dingen schon so absolut wäre, so könnte ja der Bundesrat keine Verpflichtung, weder im einen noch im andern Sinn, eingehen. Kern ging auf diese heikle Frage in dieser Konferenzsitzung und auch im Bericht an den Bundesrat nicht ein, sondern schrieb nur, obschon Rouher in die gleiche Kerbe hieb und den schweizerischen Zoll auf Wein als "d'un caractère différentiel et protectionniste" apostrophierte, nach Bern: "Mit den Konzessionen, welche ich oben bezüglich der Getränke angedeutet habe, hoffe ich durchdringen zu können" (408). Dies war natürlich eine völlige Fehleinschätzung; in der Konsumogebührenfrage war das letzte Wort noch lange nicht gesprochen, vor allem auch, weil dieser Problemkreis den Bundesrat in der Folge noch viel stärker beschäftigte, als Kern wohl geglaubt hatte.

Wie war überhaupt die Stimmung und welches waren die Erwartungen im Bundesrat zu Beginn der Verhandlungen? Leider verlautet darüber aus den offizi-

ellen Akten nichts; es ist bloss zu vermuten, dass ein abwartender Skeptizismus vorherrschte, ein passives "Schauen-wir-mal-was-Kern-erreicht". Bei Dubs im Tagebuch spiegeln sich die beiden ersten Berichte von Kern einzig in der kurzen Notiz: "Die Franzosen zeigen sich sehr exigeant, Kern etwas nachgiebig" (409).
Dieser Eindruck entsprach nicht den Tatsachen. In der dritten Konferenz (am 2. Februar), als nochmals die Konsumogebührenfrage diskutiert wurde, wies der schweizerische Vertreter zuerst noch einmal anhand neu erhaltener Zahlen nach, wie niedrig im Vergleich zu andern Ländern die Gebühren in der Schweiz seien und widersetzte sich hartnäckig den französischen Forderungen. Auf die prinzipielle Feststellung Drouyns aus der letzten Konferenz eingehend, erklärte Kern die Bereitschaft der Schweiz, ihre Zölle auf das Niveau der französischen zu senken, wenn dabei Reziprozität herrsche; hingegen konstatierte er: "Réduire les droits de douanes déjà si faibles de la Suisse et maintenir les taxes si élevées du tarif français, lui paraîtrait contraire au principe d'équité qui doit présider à la négociation" (410). Die Schweiz habe eben alle ihre Konzessionen schon früher gemacht, damals als sie grundsätzlich auf die Errichtung eines protektionistischen Systems verzichtete. Nochmals einen Tour d'horizon über die innerstaatlichen Verhältnisse der Schweiz unternehmend, prophezeite er, falls Frankreich von seinen Forderungen nicht abgehe, dass der Handelsvertrag unweigerlich durch eine dreifache Allianz zu Fall gebracht würde: 1) die Weinbaukantone, welche die Bevorzugung der französischen Weine bekämpften; 2) die 16 Kantone, die ihr Budgetgleichgewicht gefährdet sähen; und 3) alle diejenigen, die über die Ungleichheit erbittert wären, die zwischen der schweizerischen Regelung und derjenigen in den internationalen Verträgen und der innern Gesetzgebung Frankreichs festzustellen wäre. Die Schweiz erachte es demnach als gerecht - umso mehr, als sie unter allen europäischen Ländern an dritter Stelle als Bezüger französischer Weine rangiere - , wenn Frankreich seine zu weit gehenden Forderungen zurückziehe und sich mit der aufrichtigen Garantieerklärung des Bundesrates (Nichterhöhung der Konsumogebühren) zufriedengebe.
Nachdem Rouher diese Frage als eine für den Ausgang der Verhandlungen höchste entscheidende Sache bezeichnet hatte, gipfelte seine Replik in folgenden massiven Forderungen:
- Herabsetzung des schweizerischen Einfuhrzolls für Wein in Fässern von Fr. 3.-/hl auf mindestens -.50/hl (411);
- Sukzessive Reduktion der kantonalen Konsumogebühren innerhalb von drei Jahren auf 3-4 Fr./hl;
- Aufhebung des Unterschiedes zwischen in- und ausländischen Weinen, indem die ersteren bereits an der Grenze belastet würden, so dass im Innern der Schweiz beide gleichgestellt wären.
Welche Funktion, verhandlungstaktisch gesehen, dieser Forderung zugedacht war, wurde erst klar, als Drouyn zuerst die Meinungsverschiedenheiten zu-

sammenfassend darlegte und daraufhin den Kompromissvorschlag machte: "d'une part à relever les taxes intérieures sur les vins suisses, de l'autre, à abaisser celles dont sont grevés les produits français, et à les fixer les unes et les autres à un taux uniforme et commun, calculé d'avance de manière à ce que le recouvrement des droits perçus sur cette base présentât pour les Cantons la même somme de revenus" (412). Dieses Vorgehen hatten die beiden französischen Bevollmächtigten zweifellos vorher abgesprochen, denn es war doch unwahrscheinlich, dass in der gleichen Sitzung jeder der beiden mit einem andern Vorschlag aufrückte. So aber konnte Kern vielleicht am ehesten mit einem "Kompromissvorschlag" geködert werden. In seiner Antwort blieb Kern jedoch auf seiner ursprünglichen Position verharren, brachte die alten Argumente nochmals vor und zog dann unvermittelt ein neues Register: das beste wäre halt doch, einen kurzen Handelsvertrag mit nur wenigen Artikeln abzuschliessen, in welchem die Meistbegünstigungsklausel die Basis bildete und womit bloss auf das Prinzip zurückgegriffen würde, das den Handelsbeziehungen zwischen den beiden Ländern seit dem ersten Kaiserreich zugrunde gelegen hatte. Ueber die bereits am Anfang dieser Diskussion dargelegten "bases de transaction" könne er laut bundesrätlicher Instruktion nicht hinausgehen.

Die Konsumogebühren- und Weinzollfrage waren damit in eine erste Sackgasse geraten. Auf den Vorschlag eines Vertrages mit der Meistbegünstigung allein gingen die Franzosen gar nicht ein, und Drouyn hielt es für angezeigt, für einmal auch die Diskussion über die Weinfrage auf später zu verschieben. Kern erklärte sich die gegenüber der vorhergehenden Sitzung wieder steifere Haltung der französischen Bevollmächtigten damit, dass beide in den letzten Tagen durch Abgeordnete aus dem Elsass bestimmt worden seien, "doch mit Entschiedenheit auf bessere Berücksichtigung der Elsässer Weine zu dringen in dieser oder jener Form" (413).

Dem Handels- und Zolldepartement und dem Bundesrat schien Kern offenbar zu schnell vorzugehen, zu ungestüm nach neuen Instruktionen zu rufen. Auf den Antrag des erwähnten Departementes schrieb der Bundesrat deshalb ermahnend an Kern: "Bei aller Bereitwilligkeit, mit Frankreich einen Handelsvertrag abzuschliessen und diesem Zweck nach Möglichkeit Vorschub zu tun, müssen wir doch auf der andern Seite dringend wünschen, dass die Verhandlungen, ohne sie unnötig zu verzögern, mit der erforderlichen Ruhe betrieben werden. Sie werden deshalb eingeladen, einem etwaigen Drängen der französischen Abgeordneten, im Hinblick auf die vielen schweizerischerseits noch zu überwindenden Schwierigkeiten, möglichst entgegenzutreten und sich darauf zu beziehen, dass Sie sich in der Lage befinden, über diesen oder jenen Punkt vorerst weitere Instruktionen einzuholen" (414).

Ein Vergleich drängt sich hier auf: Kern als das Pferd, das rasch, vielleicht zu rasch vorangehen will, das Handels- und Zolldepartement als der Kutscher auf dem Bock, der kaum je von der Peitsche Gebrauch macht, sondern im

Gegenteil beständig aus Vorsicht und Misstrauen die Zügel straff gespannt hält, und schliesslich die Bundesräte als Wageninsassen, die sich vorerst noch passiv verhalten. An dieses Bild werden wir noch oft erinnert werden; schwierig wurde die Situation besonders dann, wenn sich Kutscher und Wageninsassen nicht darüber einig werden konnten, wie das Pferd zu behandeln sei...

Neben diesen Ermahnungen zum weiteren Vorgehen nahm der Bundesrat, gestützt auf ein Gutachten des Justizdepartementes, Stellung zu den französischen Forderungen in der Judenfrage. Er war bereit, die Franzosen in bezug auf Niederlassung, Aufenthalt, Gewerbeausübung und übrige Rechtstellung in der ganzen Schweiz - bis jetzt waren nicht ganz alle Kantone dem Niederlassungsvertrag von 1827 beigetreten - den Schweizerbürgern der andern Kantone gleichzustellen. Alle weitergehenden Begehren sollten hingegen abgelehnt werden, so auch die Forderung nach einem Neugestalten, d.h. Vereinheitlichen der Steuer- und Abgabenverhältnisse in den Kantonen und Gemeinden. Ueber die französische Forderung nach Gleichstellung der Franzosen auch mit den Kantonsbürgern hatte Bundesrat Dubs befunden: "Es wäre mit der Ehre der Schweiz durchaus unverträglich, auch nur formell die Angehörigen eines fremden Staates günstiger zu stellen als die eigenen Bundesgenossen" (415). Mit dem erwähnten schweizerischen Entgegenkommen war natürlich die Judenfrage nicht gelöst, darüber musste sich der Bundesrat sicher im klaren sein, doch schwieg er im übrigen zu dieser Materie.

Was die Konsumosteuern anbelangte, wurde Kern mitgeteilt, dass der Bundesrat darüber vor dem Anhören (und dem erwarteten Einverständnis) der Kantone keine Vertragsverpflichtungen eingehen wolle (416). Inkonsequenterweise hatte der Bundesrat aber gleichzeitig den Antrag von Frey-Herosé abgelehnt, wonach das Handelsdepartement beauftragt werden sollte, mit den Kantonen über die Konsumofrage in Verhandlungen zu treten. Vorerst wollte man - wieder einmal - abwarten, bis in dieser Sache von Frankreich "präzisierte Begehren" gestellt würden (417); im Bundesrat schien man wirklich alles tun zu wollen, um dem Handelsdepartement und damit auch Kern die bloss passive, reaktive Rolle bei den Verhandlungen zuzuweisen.

Kerns Echo auf die Ermahnung zur Geduld war prompt. In einem Telegramm beschwichtigte er den Bundesrat: "Il n'est pas à craindre que nos conférences marchent trop vite. En 16 jours nous en avons eu 2 1/2 séances" (418). Er hatte vollkommen recht, denn vorerst ging es ja, ohne dass eine der beiden Seiten schon definitive Zusagen gemacht hätte, bloss um die Bereinigung der Ausgangslage, um das Abtasten der gegnerischen Ansichten und um das Kennenlernen der gegenseitigen Verhandlungstatktik. So etwas konnte aber nur Ergebnisse zeitigen, wenn man mit einer gewissen Zügigkeit ans Verhandeln ging. Dies schien man in Bern offenbar nicht so recht begriffen zu haben, und auch Kern spürte wohl mehr unbewusst, worum es vorderhand ging; aus seinen Berichten ist direkt jedenfalls nichts Eindeutiges zu spüren, umso mehr gewinnt man aber beim Studium und der Analyse der Protokolle diesen Ein-

druck.
Besser zu verstehen schien dies Turgot, der in diplomatischen Gepflogenheiten eben erfahrener war, besonders wenn sie diejenigen seines Aussenministeriums betrafen. Bei einer Unterredung mit Dubs war der französische Botschafter, nachdem ihm Dubs seine grossen Zweifel am Zustandekommen des Handelsvertrages anvertraut hatte, sogar zu einer Wette bereit, dass ein solcher abgeschlossen würde, "denn der Kaiser wolle ihn. Man sei immer im Anfang etwas scharf miteinander", wie Dubs im Tagebuch notierte (419). Der Vorsteher des Justizdepartementes, der die bundesstaatlichen Aspekte zu prüfen hatte und dessen Skeptizismus aus der Ueberzeugung genährt war, diese Verhältnisse liessen sich niemals den französischen Wünschen gemäss ändern oder anpassen, bekam dann von Turgot die wahrscheinlich in Frankreich allgemein verbreitete Ansicht zu hören, die Schweiz werde doch früher oder später diese Schranken beseitigen müssen, und jetzt wäre der Anlass günstig. Ob sich Dubs von Turgots Optimismus beeindrucken und beeinflussen liess, ist nicht auszumachen. Er ist aber das Musterbeispiel für einen anfänglichen Zweifler, der schliesslich zu einem der entschiedensten Befürworter des Handelsvertrages und der andern Verträge wurde.
Nach den drei Eingangskonferenzen, die der Exposition der gegenseitigen Verhandlungspositionen in den drei Grundfragen gewidmet gewesen waren, sollten nun, nachdem man dabei vorerst überall die Nichtvereinbarkeit der Forderungen und Konzessionen festgestellt hatte, die Verhandlungen über die Tarifwünsche der Schweiz beginnen. Hatte bisher Frankreich seine Forderungen gestellt, so waren es nun die Schweizer, die ihre nach Branchen aufgeteilten Begehren vorbringen konnten. Jetzt traten die Experten aus der Schweiz in Erscheinung, indem sie, von Kern nach Paris gerufen, sich vorgängig mit ihm über das Vorgehen in der Konferenz ins Einvernehmen setzten, an den Konferenzen selbst referierend oder sich informierend teilnahmen und schliesslich dem Bundesrat in einem Schlussbericht über ihre Mission rapportierten.
Von der vierten bis zur elften Konferenz kamen nun folgende Materien zur Sprache: Baumwollindustrie (in der 4. und 5.), verschiedene technische Fragen zu Zollmodalitäten (in der 6.), Rosshaargeflechte und Seidenbänder (in der 7.), Uhren und Bijouterie (in der 8.), verschiedene gemischte Produkte (in der 9.), Agrarprodukte und Genfer Freizonen (in der 10.) und das Pays de Gex und Nordsavoyen (in der 11.).
Da man sich in diesen Konferenzen teils bereits endgültig einigen konnte, teils diese Verständigung auf später verschieben musste - weil Kern neue Anweisungen brauchte - und ausserdem nun wieder die Fragen aus den ersten drei Konferenzen aufgenommen werden mussten, trat nach dem 25. März eine zweimonatige Pause ein, während welcher der Bundesrat neue Instruktionen für die Fortsetzung der Verhandlungen erliess.
Die kleine Vorgeschichte zur vierten Konferenz (am 10.Februar) ist nicht un-

interessant. Nachdem die drei Baumwollexperten bereits am 5. Februar in Paris eingetroffen waren, richteten sie, wahrscheinlich nach mündlichen Diskussionen mit Kern an diesen einen Brief, in dem sie die Forderungen ihres Industriezweiges darlegten. Diese gingen nun sehr weit; wenn wir sie vergleichen mit denen, die Kern dann in der Konferenz vorbrachte, so sehen wir sofort, dass Kern diese Wünsche als derart überspannt beurteilte, dass er sie vorzeitig abtempierte und in der Konferenz eine mildere Fassung vorlegte, nämlich gleich diejenige, die von den Experten als Eventualforderung für den Fall einer Ablehnung der ersten Forderung in Reserve gehalten worden war!

In der Konferenz (420) brachte Kern zuerst die schweizerische Proposition vor, die auf eine Reduktion, eine Vereinfachung und auf den Uebergang vom bisherigen Gewichtszoll- zum Wertzollsystem hinauslief:
- für Garn 5 Prozent
- für Baumwollgewebe, roh und bedruckt, Gaze und Mousseline, Hand- und Maschinenstickerei 10 Prozent
- für alle übrigen Artikel 15 Prozent (421).

Fierz begründete die Forderung für die Garne, Gonzenbach für die Gewebe, beide, indem sie die Binnenlage der Schweiz usw. als konkurrenzerschwerend darstellten und verschiedentlich internationale Vergleiche zogen.

Auf französischer Seite führte nun Rouher als der Fachmann das Wort; Drouyn trat für eine Weile völlig in den Hintergrund. Der Handelsminister gab ein Résumé über die französische Hinwendung zum Freihandel und schilderte dann die kritische Lage, in der sich die französische Textilindustrie in diesem Augenblick befand (Liberalisierung, englische Konkurrenz, Auswirkungen des Amerikanischen Bürgerkrieges) (422), so dass er aus politischen und ökonomischen Gründen nach der Prüfung der schweizerischen Vorschläge nichts anderes tun könne, als sie unbedingt abzulehnen. Materiell auf die Forderungen eingehend, legte er sodann dar, dass Frankreich bei den Garnen nicht unter 10 Prozent gehen könne, was auch der Freihändler Cobden noch als reinen Fiskalzoll bezeichne. Wenn die französische Regierung dieser unverständlich übertriebenen Forderung nachgäbe, so würde sie von der Industrie zu Recht angegriffen. Bei den Geweben wäre eine gewisse Vereinfachung sicher angezeigt, aber unter einen Zoll von 15 Prozent könnte Frankreich dabei nicht gehen. Mit einer eleganten Captatio benevolentiae machte er dann den schweizerischen Vertretern den Rückzug ihres ersten Vorschlages schmackhaft, indem er den Entwicklungsstand der beiden Industrien vergleichend nebeneinanderstellte: "d'un côté (in der Schweiz), l'outillage le plus perfectionné, l'usage général des self acting, les grands ateliers, les provisions accumulées, le bénéfice d'un régime libéral déjà anciennement éprouvé, de l'autre, surtout dans la Seine inférieure, d'anciens procédés, tels que la mulejenny et les métiers à bras qui ont été conservés à la faveur de la prohibition, des petits ateliers sans crédit, sans provisions, le chômage combiné avec l'épreuve d'un nouveau régime et les frais de transformation de l'ancien outillage" (423) - wie stolz müssen unsere Textilherren gewesen sein, aus dem Mundes des französischen Ministers ein solches Loblied zu hören! Was tat es, dass die Schwarz-Weiss-Darstellung ja einen kaum verhüllten Zweck verfolgte...

Kern zog den ersten Vorschlag prompt zurück und formulierte einen etwas modifizierten zweiten, der ganz offensichtlich auch schon vorbereitet war: er zielte im wesentlichen dahin, die Konzessionen, die Belgien im Handelsvertrag zugestanden worden waren, mit einigen zusätzlichen Reduktionen zu erhalten. Besonders wichtig wurden in der Folge die beiden folgenden Begehren: Gaze und Mousseline zu 10 Prozent statt (wie in allen andern Verträgen Frankreichs) zu 15 Prozent und die Vereinigung der Maschinenstickereien mit den Handstickereien in die gleiche Zollklasse zu 10 Prozent. (Im französisch-belgischen Vertrag war für die Maschinenstickereien eine höhere Belastung vorgesehen).

Vorerst hatten wieder die schweizerischen Experten das Wort, dann versuchte Kern, mit dem Hinweis auf die niedrigen schweizerischen Eingangszölle (½-1%) und die grossen Einfuhren aus Frankreich in die Schweiz, den französischen Bevollmächtigten zu einem Entgegenkommen zu bewegen und strich ihm zudem den Bart, indem er ihm für dessen Verteidigung der schweizerischen Industrie beim Kaiser und gegen die Klagen der Elsässer Industriellen dankte. Rouher stieg gleich auf dieses Lob ein, ergänzte es gar durch eine Eigenzitation, holte aber dann zum Gegenstoss aus: es sei eigenartig, dass die Schweiz ihre Freihandelspolitik als eine Konzession darstellen wolle, denn diese Politik habe sich doch durch die geographischen und wirtschaftlichen Gegebenheit aufgedrängt und sei durch alle diese Erfahrungen erhärtet. Deutlicher gesagt - so deutlich sagte es Rouher natürlich nicht - : der Schweiz blieb gar nichts anderes übrig als der Freihandel, er war für sie eine Lebensnotwendigkeit, wenn sie als Industrienation weiter prosperieren wollte! (424) Rouhers Bitte, Kern möchte auch den zweiten schweizerischen Vorschlag zurückziehen, lagen laut Kerns Bericht an den Bundesrat folgende Ueberlegungen zugrunde: den erst zwei Jahre alten "tarif conventionnel" wollte Frankreich nun nicht schon wieder revidieren; die automatische Wirkung der Meistbegünstigungsklausel hätte die der Schweiz gewährten Vergünstigungen auch allen andern Vertragspartnern Frankreichs zugute kommen lassen. Schliesslich war der jetzige Zeitpunkt - da die Hälfte der französischen Textilfabriken stillstand - aus innenpolitischen Gründen für ein Entgegenkommen ganz ungeeignet. Später wäre vielleicht eine Reduktion eher möglich (425).

Kern insistierte auf dem zweiten Teil des zweiten Vorschlages (Gaze, Mousseline und Stickereien), Rouher lehnte aber für die beiden ersten Produkte ab, versprach dagegen eine Prüfung und ein allfälliges Entgegenkommen bei den Stickereien. Kern teilte dem Bundesrat mit, dass er zweifle, ob sich die französischen Bevollmächtigten später dazu günstiger stellen würden (426).

Dem Bericht über diese Sitzung fügte Kern auch einige Mitteilungen über zwei private Unterhaltungen bei, die er an Soiréen in den Tuilerien mit dem Kaiser hatte führen können. Während Napoleon III. an der ersten seine Besorgnisse über die Tatsache ausgedrückt hatte, die Schweiz fabriziere sehr viel, konsumiere aber sehr wenig - worauf ihn Kern anhand der gegenseitigen Exportzahlen des letzten Jahres vom Gegenteil zu überzeugen versuchte -, klagte der Kaiser an der andern Soirée, dass er aus dem Elsass mit Petitionen wegen der schweizerischen Gebühren auf Wein geradezu überschüttet werde. Die Frage sei sehr heikel und nur schwierig zu lösen. Kern hielt es aber für seine Pflicht, dem Kaiser "mit aller Offenheit zu erklären, dass eine Reduktion der Gebühren auf Wein en fûts (=in Fässern) die Verwerfung des Vertrages zur höchst wahrscheinlichen Folge hätte" (427) und bat ihn deshalb, seinen Einfluss doch geltend zu machen, damit die Reduktionsforderungen fallengelassen würden. Napoleon III. drückte zumindestens die - unverbindliche und nichtssagende - Hoffnung aus, die Konferenz möge sich über diese Streitfrage verständigen.

Welchen Eindruck hatten die Baumwollfachleute von der vierten Sitzung erhalten und welche Konsequenzen zogen sie daraus? "Nachdem wir in dieser ersten Konferenz", schrieben sie in ihrem Rapport an den Bundesrat, "die Ueberzeugung gewinnen mussten, dass keine so weit gehenden Konzessionen erreichbar seien und namentlich eine Reduktion der Zollansätze auf solchen Artikeln, welche auch für England und Belgien Wichtigkeit haben, nicht zugestanden würden, beschlossen wir nach neuer Beratung mit Herrn Kern, unsere Begehren noch weiter zu reduzieren" (428). Aus den vorhandenen Dokumenten ist nicht zu erfahren, ob sich die Experten für ihre anfänglichen, hochgespannten Forderungen wirklich eine Erfolgschance ausgerechnet hatten oder ob die ersten Begehren bloss aus verhandlungstaktischen Motiven bewusst derart hoch angesetzt worden waren. Beides spielte wohl ineinander über. Wie dem auch war, Kern schien es jedenfalls nicht ungern zu haben, dass die Experten in den Konferenzen selbst anwesend waren; die folgende Bemerkung, die sich auf noch zu stellende Forderungen für bedruckte Baumwolltücher bezog, zeigt sehr deutlich, welches Verhältnis Kern zu den Experten hatte und welche Funktion er ihnen zudachte: "Ich erwarte ... keine Reduktion, sehe es aber gerne, wenn die Herren Industriellen selbst Anlass haben, ihre Interessen zu verfechten und die Gegengründe zu hören!" (429) Für Kern lagen also Bedeutung und Wert des Mitwirkens von Experten weniger in ihrer fachlichen Beratung - darin sicher auch - als vielmehr darin, dass er jetzt schon oder später gegen Angriffe aus den interessierten Kreisen in der Schweiz wegen einer allzu nachgiebigen Haltung geschützt war, da es sich gewiss unter den Eingeweihten bald herumsprechen musste, welches Schicksal den schweizerischen Wünschen beschieden gewesen war. In der Tat wurde Kern nach dem Vertragsabschluss von keiner Seite wegen einer zu weichen Haltung getadelt; seine Ueberlegungen stellten sich also als ganz richtig her-

aus.
Kern brachte in der fünften Konferenz (am 13. Februar) (430) einen weiter geschrumpften dritten Vorschlag zur Diskussion (431):

1) Rohe, glatte, gekreuzte Gewebe, je nach Fädenzahl: um 2-3 Fr./kg reduzierten Zoll;
2) Bedruckte Gewebe: 10 Prozent (anstatt 15%) oder wie im belgischen Tarif: 125 Fr./100kg;
3) Gaze und Mousseline: 10 Prozent (anstatt 15%), Vereinigung von Hand- und Maschinenstickereien in einer Kategorie zu 10 Prozent;
4) Vertragliche Garantie des Freipassverkehrs für rohe Tücher zum Bedrukken (432).

Fallengelassen worden waren demnach die Forderungen wegen der Garne und einiger Kategorien Gewebe, während der Wunsch nach der Freipassverkehrsregelung neu dazugekommen war.
Die Diskussion, die sich nun über diese Fassung entspann, war unergiebig, da von beiden Seiten die altbekannten Argumente erneut ins Feld geführt wurden. Angesichts dieser Sachlage entschloss sich Kern, noch weiter zurückzustecken und beharrte nur noch auf Punkt 3 und 4. Da dies Produkte betraf, die spezifisch schweizerisch waren (433), konnte man sich bei ihnen am ehesten ein französisches Entgegenkommen erhoffen, obschon dann Rouher die Diskussion darüber verschoben wissen wollte. Ganz so wie Kern es vorausgesehen hatte, erging es nachher Fierz, als er den Wunsch betreffend die bedruckten Gewebe vorbrachte. Rouher wies ihn mit dem Argument, eine solche Zollsenkung müsste ja doch in erster Linie den englischen Konkurrenten zugutekommen, auf das entschiedenste ab. Ausserdem handle es sich dabei um Luxuswaren, bei denen man nicht - während die Güter des täglichen Konsums weiterhin gleich belastet blieben - die Zölle weiter senken dürfe. Kern kommentierte dies im Bericht an den Bundesrat, es sei ihm recht gewesen, dass diese zwar hoffnungslosen Forderungen zur Debatte gestanden seien, "damit die beteiligten Industriellen später sich überzeugen können, dass, wenn ihren Wünschen nicht entsprochen wird, sie dies vorzugsweise dem Umstande zuschreiben müssen, dass jede diesfällige Konzession sofort auch den Staaten hätte zugegeben werden müssen, mit welchen Frankreich schon Verträge abgeschlossen hat;..." (434)
Einzig in der Frage des Freipassverkehrs kam man etwas weiter. Rouher erklärte, es handle sich hierbei um einen reinen Verwaltungsakt, von dem nicht zu befürchten sei, dass er rückgängig gemacht werde. Drouyn bot an, diese Erklärung ausdrücklich ins Protokoll aufzunehmen. Kern aber beharrte vorderhand noch auf seiner ihm durch die Instruktion aufgetragenen Forderung, diese vorteilhafte liberale Regelung in einem Artikel des Handelsvertrages niederzulegen. Vorerst blieb die Frage daher noch unerledigt auf der Traktandenliste.
Die frühere Ermahnung des Bundesrates, bei den Unterhandlungen nicht etwa

überstürzt vorzugehen, hatte offensichtlich Kern in der Zwischenzeit nochmals beschäftigt. Aus seiner eingehenden Antwort lässt sich auch einiges entnehmen darüber, wie der schweizerische Repräsentant im jetzigen Zeitpunkt die Abschlusschancen beurteilte. Einmal teilte er dem Bundesrat mit, dass die Experten auf die Frage, ob die Verhandlungen etwas hinausgeschoben werden sollten, einstimmig gewünscht hätten, dies sollte nicht geschehen. Kern konnte auch darauf hinweisen, dass für die Weinfrage und die Baumwollartikel vier Sitzungen gebraucht worden waren, dass aber beide Fragen noch nicht erledigt seien. Bei den italienisch-französischen Verhandlungen hätten auch jede Woche zwei Sitzungen stattgefunden. Da Kern der jetzige Zeitpunkt für das Vorantreiben der Verhandlungen nicht ungeeignet schien, plädierte er dafür, dass nun, nachdem sich Frankreich zum Unterhandeln bereitgefunden hätte, von schweizerischer Seite nicht gezögert werden dürfte: "...so sollen wir mit aller Ruhe, ohne alle Ueberstürzung, aber auch ohne dass Frankreich uns vorwerfen kann, die Verschleppung falle jetzt uns zur Last, diese Negotiationen so gut wie möglich mit bester Wahrung unserer Interessen durchzuführen" (435). Die Pressemeldungen in der Schweiz, wonach befürchtet würde, in Paris opfere man durch voreilige Engagements vitale schweizerische Interessen, seien völlig unbegründet. Ueber alle hängigen Fragen bleibe ja die endgültige Bereinigung noch ausstehend, bis schliesslich eine Verständigung über das Ganze erfolgt sei. Dies aber, so beurteilte er die Zukunftsaussichten, sei etwas, "was noch in ziemlich ferner Zukunft zu liegen scheint - sofern sie überhaupt möglich wird" (436). Sollten aber am Schluss von schweizerischer Seite aus die angebotenen französischen Konzessionen als zu gering, die zu leistenden Zugeständnisse hingegen als zu hoch beurteilt werden, so könnte sich ja die Schweiz dann immer noch dazu entscheiden, beim Status quo zu bleiben. Angesichts der Schwierigkeiten, die Kern vor sich aufgetürmt sah und zu deren Ueberwindung noch viel Zeit, Ausdauer und Geschick nötig sein würde, glaubte er sogar schon prophezeien zu können, dass es wohl leicht möglich sein dürfte, später Stimmen hören zu müssen, die kritisierten, es gehe zu langsam vorwärts. Aus der Kenntnis aller Akten und dem Vergleich mit andern Verhandlungen kann man aber feststellen, dass von einer unzulässigen Uebereilung wirklich nicht die Rede sein konnte. Die entsprechenden kritischen Stimmen waren aus andern, unsachlichen Gründen laut geworden - z.B. von Rieter aus Winterthur, der wegen der zu spät erfolgten Einladung von Jenny erbittert war oder von den Genfern, die offenbar die Ausschaltung Fazys nicht verwinden konnten. Die Vorwürfe waren aber unbegründet. Dass der Bundesrat in der ganzen Sache ohnehin nicht gerade dynamisch handelte, haben wir bereits festgestellt und werden dazu noch mehrmals Gelegenheit haben.

Die sechste Konferenz (am 18. Februar) (437) wurde zu einem "Potpourri", da neben den Baumwollprodukten eine Reihe von verschiedenartigen schweizerischen Wünschen behandelt wurde. Auf die Forderungen der letzten beiden

Konferenzen zurückblickend, formulierte Drouyn noch einmal in aller Klarheit und Endgültigkeit den französischen Standpunkt: Es gehe in bezug auf die schweizerischen Importe nach Frankreich darum - wie schon vor der Verhandlungsaufnahme dargelegt worden sei -, den Generaltarif des Kaiserreiches durch einen ebenfalls festen Spezialtarif, nämlich denjenigen der Verträge mit Grossbritannien und Belgien zu ersetzen. Die kaiserliche Regierung sei hingegen nicht gewillt, bei einer Regelung mit der Schweiz Neuerungen an diesem Vertragstarif vorzunehmen, da diese unverzüglich verallgemeinert werden müssten, was das ganze handelspolitische System, auf welches sich die französische Industrie stützte, nun schon wieder einschneidend verändern würde. Hingegen wäre bei Artikeln, die in diesem Vertragstarif nicht aufgeführt waren und die für die Schweiz eine besondere Bedeutung besässen, durchaus die Bereitschaft Frankreichs vorhanden, den schweizerischen Wünschen Gehör zu schenken und sie nach Gebühr zu berücksichtigen.

Dies alles war zwar nicht neu, doch konnte es Kern sicher nicht unerwünscht sein, wenn die französischen Bevollmächtigten in Anwesenheit der Textilexperten ihre Ablehnung so deutlich wie nur möglich vorbrachten; eigentlich musste man ja auch anerkennen, wie gerechtfertigt der französische Standpunkt war und dass man schweizerischerseits, vom kürzeren Hebelarm aus, Frankreich niemals zur Aufgabe dieser Position veranlassen konnte. Nicht so dachte aber, wie wir noch sehen werden, der schweizerische Bevollmächtigte, denn er war nicht gewillt, den Kampf schon aufzugeben. Und trotz der anscheinend so festen französischen Haltung blieb dies auch nicht ohne Wirkung. Zwar konzentrierte sich Kern in dieser Sitzung selbst auf die Gaze, Mousseline und die Stickereien als diejenigen Artikel, die am ersten eine Chance auf Spezialbehandlung haben konnten. Dabei legte er Gewicht auf die Tatsache, nur durch einen Zoll von 10 Prozent für diese drei Produkte könne der gefährliche und amoralische Schmuggel unterbunden werden, wobei er sich auf eine lange Aussage Rouhers in der Enquête von 1860 berufen konnte. Die französischen Vertreter gingen aber vorderhand gar nicht mehr auf diese Forderungen ein. Das gleiche geschah mit Kerns Wunsch, es möchten die Vorschriften des französisch-belgischen Vertrages über die Beschlagnahmungspraxis bei zu tiefer Deklarierung des Wertes durch den Importeur modifiziert werden; Rouher wandte ein, dies werde gegenwärtig gerade geprüft. Den schweizerischen Wünschen nach einer weitgehenden Abschaffung der Ursprungszeugnisse wollte Frankreich hingegen nachkommen, ebenso dem Verlangen der Schweiz nach einer Garantie, dass kein Kohleausfuhrverbot erlassen werden könne. Schliesslich äusserte Kern noch den Wunsch nach der Errichtung eines freien Entrepôt in Paris und nach der Zulassung schweizerischer Aktiengesellschaften in Frankreich und der schweizerischen Wertpapiere an der Pariser Börse. Nur auf den letzten Wunsch überhaupt eingehend, bat Rouher den schweizerischen Unterhändler, dieses Begehren zurückzuziehen (obschon dies den Belgiern zugestanden worden sei), da sich neuerdings die französische Verwaltung absolut weigere, dies auch andern Länder zu bewilligen. Rouher bezeichnete es auch als minder wichtig für die Schweiz, und es könnte höchstens zusätzliche Schwierigkeiten für eine Einigung verursachen.

Für den wichtigsten Artikel, der in der siebenten Konferenz (438) (am 23. Februar) behandelt werden sollte, die Seidenbänder, hatte sich Kern besonders gut vorbereitet. Einmal hatte er - wie er dies vor allen Konferenzen tat - die entsprechenden Abschnitte in der Enquête von 1860 durchgearbeitet (439); zudem hatte er von Feer-Herzog ein ausführliches, informatives Schreiben erhalten; Koechlin-Geigy als Experte konnte ihn bei der Vorbereitung ebenfalls wirkungsvoll unterstützen.

Von Feer-Herzog hatte er erfahren können, wie sich in Frankreich bei dieser Frage die Vorgeschichte abgespielt hatte (440): Trotz des Drängens der St. Etienner Fabrikanten auf Erhöhung des Seidenbandzolls waren die französischen Behörden schon im Jahre 1860 überzeugt gewesen, dass für diese Branche kein Schutzzoll mehr nötig wäre. So teilte der vom Handelsministerium mit der Prüfung der Seidenbandfrage betraute Experte Roudot im Oktober 1860 Feer-Herzog mit, eine erhebliche Reduktion des damaligen Zolls auf Bändern stünde in Aussicht. Aus Gründen, die Feer unbekannt geblieben waren, blieb es aber beim alten Ansatz. Die schweizerischen Seidenbandfabrikanten waren damals eingeladen worden, nach Paris zu kommen, um vor einer Kommission ihre Ansichten zu der Frage darzulegen, doch hatten sie sich eigentümlicherweise gänzlich desinteressiert (Feer war auch damals durch Krankheit verhindert). Nun ergäbe sich, so schrieb Feer, eine gute Gelegenheit, das Gegenteil zu beweisen und das 1860 Versäumte nachzuholen. In der Orientierung über das Materielle wies Feer darauf hin, dass die Seidenstoffe ganz zollfrei seien, während hingegen durch den fast prohibitiv wirkenden Zoll auf Bändern die schweizerische Ausfuhr nach Frankreich ständig sinke, so dass heute wieder der Stand von 1842 erreicht sei (441). Die Schweiz dürfe also mit gutem Recht hier ein Entgegenkommen verlangen, und die Aussichten auf eine "réduction notable", z.B. auf die Hälfte oder sogar eine völlige Aufhebung - wie Feer fast versteckt in einem Nebensatz schrieb - wären nicht schlecht.

Nachdem zu Beginn der Sitzung kurz der schweizerische Wunsch nach Gleichstellung der Rosshaargeflechte mit den Strohgeflechten zur Sprache gekommen war - Rouher stimmte zu -, brachte Kern dann das Begehren nach Reduktion des Seidenbandzolls um 50 Prozent auf Fr. 4.-/kg vor. Damit allerdings der Verlauf der Sitzung richtig verstanden werden kann, muss noch dargelegt werden, was sich am Vortag abgespielt hatte: Kern hatte nämlich Rouher in einer Privataudienz erklärt, er könne sich nicht mit der von Drouyn in der letzten Konferenz abgegebenen Erklärung über den "tarif conventionnel" zufriedengeben, und er, Kern, begehre deshalb, "dass man sich über die Basis der ferneren Negotiationen ins Klare setze" (442). Gewiss habe man ursprünglich den französisch-englischen Tarif von 1860 als Basis erklärt; dies sei

aber nur das Programm, der allgemeine Rahmen für die schweizerischfranzösischen Verhandlungen und dürfe keineswegs Modifikationen einzelner Bestimmungen und Tarife von vornherein ausschliessen. Wenn die französische Anschauungsweise unveränderlich wäre, "so könnte und würde ich nicht mehr in den Negotiationen fortfahren", legte Kern weiter dar. Kerns Bericht an den Bundesrat zufolge hatte Rouher dies ohne Widerrede zur Kenntnis genommen und versprochen, mit Drouyn darüber zu sprechen. Kern, dadurch wahrscheinlich ermutigt, ging nach seiner eigenen Schilderung sogar so weit anzukündigen, er werde sonst wieder seinen Vorschlag nach dem Vierpunktevertrag (mit der Meistbegünstigungsklausel) vorbringen. "Dieses entschiedene Antworten hat seine Wirkung nicht verfehlt. Ich und die Herren Experten mit mir konnten dies unzweideutig an der ganzen Haltung in gestriger Sitzung wahrnehmen" (443). Wie hatte sich denn die Sitzung abgespielt? Seine Forderung nach der Reduktion des Bandzolls unterstrich Kern mit den uns aus Feers Brief bekannten Argumenten: prohibitiver Charakter des Zolls, Rückgang der schweizerischen Ausfuhr nach Frankreich, keine Notwendigkeit mehr, die Seidenbandindustrie in Frankreich durch einen Schutzzoll abzuschirmen. Koechlin bezeichnete die Privilegierung der Seidenbandfabrikanten als ein Monopol, das mit den Grundsätzen von 1860 nicht zu vereinen sei; damit musste ja Rouher sicher völlig einverstanden sein, aber eben, e r musste sich ja mit den Industriellen von St.Etienne herumschlagen, und Koechlin hatte gut reden... Der Basler Experte brachte dann - im Einverständnis mit Kern (444) - die beiden Punkte vor, gegen die man besonders in Basel den niedrigeren Bandzoll einzuhandeln gedachte: die Judenfrage und den Musterschutz. In den beiden seidenbandfabrizierenden Kantonen sei man am skeptischsten gegenüber der Aufnahme elsässischer Juden; nur durch weitgehende Zugeständnisse in der Bandzollfrage könnten die baslerischen Vertreter in den eidgenössischen Räten dazu gebracht werden, Verpflichtungen gegenüber den Juden und zum Schutz des industriellen geistigen Eigentums gutzuheissen. Bei Rouher kam er aber mit dieser Vermengung nicht gut an, denn dieser gab ihm deutlich zur Antwort "qu'il considère le respect de la propriété industrielle comme une question de pure probité et il ne pense pas qu'on puisse en faire un élément de la discussion sur le tarif des rubans" (445). Ebenso wollte Rouher die Frage der freien Niederlassung der Juden nicht auf diese Weise diskutiert wissen, indem es ihm unerklärlich blieb "que le Conseil fédéral voulût mettre en balance les principes de haute moralité et de liberté de conscience engagés dans ces deux questions avec les intérêts qui réclament le dégrèvement de certains articles du tarif français" (446). Die Schweizer waren damit - gewiss mit einigem Recht - als diejenigen hingestellt, die mit humanitären Postulaten sich wirtschaftliche Vorteile herauszuhandeln versuchten, während sich andererseits Frankreich nur von den hohen Prinzipien der Menschlichkeit und Ehrlichkeit leiten liess.
Aeusserst geschickt von Rouher; aber die Franzosen verstanden es durchaus

auch, aus der Situation ganz konkrete materielle Vorteile zu ziehen. So idealistisch war ihre Haltung ja denn nun auch wieder nicht.
Auf die eigentliche Tariffrage eintretend, bestritt Rouher - wider besseres Wissen! - den Schutzcharakter des Zolls für samtene, seidene und gemischte Bänder. Sodann wies er darauf hin, dass auch der französische Seidenbandexport stark zurückgegangen sei (innerhalb von sechs Jahren von 136 auf 49 Mio.Fr.), was er vor allem auf das Teurerwerden der Seide und auf die "caprices de la mode", die den Seidenbändern gegenwärtig ungünstig seien, zurückführte. Es gäbe aber gewisse Aussichten für eine Tarifreduktion; ein Vertreter der Regierung, der oben erwähnte Roudot, weile eben jetzt in St. Etienne. Allerdings könne kaum mit einer 50 prozentigen Senkung gerechnet werden.
Kern hakte aber wieder dort ein, wo Koechlin stehengeblieben war und tat, als ob Rouher es nicht eben abgelehnt hätte, Musterschutz, Judenfrage und Tariffragen gegeneinander auszuspielen - er verfolgte also eine Taktik, wie sie von nervenstarken, erfolgreichen Unterhändlern stets befolgt wurde und noch heute angewandt wird. Die besondere Schwierigkeit dieser Methode liegt natürlich darin, dass man im gegebenen Augenblick auch fähig sein muss, sie aufzugeben.
Die Schweiz sei bereit, kündigte Kern an, den Schutz der "dessins industriels" dann zu gewährleisten, wenn Frankreich auf der andern Seite Tarifzugeständnisse bei der Gaze, Mousseline und den Seidenbändern mache. Was die Judenfrage anbelange, so sei diese ein besonders heikles Problem für die Schweiz, für die Kantone aus Souveränitätsgründen, für das Volk aus psychologischen. "Il prie donc les Plénipotentiaires français de mettre son Gouvernement en mesure d'invoquer, outre les considérations morales developpées par M. le ministre du commerce, des arguments qui puissent agir plus immédiatement sur l'esprit essentiellement pratique des hommes qui composent les Conseils nationaux et cantonaux de la Suisse" (447) - also, wenn wir diese wenig schmeichelhafte Stelle im doppelten Sinne ins Deutsche übertragen: man darf den Schweizern nicht mit "bloss" moralischen Argumenten kommen, sondern da wirken nur handfestere, also materielle Anreize. Wäre Frankreich dazu nicht bereit, so müsste er für diesen Fall seinen alten Vorschlag vom Vertrag mit der Meistbegünstigungsklausel erneuern (448).
Erwartungsgemäss lehnte Rouher diese Lösung ab, denn dazu wäre von französischer Seite auch gar kein Handelsvertrag nötig, ein kaiserliches Dekret würde genügen. Er stellte dann die französischen Forderungen so hin, als ob Frankreich damit eigentlich die Rolle des Eisbrechers für die andern Länder gegenüber der Schweiz übernähme, indem dadurch die Hindernisse bald für alle Ausländer in der Schweiz dahinfallen müssten. Ausserdem gäbe es gewisse Fragen - Wein, Pays de Gex und Nordsavoyen - , die nur in einem längeren Vertrag geregelt werden könnten. Es wäre durchaus denkbar, einige schweizerische Forderungen nicht gleich, sondern erst nach und nach zu

verwirklichen. Jedenfalls bat er Kern, den Vorschlag zurückzuziehen; Kern tat dies auch sofort. In Kerns Berichten an den Bundesrat aus dieser Zeit fällt der selbstsichere Ton auf, mit dem er von seiner Verhandlungshärte spricht, wobei sich aber auch sogleich die Frage einschleicht, ob diese Beteuerungen nicht etwa von der Furcht herrührten, er müsste krampfhaft die Zweifel des Bundesrates (und seine eigenen) an seiner Festigkeit zerstreuen, so etwa, wenn er schrieb: "Ueberhaupt waren die Erwiderungen der Herren Drouyn und Rouher auf meine sehr energisch abgegebenen Erklärungen derart, dass ich nun wieder mehr Hoffnung habe, es könnte denn doch möglich werden, und zwar gerade durch dieses entschiedene Auftreten, einen für uns annehmbaren Vertrag zu erzielen (449)". So beurteilte er auch die Aussichten auf eine Reduktion bei der Gaze und Mousseline als nicht schlecht, bei den Seidenbändern zählte er sogar auf eine sehr beträchtliche Reduktion des "tarif conventionnel" (450). Er traf mit diesen allerdings vagen Prophezeiungen in der Tat nicht weit daneben.

Die Judenfrage, so hatte ihm Rouhers Antwort auf das Votum Koechlins deutlich gezeigt, wurde von Frankreich nach wie vor als eine der Hauptbedingungen angesehen (451). Aus einer Art Zwischenbilanz, die Drouyn anfangs März an Rouher abgab, geht allerdings hervor, dass der Aussenminister von allen bisher behandelten Fragen den Schutz des geistigen Eigentums als die erste ansah (452); zum mindesten, kann man beifügen, war es diejenige, deren Lösung wegen ihrer Komplexität am meisten Aufmerksamkeit benötigte. Erstmals tauchte hier der Gedanke auf, der Schutz des industriellen Eigentums könnte zum Gegenstand einer besondern Uebereinkunft werden. Bei der gleichen Gelegenheit zeigte der Aussenminister beim Problem, ob die Zölle beider Länder gegenseitig nivelliert werden könnten, viel Verständnis für die schweizerische Situation: "... ce serait, sans utilité pour nous, détruire toute l'économie du système des péages suisses". Auch auf der Forderung nach Abschaffung der schweizerischen Transitzölle schien er nicht beharren zu wollen. Dagegen war er gewillt, in der Frage der Savoyerzone die bisherige französische Forderung in vollem Umfang aufrechtzuerhalten.

Nachdem Kern nun schon vier Konferenzen unter der Mitwirkung von Experten hinter sich gebracht hatte, berichtete er über diese Erfahrungen an den Bundesrat. Ihre Hilfe bei der Vorbereitung und ihr Auftreten in den Konferenzen selbst hatten Kern bewiesen, dass dieses System zweckdienlich war und gute Auswirkungen erhoffen liess, waren ihm doch häufig bei komplizierten Vorgängen die Kenntnisse der Fachleute zugutegekommen, besonders wenn er gegen den versierten Rouher hatte antreten müssen. Der gelegentliche Uebereifer oder das allzuforsche Auftreten des einen oder andern Experten veranlassten Kern aber zu folgendem Vorbehalt: "Nur darf es nicht zu weit ausgedehnt werden, wenn es nicht hier bei den Plénipotentiaires einigen Anstoss finden soll, wie ich aus einigen Privatäusserungen derselben entnehmen konnte" (453). Den Baumwollexperten stellte er das Zeugnis aus, dass sie ihm besonders nützlich gewesen seien und sich ihrer Aufgabe "mit grossem Pflichteifer" hingegeben hätten. Diesen selben Eifer bewiesen die drei Fachleute ebenfalls noch in ihrem Bericht an den Bundesrat, wo sie diesen dazu aufforderten, in die Instruktion an Kern aufzunehmen, es sollte von der Schweiz aus die Gewährung der Reduktion des Zolls auf Gaze und Mousseline zu einer Bedingung für den Abschluss des Handelsvertrages gemacht werden! Dabei wurde dieses Begehren als der Rückzug auf die letzte noch mögliche Bastion bezeichnet und Kern bescheinigt, dass er die bisherigen Anliegen der Textilindustrie mit grosser Energie und mit Geschick vertreten habe (454).

Aus dem Bericht, den Koechlin an den Bundesrat erstattete, fällt vor allem die Stelle auf, in der er sich über die Judenfrage ausspricht, die er in der Konferenz zur Diskussion gestellt hatte. Er hatte dies vor allem deshalb getan, weil man sich über die Stimmung in den beiden baslerischen Kantonen keine Illusionen machen dürfe; nur mit grosser Mühe und Anstrengung werde man dem Volk die Zulassung der Juden mundgerecht machen können - was für ihn selbst bekanntlich nichts anderes hiess als: nur gegen eine Reduktion des Seidenbandzolls. Schliesslich liess er aber seinen wahren Gefühlen freien Lauf: "Darüber kann kein Zweifel obwalten, dass es für Basel eine höchst unangenehme Zugabe zum Vertrage sei, allen den Abschaum der elsässischen Judenbevölkerung bei uns aufnehmen zu müssen, allein früher oder später müsste es doch so kommen und vielleicht ist jetzt durch zeitgemässes Entgegenkommen einiges zu erreichen, was später nicht mehr geboten würde, denn wie aus allem hervorgeht, scheint der französischen Regierung und dem Staatsoberhaupt selbst die Israelitenfrage vor allem am Herzen zu liegen" (455). Dazu erübrigt sich jeder Kommentar; es drängt sich höchstens noch die Frage auf, wie es möglich ist, dass ein Basler Ratsherr, durch kommerzielle Erwägungen derart verbogen, nicht spürte, dass es seine Pflicht gewesen wäre, als Gebildeter im Volk aufklärend zu wirken, anstatt sich in zynischen Bemerkungen zu ergehen? Koechlins Bereitschaft, sich seine Toleranz gegenüber den Juden entsprechend honorieren zu lassen, erfahren wir auch auf unmissverständliche Weise aus einem Brief von Kern. Dieser berichtete, Koechlin habe ihm unter vier Augen anvertraut: "Wenn der Zoll auf unserer Seidenbandfabrikation auf die Hälfte reduziert wird, so werden wir weder gegen die Judenemanzipation noch gegen den Musterschutz opponieren" (456); Basel wäre in diesem Fall sogar bereit, von sich aus die Ausschliessung der Juden aufzuheben. Dazu erübrigen sich weitere Worte!

Nach fast dreiwöchiger Pause trat man am 10. März zur achten Konferenz zusammen, an der die Experten aus der schweizerischen Uhrenindustrie teilnahmen (457). Hier stand die Sache für die Schweiz von vornherein sehr günstig: denn es handelte sich um eine Angelegenheit, die nur die beiden Länder ohne Auswirkung auf Dritte betraf; es gab keine französische Industrie, die einen Schutz verlangte. Kern war durch die Eingaben der Genfer und Neuenburger über deren Wünsche eingehend informiert worden und legte zu Beginn der Konferenz dar, dass die Schweiz den Stückzoll beibehalten möchte unter gleichzeitiger Reduktion auf die Hälfte der bisherigen Ansätze (458). Ein solches Entgegenkommen Frankreichs wäre umso eher angezeigt, als 9/10 des gesamten französischen Uhrenimportes aus der Schweiz stammte und Frankreich hier keine Rücksicht auf seine sonstigen Handelspartner nehmen musste. Jeannot begründete dann, weshalb die Schweizer Uhrenfabrikanten gegen das Wertzollsystem eingestellt waren: einmal leiste es dem Zolldeklarationsbetrug Vorschub und verursache häufig Streit über den Deklarierungswert; zum andern sei es für die teuren Uhren ungünstig und verleite daher zum Schmuggel.

Rouher zweifelte zwar an dieser Ansicht, doch war er bereit, der Schweiz die Wahl des Verzollungsmodus zu überlassen. Als Kern am Stückzollsystem festhielt, schlug Rouher folgende Ansätze vor:

Silberne) Uhren 1Fr.) pro Stück   Musikdosen 5Fr.) pro Stück
Goldene) 5Fr.)   Holzuhren 1Fr.)
Uhrenbestandteile 50Fr./100kg

Kern, nachdem seine Forderung nach einem Ansatz von 4 Franken für goldene Uhren abgelehnt worden war, nahm den Vorschlag Rouhers in der vorliegenden Form an. So schnell war man sich noch nie einig geworden! Für die Bijouteriewaren erklärte sich Kern zur Annahme des französisch-belgischen Tarifs bereit.

Kein Wunder, dass die Vertreter der Uhrenbranche mit diesem Ergebnis sehr zufrieden waren und Kern übereinstimmend versicherten, es gehe über dasjenige hinaus, was sie eigentlich erwartet hätten: " 'Die Industriellen ihrer Kantone werden infolgedessen für Annahme des Vertrages günstig gestimmt sein' , fügten sie mir bei", konnte Kern nach Bern berichten (459). Dies bestätigten die Experten auch in ihrem eigenen Rapport, wiesen aber gleichzeitig auf das immer noch nicht auf befriedigende Weise gelöste Problem der Musikdosen hin; beim Abschluss einer Konvention über das artistische Eigentum müsste dies weiter verfolgt werden. Auch sie schlossen mit einem besondern Lob für Minister Kerns Arbeit (460).

Einen völlig andern Verlauf nahm die neunte Konferenz (am 13. März), bei der zusätzlich zu den vorigen Experten auch der Vertreter der Metallindustrie anwesend war (461). Bevor diese Produkte aber zur Diskussion kamen, wurde noch eine Reihe weniger bedeutender Artikel (Uhrenmacherwerkzeuge, Parquetterie, gebrannte Wasser) behandelt, wobei die französische Ablehnung des schweizerischen Begehrens, den Absinthzoll weiter als 15Fr./100kg zu senken, damit begründet wurde: "...ce serait plutôt dans le sens d'une aggravation à cause des réclamations du Comité supérieur d'hygiène qui ne cesse de dénoncer au Gouvernement les déplorables résultats produits sur la santé publique par l'abus de l'absinthe" (462). Also schon damals versuchte man, durch eine Zollabschöpfung zum mässigen Alkoholgenuss zu erziehen...

Anschliessend brachte Kern die Wünsche betreffend die Metallurgie vor, die entweder auf eine Zollbefreiung oder eine wesentliche Reduktion sowie eine Vereinfachung der Tarife hinausliefen. Rouher erklärte sich - unter Hinweis auf die Automatik der Meistbegünstigungsklausel - ausserstande, auch nur einen der schweizerischen Vorschläge in Betracht zu ziehen, was Kern nicht sonderlich überrascht zu haben scheint: "Ich hatte diese Antwort so ziemlich vorausgesehen, und gerade aus diesem Grund keinen Experten verlangt. Nachdem Sie aber von sich aus einen solchen abgeordnet haben, so ist es mir ganz recht, dass er selbst die so entschiedene Sprache von Herrn Rouher anhören konnte" (463).

Kern insistierte auch gar nicht auf seinen Forderungen, was ganz unverkennbar den Unwillen, ja sogar den Zorn des Experten Bloesch hervorrief, der keine Gelegenheit gehabt hatte, seine Ansichten überhaupt vorzutragen. Er hatte versucht, Kern zu veranlassen, darauf zu bestehen, dass diese Fragen vorderhand noch offenblieben und möglicherweise durch entsprechende schweizerische Einfuhrzollreduktionen auf andern Produkten doch ein französisches Entgegenkommen erzielt werden könnte. Aber Kern hatte ihm dann mitgeteilt, seine Instruktionen sähen keine Aenderungen des gegenwärtigen schweizerischen Tarifs vor, so dass Bloesch auf eine weitere Diskussion mit den französischen Bevollmächtigten über die Metallurgieprodukte verzichten musste (464). Hinterher schien Bloesch aber doch die Erbitterung über den Misserfolg seiner Mission so stark zu packen, dass er in einem zweiten Brief die "Expertokratie" des Bundesrates angriff: "...tout en reconnaissant la bonne intention, vous me permettez de douter de l'opportunité ces délégués dont chacun, ne représentant que son industrie spéciale, se croit obligé d'en défendre les intérêts sans s'inquiéter des autres besoins de la Suisse en général, ainsi qu'il arrive que ce que l'un défend aujourd'hui, l'autre le rejette demain" (465). Dieses Urteil - obschon zu deutlich von der Enttäuschung gefärbt - trifft wahrscheinlich wohl eine wunde Stelle in der ganzen Angelegenheit der Experten. Gewiss stand die schweizerische Metallindustrie damals noch in den Anfängen, und niemand konnte ihre grosse Entwicklung schon voraussehen. Gleichwohl muss aber vermutet werden, dass sich Kern, wenn ihm diese Branche näher gestanden wäre, vielleicht ebensosehr für deren Forderungen eingesetzt hätte, wie dies etwa bei den Textilien der Fall gewesen ist, wo die Situation eigentlich auch recht hoffnungslos aussah. Jedenfalls zeigte sich z.B. wenig später, dass der Bundesrat durchaus mit einer Revision des schweizerischen Zolltarifs einverstanden war, was Kern aber Bloesch gegenüber als quasi unmöglich dargestellt hatte. Wie dem auch sei: die Episode mit Bloesch zeigt jedenfalls, wie wenig friedlich es unter Umständen bei der Durchsetzung divergierender Interessen hinter den Kulissen auch schon damals zugehen konnte. Bloesch schlug dem Vorsteher des Handelsdepartementes vor, eine Kommission von Industrie- und Agrarvertretern sollte auf alle Fälle dann den fertigen Vertrag als Ganzes nochmals sorgfältig prüfen, bevor er den Räten unterbreitet würde.

Für die Verhandlungen über die Agrarprodukte, die in der zehnten Konferenz (am 20. März) (466) stattfanden, hatte sich Kern schon vorgängig in einem Privatgespräch mit Rouher versichern lassen, dass der Schweiz die gleichen Konzessionen zugestanden würde, wie sie Italien erhalten hatte. Ausser den Landwirtschaftsexperten waren auch die Genfer Fachleute anwesend, da die Diskussion der Genf berührenden Fragen vorgesehen war. Nachdem sich Kern von Rouher nochmals formell hatte bestätigen lassen, dass der französisch-italienische Tarif der Schweiz zugutekommen sollte, bot er die Reduktion des schweizerischen Einfuhrzolls für Hartkäse auf weniger als 4 Fr./100kg an, wenn Frankreich dabei Reziprozität bewahre (467). Sodann verlangte Kern so massive Zollabschläge auf Pferden, Kühen, Ochsen und zubereiteten Häuten, dass ihm Rouher in seiner Antwort sehr unwirsch vorwarf, er, Kern, entferne sich zu sehr von der Verhandlungsbasis, indem er sukzessive die Aenderung einer grossen Anzahl von Artikeln des tarif conventionnel verlange, besonders dann, wenn er sich dabei gegen die rein fiskalischen Ansätze wende, deren Neugestaltung keinesfalls die Frage des Freihandels berühre. Rouher gestand aber eine Käsezollreduktion auf 4 Fr./100kg wie im französisch-italienischen Vertrag zu, ebenso die Ansätze im gleichen Vertrag für das Vieh; der Zoll für zubereitete Häute sollte ab 1. Oktober 1864 von 15 Franken auf 10 Fr./100kg gesenkt werden.
Ueber den neuen Käsezollansatz waren Kern und die Experten natürlich sehr erfreut. Kern bezeichnete die Reduktion im Bericht nach Bern als für die Schweiz "sehr bedeutend" (468), während die Experten in ihrem Rapport darauf hinwiesen, es sei zu erhoffen und zu erwarten, dass der Konsum von Schweizerkäse in Frankreich "sich sehr beträchtlich steigern" (469) werde.

Während Kern aber die endgültige Regelung der Viehzölle noch vorbehalten wissen wollte, bat er dann Rouher, die französischen Forderungen, welche die an Genf angrenzenden Zonen betrafen, der Konferenz zur Kenntnis zu bringen. Ohne dass Rouher die französischen Begehren schon genau formulierte, stellte er doch grundsätzlich die Forderung, es sollte das Reglement von 1853, das sich inzwischen als ungenügend erwiesen hätte, erstens den neuen Verhältnissen angepasst und zweitens auch auf die im Süden Genfs gelegene savoyische Zone ausgedehnt werden. Mit dieser Forderung musste er aber zwangsläufig auf den Widerstand der Schweiz stossen. Was die Einfuhren aus den nordsavoyischen Gebieten nach Genf als dem naturgegebenen Absatzmarkt betraf, so erklärte sich der französische Handelsminister damit einverstanden, dass man die Agrarprodukte einerseits und die industriellen Erzeugnisse ("produits manufacturés") andererseits verschiedenartig behandeln müsste. Für die ersteren schlug er Zollfreiheit vor, während bei den letzteren das bisherige System der limitierten Kontingente in erweiterter Form beibehalten bleiben sollte. Der Wein bildete das heikelste Problem. Nach einer Regelung von 1852 zwischen Sardinien und der Schweiz durften 5000 hl frei aus dem Chablais, dem Faucigny und dem Genevois nach Genf einge-

führt werden. Die schweizerischen Rebgutbesitzer in Savoyen hatten Zollfreiheit für ihre Produkte genossen. Rouher forderte nun folgendes: "... il émet donc le voeu que la Suisse donne satisfaction à un double intérêt français, en généralisant le régime privilégié des propriétaires suisses de vignobles situés dans les zones françaises" (470).
Kern nahm dies vorerst einfach zur Kenntnis und kündigte für die nächste Sitzung eine ausführliche Antwort an. Schon einen Monat vorher hatte sich Kern in Besprechungen mit Herbet und Barbier davon überzeugen können, dass die bundesrätliche Instruktion im Punkt B 7) ungenügend sein musste, weil sie zu wenig elastisch war und nicht unterschied zwischen dem Pays de Gex auf der einen und den neu annektierten Provinzen auf der andern Seite. Nach Kerns Meinung musste der Bundesrat gegenüber dem Pays de Gex gewisse weitere festbegrenzte Konzessionen gewähren, um desto besser die Forderungen wegen der Annexionszone zurückweisen zu können (471). Diese Anregung, vom Handelsdepartement aufgenommen und dem Bundesrat in einem Antrag unterbreitet, veranlasste diesen zu folgendem Entschluss: Zurückgreifend auf den Antrag des Handelsdepartementes im Entwurf der Instruktion wurde Kern ermächtigt, die Quantitäten, die zum 4.Teil des regulären Zollansatzes aus dem Pays de Gex eingeführt werden durften, wie folgt zu erhöhen: (472)

Butter	von	500 q	auf	700 q	
Käse	"	500 q	"	900 q	
Ziegel- und					pro Jahr
Backsteine	"	6000 q	"	10000 q	(q=50kg
Tischlerwaren	"	200 q	"	400 q	

Die elfte Konferenz (473) (am 25.März) eröffnete Kern mit einer längeren Erklärung, die er mit den beiden Genfer Experten ausgearbeitet hatte und die wörtlich ins Protokoll aufgenommen wurden. Zuerst einmal, führte er aus, müsse man zwischen den verschiedenen Zonen genau unterscheiden. Die sogenannte grosse Zone, 1860 geschaffen, die das Chablais, Faucigny und einen Teil des Genevois umfasste, nannte er "la zône d'annexion". Ueber dieses Gebiet sei er laut bundesrätlicher Instruktion nicht befugt, eine Diskussion zu führen und zwar aus folgenden Gründen: Da der Zessionsvertrag von 1860 die von der Schweiz innegehabten Rechte in Nordsavoyen ausdrücklich vorbehalte, erachte es der Bundesrat als nicht nur unschicklich, sondern geradezu dem Ziel der jetzigen Verhandlungen entgegengesetzt, wenn nun die Zollverhältnisse zwischen der Schweiz und diesen Provinzen separat geregelt würden. Der Bundesrat sähe es immer noch so: "Il estime que lorsqu'il s'agira une fois de s'entendre entre les deux pays pour amener le règlement réservé de ces rapports, il sera mieux de les régler en général et non pas seulement en tant qu'ils touchent les douanes" (474). Die schweizerische Regierung spreche damit nur aus, was die Bundesversammlung, die öffentliche Meinung und auch die Handelskonferenz vom Januar für richtig hielten.

Etwas anderes sei es mit der sogenannten "ancienne zône sarde", deren Verhältnis zu Genf durch die Verträge von 1754, 1815 und 1816 geregelt worden sei. "La Suisse maintient complètement toutes les stipulations en vigueur et continue à accorder toutes les faveurs qui sont assurées par les dispositions des traités" (475). Für das Pays de Gex schliesslich bot Kern die neuen vom Bundesrat beschlossenen Kontingente an. Diese Erklärungen mussten den französischen Bevollmächtigten nicht unerwartet kommen; doch gab Drouyn - wohl mehr nur zum Schein - seinem Befremden darüber Ausdruck, dass der schweizerische Minister hier leider zwei ganz verschiedene Gesichtspunkte vermische, indem er in die Diskussion eine politische Frage hineinbringe, die gar nicht hineingehöre. Ja, er bekräftigte, die französischen Bevollmächtigten hätten nie im Sinn gehabt, "d'obtenir indirectement, au moyen d'une stipulation commerciale, un assentiment formel à une extension du territoire français..." (476) - vor Tische las man's doch ein wenig anders! Aber es war ja für Kern und die Schweiz wichtig, wie man's nun bei Tische las. Und da schien es ganz nach schweizerischem Wunsch zu gehen: der französische Vorschlag, erläuterte Drouyn, lasse den Gegenstand der schweizerischen Vorbehalte von 1860 völlig intakt, er würde durch die jetzigen Verhandlungen weder ausgeweitet noch beeinträchtigt, "les Plénipotentiaires des deux pays n'ayant reçu de pouvoirs que pour régler les rapports de commerce et de douane entre la France et la Confédération" (477). Frankreichs Wunsch wäre es, dass die Konzessionen, die früher nur der kleinen sardischen Zone gemacht worden seien, in erweiterter Form auch den andern Teilen Nordsavoyens zugestanden würden. Frankreich habe bereits die Zolllinien zwischen Genf und den savoyischen Provinzen aufgehoben, die Schweiz sollte daher Gegenrecht halten. Zuletzt wandte er - in sehr sanfter Form selbstverständlich - das massivste Druckmittel an: sollte über diesen Streitpunkt keine zufriedenstellende Regelung erzielt werden können, so sähen sich die französischen Bevollmächtigten gezwungen, die Ansichten und Befehle des Kaisers darüber einzuholen, ob angesichts dieser Schwierigkeiten die Verhandlungen weitergeführt werden sollten.

Wie schwer wog diese Drohung? Dies war auch für Kern nicht leicht zu entscheiden, doch hatte er anscheinend den Eindruck, der Brei würde schliesslich wohl auch nicht so heiss gegessen, wie er gekocht worden war. So schrieb er an den Bundesrat: "Ich kann vorläufig noch nicht glauben, dass man die Konferenzverhandlungen einzig wegen der Savoyerzone und unserem diesfälligen refus abbrechen werde. - Die Zeit wird bald darüber belehren" (478). Allerdings hatte er feststellen müssen, dass beide Bevollmächtigten mit aller Entschlossenheit auf ihren Forderungen stehenblieben und andererseits es nicht unterliessen, "ihr Befremden ziemlich lebhaft zu erkennen zu geben, dass ihr Begehren so beharrlich und so entschieden abgelehnt werde" (479). Kern schien es, sie seien von Savoyen her durch Petitionen, Besuche von Abordnungen usw. stark beeinflusst worden, und ihre Haltung sei wohl auch auf den Wunsch des Kaisers zurückzuführen, seinen neuen Untertanen einige Begünstigungen zu verschaffen. So hätten sie denn auch durchblicken lassen - etwas, das nicht aus dem Protokoll ersichtlich wird -, eine Verweigerung der Reziprozität könnte die Aufhebung der zollfreien Zone auch von seiten Frankreichs zur Folge haben.

Kern verwahrte sich gegen den Vorwurf, durch seine Erklärung die volkswirtschaftlichen und politischen Fragen vermengt zu haben. Das einzige Ziel seiner historischen Darstellung sei es gewesen nachzuweisen, dass schon nur die Diskussion über diese französischen Begehren die spätere Ratifikation durch die eidgenössischen Räte verunmöglichen müsste.

Challet-Venel plädierte anschliessend dafür, nur die Beziehungen Genfs zum Pays de Gex zu regeln, dessen Bewohner wie genferische Mitbürger betrachtet und behandelt werden sollten. Dieser Vorschlag schien angesichts der viel weitergehenden französischen Forderungen sehr eng, und es bot sich eigentlich wenig Aussicht darauf, dass er von Frankreich so angenommen werden könnte. Und doch lag in dieser Beschränkung schliesslich dann die Lösung des dornenvollen Problems.

Da man aber noch lange nicht so weit war, versuchte Rouher, die seiner Ansicht nach auf Nebengeleise abgeglittene Diskussion wiederum dorthin zurückzuführen, wo sie sich stets hätte abspielen sollen. Allerdings konnte auch er keine neuen Gesichtspunkte mehr aufzeigen, sondern er beschränkte sich mit dem Wiederholen der alten: eine Modifikation des Reglementes für das Pays de Gex? - gut! aber: warum dann nicht auch gleich ausdehnen auf die andern Provinzen, die doch ebenfalls den Genfer Markt alimentierten? Frankreich habe ja als Rechtsnachfolgerin Sardiniens alle Verpflichtungen innegehalten und könne nicht begreifen, dass ein solches Entgegenkommen der Schweiz irgendwelchen politischen Charakter an sich tragen könnte.

Kern blieb fest. Alle seine Argumente nochmals zusammenfassend, legte er die grundsätzliche Meinungsverschiedenheit dar, die zwischen dem Bundesrat und der französischen Regierung bestand: während man in Frankreich glaube, die Schweiz könne eine Regelung im französischen Sinne ohne weiteres annehmen, sei der Bundesrat deshalb nicht der gleichen Ansicht, weil der Umstand eine grosse Rolle spiele, dass der fertige Vertrag schliesslich in beiden Ländern einer ungleichen Behandlung unterliege. Im Gegensatz zu Frankreich müsse er in der Schweiz die Kommissionen beider Räte und die Bundesversammlung selbst passieren, wobei die Presse sich der Frage bemächtigen und nicht zögern werde, allfällige Privilegien für Savoyen als eine nachträgliche Anerkennung und Sanktion der Annexion zu bezeichnen; damit wäre die Ratifikation des Vertrages schwer gefährdet, wenn nicht sogar von vornherein verunmöglicht. Kern bat deshalb die französischen Vertreter, von ihren Forderungen abzusehen. Rouher brachte am Schluss auf Kerns Wunsch hin noch die französischen Begehren betreffend den Genfersee vor: Freiheit und Gleichstellung aller Schiffe auf dem Genfersee und in den Häfen beider

Länder; ein Reglement über die Fischerei sollte durch eine internationale Kommission ausgearbeitet werden.
Damit war man, nachdem die Verhandlungen über eine Reihe von Tariffragen greifbare Resultate gezeitigt hatten, wieder einmal in eine Sackgasse geraten. Vorderhand musste schweizerischerseits einfach abgewartet werden, welche Haltung Frankreich beibehalten wollte. Kern war es aber klar, dass der einzige Ausweg aus dem Ganzen höchstens darin bestehen konnte, dass man gegenüber dem Pays de Gex weitgehende Zugeständnisse machte. Es war also gut, hatte der Bundesrat doch rechtzeitig die ursprünglich ganz abweisende Haltung modifiziert.
Einen Einblick in die Art und Weise, wie die französischen Bevollmächtigten die Lage beurteilten, gibt uns ein Schreiben Drouyns an Turgot, von dem der Bundespräsident - vermutlich von Turgot direkt - eine Kopie erhielt. Es war eine Orientierung über das in der elften Konferenz Vorgefallene und besagte u.a. - man kann es wohl zum Nennwert nehmen - : "...j'ai jugé utile de ramener la discussion sur le terrain exclusif des intérêts économiques dont, suivant moi, elle n'aurait pas dû s'écarter" (480). Der Zweck des Schreibens war, dem französischen Botschafter in der Schweiz, der über die Verhandlungen nur ganz dürftig informiert war und im übrigen mit Drouyn auf gespanntem Fuss stand, die Möglichkeit zu geben, bei einer sich bietenden Gelegenheit die Tatsachen ins richtige, ins französische Licht zu stellen. Gedacht war sicher vor allem, dass er nachweisen sollte, Frankreich wolle nicht etwa quasi durch die Hintertür eine Anerkennung der Annexion erreichen (was ja Frankreich wirklich nicht auf diese Weise anstrebte). Am Ende erteilte Drouyn dem Botschafter in Bern folgenden Auftrag: "Je vous saurai gré, Monsieur le Marquis, de témoigner de nouveau, dans cette circonstance, aux membres du Gouvernement Helvétique, notre vif désir d'applanir les difficultés qui pourraient retarder la conclusion d'un traité dont les avantages sont justement appréciés par les diverses industries de la Suisse; mais vous ne devez pas leur dissimuler en même temps qu'ils ne sauraient contribuer d'une manière plus efficace au succès de cette négociation qu'en dégageant de l'appréciation de questions purement commerciales, des préoccupations d'une autre nature auxquelles nous ne saurions sacrifier les légitimes intérêts de nos nationaux" (481).
Einer Tagebuchnotiz von Dubs, zehn Tage später, können wir entnehmen, dass Turgot wirklich daranging, die Mitglieder des Bundesrates zu bearbeiten. Noch anfangs März hatte Dubs notiert, die Verhandlungen für den Handelsvertrag rückten ziemlich vor, und ein befriedigender Abschluss sei zu erwarten (482); allerdings sei Kern, trotzdem er sich viel Mühe gebe, immer noch etwas nachgiebig. Einen Monat später aber hiess es: "In Frankreich marschierte unser Handelsvertrag prächtig vorwärts, bis er auf einmal wieder über Savoyen stolperte. Frankreich will, dass wir die Produkte der von ihm befreiten Zone auch unsererseits frei eingehen lassen, und da wir in-

struierten, es solle die politische Frage erledigt werden, ehe wir irgendwelche Konzessionen machen, die die Anerkennung Savoyens in sich schliessen werden, so droht Frankreich mit Abbruch der Unterhandlungen" (483).
In diesem Sinne hatte Turgot - nach seinem eigenen Bericht nach Paris zu schliessen - dem Bundespräsidenten Fornerod gedroht und dabei vorwurfsvoll bemerkt, der französische Aussenminister sei lebhaft verletzt gewesen, "de voir le Gouvernement Suisse considérer le décret d'annexion de la Savoie à la France comme un vain simulacre" (484). Fornerod, der sich allem Anschein nach fast entschuldigend benommen hatte, beeilte sich zu erklären, dass Kern zwar durch die Instruktion zu seiner Haltung verpflichtet gewesen sei, die Schweiz hingegen die Verhandlungen auf alle Fälle weiterführen möchte (485). Dubs war aber überzeugt, dass es sich bei Turgots Worten um eine leere Drohung handelte (486), womit er vollkommen recht behalten sollte.

3. Erste Verhandlungspause; Erteilung der neuen (zweiten) Instruktion durch den Bundesrat (April/Mai 1863)

Beide Parteien mussten nun, nachdem man eine kleine Verschnaufpause vereinbart hatte, ihre alten Positionen wieder einmal gründlich überprüfen, das Fazit aus den jeweiligen Reaktionen des Partners auf die verschiedenen Vorschläge ziehen und dann, für die Weiterführung der Verhandlungen, ihre neue Plattform beziehen. Hatte man ursprünglich nur an eine kurze Unterbrechung gedacht, so wurden es dann doch, fast ausschliesslich wegen der Schweiz, beinahe zwei Monate daraus.
Die Grundlage für die Beratungen neuer schweizerischer Instruktionen bildete die Liste der französischen Forderungen, die Kern Ende März in einer Audienz von Drouyn mitgeteilt erhalten hatte und welche er zusammen mit seinen dabei gegenüber Drouyn abgegebenen Entgegnungen dem Bundesrat übermittelte (487).
Frankreich wollte die schweizerische Stellungnahme zu folgenden Forderungen kennenlernen:
1) a) "Faculté pour les Français chrétiens ou non, de s'établir ou d'exercer le commerce dans toutes les parties de la Confédération aux mêmes conditions que les ressortissants du Canton où ils fixeront leur résidence".

Kern machte diese Konzession abhängig vom noch ausstehenden französischen Entgegenkommen bei der Gaze, Mousseline und den Seidenbändern.
    b) "Révision des conventions d'établissement, de police, de justice et de voisinage, du 30 mai 1927 et 18 juillet 1828". Dazu, so meinte Kern, wäre die Schweiz bereit und müsste nur die konkreten französischen Begehren erfahren können.
2)   "Garantie réciproque de la propriété des oeuvres d'esprit et d'art. Appli-

cation de la même garantie à la propriété des marques de fabrique et de commerce ainsi que des modèles et dessins industriels", analog Artikel 16 des französisch-belgischen Vertrages vom 1. Mai 1861.
Auch hier entgegnete Kern, eine schweizerische Verpflichtung hange von den bei der Judenfrage schon erwähnten französischen Konzessionen ab.
3) a) "Assimilation des tarifs (analog dem italienisch-französischen Vertrag vom 17. Januar 1863)... pour les articles suivants": 22 Artikel (Nahrungs- und Genussmittel wie Bier, gebrannte Wasser, Käse, Fische, Essig; weitere gemischte Artikel wie Tischlerwaren, Möbel, Papier, Felle, Töpferwaren, Metallwaren, Seifen, Strohgeflechte, optische Instrumente, Chemikalien).
b) "Suppression réciproque des droits de sortie " (ausgenommen für die Rohstoffe für die Papierindustrie).
Kern konnte zu dieser Liste, da sie für ihn ganz neu war, noch keine Stellung nehmen. Er empfahl aber dem Bundesrat, den "wirklich gerechtfertigten" Wünschen so weit wie nur möglich entgegenzukommen. Es handle sich hier, so hatte ihm Herbet mitgeteilt, um eine stark reduzierte Liste, die ursprünglich 120 Artikel umfasst hatte! Kern hatte in der Tat eine wesentlich höhere Zahl von Desiderata erwartet. Der Forderung unter b) habe er sich aber entgegengestellt.
4) "Remaniement du régime des vins français en Suisse d'après les bases suivantes:
a) Réduction du droit fédéral d'entrée à 50 cts./100kg et des taxes cantonales, par échelonnement, dans un délai de trois ou quatre ans, au taux uniforme de 4 fr./100kg, constituant un maximum.
b) Suppression de toute différence entre les vins français et suisses après que les produits français ont été nationalisées par l'aquittement des droits de douane.
c) Assimilation des vins en fûts et en bouteilles, pour l'application des droits".
Während Kern grundsätzlich bei den früheren ablehnenden Erklärungen verharrte, gestand er die laut Instruktion vorgesehene Zollreduktion für Flaschenweine auf 7 Fr./100kg nun zu (488).
5) a) "Régime spécial pour l'importation en Suisse des produits des zônes françaises du Pays de Gex et de la Savoie du Nord placées en dehors des lignes de douane de l'Empire;
b) Admission en franchise, sans certificats d'origine, des produits agricoles.
c) Extension aux propriétaires français des facilités accordées aux propriétaires suisses de vignobles situés dans un rayon de 8 km de la frontière pour l'importation de leurs vins sur le territoire fédéral
d) Admission des produits manufacturés des zônes, sous les conditions et moyennant les garanties qui seront jugées nécessaires pour prévenir la frau-

de".

Kern blieb ganz entschieden ablehnend, indem er sich auf die Instruktion stützte und die Erklärung aus der elften Konferenzsitzung wiederholte. Für den Punkt c) wünschte er neue Anweisungen.

6) "Règlement prévu par l'article 8 du traité du 18 juillet 1828 pour l'exploitation des forêts limitrophes des frontières sur les bases suivantes:
a) La liberté réciproque d'exportation entourée des garanties nécessaires pour ôter aux autorités particulières des cantons la possibilité de modifier la convention internationale.
b) Faculté pour les produits des propriétés françaises de circuler sur le territoire suisse aux mêmes conditions que les bois provenant des forêts appartenant aux nationaux.
c) Application des dispositions de l'article 682 du Code Napoléon aux propriétés boisées appartenant à des Français sur le territoire suisse.
d) Droit pour tous les propriétaires de forêts d'instituer des Gardes en se conformant aux lois du pays où elles sont situées". Einer solchen Regelung, so erwiderte Kern dem Aussenminister, sei die Schweiz nicht nur geneigt, sondern wünsche sie mit Nachdruck. Es sollte aber noch eine Bestimmung (analog dem Artikel 15 des französisch-belgischen Vertrages) über die Freizügigkeit des Nahrungsmittelaustausches beidseits der Grenze beigefügt werden. Vom Bundesrat verlangte Kern entsprechende Instruktionen.

7) "Règlement pour la navigation et la pêche sur le lac de Genève:
a) Liberté complète de navigation sur le lac et d'abord, à un point quelconque de son litoral, pour les bateaux à vapeur, barques et radeaux et, en général, pour toutes les embarcations de la France et de la Suisse.
b) Assimilation des pavillons respectifs quant aux droits de navigation à percevoir, à un titre quelconque, dans les ports français ou suisses.
c) La partie du règlement concernant la pêche sera arrêtée ultérieurement par une commission internationale".
Zu diesem letzten Punkt, bemerkte Kern, hätten sich die Genfer Experten positiv geäussert; der Bundesrat möchte doch auch dazu Stellung nehmen und Instruktionen erteilen.

Wie dann Drouyn am Schluss der Audienz zu Kern sagte: "... wir seien noch weit, sehr weit auseinander", benutzte der schweizerische Gesandte die Gelegenheit, um nochmals die französische Regierung daran zu erinnern, dass besonders die noch nicht abgeklungene Missstimmung in der Savoyerfrage es einfach unmöglich mache, diesen Fragenkomplex in die jetzigen Beratungen einzubeziehen. Andererseits wollte Kern aber eine generelle Beilegung der politischen Seite immer noch vorbehalten wissen - was ja ein altes, schon oft vorgebrachtes Anliegen war, doch höhlte leider hier in diesem Fall der stete Tropfen den Stein bekanntlich nicht.

Kern wünschte vor allem Anweisungen zum Punkt 3. Dabei regte er an, es "sollten die Instruktionen denn doch nicht zu enge, zu limitiert, abgefasst sein" und versprach, davon einen elastischen, der jeweiligen Verhandlungssituation angepassten Gebrauch zu machen: "Jedes Zugeständnis bleibt ja immer noch abhängig davon, dass namentlich in den zwei Punkten, wo wir bis jetzt nur noch Hoffnungen haben (Reduktion des Zolles auf Mousselines und rubans de soie), diese Hoffnungen durch positive Zugeständnisse sich verwirklichen". Wenn dies geschähe, so würde die Schweiz neben den Vorteilen des tarif conventionnel noch in den Genuss von speziellen Vergünstigungen kommen, die wohl zu erwägen wären, bevor man die Verhandlungen abbräche. Da bereits Gerüchte umgingen, Frankreich wolle Unterhandlungen mit einem weitern europäischen Staat beginnen, sollten aber, wenn die Schweiz dadurch nicht plötzlich auf ein Abstellgeleise geschoben werden wollte, die neuen Instruktionen ohne Verzögerung abgefasst werden.

In Bern sah man es nicht ganz so und hatte es nicht gerade eilig mit der Ausarbeitung der neuen Instruktionen, denn man beurteilte die Lage offensichtlich um einiges weniger gespannt als Kern, der gewissermassen an der Front sass. Der Bundesrat erklärte sich denn mit folgendem Antrag des Handelsdepartementes einverstanden: "Bei der hohen Wichtigkeit der zu erteilenden Instruktion ist Eile in der Vorbereitung derselben so wenig ratsam als tunlich" (489). Man wollte zuerst das offizielle Konferenzprotokoll in aller Ruhe studieren, zudem erfordere, wie der Bundesrat an Kern schrieb, die "jedenfalls etwas heikle Materie" der Genferzonen eine eingehende Analyse, weshalb nichts überstürzt werden dürfe (490). An diese Erklärung, man wolle sich lieber etwas zurückhalten, hat man sich in der Folge in Bern sehr genau gehalten...

Von Rouher erfuhr Kern in einer Audienz einige Präzisierungen zu den französischen Begehren, so z.B., dass die Schweiz an ihren Ausfuhrzöllen keinesfalls mehr festhalten konnte: "darüber herrscht bei mir nach der gestrigen Audienz nicht der geringste Zweifel" (491). Während der Handelsminister aber die Savoyerfrage ganz beiseite liess, festigten seine Ausführungen über die Judenfrage bei Kern endgültig die Ueberzeugung, "dass diese Judenfrage bei Anlass der Unterhandlungen ihre Erledigung finden muss", selbst wenn sogar eine Partialrevision der Bundesverfassung notwendig werden müsste, von deren Wünschbarkeit und Unabwendbarkeit Kern aber noch nicht überzeugt war, da ihm die Gefahr einer üblen Agitation bei der Volksabstimmung zu gross schien. Auch der französische Vorschlag, dieses Problem durch einen Artikel im Handelsvertrag selbst zu lösen, behagte Kern nur wenig. Welche Grundgedanken der - hoffentlich bald eintreffenden - Instruktion seiner Meinung nach zugrundeliegen müssten, fasste er im Schlusssatz so zusammen: "Festhalten an Punkten, wo ein Nachgeben den Vertrag selbst kompromittieren würde, wie bei der Frage des Weinzolls und der Konsumogebühren so wie der Savoyer Zone; Entgegenkommen, billig und so weit es immer unsere Finanzen gestatten, wo es sich um Modifikation des Tarifs handelt; Entgegenkommen ferner in der Judenfrage, wenn uns in den bekannten vorbehaltenen Begehren (wie bei Mousseline- und Seidenbandzöllen) entsprochen wird" (492).

Viel zu reden und zu schreiben zwischen Paris und Bern gab auch die Frage, ob die Schweiz ihre Aufenthaltsgebühren gemäss den französischen Begehren aufheben wollte, um dagegen von den französischen Passvisagebühren befreit zu werden. Da die ganze Sache schliesslich nur eine halbe Erledigung erfuhr, soll hier jeweils nur das wesentlichste aus den Verhandlungen und Korrespondenzen über diese Probleme dargestellt werden. Im Zusammenhang mit diesen Fragen sei hier eine Bemerkung von allgemeiner, weiterreichender Bedeutung angeführt, die deutlich zu belegen vermag, wie problematisch Kerns Stellung zuweilen war. Zwischen der Skylla des auf Härte drängenden Bundesrates und der Charybdis der Franzosen, die ein grösseres Entgegenkommen für unabdingbar hielten, fühlte sich Kern mehr und mehr unbehaglich. Seine Hauptsorge war gewiss - wie sich mehreren seiner bisherigen Aeusserungen entnehmen liess -, sich dem Bundesrat als ein hartnäckiger, durch keine Mätzchen beeindruckbarer Unterhändler zu präsentieren, was er objektiv gesehen gewiss auch war. Hingegen hatten ihn anscheinend auf der andern Seite die ständigen Vorwürfe der französischen Bevollmächtigten, er zeige sich zu wenig nachgiebig, doch schon etwas mürbe gemacht, so dass er den Bundesrat bat, folgende Grundregel der Verhandlungen nicht zu vergessen: "Es wird zuweilen nötig, den gegenüberstehenden Negotiatoren das Hinübertreten zu der günstigeren Auffassung, die man anstrebt, durch solche Erklärungen, die seiner Antwort wenigstens so weit Rechnung tragen, als es nach bestehenden Instruktionen oder anderweitigen Verhältnissen möglich ist, zu erleichtern" (493). Wofür also Kern hier plädierte, war dies: entgegenzukommen, um dem Verhandlungspartner das Entgegenkommen zu erleichtern, Konzessionen dort zu machen, wo sie für das eigene Interesse nicht nachteilig waren, hingegen an andern Stellen Gegenkonzessionen nach sich zu ziehen imstande waren; mit andern Worten: in verfahrenen, aussichtslos erscheinenden Situationen den Verhandlungspartnern goldene Brücken zu bauen, wenn sonst eine Einigung nicht erzielt werden konnte. Ob man diese Ueberlegungen in Bern begriff? Aus den Akten wird das nicht ersichtlich, doch ist man geneigt anzunehmen, dass dies nur bei wenigen Mitgliedern des Bundesrates und auch bei ihnen nur zeitweilig der Fall war.

Mitte April kündigte Rouher eine Sitzung für die folgende Woche an, was Kern als ein deutliches Indiz dafür interpretierte, dass die französischen Begehren in der Savoyerfrage nicht dazu bestimmt gewesen waren, die Verhandlungen zum Scheitern zu bringen. Hingegen ärgerte sich Kern wieder einmal über die Auseinandersetzungen in den Westschweizer Zeitungen, die durch ihre Aeusserungen nur erneute Demarchen aus Savoyen bei der französischen Regierung hervorzurufen imstande waren, also Kern die Aufgabe nur erschweren konnten (494). "Gewisse Journalisten", beklagte er sich in einem auch für uns heute nicht unvertrauten Ton, "scheinen keine Ahnung zu haben, dass sie auf solchem Wege den Interessen des Landes schaden statt nützen

und Negotiationen fast unmöglich machen" (495) - er schien aber zu vergessen, dass dies eben das Risiko eines Staates mit freier Presse ist. Kern beschwichtigte den französischen Aussenminister, der sich bei ihm über die feindlichen Artikel beschwerte, mit dem Hinweis, es handle sich hiebei nur um die Ansicht unmassgeblicher Individuen.
Mehrere Male in diesem Monat drängte Kern auf baldige Instruktionen (496), doch wurde er von Bundesrat Frey-Herosé oder vom Gesamtbundesrat vertröstet oder erhielt gar keine Antwort (497). Vorübergehend schien sich die Savoyerangelegenheit wieder störend in die Quere zu schieben, da aus diesen Provinzen "mit erneuertem Eifer und mit Erfolg hier eingewirkt worden" (498) war und die Aussichten für eine Verständigung plötzlich wieder bedeutend ungünstiger waren als anfangs April. In den politischen und diplomatischen Kreisen in Paris gingen schon Gerüchte um, die Verhandlungen mit der Schweiz könnten als abgebrochen betrachtet werden (499).
Auch Bundesrat Frey-Herosé war über die Presse der Westschweiz erbost und fand, man hätte eigentlich auch ohne diese zusätzlichen Komplikationen sonst schon Anstände und Schwierigkeiten genug. Von Turgot vermutete er, dass dieser in Paris zum Nichtnachgeben in der Savoyerfrage rate; Turgot stelle sich nämlich die Lösung wahrscheinlich folgendermassen vor: "Er sagte hier, man getraue sich jetzt nicht, die gewünschten Konzessionen den gesetzgebenden Räten vorzulegen und beliebt zu machen, man soll Zeit gewinnen und warten, bis Herr Stämpfli wieder Präsident sei, der werde sich schon getrauen und die Sache ins Blei zu bringen wissen wie beim Dappentalvertrag. Ich habe bei Turgot eine solche Meinung schon zu bekämpfen gesucht" (500), doch blieb Frey-Herosé dabei offenbar erfolglos. "Aber Turgot scheint sich von Stämpflis Macht und Einfluss eine ganz irrige Vorstellung zu machen, scheint auch zu glauben, ihn ganz für sich gewonnen zu haben. Auf welche Wahrnehmungen er sich dabei stützt, weiss ich nicht" (501). Der Vorsteher des Handelsdepartement hatte mit seiner Vermutung, Turgot rate in der Savoyerfrage zu einem harten Kurs, völlig recht. Dieser beklagte sich nämlich in einem Bericht an Drouyn, dass er von keinem der Bundesräte in dieser Frage eine befriedigende Antwort erhalten habe und schloss daraus: "Je crois donc que Votre Excellence sera parfaitement fondée à ne pas céder aux instances et à l'insistance de MMrs. les Plénipotentiaires suisses en ce qui concerne la frontière de Savoie" (502). Von einer besondern Hochschätzung Stämpflis und der Hoffnung auf dessen entscheidenden Einfluss war hingegen nichts zu spüren.
Ein Verhandlungsabbruch stand aber keineswegs zur Diskussion. Kern erhielt die französischen Forderungen betreffend das Pay de Gex mitgeteilt: ein deutlicher Beweis dafür, dass erstens Frankreich weiter zu verhandeln gewillt war und zweitens von seinen ersten weitgehenden Forderungen wegen der Zonen absah und bloss erweiterte Konzessionen verlangte auf der Grundlage der Uebereinkunft von 1853. Auf diese Forderungen und die schweizerische Ant-

wort darauf soll weiter unten materiell eingegangen werden. Was die Instruktion anbelangte, glaubte Kern hoffen zu dürfen, dass diese nicht in einer Form gegeben würden, "die mich gegenüber den französischen Bevollmächtigten in eine Stellung brächte, dass ich über Konzessionen, die nicht einmal Zugeständnisse von 100 Franken und selbst weit geringeren Beträgen per Jahr auf einzelnen Artikeln mit sich bringen, die pourparlers in der Konferenz abbrechen müsste, um jedesmal wieder neue Instruktionen einzuholen" (503). Es war das alte Lied vom Gängelband, das sich Kern nicht allzu eng wünschte. Eine andere, auch nicht neue Sorge beschäftigte ihn wieder einmal, nicht zuletzt wahrscheinlich ausgelöst durch die Stellen in Frey-Herosés Brief über Turgot: in Bern sollte peinlich genau darauf geachtet werden, dass über die zu erteilenden Instruktionen nichts an Unbefugte gelangte, und Kern fügte warnend bei: "Die französische Gesandtschaft in Bern wird nicht ermangeln, sofort alles hieher zu berichten, was sie mit ihren Gehülfen irgend ausforschen kann und dann würde mein Zurückhalten nichts nützen, wenn es ihr gelänge zu erfahren, wie weit die Instruktionen lauten" (504).
Einige Tage vorher hatte Kern an Dubs, den ohne Zweifel fähigsten und auch theoretisch am stärksten interessierten Verfassungsrechtler unter den Bundesräten, verschiedene Fragen gestellt, in denen Kern alle diejenigen Punkte aufgriff, bei denen die Bundesverfassung von den französischen Forderungen berührt wurde. Aus dem "Privat"-Gutachten von Dubs (505) seien folgende Ueberlegungen herausgenommen:
Einer Aufhebung der Transit- und Exportzölle stände zwar der Artikel 25 entgegen, doch gab Dubs dazu die etwas verfängliche Erklärung, man müsse zugeben, "dass in Folge des französischen Handelsvertrages die Konstitutionsbasis unseres Zollwesens de facto wesentlich verändert wird" - ein gefährlicher Zirkelschluss, denn: sollte nicht vielleicht zuerst die Konstitutionsbasis des Zollwesens verändert werden, bevor man dementsprechende Engagements gegenüber einem andern Staat einging, anstatt einfach post festum den faktisch verwandelten Zustand zu konstatieren? Dubs musste sich dabei nicht ganz wohlfühlen.
In der Ohmgeldfrage (Artikel 32 c und d) hatten, laut Dubs, im Bundesrat schon heftige Kämpfe über die Kompetenzfrage stattgefunden; die Mehrheit hatte entschieden, vorerst über diese Frage verhandeln zu lassen wie über das Judenproblem. "Es wird sich dann zeigen, wie man zum Schluss das Ensemble dieser Verfassungsfragen behandeln will". Sollten sich Anstände wegen der Ohmgelder ergeben, so wäre er, Dubs, für deren Abschaffung, die doch so oder so einmal kommen musste. (Aber bis dahin dauerte es immerhin noch ganze 27 Jahre!)
Die Auswirkungen einer Vereinbarung zum Schutz des geistigen Eigentums beurteilte Dubs wesentlich pessimistischer als Kern. Aber bei der Frage, wie dies konkret realisiert werden sollte, skizzierte er diejenige Lösung, für welche man sich schliesslich nach längerem Hin und Her ein Jahr später

entschied: die Strafbestimmungen sollten gleich in den Handelsvertrag - oder noch besser - in einen besonderen Vertrag aufgenommen werden. Ohne kritische Einwände aus den Kantonen könnte aber das Ganze kaum erledigt werden. Was die Aufenthaltsgebühren anbelangte, empfahl er Kern, einmal darüber mit dem Kaiser zu sprechen, denn dieser kenne unsere Gemeindeverhältnisse und werde "unsere Einwendungen besser verstehen als seine Minister, denen diese Dinge allerdings nicht leicht klar zu machen sind Als ich seinerzeit dem Herrn Turgot erzählte, ich habe selbst als Regierungspräsident von Zürich der Stadt Niederlassungsgebühren bezahlen müssen, schlug er die Hände voll Erstaunen über dem Kopf zusammen: das geht eben durchaus über den Horizont eines französischen Unitariers!"

In der Judenfrage wusste Dubs anscheinend selbst noch gar nicht, wie man diesem psychologisch heikelsten Problem am besten zu Leibe rückte. Wenn die alte liberale Partei in dieser Sache einig wäre, meinte er, so stünde es in vielem einfacher; aber offenbar ging der Riss durch sie hindurch. Dubs befürwortete, falls sich dies als notwendig erachten sollte, eine partielle Verfassungsrevision, doch musste man vorderhand damit noch abwarten. Kerns Hoffnung, ein freiwilliges Emanzipationsdekret von Baselstadt könnte eine grosse moralische Wirkung ausüben, wollte Dubs nicht teilen. Im Augenblick seien nämlich die Aargauer und die Basellandschäftler die wildesten Gegner, und die Lösung des ganzen Problems konnte nach Dubs' Ansicht nur durch einen Machtspruch der Bundesversammlung oder des ganzen Schweizervolkes gelöst werden. "Wenn Sie von einem Emanzipationsdekret Basels einen grossen moralischen Erfolg erwarten, so haben Sie in der Tat einen guten Glauben an Israel! In der Schweiz wird man sagen, es handle sich um ein Spekulatiönchen". So oder so aber musste die Frage jetzt gelöst werden, nur schon im Hinblick auf kommende Handelsverträge mit den orientalischen Staaten. Hingegen riet er davon ab, dies im Handelsvertrag selbst zu regeln, sondern er wollte den Niederlassungsvertrag entsprechend revidiert sehen, was er so begründete: "Es heisst sonst, wir haben die Juden zu einem Handelsartikel gemacht". Die Ansichten besonders der Basler und das Vorgehen Kerns in Paris zeigten zwar, dass man dies von schweizerischer Seite aus wirklich tat; der Vorschlag von Dubs bedeutete bloss, dass man es zu kaschieren suchte.

Am 6. und 7. Mai endlich, mehr als einen Monat, nachdem Kern die neuen Instruktionen verlangt hatte, wurden sie vom Bundesrat zum grössten Teil beraten und verabschiedet; am 27. Mai folgten die restlichen Anweisungen nach. Sie basierten auf den französischen Forderungen von Ende März, wobei die gleiche Nummerierung übernommen wurde. Der Entwurf des Handels- und Zolldepartementes (506) wurde in verschiedenen Punkten vom Bundesrat ergänzt oder geändert. Um die Differenzen zwischen diesen beiden Fassungen deutlich zu machen, sollten Entwurf und Zusätze hier gesondert dargestellt werden.

Entwurf des HZD	Zusätze des Bundesrates

Ad 1)(Niederlassungsfrage, siehe oben S. 141)

a) Die bereits erteilte "Vollmacht zu angemessenen Konzessionen" dürfte genügen.

"Sie werden dahin wirken, dass diese Frage im Niederlassungsvertrag ihre Stelle findet und nicht in den Handelsvertrag aufgenommen wird" (507).

Die Gleichstellung der Franzosen mit den eigenen Bürgern des Kantons, wo sie sich niederlassen, ist "untunlich" und nicht notwendig. Es soll nicht weitergegangen werden, als dass die Franzosen gleich behandelt werden wie die Schweizerbürger aus andern Kantonen.

b) Dazu ist die Schweiz bereit; französische Vorschläge sollen verlangt werden. Dabei sollte die Abschaffung der französischen Passvisa verlangt werden.

Wäre eine Konzession unbedingt nötig, dann kann der Bevollmächtigte folgende Bereitschaft der Schweiz erklären: der Bundesrat wird dafür sorgen, dass die Franzosen in allen Kantonen in bezug auf Staats-, Bezirks- und Gemeindelasten den Schweizern anderer Kantone gleichgestellt sind, und er wird die Prüfung und allfällige Revision der kantonalen Gesetzgebungen nach Vertragsabschluss an die Hand zu nehmen.

Ad 2)(Schutz des geistigen Eigentums, siehe oben S. 141f.)

Die gegebenen Vollmachten sollten genügen, mit dem Zusatz, dass bei wesentlichen französischen Konzessionen auch der Schutz für Musterzeichnungen zugesagt werden kann.

Eine dem Art. 16 des französisch-belgischen Vertrags analoge Bestimmung wäre erforderlich (508).

Besonders zu beachten: bei Beschlagnahmungen soll der Wohnort des Beklagten der Gerichtsstand sein.

In die in Aussicht gestellte Spezialkonvention sollten alle Bestimmungen im Zusammenhang mit diesem Problem aufgenommen werden, "damit nicht ein besonderes Bundesgesetz von hier aus erforderlich werde" (509).

<u>Ad 3)</u> (Allgemeine Tariffragen, siehe oben S. 142)

a) Eine gegenseitige Gleichstellung ist wegen der Verschiedenheit der Systeme nicht möglich. "Dagegen sind Sie ermächtigt, auf den von Frankreich bezeichneten Waren folgende ermässigte Eingangsgebühren hierseits zuzugeben" (510).

	jetziger Ansatz (alles für 100 kg)	neuer	Französischer Einfuhrzoll
Bier	3.-	1.50	2.-
Holz	-.02 bis 4.-	-.02 bis -.60	frei
Droguerien	1.50 bis 30.-	-.60 bis 16.-	frei bis 11.-
Schokolade	30.-	16.-	35.-
Branntwein, in Fässern	7.-	7.-	?
in Flaschen	30.-	16.-	15.- plus droit de consomm.
Käse	7.-	4.-	4.-
Präzisionsinstrumente	16.-	4.-	frei
Papier	3.- bis 16.-	3.- bis 16.-	8.-
Töpfereien	3.-	1.50	frei bis 4.-
Chemische Produkte	-.60 bis 7.-	-.60 bis 1.50	frei bis 20.-
Seife (ausg. Toilettenseife)	1.50 bis 4.-	1.50	12.-
Parfümerien ("La constitution fédérale ne permet aucune réduction sur les objets de luxe")	30.-	30.-	10.-

Bücher, alte	7.-	3.-	-.50 bis
neue	7.-	7.-	10.-

(Diese Liste wurde in der Folge "<u>Programme du 1er avril</u>" genannt).
Das Handels- und Zolldepartement hatte geprüft, welche finanziellen Einbussen der neu vorgeschlagene Tarif mit sich brachte. Dabei wurde der gesamte schweizerische Handelsverkehr mit dem Ausland berücksichtigt, da mit verschiedenen Staaten schon Handelsverträge mit der Meistbegünstigungsklausel bestanden, mit andern der Abschluss solcher Verträge zu erwarten war.

Jährlich zu erwartende Einbussen: Zolleinnahmen pro 1861:
Einfuhr   267'500 Fr.   7'570'401 Fr.
Ausfuhr   126'500 Fr.   466'623 Fr.

Total   394'000 Fr.   8'037'024 Fr.
(= ca. 1/20 der Zolleinnahmen)

Dies schien hoch, doch hielt das HZD diese Konzessionen für gerechtfertigt, indem es folgendermassen argumentierte: "... weil nach dem bekannten Erfahrungssatze, wie leichter, wie freier der Verkehr, desto grösser die Bewegung, die Erschliessung neuer Märkte für die schweizerische Gewerbstätigkeit derselben indirekt neue Nahrung zuführen muss, daher wohl ein erhebliches Opfer wert ist, und gerade aus diesem Grunde schwindet auch für die Bundeskasse die Besorgnis bezüglich ihres Ausfalles" (511).

b) Wir sind zu folgenden Konzessionen bereit:
<u>Ausfuhr</u>zölle:
Bearbeitetes Holz 2 Prozent (statt 3%)
Rohes Holz 3 Prozent (statt 5%)
Zu den im Tarif nicht aufgeführten, mit 10 Rp./50kg belasteten Waren kommen neu dazu: Häute, Felle, Gerberlohe (statt 80 Rp.) Baumrinde (statt 1 Fr.)
<u>Durchfuhr</u>zölle: Die Ansätze von 1860 bleiben bestehen.

Ad 4) (Weinzoll, siehe oben S.142)
"Dieses Verlangen ist ganz positiv abzulehnen". Der schweizerische Weinzoll ist mässig, die Weineinfuhr aus Frankreich wird davon nicht beeinträchtigt, ausserdem kommen keine Nebengebühren wie in Frankreich dazu.

a) Ist abzulehnen, da die Kantone dazu

nicht verpflichtet werden können. Die Gemeinden sind auf diese Einnahmen angewiesen.

b) Dem kann nicht entsprochen werden, da Art. 32 d BV vorschreibt, dass die Produkte schweizerischen Ursprungs niedriger zu belasten sind als ausländische.

c) Hier kann nicht weitergegangen werden, als was schon konzediert worden ist. Es kann die Zusicherung gegeben werden, dass für die Vertragsdauer weder der Einfuhrzoll noch die Konsumogebühren erhöht werden sollen. "Wobei die Möglichkeit nicht ausgeschlossen sein soll, diese Gebühren an der Grenze zu beziehen" (512).

Ad 5) (Savoyerzone, siehe S. 142 f.) a)-d): "In diese Begehren, wie sie hier gestellt sind, kann nicht eingetreten werden. Wir kennen keine andern Zonen als die durch die Verträge stipulierten; nämlich am 20. Nov. 1815 zu Paris in Bezug auf die Landschaft Gex und durch Art. 4 des Turinervertrages vom 16. März 1816 in Bezug auf die savoyischen Provinzen. Wir begehren auch keine Erweiterung derselben". Zu c): Hier musste es sich französischerseits um einen Irrtum handeln, denn die Schweiz gewährt dies auch den hier ansässigen Fremden.

Am 27. Mai wurde die Instruktion über den Punkt 5) noch näher erläutert (513). Lentulus hatte die französischen Begehren betreffend das Pays de Gex begutachtet und sie mit geringen Abweichungen zur Annahme empfohlen (514). Ueber die formelle Seite sagte der Bundesrat: "Hier ist zu verlangen, dass von diesen Verhältnissen im Handelsvertrag überhaupt nicht die Rede sei, da sie nur einen ganz speziellen Punkt des Verkehrs an einer beschränkten Stelle der Grenze betreffen und somit nicht in einen allgemeinen Vertrag gehören". Die früher bezogene ablehnende Stellung wurde erneut bestätigt; die Uebereinkunft von 1853 sollte aber gehörig erweitert werden (515).

Ad 6) (Grenzwaldungen, siehe oben S.143)
a)-d) Die bereits erteilten Instruktionen sollten genügen. Der Bundesrat wandte sich besonders gegen lit. a): "eine solche Fassung ist ein Misstrauensvotum, das man sich nicht gefallen lassen darf", umso mehr, als es einseitig nur gegen die schweizerischen Kantonsbehörden ausgesprochen wird.

Zum Punkt 6) äusserte sich der Bundesrat am 29. Mai noch näher. Da der Gegenstand grösstenteils in die Kompetenz der Kantone fiel, hatte der Bundesrat beschlossen, vorgängig die Kantone anzuhören. Das Handelsdepartement hatte einen Entwurf einer Uebereinkunft ausgearbeitet und ihn am 23. Mai an die Kantone, die an Frankreich grenzten, zur Vernehmlassung zugesandt; ausserdem begutachtete das Justizdepartement das Projekt ebenfalls. Bis aber die Ergebnisse dieser Umfrage vorlagen, sollte Kern sich an die alten Instruktionen halten (516).

Ad 7) (Schiffahrt und Fischerei auf dem Genfersee, siehe oben S.143)
Die Schiffahrt soll wie bisher auf dem ganzen See frei und ungehindert sein, doch darf am Schweizer Ufer nur an den vom Bundesrat festgelegten Plätzen angelegt werden, ohne dass dabei Unterschiede nach der Nationalität gemacht werden.

Ende Mai wurde die bundesrätliche Stellungnahme dahingehend präzisiert: "Bei solcher vollkommener Gleichstellung würde jedes Reglement nur störend einwirken, und wir können daher in keine derartigen Verhandlungen eintreten. Dabei fällt auch der politische Grund mit ins Gewicht, der uns verhindert, uns irgendwie in Verhandlungen einzulassen, welche die vertragsmässige Stellung Savoyens in materieller Beziehung zu modifizieren trachten" (517).

Am Schluss der Instruktion vom 7. Mai hatte der Bundesrat beigefügt, er setze voraus, dass beide Verträge, Handels- und Niederlassungsvertrag, gleichzeitig ratifiziert und in Kraft gesetzt würden und ermächtigte Kern, dazu Hand zu bieten.

Auch diese zweite Instruktion war wie die erste klar und verständlich, so
dass nur wenige Bemerkungen dazu notwendig sind:
Einmal lässt sich deutlich feststellen, dass - abgesehen natürlich von der
grossen Vorarbeit durch Bundesrat Frey-Herosé - sich in der endgültigen
Fassung der Einfluss von Dubs stark bemerkbar machte. So stammen, das
lässt sich auf grund seiner früheren Verlautbarungen mit Sicherheit behaupten, die Zusätze zu 1a) (Niederlassungsvertrag), 1b) (Gleichstellung in Aufenthaltsgebühren) und 2) (Gerichtsstand und Aufnahme von Strafbestimmungen
in den Vertrag) ganz unverkennbar von ihm. In der Zusammensetzung des
Bundesratskollegiums und in der Frage des Einflusses einzelner Mitglieder
befinden wir uns hier auf einer deutlichen Nahtstelle. Stämpfli hatte jahrelang mit zielbewusster, harter, unangenehmer Hand den Bundesrat weitgehend dominiert; nun stieg, da Stämpflis Gedanken schon längst viel stärker bei
den Bankgeschäften als bei den politischen Fragen weilten, der Stern des ihm
in vielem nicht unähnlichen Zürchers auf, der schon jetzt, viel stärker aber
noch nach dem Abgang des Berners, dem Bundesrat immer mehr den Stempel aufdrückte. Gewiss kam hier im vorliegenden Fall dazu, dass grosse Teile der Instruktion eben in Dubs' Ressort fiel. Stämpfli schien sich bei der
Beratung aber doch auch eifrig geäussert zu haben; so notierte sich Dubs:
"In den Beratungen über die neue Instruktion...liess Stämpfli nun ziemlich
die Hörner heraus; man konnte klar sehen, dass er wirklich auf die Bundesrevision zusteuert. Es herrscht viel Antipathie und Furcht davor im Bundesrat" (518).
Das Problem: hie Bundeskompetenz - hie Kantonssouveränität wurde in dieser Instruktion an verschiedenen Punkten berührt. Aber wenn es für den Bundesrat darum ging zu entscheiden, ob die Kantone in den strittigen Fällen vorher konsultiert werden sollten, so zeichnete sich eine eigenartige Tendenz
ab: war zu erwarten - wie in der Judenfrage oder beim Ohmgeld -, dass solche Anfragen eher negative Antworten oder das Aufkommen von Missstimmungen, Gerüchten und Angriffen auf den Bundesrat zur Folge haben könnten,
so unterliess der Bundesrat ein vorgängiges Vernehmlassungsverfahren, das
seine Verhandlungsposition gegenüber Frankreich höchst wahrscheinlich nur
geschwächt hätte. War der Bundesrat dagegen einer Zustimmung der Kantone
- wie bei der Uebereinkunft über die grenznachbarlichen Beziehungen - im
Prinzip sicher, so setzte er ein solches Verfahren in Gang. Es waren also
nicht rein theoretische, bundesstaatsrechtlich fundierte Gründe, die hier eine Rolle spielten, sondern es standen vielmehr taktische Erwägungen im Vordergrund. Merkwürdig - oder vielleicht charakteristisch - ist bloss, dass
dies nirgends, weder in einem amtlichen noch in einem privaten Dokument
von den Beteiligten jemals klar und unverhüllt dargelegt wurde (519). Wurde
es etwa gar nicht bewusst praktiziert? Paradox ist an den vorliegenden Beispielen vor allem, dass die Kantone bei der unwichtigen, wenig einschneidenden Materie vorher korrekt konsultiert wurden, während der Bund bei den

ungleich gewichtigeren Problemen auf eigene Faust mit Frankreich verhandelte und die Kantone dann quasi vor ein fait accompli gestellt wurden. Die Kritiker aus dem föderalistischen Lager kamen schliesslich eindeutig zu spät und - das ist besonders auffällig - legten den Finger auch gar nicht auf dieses merkwürdig schizophrene Verhalten des Bundesrates.
Gegen Ende des Monats Mai schien es auf einmal wieder, als könnten die Verhandlungen doch nicht fortgeführt werden. Rouher, der in der zweiten Hälfte des Monats Mai schon von Paris abwesend gewesen war, wollte nämlich am 15. Juni zur üblichen Sommerkur nach Karlsbad abreisen; nach Herbets Ansicht sollte sich allerdings in drei oder vier Sitzungen herausstellen, ob eine endgültige Verständigung herbeizuführen war oder ob man gezwungen wäre, "die Sache für einmal auf sich beruhen zu lassen" (520). Kern fand ebenfalls, dass man mindestens die Hauptfragen bis dahin erledigen sollte; die Mitwirkung des Handelsministers war aber dazu ganz wesentlich: "Ohne Rouher würde die Konferenz in ihren Beratungen nicht fortfahren, da er das entscheidende Votum abgibt und so weit ich seine ganze Haltung bisher zu beurteilen in Fall kam, muss ich in unserem Interesse ganz entschieden wünschen, dass wir seine Anwesenheit noch benützen können; was der Fall sein wird, wenn ich vor Ende der nächsten Woche (das hiess bis zum 29. Mai) in Besitz der rückständigen Instruktionen gelangen kann, was hoffentlich möglich sein wird" (521). Man nahm dies in Bern vorderhand gelassen zur Kenntnis. Der Briefverkehr vollzog sich nur in einer Richtung, von Paris nach Bern. So schien dem Gesandten sogar eine sanfte Rüge am Platz: er sollte Drouyn nun sagen können, ob eine Fortsetzung der Verhandlungen in der ersten Hälfte Juni möglich wäre oder ob diese bedauerlicherweise bis nach den Herbstferien verschoben werden müssten. "Es sind der Fragen nicht mehr so viele, dass nicht seit dem 1. April (also in 8 Wochen) die Instruktionsergänzungen möglich sein sollten" (522). Wie wenn er aber über seine eigene Dreistigkeit erschrocken wäre, entschuldigte er sich aber gleich für sein Drängen und rechtfertigte es damit, dass er nicht die Verantwortung auf sich nehmen wollte, "wenn etwa durch Verschleppung der Konferenz bis in den Oktober bei der kritischen Situation, welche im allgemeinen herrscht, jeder Vertrag vereitelt würde!" Die Befürchtungen waren aber unbegründet; am 28. Mai, nach mehr als zweimonatiger Pause, konnten die Verhandlungen wieder aufgenommen werden.

4. Die restlichen Konferenzen des Jahres 1863 (Mai und Juni)

Alles, was beide Länder im Zusammenhang mit dem Handelsvertrag im jetzigen Zeitpunkt gegenseitig von einander fordern wollten, war im wesentlichen an den bisherigen Konferenzen zur Sprache gekommen; aber nur in sehr wenigen Punkten hatten die Bevollmächtigten schon eine definitive Uebereinstimmung erzielen können. Dies war vor allem in den Tariffragen geschehen. In einigen andern Fällen hatte man sich stark angenähert, so z.B. beim Schutz des geistigen Eigentums. Bei den Hauptproblemen aber, der Judenfrage, den Genferzonen und den Gebühren für die Weine, waren nur erst die gegenseitigen Positionen fixiert und von den Kontrahenten abgetastet worden. Hier ging es ja eben auf beiden Seiten darum, Konzessionen auf einem Gebiet durch Gegenkonzessionen auf einem andern, sachlich davon unabhängigen Gebiet zu machen. Mit diesen Ausmarchungen stand man aber erst in der Anfangsphase.

Als einziges neues Problem wurde von Frankreich in dieser Phase die Aufhebung der schweizerischen Aufenthaltsgebühren in die Diskussion gebracht. Vorerst berieten sich die Unterhändler wie zu Beginn wieder einige Male ohne Experten, bis dann das Problem des Pays de Gex auf beiden Seiten die Beiziehung von lokalen Fachleuten notwendig machte.

Kern eröffnete die zwölfte Konferenz (am 28. Mai)[523] mit den neuen Zollreduktionsofferten des Bundesrates. Die Senkungen waren sehr verschieden abgestuft, von 30 bis zu 90 Prozent je nach Artikel. Rouher prüfte die Liste nur kurz und wünschte sie ergänzt durch die Einfuhrzollreduktion auf Möbeln, Seife und Parfümerien und die Ausfuhrzollsenkung auf Holz, was Kern dem Bundesrat zu unterbreiten versprach.

Als erstes der noch ungelösten Probleme nahm man die Weinfrage vor. Das Handelsdepartement hatte eine genaue Aufstellung aller zu diesem Zeitpunkt bestehenden Konsumogebühren in der Schweiz anfertigen lassen; dieses Tableau, das von den französischen Bevollmächtigten seit langem gewünscht worden war, wurde dem Konferenzprotokoll beigegeben und schliesslich dem Handelsvertrag selbst als Beilage F angefügt. Kern schlug einen Artikel im Vertrag vor, wonach die Konsumogebühren in der ganzen Schweiz nicht erhöht werden durften. Er wies dann darauf hin, dass die durchschnittliche Getränkebelastung noch geringer sei als er früher bereits dargestellt habe, und er bot dann - dies war jetzt der vorher noch zurückgehaltene Trumpf - die definitive Senkung des Zolls auf Flaschenwein auf 7 Fr./100kg an. Rouher hatte sich beim Ueberfliegen der Tabelle schnell davon überzeugt, wo sie für Frankreich ungünstig war: er beanstandete die Vermengung der Flaschen- und Fassweine und die (höhere) Belastung beider Kategorien nach dem Ansatz für Flaschenweine. Was er dagegen vorschlug, lief einesteils auf eine deutliche Unterscheidung der beiden Kategorien, andernteils auf eine Vereinfachung bei der Erhebung der Gebühren hinaus:

Fassweine   4 Fr. kt. und 3 Fr. eidg. Geb. = total 7 Fr.
Flaschenweine   7 Fr. kt. und 7 Fr. eidg. Geb. = total 14 Fr.

Diese Gebühren sollten aber bereits an der Schweizergrenze bezogen werden.

Also alter Wein in neuen Schläuchen! Kern ging nicht darauf ein, wies andererseits nach, dass die Schweiz 123 mal mehr Wein aus Frankreich einführe als umgekehrt und legte dar, warum eine Verlegung an die Schweizergrenze nicht durchführbar wäre, wobei er sich dabei an die Argumente des Handelsdepartementes (524) hielt. Damit ging die Sitzung zu Ende, die nach Kerns Worten "fast ganz ausgefüllt (wurde) mit neuen oft sehr lebhaften und warmen Debatten über Eingangszoll und Konsumogebühren auf Getränken" (525). Die Lebhaftigkeit war gewiss verständlich, denn beide Parteien standen unter dem Druck ihrer eigenen Weinproduzenten; begreiflich war auch, dass Frankreich den Gebührenurwald in der Schweiz gerne etwas übersichtlicher gehabt hätte - der Bundesrat ja sicher auch. Dem schweizerischen Entgegenkommen auf Flaschenweinen konnte Frankreich kein grosses Gewicht beimessen, denn die französische Einfuhr in die Schweiz bestand vorwiegend aus Fassweinen, bei denen die Schweiz aber aus bekannten Gründen keine Konzessionen machen wollte.

Am nächsten Tag wurde das gleiche Thema weiterbehandelt (526). Rouher rückte mit einem "Ultimatum" auf: wenn die schweizerischen Vorschläge nicht erweitert würden, so könnte auf dieser Basis kein Vertrag geschlossen werden. Kern wich in seiner Replik vom engen Feld der Weinfrage aus auf die allgemeinen gegenseitigen Konzessionen und erklärte, die Schweiz wäre bereit, die Judenfrage im französischen Sinne zu lösen, wenn Frankreich in andern Belangen der Schweiz entgegenkäme. Sodann bekräftigte er nochmals den alten Standpunkt in der Frage der nordsavoyischen Provinzen und teilte den französischen Bevollmächtigten mit, wie weit der Bundesrat die Kontingente für die zu vermindertem Zollansatz einzuführenden Produkte aus dem Pays de Gex vergrössern wollte. Eine Diskussion entspann sich darüber nicht; die französischen Bevollmächtigten schienen die Vorschläge zuerst den zuständigen Fachleuten vorlegen zu wollen.

In privaten Gesprächen nach der Konferenz bekam Kern aber bereits einiges zu hören: "Man bemerkte sehr, dass der Wein keine Begünstigung haben soll und wird dies verlangen; die Zahl 50! bei Marmor, sagte man, könne nicht ernst gemeint sein und werde als Schreibfehler betrachtet werden müssen" (527). Kern fügte im Bericht an den Bundesrat zustimmend bei, die Schweiz sollte in diesen Dingen wirklich nicht zu knauserig sein. Bis eine Einigung über das neue Reglement zu erzielen wäre, würde jedenfalls aber noch ziemlich viel Zeit vergehen.

Kern war im Augenblick stark überlastet. Er hatte nämlich neben den Handelsvertragskonferenzen auch noch solchen über einen Postvertrag beizuwohnen. Die Folge davon war eine aus den Korrespondenzen deutlich spürbare grössere Reizbarkeit. Sein auch sonst recht gut entwickelter Hang zur Rechthaberei verstärkte sich dadurch noch, so etwa in einem kleinlichen, fast zänkischen Briefwechsel mit dem Handelsdepartement über einzelne Tarifposten in der neuen schweizerischen Reduktionsofferte. Mehrere Male begann er nun, in seinen Briefen die Daten durcheinanderzuwerfen; schliesslich schrieb er entschuldigend an den Bundesrat, es sei ihm rein unmöglich, noch täglich Rapporte abzugeben: "Wenn irgend etwas Massgebendes sich berichten lässt, werde ich nicht ermangeln es zu tun; sonst aber muss ich auf die Protokolle mich beziehen" (528). Mit einem Wort: Urlaub hätte nicht nur Rouher nötig gehabt. Doch Kern harrte mit Festigkeit und Hoffnung weiter aus.

Auch an Frey-Herosé waren die Umtriebe, die der Handelsvertrag für das Departement mit sich brachte, anscheinend nicht spurlos vorübergegangen. Dubs stellte jedenfalls fest, dass Frey-Herosé "ziemlich störrig geworden" (529) sei, besonders, nachdem die "Berner-Zeitung" die falsche Meldung lanciert hatte, er wolle aus dem Bundesrat austreten (!). Etwas später notierte Dubs in seiner wie gewöhnlich etwas überheblichen Manier: "Dann gab der Handelsvertrag mit Frankreich zu sprechen: Frey ist unleidig, Kern sei zu nachgiebig, konfus etc.; er ist nun umgekehrt steif und ledern und hartnäckig wie ein Maulesel. Natürlich kommt da nicht viel Gescheites heraus; man muss Herrn Frey etwas zur Ruhe kommen lassen" (530).

Aber die Konferenzen gingen weiter. Nachdem eingangs der 14. Konferenz (am 1. Juni) (531) nochmals kurz die Weinfrage aufs Tapet gekommen war - Kern widersetzte sich kategorisch allen weiteren Zugeständnissen -, nahm der schweizerische Bevollmächtigte das Problem der Judenniederlassung wieder auf. Er stellte die grossen Schwierigkeiten und Hindernisse nochmals dar und beschwor die französischen Unterhändler, der Schweiz einfach Zeit zu lassen, damit der Bundesrat in Zusammenarbeit mit den Kantonen diese heiklen Fragen durch eine harmonische Reform im Laufe der nächsten Jahre lösen könnte. Warum Kern dies überhaupt vorbrachte, ist kaum verständlich; die französische Reaktion war - wie zu erwarten - sehr prompt und unmissverständlich: sie wollten eine sofortige Lösung der Frage; "ils déclarent qu'ils ne pourraient apposer leur signature à un traité qui consacrerait un régime d'inégalité au préjudice d'une classe de citoyens français à raison de leur religion" (532). Das stand ja schon seit Anfang der Verhandlungen fest. Hatte Kern prüfen wollen, ob die Franzosen ihren Sinn geändert hätten? Dies wäre wirklich unnötig gewesen. Kern erklärte denn auch gleich, er sei befugt, in der vorliegenden Frage den französischen Forderungen entgegenzukommen - "dans le cas ou l'on pourra s'entendre sur les autres questions encore pendantes" (533) - und zwar durch eine Revision des alten Niederlassungsvertrages, der zusammen mit dem Handelsvertrag in Kraft treten müsste. Hingegen wies er darauf hin, die französischen Begehren in der Frage der Aufenthaltsgebühren brächten eine derartige Umstürzung der kantonalen und kommunalen Institutionen mit sich, dass es für die Schweiz ganz ausgeschlossen sei, darauf eintreten zu können. Mit dieser Erklärung bricht das offizielle Protokoll ab. Kern berichtete aber an den Bundesrat, die französischen Bevollmächtigten hätten mit äusserstem Nachdruck an ihrer Forderung festgehalten: "Die Sitzung bot die lebhaftesten und hartnäckigsten Debatten dar, die wir während der ganzen Konferenz gehabt haben" (534). Seine "Profilangst" schien noch immer nicht überwunden: "Während Sie zuweilen zu glauben scheinen, als sei ich zu konziliatorisch gestimmt, musste ich wiederholt die Sprache hören, ich beharre zu schroff auf meinen Instruktionen. "Vous êtes trop dur; il n'y a possibilité de négocier avec votre "non possumus" qui se répète si souvent"! - etc.etc. in gleichem Stile, der aber ebenso entschieden ripostiert wurde" (535). Das letzte Wort war auch in dieser Sache noch längst nicht gesprochen. In Turgots etwas später abgegebenem Kommentar zu Kerns Vorgehen in der Konferenz (worüber er durch das ihm zugesandte Protokoll orientiert worden war) hiess es, Kern komme immer wieder mit grosser Geschicklichkeit auf den Stein des Anstosses, die Bundesverfassung, zu sprechen und übertreibe den Widerstand der Kantone. Dabei wisse ja der Bundesrat ganz genau, dass nur drei Kantone (SZ, AG und BL) sich der freien Niederlassung der Juden widersetzten; "quand on en viendra aux voix à l'assemblée fédérale, l'opposition des trois cantons récalcitrants sera d'un poids absolument insignifiant" (536). Vielmehr würde sich der Bundesrat aus persönlichen Gründen scheuen, sich für die Juden einzusetzen, weil dessen Mitglieder nämlich fürchteten, deswegen nicht wiedergewählt zu werden. Hingegen versprach sich Turgot von der Ablehnung des Handelsvertrages der Schweiz mit Holland durch die zweite Kammer des holländischen Parlamentes, die sich eben zu dieser Zeit abspielte, einen heilsamen Einfluss auf die öffentliche Meinung der Schweiz. In der Presse war darüber eine rege Diskussion erwacht; Turgots Schluss: "... je ne doute pas que le Conseil fédéral y a puisé une grande force pour accéder enfin à nos pressantes réclamations sur ce point" (537) sollte sich vor allem ein Jahr später bewahrheiten, als in der bundesrätlichen Botschaft der negative Ausgang der Verhandlungen mit Holland nochmals als Warnzeichen heraufbeschworen wurde, was gewiss seine Wirkung nicht verfehlte.

Zur 15. Konferenz (am 4. Juni) (538) hatten die französischen Unterhändler den Sous-Préfet von Gex, Tissot, beigezogen. Er hatte die Aufgabe gehabt, die schweizerischen Konzessionen zu prüfen (539) und dann seinerseits Forderungen vorzubringen. Sie gingen sehr weit, denn er verlangte: "... rigoureuse équité à savoir: le rétablissement d'une entière réciprocité dans le régime des rapports douaniers entre le Pays de Gex et les cantons limitrophes, et, par suite, la libre admission de tous les produits de l'arrondissement sur le marché suisse, moyennant justification d'origine" (540). Erwartungsgemäss legte er auf eine angemessene Berücksichtigung des Weines besonderes Gewicht. Kern wollte aber keine Stellung dazu nehmen, bevor die Genfer Experten in Paris eingetroffen waren, sondern verteidigte zuerst nochmals die schweizerische Position in der Konsumogebührenfrage und verlas sodann eine Erklärung zur Aufenthaltsgebührenfrage: der Bundesrat wolle dafür sorgen, dass die Franzosen in allen Kantonen den Bürgern aus den andern Kantonen gleichgestellt seien, oder wenn diese in Zukunft den Kantonsbürgern gleichgestellt würden, so sollten auch die Franzosen die gleiche Verbesserung erfahren. Um dies zu stützen, las Kern aus einem Gutachten des Justiz-

departementes ein längeres Stück vor, worin die typisch schweizerische Lösung des Problems dargestellt war. Am Schluss verlangte Kern von Frankreich dagegen die Abschaffung der Passvisagebühren. Rouher bezeichnete das schweizerische Angebot "sans efficacité réelle" und wies die Argumentation zurück, der Bundesrat könne aus verfassungsrechtlichen Gründen diese Gebühren nicht aufheben; woraus der Bundesrat denn seine Befugnis in der Judenfrage ableite?
Nach Kerns Urteil hatten die Verhandlungen wieder einmal eine gefährliche Sackgasse erreicht; die Aufenthalts- und Konsumogebühren "sind die Steine des Anstosses, an welchen der Abschluss eines Handelsvertrages zu scheitern droht" (541), berichtete er, was doch wohl sehr übertrieben anmuten muss. Das war aber sicher damit zu erklären, dass sich Kern durch die seit langem bevorstehende Abreise Rouhers nach Karlsbad in einen ständigen Druck versetzt fühlte und auf jede Aeusserung der Franzosen, die irgendwie auf einen Verhandlungsabbruch hindeuten konnte, nervös reagierte. So referierte er auch jetzt wieder dem Bundesrat in einem vorwurfsvollen Ton, wie ihm die französischen Bevollmächtigten vorgehalten hätten, wenn die englischen, belgischen und italienischen Unterhändler ebenfalls so bindende Instruktionen wie er, Kern, gehabt hätten, so wäre zur Zeit vermutlich noch keiner dieser Verträge zum Abschluss gelangt! "Es war besonders der zuweilen etwas lebhafte und warme Herr Rouher, der mir dies entgegenhielt. Aber auch Drouyn, doch milder. Diese Herren geben es nur zu deutlich zu erkennen, dass sie der Debatten müde seien und scheinen zu vergessen, dass sie für mich noch weit ermüdender sind als für sie, wobei ich mir dennoch Ausharren zur Pflicht mache, welches auch immer der Schluss der Verhandlungen sein mag" (542).
Frey-Herosé bedurfte der Ruhe, Kern war überarbeitet, die französischen Bevollmächtigten der Verhandlungen überdrüssig, Rouher wohl in Gedanken schon auf der Kurpromenade in Böhmen - und doch glaubte man anscheinend auf beiden Seiten, in den unmittelbar bevorstehenden Konferenzen wären die hängigen Probleme noch zu lösen. So befasste man sich, da die Experten aus Genf nach Paris gekommen waren, nochmals intensiver mit den Fragen, die mit dieser Region zusammenhingen. Von einer recht erfreulichen Annäherung in Sachen Pays de Gex abgesehen blieben aber die Ergebnisse der letzten vier Konferenzen dieser Verhandlungsphase enttäuschend mager.
Die 16. Konferenz (am 8.Juni) (543) war völlig dem Pays de Gex gewidmet. Nach einem einleitenden Geplänkel zwischen Kern und Tissot über die Frage, ob sich nach 1848 infolge des neuen schweizerischen Zolltarifs die Verhältnisse für das Pays de Gex wirklich verschlechtert hatten - Kern musste Tissot in gewissem Masse recht geben - und nachdem Kern den Wunsch ausgesprochen hatte, die neuen Abmachungen nicht in den Handelsvertrag selbst, sondern in ein spezielles Arrangement aufzunehmen, entspann sich die Diskussion über das Abkommen von 1853. Rouher bestritt glattweg dessen Vereinbar-

barkeit mit dem Vertrag von 1815 und verlangte völlige Freizügigkeit für das Ländchen. Geschlossen traten alle drei schweizerischen Vertreter wie erwartet diesem Ansinnen entgegen. Rouher versuchte dann wenigstens, den Schweizern eine alle drei Jahre wiederkehrende Revision des Arrangements schmackhaft zu machen. Als diese nicht darauf eingingen, ersuchte er Tissot, seine Forderung der Neuansetzung der Kontingente bekanntzugeben:

	schweiz. Angebot	frz. Forderung
Ziegel	15'000 q	50'000 q
Töpfereien	2'000 q	2'400 q
Felle und Häute	420 q	600 q
Käse	1'600 q	2'000 q
Holzarbeiten	400 q	600 q
Marmor	50 q	500 q
Bausteine, behauen	-	frei
Wein	-	2'000 q

Die nächste Konferenz sollte die schweizerische Antwort darauf bringen. Wie Kern später nach Bern berichtete, fanden die Genfer Experten diese Forderungen zwar als zu weitgehend, doch betrachteten sie es vorderhand als einen wichtigen Schritt, dass Frankreich das Arrangement von 1853 überhaupt als Ausgangsbasis akzeptierte.
Vor der 17. Konferenz (am 10.Juni) (544) hatte nach Kerns Vermutung eine separate Konferenz der französischen Bevollmächtigten und Experten stattgefunden, wo man sich anscheinend darüber einigte, Kern wieder einmal wegen der zu unflexiblen Instruktionen einen Vorwurf zu machen (545); in der Konferenz selbst machte dann Barbier den Vorschlag, die Verhandlungen sollten bis zum Herbst unterbrochen werden, um dem Bundesrat genügend Zeit zu geben, die französischen Vorschläge zu prüfen und dazu Stellung zu nehmen. Damit war Kern im Prinzip einverstanden, wollte aber doch noch die wenigen kleineren Fragen, die hängig waren, jetzt behandelt haben, wofür ihm zwei Sitzungen genügend schienen. In erster Linie dachte er an das Pays de Gex; darüber tönte es allerdings von der französischen Seite her sehr süffisant: "M. Rouher répond qu'une discussion sur le chiffre des crédits d'importation ne lui paraît pas utile, puisqu'il maintient la proposition française dans sa teneur primitive, il est prêt néanmoins à entendre les observations de M. de Lentulus" (546). Dieser erklärte sich z.T. mit Tissots Vorschlägen einverstanden, wollte aber die Ansätze auf Ziegeln und Käse reduziert haben; hingegen könne der Bundesrat schwerlich mehr als 500 q Wein zu vermindertem Zoll zulassen. Challet-Venel hieb in die gleiche Kerbe; die endgültige Regelung der Vereinbarung musste noch in der Schwebe bleiben.
Als Kern dann die Reduktion des schweizerischen Einfuhrzolls auf Gusseisen konzedierte, wies er darauf hin, dass die vom Bundesrat insgesamt gewährten Zollsenkungen einen Dreizehntel der eidgenössischen Nettoeinnahmen aus-

machten und dass der Voranschlag für 1864 erstmals mit einem Defizit (von 432'000 Fr.) abschliesse. Ob dies auf die französischen Bevollmächtigten wohl den gewünschten Eindruck machte? Schliesslich verlief sich die Diskussion wieder auf Nebengeleise über die öffentliche Unterstützung bedürftiger Ausländer in beiden Staaten, worauf Rouher am Schluss die Kontroverse zusammenfasste und folgenden Ausgleich vorschlug: wenn in den Kantonen Genf, Waadt, Neuenburg, Baselstadt und Baselland die Aufenthalts- und Niederlassungsgebühren für Franzosen aufgehoben würden, so verschwänden die französischen Passvisagebühren für Schweizer und die Verkehrsgebühr an der Grenze zum Pays de Gex. Kern versprach, dies dem Bundesrat vorzubringen, liess dann aber wieder einmal das alte Lied vom Vertrag mit der Meistbegünstigungsklausel erklingen, was Rouher selbstverständlich gemäss altem Brauch prompt zurückwies. Allerdings sah er doch vor, diesen Vorschlag dem Kaiser zu unterbreiten, da er gedachte, vor der nächsten Zusammenkunft dessen Weisungen für die weiteren Verhandlungen einzuholen.

Auf diesen Compte rendu bei Napoleon III. kam Rouher am Anfang der 18. Konferenz (am 12.Juni) (547) kurz zu sprechen. Der Kaiser sei betroffen gewesen von der geringen Konzessionsbereitschaft der Schweiz "et particulièrement du refus de prendre en considération les demandes françaises pour le régime des importations du Chablais et du Faucigny" (548). Seine Majestät habe schliesslich den Wunsch nach einem Tableau geäussert, wo die gegenseitigen Forderungen und Konzessionen zusammengestellt seien, so dass er auf grund dieser Zusammenfassung entscheiden könne, ob die Verhandlungen fortzusetzen oder zu verschieben seien.
Dies war für Kern ein deutliches Alarmzeichen. Jetzt mussten die beiden französischen Bevollmächtigten in Privataudienzen nochmals bearbeitet werden, und eine persönliche Unterredung mit dem Kaiser drängte sich ebenfalls auf.

Vorerst schnitt er aber noch das Problem des Genfersees an, wiederholte den schweizerischen Wunsch nach einer liberalen Regelung und wollte diese den anstossenden Kantonen zur vertraglichen Regelung überlassen wissen. Rouher aber steuerte auf einen Vertrag zwischen beiden Staaten zu. Kern und die Genfer Experten waren sich in der Frage nicht ganz einig geworden; Kern ging es vor allem darum, eine Vereinbarung auszuschliessen, die irgendwie mit den annektierten Zonen in Verbindung stand. Diese Befürchtungen, von Kern um einiges übertrieben, suchte Rouher zu zerstreuen, indem er sein Bedauern darüber aussprach, dass der Sache ganz fremde Erwägungen hier hineingezogen worden seien, die eine befriedigende, vernünftige Lösung leider fast verunmöglichten. Diese Feststellung war gewiss nicht unberechtigt. Aber auch hier kam vorderhand keine Einigung zustande. Man liess die Frage grundsätzlich offen.
Zwischen der 18. und der 19. Konferenz, der letzten vor dem Unterbruch, verstrichen mehr als zwei Wochen Zeit, in denen aber hinter den Kulissen tüchtig

gewirkt wurde. Kern versuchte zuerst in zwei Audienzen bei Drouyn und Rouher eine Uebereinstimmung in den Hauptfragen zu erzielen. Dabei kristallisierte sich aber die Unvereinbarkeit der beiden Standpunkte in folgenden sechs Punkten deutlich heraus (549):
- Weinfrage: Die bekannten französischen Forderungen lehnte Kern entschieden ab und beharrte auf den bisherigen schweizerischen Konzessionen.
- Schutz der dessins et modèles industriels: Dies zuzugestehen war Kern nur bereit, wenn Frankreich die schweizerischen Begehren betreffend Gaze, Mousseline, Seidenbänder und Uhren (Errichtung zweier Kontrollbureaux) erfüllte.
- Aufenthaltsgebühren und Passvisa: Während die Franzosen bereit waren, beim Status quo zu bleiben, wollte Kern aber nicht, dass die Schweiz die Niederlassungsfreiheit für französische Juden gewährte, während Frankreich weiterhin Passvisagebühren bezog. Kern schuf also hier eine neue Konnexion!
- Schiffahrt auf dem Genfersee: Frankreich wollte darüber einen Vertragsartikel, Kern dagegen fand es genügend, wenn die Schweiz erklärte, dass die Schiffahrt frei sein sollte.
- Pays de Gex: Zwar kam die Annexionszone nicht mehr zur Sprache, doch forderte Rouher die unbedingte Freizügigkeit für das Pays de Gex. Kern blieb aber dabei, dass das Reglement von 1853 die Basis bilden musste und stellte einige neue Zugeständnisse in Aussicht.
- Vertrag mit der Meistbegünstigungsklausel: "Rouher qualifizierte letztere Proposition als ein 'fin à non recevoir gegenüber den französischen Begehren'!" (550)
Da die Bevollmächtigten beider Staaten auf ihren Positionen beharrten und die Franzosen erklärten, sie müssten nun die Weisungen des Kaisers einholen, weil die schweizerischen Angebote viel zu wenig weit entgegenkämen, so fand auch Kern jetzt den Augenblick für gekommen, "wo eine persönliche Besprechung mit dem Kaiser, die ich längst im Auge hatte, nicht länger unterbleiben dürfe" (551).
In einer Audienz (am 18.Juni) von drei Viertelstunden ("Der Kaiser, der sehr wohl und sehr heiter aussieht, empfing mich, wie immer, sehr freundlich und leitete selbst sofort das Gespräch auf den Zweck meiner Audienz") (552) legte Kern die Hauptschwierigkeiten aus schweizerischer Sicht gedrängt dar. Aus den Zwischenfragen Napoleons konnte Kern schliessen, dass ihm die jeweiligen Sachverhalte bisher nicht ganz vollständig bekannt waren, was ja leicht erklärlich und auch verständlich war. Besonders lange verweilte man bei der Weinfrage und den Aufenthaltsgebühren. Kern fand dabei den Kaiser für den schweizerischen Standpunkt viel zugänglicher als die Unterhändler, da Napoleon eben die Schweiz und ihre Einrichtungen und Verhältnisse genau kannte. "Ebenso begriff er sehr wohl, was seine Minister nie begreifen wollen, dass man bei Vertragsabschlüssen unter Staaten die politischen

Institutionen und die eigentümliche Finanzgesetzgebung des kontrahierenden Staates nicht ignorieren dürfe". Nun konnte allerdings der Kaiser leicht zeigen, wie verständnisvoll er der Schweiz gegenüber war; die schwierigere Aufgabe, der Schweiz gegenüber Nein zu sagen und verbindliche Abmachungen einzugehen, blieb seinen Ministern überlassen. Als Kern darlegte, schon im Vertrag von 1803 hätte Frankreich von der Schweiz in der Aufenthaltsgebührenfrage keine weitergehende Zusicherung erhalten als die jetzt wieder angebotene, schien dies eine ganz nachhaltige Wirkung auszuüben: "Dieses historische Zitat und die Präzedenz mit dem Namen Napoleon machte offenbar mehr Eindruck auf den Kaiser, als wenn man ihm das gründlichste Memorial zum Studium übergeben hätte". Ueber die Judenfrage wurde kaum gesprochen. Der Kaiser ging ganz unverkennbar von der Grundvoraussetzung aus, es verstehe sich von selbst, dass zu diesem Zeitpunkt kein Staatsvertrag mehr abgeschlossen werden konnte, durch den eine Gruppe von Staatsbürgern aus konfessionellen Gründen rechtlich benachteiligt würde.

Gegen den Schluss der Audienz musste Kern die schweizerischen Konzessionen Punkt für Punkt darlegen; dabei machte er gleichzeitig den Kaiser auch auf die einschneidenden finanziellen Rückwirkungen aufmerksam. In seinem Bericht an den Bundesrat fasste er schliesslich das Ergebnis der Audienz so zusammen: "Alle seine Aeusserungen lieferten mir den Beweis, dass er (=Napoleon) Billigkeitsrücksichten weit zugänglicher ist als seine Stellvertreter und dass, wenn wir zu einem Handelsvertrag gelangen, wir es wie bei der Dappentalfrage vorzugsweise und weit mehr als seinen administrativen Organen seiner eigenen, persönlichen Ansicht, Stimmung und Politik zu verdanken haben". Seine endgültige Stellungnahme musste also letztlich entscheidend sein. Vielleicht müssen wir von dieser pointierten Ansicht in Abzug bringen, dass Kern damit wieder einmal andeuten wollte, wie wichtig eigentlich sein "direkter Draht" zum Kaiser war. Wie direkt und wie wirkungsvoll er aber tatsächlich war, darüber gehen noch heute die Meinungen auseinander (553).

Wie präsentierte sich für Kern die Situation nach diesen Audienzen? Ihm hatte sich deutlich offenbart, dass nicht in den Tariffragen die Hauptklippen zu suchen waren, sondern in folgenden drei Punkten: bei den Konsumogebühren, den Permis de séjour und den Zonenfragen, "sei es nun, dass man letztere Fragen wirklich als Stein des Anstosses ausdrücklich bezeichnet oder dass man es für klüger findet, dies nicht ausdrücklich zu erwähnen" (554). In diesen drei Fragen wollte Frankreich von der Schweiz unbedingt weiter gehende Konzessionen haben. Doch Kern war weit davon entfernt, deswegen die Hoffnung auf eine endgültige Verständigung aufzugeben. Wenn dagegen Frankreich noch schweizerische Einfuhrzollsenkungen auf Möbeln, Seife, Parfümerien und Büchern sowie Ausfuhrzollsenkung auf Holz verlangte, so konnte dies entweder heruntergehandelt oder durch die Zugeständnisse ans Pays de Gex abgefangen werden. Kern wies mit Stolz wieder einmal auf seine erfolgreiche Hinhaltetaktik in den Tariffragen hin und betonte besonders, wie wichtig es sei, dass über das weitere Vorgehen in dieser Materie absolut nichts verlaute. Sollte dies dennoch der Fall sein, so würden die französischen Unterhändler keinen Augenblick zögern - es wäre ja sträflich, wenn sie es täten -, diese Kenntnisse in den Verhandlungen zu ihren Gunsten auszuspielen. "Dass sich die französischen Herren Bevollmächtigten im Fordern und Nachfordern nicht sehr genieren, davon werden auch Sie durch den ganzen Verlauf der Negotiationen mit mir sich überzeugt haben!!" (555) In Paris gingen in diesen Tagen hartnäckige Gerüchte um über ein Revirement in der französischen Regierung, das allem Anschein nach sogar sehr weit gehen sollte. Bevor darüber Genaueres bekannt war, drückte Kern schon seine Hoffnung aus, Rouher werde die Verhandlungen mit der Schweiz weiterführen, "besorgend der neu eintretende Minister möchte als solcher nur 'trop de zèle' an den Tag legen wollen!" (556).

Die Kompetenzen zur Festsetzung der Einfuhrkontingente aus dem Pays de Gex hatte der Bundesrat mehr oder weniger an Kern und die Genfer Experten abgetreten (557). Challet-Venel und Lentulus begutachteten daher für Kern die letzten französischen Forderungen und setzten sie durchwegs um etwa 10 bis 20 Prozent herunter, beim Wein auf die Hälfte (auf 1000 q). Gegenüber der jetzt geltenden Ordnung bedeuteten die neuen Ansätze für die Schweiz einen Zollverlust von rund 3'300 Franken, was von den Experten als absolut tragbar erachtet wurde (558). Kern unterstützte diese Auffassung (559).

Am gleichen Tage, da Kern seine Audienz beim Kaiser gehabt hatte, waren auch die französischen Bevollmächtigten bei Napoleon vorgeladen gewesen. Ueber den Entscheid des Monarchen berichtete Rouher zu Beginn der 19. Konferenz (am 29.Juni) (560), die zwei Tage vor dessen Abreise in den Urlaub stattfand. Angesichts der grossen Differenzen und der knappen zur Verfügung stehenden Zeit habe sich Seine Majestät entschlossen, die Verhandlungen im jetzigen Zeitpunkt zu suspendieren. Sie sollten aber im Herbst erneut aufgenommen werden. Der Kaiser hoffe, man überdenke in der Zwischenzeit beidseitig die noch ungelösten Fragen, so dass sich nach der Wiederaufnahme der Verhandlungen eine baldige definitive Uebereinstimmung ergeben könnte. Kern replizierte, dazu sei die Schweiz wohl bereit, doch hätte sie noch keine Antworten erhalten auf verschiedene ihrer Vorschläge und Forderungen, wie z.B. bei Gaze und Mousseline oder bei den Seidenbändern. Rouhers Antwort liess darauf hindeuten, dass man vorderhand immer noch im Kreis herumging, respektive an Ort trat: gewiss könnte Frankreich einige neue Konzessionen machen, aber diese wären notgedrungen denjenigen, die Frankreich von der Schweiz verlangte, untergeordnet... Insbesondere bei den Aufenthaltsgebühren müsste die Schweiz entgegenkommen. Als Kern bat, diese Begehren möchte zurückgezogen werden, und er darauf hinwies, welch grosse Leistungen Genf z.B. mit der unentgeltlichen Spitalpflege von unbemittelten Franzosen erbrachte, entspann sich darüber mit Herbet ein lebhaftes Scharmützel. Dieser hatte vom französischen Konsul Chevalier in Genf ein Klageschreiben

über die unbefriedigende Aufnahmepraxis des Genfer Spitals erhalten und schlug nun vor, diese Frage wäre in der Zwischenzeit abzuklären, womit sich Kern einverstanden erklärte (561). Die Frage konnte in der Folge friedlich beigelegt werden, ohne dass sie in der Konferenz noch ausgiebig zur Sprache kommen musste.
In der Konsumogebührenfrage offerierte Kern die Bereitschaft des Bundesrates zu einer Garantieerklärung, wonach auch die sechs Kantone, die keine Ohmgelder mehr bezogen, solche nicht neu einführen durften. Weiter könne er aber nicht mehr gehen, doch bot er dagegen eine Reduktion des Ausfuhrzolles auf Häuten an, was für die Schweiz einen Zollverlust von über 22'000 Franken bedeutete und als Ausgleich gegenüber weitern französischen Forderungen in der Weinfrage genügen sollte. Indem Rouher aber nachwies, dass eine solche Reduktion bloss den schweizerischen Exporteuren willkommen sein konnte (was nicht die ganze Wahrheit war), traf er mit der Fortsetzung seine Replik die schwache Stelle von Kerns Vorschlag: "...il ne s'explique pas, d'ailleurs, comment un avantage accordé aux tanneurs pourrait donner satisfaction aux réclamations des produits de vins d'alsace contre le caractère différentiel des taxes prélevées sur les vins français en Suisse" (562). Die Ueberlegung Kerns, durch die Konzession auf Häuten könnte am ehesten die Schwierigkeit umgangen werden, dass "man sich in das dornichte Kapitel der Konsumogebühren in einzelnen Kantonen einmischen müsste" (563), verfing bei Rouher nicht, da dieser weiterhin darauf bestand, der Aufschlag auf Wein in Doppelfässern müsse beseitigt und die Gebühren an der Grenze bezogen werden. Kern vermutete allerdings, der Grund, weshalb Rouher diese Forderung aufrechterhielt, sei folgender: "...man möchte nun einmal auch irgendeine Konzession,um die unermüdlichen Reklamenten aus den Weinbaugegenden der Grenze zu beschwichtigen! Voilà tout!" (564) Doch glaubte Kern zu erkennen, dass nun die Tariffragen erledigt wären und kein Hindernis mehr zu einem Vertragsabschluss bildeten. Ebenso konnte er mit Freude konstatieren, dass bei der letzten Sitzung und im anschliessenden Privatgespräch mit Rouher von der Annexionszone und der Genferseeschiffahrt nicht mehr die Rede gewesen war; in der Tat fiel wenigstens das erste dieser beiden Themen nun endültig aus Abschied und Traktanden.
Andererseits war es wohl eine Selbsttäuschung von Kern, wenn er meinte, seit seiner Audienz beim Kaiser sei die ganze Haltung von Rouher und Herbet "weniger begehrlich, weniger exigente" als vorher; Kern wollte mit dieser Behauptung natürlich seine indirekte Wirkung hervorheben. Sollte sich aber wirklich eine einschneidende Aenderung in Rouhers Haltung feststellen lassen, so konnte darüber wohl erst nach einigen Sitzungen, nach längerem Hin und Her, etwas Schlüssiges ausgesagt werden.
Am Ende der Konferenz wurde vereinbart, die Verhandlungen im Oktober wieder aufzunehmen (565). Auf die bisherigen Sitzungen zurückblickend und gleichzeitig die Fortsetzung ins Auge fassend, zollte Kern dem französischen

Handelsminister einmal mehr sein Lob: "... so habe ich doch die feste Ueberzeugung, dass er von allen französischen Konferenzmitgliedern dasjenige ist, das für einen Vertragsabschluss mit der Schweiz am günstigsten gestimmt ist, und ich weiss, dass er gewisse weitergehende Forderungen, die zur Sprache kamen, beseitigt hat, ehe solche offiziell an die Konferenz gelangten. Darum ist es mir auch lieb, dass er als plénipotentiaire, auch nachdem er aufgehört hat, Handelsminister zu sein, dennoch die Unterhandlungen bis zu Ende fortführen wird" (566).

Wir wollen nun hier, genau gleich wie es die beiden Verhandlungsparteien taten (567), an dieser Stelle eine Z w i s c h e n b i l a n z ziehen, indem wir die gegenseitigen Forderungen und Konzessionen, nach Materien geordnet, einander gegenüberstellen.

a) Niederlassungsvertrag von 1827

Frankreich verlangt dessen Revision und fordert von der Schweiz, dass diese den Franzosen jüdischen Glaubens die gleichen Rechte einräumt wie den Franzosen christlicher Konfession.

Die Schweiz ist mit der Revision einverstanden und wird den französischen Juden die gleichen Rechte in allen Kantonen einräumen wie den Franzosen christlichen Glaubens. Dagegen verlangt sie die Reziprozität bei der Aufhebung der Passvisagebühren, was Frankreich abhängig machen will von der Aufhebung der Aufenthaltsgebühren in der Schweiz.

b) Schutz des literarischen, artistischen und industriellen Eigentums

Frankreich verlangt, dass die Schweiz darüber eine Uebereinkunft abschliesse.

Die Schweiz erklärt sich dazu bereit, sowohl zum Schutz des literarischen und artistischen Eigentums wie der Fabrik- und Handelsmarken. Sie ist gewillt, diese auch auf die "dessins industriels" auszudehnen, falls eine Einigung über die Zollreduktion auf Seidenbändern, Gaze und Mousseline erzielt werden kann.

c) Tarife

- Indem Frankreich für die im "tarif conventionnel" aufgeführten Artikel die dort angegebenen Ansätze und weitere im Vertrag zu regelnde Modifikationen anbieten, verlangt es ein analoges Engagement von der Schweiz.
Die Schweiz verpflichtet sich ihrerseits, die Ansätze des schweizerischen Zolltarifs und des abzuschliessenden Vertrages nicht zu erhöhen.
-Frankreich verlangt, dass die Schweiz für diejenigen Artikel, die in der 12. Konferenz (sogenanntes "programme du 1er avril") in einer Liste aufgeführt wurden, die dort verzeichneten Ansätze garantiere.
Die Schweiz genehmigt die Reduktionen für ihre Ausfuhrzölle, die zur gleichen Zeit angeboten wurden; sie verlangt die Reduktion des französischen

Einfuhrzolls auf Gaze, Mousseline und Maschinenstickereien sowie auf Seidenbändern (von 8 Fr. auf 4 Fr./kg); sie verlangt Erleichterungen für die Kontrolle der Edelmetalle durch die Errichtung zweier Bureaux an der Grenze. Aus dem "tarif conventionnel" sollen folgende Ansätze erst noch endgültig abgeklärt werden: für Parquetterie, feines Baumwollgarn, Vieh und Rosshaargeflechte.
-Frankreich verlangt im besondern ein "remaniement" der Konsumogebühren. Die Schweiz bietet die Reduktion des Zolls für Flaschenweine von 30 Fr. auf 7 Fr./100 kg an und verpflichtet sich, den Einfuhrzoll auf Wein und die Konsumogebühren nicht zu erhöhen.

d) Vertrag über die nachbarlichen gerichtlichen und polizeilichen Beziehungen vom 18. Juli 1828

Frankreich verlangt die Revision.
Die Schweiz ist damit einverstanden.

e) Reglement (durch Artikel 8 des Vertrages vom 28. Juli 1828 vorgesehen) betreffend die Ausbeutung der Grenzwaldungen

Frankreich verlangt ein solches Reglement.
Die Schweiz ist damit einverstanden; den betroffenen Grenzkantonen ist ein entsprechender Entwurf zugestellt worden.

f) Schiffahrt und Fischerei auf dem Genfersee

Frankreich verlangt ein Reglement.
Die Schweiz anerkennt die Freiheit der Schiffahrt auf dem ganzen See für alle Schiffe und erhebt keine besonderen Taxen für ausländische Schiffe (widersetzt sich aber unausgesprochen einem Reglement). Die Schweiz widersetzt sich dagegen nicht einem Reglement über die Fischerei, doch gehört dies ihrer Ansicht nach zu den Aufgaben der anstossenden Kantone.

g) Pays de Gex

Frankreich verlangt weitere Erleichterungen für den Handel zwischen dem Pays de Gex und Genf.
Die Schweiz bewilligt neue Erleichterungen auf der Grundlage des Reglementes von 1853 und verlangt die Aufhebung der Zirkulationsgebühr.

h) Zusatz

Für den Fall, dass ein Handelsvertrag auf den oben erwähnten Grundlagen nicht abgeschlossen werden könnte, wiederholt die Schweiz ihren Vorschlag, einen Vertrag mit der Meistbegünstigungsklausel abzuschliessen. Die beiden Regierungen würden dann auf weitere Forderungen verzichten.

Wie sich der Verhandlungsabbruch von der französischen Seite her ausnahm, erfahren wir durch ein Schreiben des Aussenministers an Turgot, von dem

Bundespräsident Fornerod auf nicht eruierbaren Wegen eine Abschrift erhielt. Da Drouyn in einem fast gleichlautenden Brief etwas später seinen zukünftigen Kollegen Béhic, der Rouher ersetzte, über die Verhandlungen mit der Schweiz ins Bild setzte, können wir die darin enthaltene Lagebeurteilung wohl zu ihrem Nennwert nehmen (568).
Zuerst einmal betonte der Aussenminister, dass man Kern versichert habe, die Konferenzen würden auf alle Fälle wieder aufgenommen, um damit zu vermeiden, dass dieser die Unterbrechung etwa im falschen Sinne interpretiere. Dann schickte er sich an, die Motive zu erläutern, welche die beiden französischen Bevollmächtigten zu ihrem Entschluss bewogen hätten: "La discussion nous ayant paru épuisée (après six mois de conférences)..., nous avons cru que le moment été venu d'examiner si la France trouverait, dans les concessions offertes par la Suisse, une suffisante compensation de celles qui lui sont demandées par ce pays" (569). Die schweizerischen Forderungen und Konzessionen erwähnend, musste er einräumen, dass der Zolltarif eben im gesamten liberal sei und einzig beim Wein ("produit essentiellement français") eine Reduktion zuliesse. Zusammen mit den Konsumogebühren bilde dieser nämlich einen Schutz zugunsten der Inlandweine. Die Reduktion auf Flaschenweinen betrachtete er als das, was sie wirklich war: bedeutungslos. So stellte er denn zusammenfassend fest, dass vom wirtschaftlichen Standpunkt aus für Frankreich keine Veranlassung bestünde, mit der Schweiz weiterzuverhandeln. Vom politischen Standpunkt aus wäre es aber sehr wünschenswert, wenn durch einen Handelsvertrag die Beziehungen zwischen den beiden Ländern verbessert werden könnten. Frankreich wäre dazu wohl bereit, obschon ein Blick auf die wichtigsten Zeitungen der Schweiz zeige, wie wenig dankbar man sich darin schon zum voraus über die zu erwartenden französischen Konzessionen ausspreche!
Es dürfe aber nicht vergessen werden, dass auch die drei französischen Grenzdepartemente von einem Arrangement mit der Schweiz profitieren würden, weshalb von diesen Provinzen der Abschluss eines Vertrages lebhaft gefordert werde. Während das Elsass die Reduktion des Weinzolls erwarte, möchten die Freigrafschaft und Savoyen, dass die Schweiz diejenigen Produkte, die aus den Gebieten ausserhalb der französischen Douanenlinie stammten, frei in ihr Territorium eingehen liesse. In ganz Frankreich bestände schliesslich ein Interesse daran, dass die Judenfrage und das Problem der Aufenthaltsgebühren gelöst würden.
Die bundesrätliche Antwort auf diese Forderungen wurde von Drouyn als ungenügend erachtet und besonders der Tauschhandel in der Judenfrage verurteilt, "donnant ainsi le caractère d'une concession commerciale à une réforme que la Suisse se doit à elle-même et sans laquelle, comme le prouve le rejet récent de son traité de commerce avec les Pays-Bas, tout règlement conventionnel de ses rapports avec les puissances étrangères lui demeure désormais interdit" (570). Die Ablehnung anderer wesentlicher Wünsche

(Savoyen betreffend) sei zudem geeignet, das französische Nationalgefühl zu verletzen. Angesichts dieser Sachlage hätten es also die französischen Bevollmächtigten als richtig erachtet, dem Kaiser vorzuschlagen, die Verhandlungen bis zum Herbst zu unterbrechen. Welchen Zweck man dabei verfolgte, sprach Drouyn deutlich aus: Frankreich hoffte, dass die Schweiz durch diesen Stillstand etwas mürbe gemacht werden konnte, um bei der Wiederaufnahme von Verhandlungen, wie schon beim letzten Unterbruch - April/Mai - mit der Bereitschaft zu neuen Konzessionen anzurücken. Allerdings war Frankreich auch bereit, seine eigene Position zu überprüfen: "... et je n'ai pas besoin d'ajouter que nous y apporterons un sincère esprit de conciliation". Dabei bezeichnete Drouyn es aber als ganz wesentlich, dass die Schweiz - gegen die Reduktion des Seidenbandzolls - den französischen Forderungen in der Frage der Aufenthaltsgebühren und des Weins entspräche, wobei dem Bundesrat die Wahl der Mittel freigestellt sein sollte. Ohne dieses Entgegenkommen, so glaubte der Aussenminister behaupten zu können, bestünde wenig Hoffnung auf einen Vertragsabschluss. Wie sich herausstellen wird, musste sich aber Frankreich schliesslich mit sehr viel weniger begnügen.
Zum Schluss forderte Drouyn seinen Botschafter in Bern auf, alles in seiner Gewalt Stehende zu tun, um beim Bundesrat und den einflussreichen Stellen in der Schweiz das Terrain in diesem Sinne vorzubereiten. Aus dem Tagebuch von Dubs erfahren wir, dass Turgot dies tat; wie gross die Wirkung war, sollte sich bald erweisen.

II. Zwischen den beiden Verhandlungsphasen

1. Sauregurkenzeit; Erteilung der dritten Instruktion (Juli - Oktober 1863)

Gedacht war also, dass die Unterhandlungen für drei bis vier Monate ruhen sollten. Die Pause dauerte aber schliesslich genau ein halbes Jahr, während der man beidseitig seine Position nochmals überprüfte, schweizerischerseits die dritte Instruktion erliess und sich im übrigen nicht eben intensiv mit den Verträgen befasste.
Kern weilte noch in Paris, als er, durch eine Meldung im "Journal de Genève" aufgeschreckt (571), in einem Brief an den Bundesrat einige für uns sehr aufschlussreiche Aeusserungen tat. Die Genfer Zeitung hatte berichtet,

der Bundesrat beabsichtige, in der nächsten Session die Judenfrage vor die eidgenössischen Räte zu bringen. Zwar entpuppte sich diese Meldung bald als eine Ente, und die ganze Aufregung Kerns war eigentlich gegenstandslos. Doch sie vermittelt uns interessante Einblicke in Kerns Beurteilung gewisser Verhandlungsaspekte, die wir ohne diesen Auslöser gar nicht hätten erhalten können.
Kern erklärte sich überrascht vom bundesrätlichen Entschluss und führte dann aus, er nehme an, es handle sich wohl darum, von den Räten die Vollmacht zu verlangen, den Nichtchristen die gleichen Rechte einzuräumen wie den Christen für den Fall, dass es zum Abschluss eines Handelsvertrages komme, nicht aber darum, dies schon sofort als Grundsatz zu proklamieren. "Würden wir letzteres tun, so würden wir ja die wirksamste Waffe, ja die einzig wirksame, die wir für Unterhandlungen noch haben, aus der Hand geben, und es bliebe uns keine Hoffnung mehr, die Konzessionen, die wir verlangen, Aufhebung der Pässe, Reduktion der Tarife auf gazes et mousselines sowie rubans de soie wirklich zu erhalten" (572). Das lässt nun an Deutlichkeit nichts mehr zu wünschen übrig. Unverschleiert tritt hier zutage, dass alle Versuche von schweizerischer Seite, den Anschein zu vermeiden, als sei die Judenfrage ein Handelsobjekt, nichts als Tarnungen darstellten. Sie war es eben doch. Sie blieb für Kern im jetzigen Zeitpunkt sogar die einzig brauchbare Waffe. Gewiss erklärte er im gleichen Brief quasi entschuldigend: "Wie sehr ich dem Prinzip huldige, die Juden, ja alle Glaubensgenossen gleichzustellen, wissen Sie"; doch seine taktischen Ueberlegungen gingen ihm jetzt vor, so dass er fortfuhr: "Aber ich weiss auch, wie schwer die Stellung eines Unterhändlers ist, der mit Rücksicht auf die niedern Tarife, die in seinem Land schon herrschen, keine erheblichen Konzessionen mehr machen kann." Dadurch war er verständlicherweise auch geneigt, die Haltung der Franzosen unter diesem Zeichen zu sehen: "Dass der Kaiser und dass die Mitglieder der Konferenz der Schweiz gegenüber erklären, es verstehe sich diese Konzession puncto Israeliten gewissermassen von selbst, ist eine begreifliche und ganz natürliche Taktik von ihrem Standpunkte aus. Ich weiss aber ganz positiv, dass dies die Konzession ist, auf deren Erzielung sie den allergrössten Wert setzen." Hier wird in Kerns Beurteilung gegenüber früher ein gewisser Widerspruch spürbar: war es nun tiefe Ueberzeugung oder blosse Taktik, was die Franzosen zu ihrer Forderung veranlasste? Wenn sie nicht Ueberzeugung war, was hätte sie dann als taktisches Element genützt, da Frankreich dagegen ja wiederum Konzessionen zu machen gezwungen war, die es doch lieber vermieden hätte? Wie dem auch war, wichtiger war für Kern nun ein anderes Problem: "Würde aber die französische Regierung sehen, dass sie dies erhalten kann, ohne dass sie sich schon gebunden hat durch Unterzeichnung eines Vertrages, uns die verlangten Zugeständnisse zu machen, dann ist man bei weiteren Negotiationen wehrlos und muss ganz auf die Generosität des Gegners abstellen." Schon nur die Diskussion in den Räten,

so schien es Kern, könnte die Stellung der Schweiz bei den ungeklärten Verhandlungspositionen gefährden und zwar vor allem auch, weil er fürchtete, die Stimmung in den beiden Kammern wäre gar nicht so, wie er dies bei den Konferenzen in Paris darzustellen beliebt hatte. "Frankreich wird aus denselben erfahren, dass der Widerstand in den Kammern nicht so gross ist, als man bisher glauben machen wollte, und wird darum in den Punkten, die noch vorbehalten wurden, unsern Begehren umso weniger entsprechen." Auf der andern Seite wäre es ja völlig illusorisch, so zu tun, als ob man in der Schweiz die Judenfrage ganz unabhängig vom Handelsvertrag mit Frankreich ohnehin neu regeln wollte. Der Zusammenhang war doch zu offensichtlich. "Man würde daher jedem Schweizer ins Gesicht lachen, wenn er behaupten wollte, die Schweiz habe aus purer Spontaneität und Humanität sich auf einmal für die Emanzipation der Juden erklärt. Ob wir vier oder fünf Monate früher diesen Grundsatz proklamieren, das ändert in Bezug auf das Urteil der öffentlichen Meinung rein nichts; wohl aber in Bezug auf die Frage des Erfolges weiterer Unterhandlungen."

Da Kern zudem gehört hatte, es wären ebenfalls Diskussionen über die Konsumogebührenfrage vorgesehen, äusserte er sich auch zum Problem, ob solche Debatten jetzt opportun wären. Er fand natürlich, sie seien es nicht. "Ich möchte wünschen", so bat er, "dass keine auf die Verhandlungen bezügliche Debatten in den Räten stattfänden, ehe ich Anlass gefunden habe, Ihnen über den Stand der Dinge und über allfällige weiter zu erteilende Instruktionen mündlichen und einlässlichen Bericht zu erstatten." Dies war gewiss nicht nur wegen Kerns Stellung, sondern auch um der Sache willen die klügste Politik, die der Bundesrat im Augenblick verfolgen konnte. Eine knappe Woche später wurde aber im Ständerat doch über die Konsumogebührenfrage diskutiert; Kern monierte prompt, diese "gewiss wohlgemeinten, aber inopportünen Erörterungen" (573) wären halt einfach bedauerlich und stifteten grossen Schaden.

Erst am 12. August, nachdem Kern seinen Urlaub in der Schweiz angetreten hatte, befasste sich der Bundesrat wieder mit den Verträgen, da vom Handelsdepartement verschiedene Anträge vorlagen (577). In der Frage der Aufenthaltsgebühren wollte das erwähnte Departement eine definitive Ablehnung der französischen Forderung, doch beauftragte der Bundesrat dann das Justizdepartement mit einem neuen Gutachten über diese Frage. Bei den Konsumogebühren genehmigte der Bundesrat den Antrag des Handelsdepartementes, es sei dem französischen Begehren auf Abschaffung der Sonderbelastung für Wein in Doppelfässern zu entsprechen. Entgegen der Meinung des Handelsdepartementes blieb aber das Kollegium bei seiner bisherigen Praxis, die Kantone darüber vorgängig nicht anzuhören. Die von Frankreich auf einigen weniger bedeutenden Artikeln (Parfümerien usw.) verlangten Reduktionen des schweizerischen Einfuhrzolls sollten ebenfalls zugestanden werden. Schliesslich erhielt das Handelsdepartement den Auftrag, rechtzeitig den Entwurf ei-

ner neuen Instruktion bereitzuhalten und über die finanziellen Auswirkungen für die Schweiz "bestimmte Nachweise" vorzulegen.
In der zweiten Hälfte August war Kern bei Bundesrat Frey-Herosé zu einer Besprechung eingeladen; am 17. September referierte der Gesandte vor dem Bundesrat (575). Wieder zurück in Paris, bat er am 11. Oktober um die baldige Zustellung der neuen Instruktionen. Er hatte mit dem Aussenminister verabredet, dass die Konferenzen am 20. Oktober wieder aufgenommen werden sollten (576). Dies war für den Bundesrat der Anstoss, den seit einiger Zeit vorliegenden Instruktionsentwurf des Handelsdepartementes zu beraten und zu verabschieden. Für die Uebersendung an Kern hatte man sich diesmal etwas ganz Besonderes ausgedacht. Um eine vollständige Diskretion zu gewährleisten, war zuerst einmal der Entwurf nur in einem einzigen Exemplar, vom Departementsvorsteher selbst, ausgeführt worden und die "durch sehr vertrauliche Hände" (577) ausgefertigte endgültige Fassung liess man schliesslich durch einen besondern Boten, den Kanzleisekretär Lütscher vom Politischen Departement, eigens nach Paris überbringen! (578)
An dieser dritten Instruktion war gegenüber den beiden ersten bemerkenswert, dass der Entwurf des Handelsdepartementes beinahe unverändert übernommen wurde. Ob dies auf Frey-Herosés inzwischen gewonnene Erfahrung zurückzuführen war oder ob der Bundesrat schon zu müde war, Korrekturen anzubringen, ist schwer zu entscheiden. Einzig der erste Punkt über die Aufenthaltsbewilligungen wurde nach einem Antrag des Justizdepartementes anders gestaltet als es Frey-Herosés Entwurf vorgesehen hatte.
Kern wurde instruiert, "über die Punkte, über welche man sich in Paris noch nicht vereinbaren konnte", folgendermassen zu verhandeln:

§ 1) <u>Aufenthaltsbewilligungen</u>: Wenn Frankreich auf seinen Forderungen beharrt, so kann der Bevollmächtigte zusätzlich zu den bereits gegebenen Erklärungen (in der 15. Konferenz) folgenden Zusatz machen: "Der Bundesrat wird den Kantonen dringend empfehlen, die Gebühren für kürzern Aufenthalt auf möglichst geringen Sätzen zu halten und insbesondere für die minder bemittelten Klassen jene Gebühren entweder ganz fallen zu lassen oder sie doch auf ein möglichst geringes Mass zu reduzieren; immerhin unter Vorbehalt des freien Entscheidungsrechtes der kompetenten schweizerischen Behörden und in Festhaltung des Grundsatzes, dass die Franzosen jedenfalls kein besseres Recht als die Schweizer selbst beanspruchen dürfen, dagegen den Schweizerbürgern gleichzuhalten seien" (579).

§ 2) <u>Konsumogebühren</u>: Die Schweiz verpflichtet sich zu folgendem:
a) die jetzt bestehenden Gebühren werden während der Dauer des Vertrages nicht erhöht;
b) wo keine erhoben werden, dürfen in der gleichen Zeitspanne keine neuen eingeführt werden;
c) sämtliche ausländischen Weine in Fässern werden gleich hoch belastet

(also kein Aufschlag mehr für "vin en double fût");
d) für den Fall, dass mit Zustimmung der Kantone die Konsumogebühren an der Grenze bezogen werden könnten, bliebe eine besondere Vereinbarung zwischen den beiden Staaten vorbehalten.

§ 3) Tariffragen:
a) Ermässigung des Einfuhrzolls auf verschiedenen Waren: Nach einem nochmaligen Hinweis auf die Frankreich schon eingeräumten Zugeständnisse konnte der Bevollmächtigte - falls Frankreich seine in Aussicht gestellten Konzessionen gewährte - weitere Reduktionen anbieten:
Möbel (16 Fr./100 kg), Toilettenseife (1,5 Fr./100 kg wie die übrigen Seifen), dazu starke Senkungen auf Bäumen, Ziersträuchern und Topfpflanzen, Passementierarbeiten, bemalten Gips- und Steinpappabgüssen und unbelegtem Spiegelglas.
Dagegen keine Reduktion auf Parfümerien, da die Bundesverfassung vorschreibe, dass Luxuswaren in die höchste Zollklasse gehören; allerdings wurde der einschränkende Zusatz beigefügt: "Sollte inzwischen das Zustandekommen des Vertrages einzig noch von einer Konzession zugunsten der Parfümeriewaren abhangen, so darf der Herr Abgeordnete am Ende die Versetzung der Parfümeriewaren in die vorletzte Zollklasse von 16 Fr./100 kg. zugeben, was kaum 1 1/2 Prozent des Verkaufspreises dieser Waren entsprechen mag."
Keine Zollfreiheit, wie sie Frankreich forderte, konnte für Bücher und künstlerische Werke gewährt werden, denn die Zollbefreiung widerspräche dem schweizerischen Zollsystem.
b) Ausfuhrzölle: Auf Häuten und Fellen sollte ein Zoll von 1 Fr./100 kg wenn möglich beizubehalten versucht werden; der Bevollmächtigte konnte aber bis auf -.20/100 kg gehen.
c) Weitere Reduktionen: Der Bevollmächtigte erhält die Vollmacht, wenn nötig weitere Konzessionen zu machen auf grund des beigelegten Entwurfs zu einem neuen Schweizer Zolltarif (der aber nie in Kraft trat).

§ 4) Pays de Gex: Die von den Genfer Experten empfohlenen Konzessionen können gewährt werden:

Ziegel und Backsteine	30'000 q	Möbel	200 q
Töpfereien	2'200 q	Kisten	400 q
Leder	350 q	Marmor	200 q
Feine Felle	150 q	Honig	50 q
Käse	1'800 q	Wein	600 hl

Wenn nötig, könnte noch weitergegangen werden, doch die zusätzliche Gesamteinbusse dürfte nicht mehr als 1000 Franken ausmachen. Der Wein musste aber von allen Konzessionen ausgeschlossen sein! Für Leder, Ebenisterien und Wein soll die Schweiz Ursprungszeugnisse verlangen.

§ 5) <u>Schutz des geistigen Eigentums</u>: Gemäss früherer Instruktion ist der Bevollmächtigte ermächtigt, einen Vertrag auf der Basis des französisch-preussischen Vertrages auszuhandeln.

§ 6) <u>Schutz der Grenzwaldungen:</u> Das schweizerische Projekt eines Vertrages (580) soll den weiteren Unterhandlungen zugrundegelegt werden, da es noch weitere Bestimmungen zum Grenzverkehr mit einschliesst. Der Bevollmächtigte soll alle Verpflichtungen vermeiden, die mit der schweizerischen Rechtsauffassung in Widerspruch stehen. Unbedeutende Modifikationen kann er von sich aus genehmigen.

§ 7) <u>Zeitpunkt des Inkrafttretens</u>: Im Vertrag selbst ist dieser Zeitpunkt deutlich festzusetzen; wenn möglich nicht erst auf die Inkraftsetzung des französisch-preussischen Vertrags.
Sehr wünschenswert wäre: auf den 1. Januar 1865, vielleicht auch vorerst eine teilweise Vollziehung in denjenigen Punkten, die nur das schweizerisch-französische Verhältnis betreffen (Passvisa, Grenzverkehr, Kontrollbureaux für Uhren und Bijouterie, Zollreduktion auf spezifisch schweizerischen Produkten wie Käse, Mousseline, Gaze, Stickereien, Seidenbänder, Uhren, Bijouterie und Strohwaren). Schweizerischerseits könnte die Gleichstellung der Niederlassungsfreiheit für die französischen Juden, das Reglement für das Pays de Gex, die Verpflichtungen betreffend die Konsumogebühren und die Herabsetzung des Einfuhrzolls auf verschiedenen Produkten (Eisenguss, Oele, Möbel, Glas, Seife, Bücher usw.) vorzeitig in Kraft gesetzt werden.

§ 8) "Ueber den Fortgang der Unterhandlungen wird der Herr Abgeordnete, nach früherer Instruktion, fleissig Bericht erstatten und trachten, bald einen förmlichen Vertragsentwurf einsenden zu können."

Auch in dieser Instruktion war neben der grossen Vorarbeit von Frey-Herosé die Einflussnahme von Dubs wichtig, die besonders im ersten Punkt deutlich wird. Dass Kern in seiner Urlaubszeit auch am Entwurf mitgewirkt hatte, lässt sich zwar vermuten, aber nicht belegen. Die Instruktion war immer noch relativ starr gehalten, doch gegenüber den beiden ersten fällt auf, dass an mehreren Stellen dem Unterhändler ein gewisser Spielraum gelassen wurde: so bei den Tariffragen, beim Pays de Gex und beim Schutz der Grenzwaldungen. Dass sich Kern mit dieser gewiss nicht sehr bedeutenden Lockerung zufriedengeben würde, war nach seiner bisherigen Haltung allerdings kaum zu erwarten.

2. Warten auf Rouher (Oktober - Dezember 1863)

Am 18. Oktober wurde in Paris ein neues Revirement im französischen Kabinett, über das sich schon lange vorher mannigfaltige Gerüchte verbreitet hatten, bekanntgegeben: für die Schweiz unmittelbar bedeutsam war, dass Rouher nun zum Ministre d'Etat ernannt wurde und Armand Béhic an seine Stelle im Handelsministerium trat. Das waren nicht eigentlich erfreuliche Nachrichten, doch konnte Kern den Bundesrat schon sehr schnell beruhigen: "Ich vermute aber, Rouher werde auch in dieser neuen Stellung dennoch die Unterhandlungen zu Ende führen" (581). Allerdings verstrich der Termin, da man laut Abmachung wieder hatte zusammenkommen wollen, ohne dass dies geschah. Da Rouher nämlich vollauf beschäftigt war mit der Einarbeitung in seine neue Aufgabe, da fast täglich Kabinettssitzungen stattfanden und die Eröffnung der Gesetzgebenden Kammern kurz bevorstand, wurden dadurch die Unterhandlungen mit der Schweiz, die ja nicht so drängten, zurückgestellt. Kern war noch Ende Oktober darüber im Ungewissen, wann man weiterverhandeln könnte (582); einen Monat später teilte ihm Drouyn mit, dass erst zu Anfang des neuen Jahres, wenn die Kammern ihre Ferien hätten, die Verhandlungen wieder aufgenommen werden konnten (583). Als einzige materielle Neuigkeit wusste Kern zu berichten, dass die Passvisa- und Aufenthaltsgebührenfrage wahrscheinlich ad separatum verwiesen werden sollte.

Auf der Traktandenliste der Dezembersession der Eidgenössischen Räte standen die Gesamterneuerungswahlen des Bundesrates. Da eine Wiederwahl von Bundesrat Frey-Herosé nicht ganz sicher schien, sah sich die "Neue Zürcher Zeitung" veranlasst, als Leitartikel eine Zuschrift aus den Kreisen des schweizerischen Handels und der Industrie zu veröffentlichen, in der gefordert wurde, dass der einzige Mann im Bundesrat "von höherer kaufmännischer Bildung" auf alle Fälle wiedergewählt werden sollte, damit das schwierige Geschäft der Handelsverträge glücklich zu Ende geführt werden könnte. Der Artikel, der auf eine merkwürdige Weise für das Mitglied einer Kollegialbehörde die Trommel rührte, schloss mit der unmissverständlichen Bemerkung, "dass der schweizerische Handelsstand des bestimmtesten erwartet, seine Interessen werden bei der bevorstehenden Bundesratswahl ihre verdiente Berücksichtigung finden, dadurch, dass im neuen Bundesrat das kaufmännische Element wieder seinen Vertreter erhält ..." (587). Frey-Herosés Ruf, industriefreundlich zu sein, wurde damit einmal mehr bestätigt. Ob die Propaganda für seine Wiederwahl, die denn auch erfolgte, wirklich förderlich war, bleibe dahingestellt.

Dass man in der Schweiz wegen des langen Verhandlungsunterbruchs nun doch langsam ungeduldiger wurde, war verständlich. Dies schien zwar nicht überall gleich zu sein. Einem Bericht des französischen Vizekonsuls in Basel zufolge war man jedenfalls dort, besonders unter der kleinen, aber einflussreichen Minderheit der Fabrikanten nicht unglücklich über die Verhandlungsunterbrechung, da diese Industriellen immer noch durch den Musterschutz beunruhigt waren. Zudem bestand ja in Basel eine starke Abneigung gegen die Zulassung der Juden; diese Abneigung kommentierte der Vizekonsul mit deutlichen Worten: "Les sentiments religieux sont très sévères en cette ville, essentiellement puritaine et de moeurs très austères, du moins en apparence. Dans aucune partie de la Suisse peut-être, les préventions contre les Israélites ne sont plus fortes que dans le Canton de Bâle; mais il ne faut pas attribuer ce sentiment uniquement à l'idée religieuse qui sert de masque à une jalousie très violente, suscité par l'habileté en affaires, la patience et la ténacité des Israélites qui se soutiennent tous et qui seraient vite au premier rang dans les affaires d'industrie, de commerce et de banque s'ils n'avaient contr'eux les règlements arbitraires et les lois en vigueur dans la Confédération helvétique" (585).

Andern hingegen gingen die Verhandlungen zu langsam. Von den Mitgliedern der Bundesversammlung, die im Dezember zusammengetreten war, hatten sich viele nach dem Stand der Unterhandlungen erkundigt: "Sie glaubten denselben schon dem Abschlusse nahe", wie Frey-Herosé nach Paris schrieb (586). Die Parlamentarier liessen sich die Gründe des Stockens erläutern, fanden aber doch, wenn man über Post- und Telegrafenverhältnisse hatte verhandeln können, so wäre es auch möglich gewesen, die Handelsangelegenheiten zu fördern. Frey-Herosés Hinweis, dass der Handelsvertrag eben mit andern, sehr viel mehr beschäftigten Leuten ausgehandelt werden müsse, "wurde nicht sehr gnädig angehört, und man schien da und dort misstrauisch zu werden." Woran der Vorsteher des Handelsdepartementes, gleichsam als Wunsch zum neuen Jahre, die eindringliche Mahnung anschloss: "Es wäre wirklich ungemein wünschbar, dass wieder ein Schritt geschehen könnte, und ich möchte Ihnen diese Sache dringend ans Herz legen." Bald nach Neujahr 1864 war es wieder soweit.

III. Zweite Verhandlungsphase

1. Die 2o. bis 22. Konferenz (Januar - März 1864)

Als man die Verhandlungen wieder aufnahm, assistierte nun erstmals der neue französische Handelsminister Béhic (587), doch führte nach wie vor Rouher die Unterhandlungen.

Kern eröffnete die erste Sitzung der neuen Runde (588) mit einer ganzen Reihe von Angeboten, zu der ihn die neueste Instruktion befähigte. Er hielt

sich dabei genau an die uns bekannten Anweisungen, liess sich aber noch einen kleinen Spielraum bei den Tarifangeboten. Auf unbedeutende Einwendungen von Ozenne und Herbet ging Kern nicht ein; beanstandet wurde das Fehlen einer Konzession auf Parfümerien und die zu geringe Senkung des Ausfuhrzolles auf Holz. Umso gespannter musste Kern aber auf Rouhers Antwort sein. Dieser fand es sehr bedauerlich, dass der Bundesrat seine ablehnende Haltung in der Frage der Aufenthaltsgebühren nicht modifiziert hatte, trotzdem wie er kühn behauptete - woher hatte er diese "Auskunft"? -, vier an Frankreich grenzende Kantone einverstanden gewesen wären, ihre Gebühren abzuschaffen. Weil durch die Ablehnung des Bundesrates aber die Ungleichheit zwischen den beiden Ländern bestehen bliebe, sähe sich Frankreich nicht imstande, die Passvisagebühren aufzuheben; die beiden zusammengehörenden Fragen sollten deshalb nicht länger Verhandlungsgegenstände bleiben. Auch beim Wein schien die Schweiz dem Ministre d'Etat zu wenig zu konzedieren: über die bereits angebotenen Garantien hinaus sollte sich der Bundesrat verpflichten, dass die Konsumogebühren nicht einseitig nur auf inländischen Getränken gesenkt werden könnten, dass mit andern Worten die Differenz in der Belastung der in- und der ausländischen Getränke nicht zuungunsten der ausländischen vergrössert werden durfte, weil sonst eine schutzzollähnliche Begünstigung eintreten würde. Dies war eine ganz neue Forderung, die Kern zuerst dem Bundesrat unterbreiten musste.
Zu den Zonen übergehend, bedauerte Rouher, dass zum einen der Bundesrat nur vom Pays de Gex spreche, zum andern sich aber nicht dazu habe verstehen können, zur gegenseitigen Freizügigkeit für alle Produkte ja zu sagen: "... il fait observer que le système des crédits d'importation dont la Suisse désire le maintien n'est pas en harmonie avec la législation libérale et le développement de ce pays" (589); wenn schon solche Kontigente, dann müssten sie doch "notablement" erweitert werden. Kern stellte in Aussicht, dass er für einige dieser Produkte den französischen Wünschen entgegenkommen könne.
Rouher gab nun seinerseits die französischen Konzessionen bekannt: 1) Die Maschinenstickereien kommen mit den Handstickereien in die gleiche Zollklasse (zu lo %). 2) Bei den Seidenbändern wird eine Reduktion auf 4 Fr./ loo kg zugestanden, "sous la condition, toutefois déjà acceptée par la Suisse, que la convention qui consacrera ce dégrèvement garantira réellement les fabricants français contre l'usurpation de leurs marques et dessins en Suisse" (59o).
Hingegen hatte eine neue Prüfung der Situation bei der Gaze und Mousseline die französische Regierung nicht veranlassen können, auf die entsprechenden schweizerischen Begehren einzugehen. Wie vor sechs Monaten befände sich die Baumwollindustrie in einer Krise und müsste durch Tarifmodifikationen im jetzigen Zeitpunkt nur noch stärker geschädigt werden. Barbier gestand

aber die Errichtung zweier Kontrollbureaux für die poinçonnage der Gold- und Silberwaren an der Grenze zu.
Nun war die Reihe an Kern, sein lebhaftes Bedauern darüber zu äussern, dass Frankreich bei der Gaze und Mousseline ("la plus importante, selon lui, des demandes du Conseil fédéral") kein Entgegenkommen zeigen wollte. In diesem Fall, so erklärte er, sei er auch nicht mehr autorisiert, die vorher gemachten Offerten weiterhin aufrechtzuerhalten. "Il déclare devoir d'autant plus insister sur cette proposition si importante pour l'industrie suisse, que son rejet provoquerait l'opposition la plus décidée dans les Conseils fédéraux et compromettrait très probablement la conclusion du traité" (591). Die Schweiz könne die Zusicherung des Musterschutzes nur dann aufrechterhalten, wenn der französische Zoll für Gaze und Mousseline auf 10 Prozent gesenkt werde.
Die französischen Vertreter blieben aber bei ihrer ablehnenden Haltung. Den gewichtigsten Grund dafür nannte Rouher erst jetzt: die Konzession, die man den Schweizern vielleicht ohne grossen Schaden einräumen könnte, wäre eben auch gleich den Engländern zugute gekommen. Kern vermutete sogar: "Offenbar hat die gegenwärtige Spannung zwischen England und Frankreich auch auf diese Fragen etwelchen Einfluss" (592). Zum Schluss wies Herbet darauf hin, dass Frankreich sehr viele seiner von der Schweiz verlangten Konzessionen nicht zugestanden erhalten habe und dass die Schweiz sich deshalb nicht wundern müsse, wenn es für Frankreich nicht möglich sei, alle schweizerischen Wünsche zu erfüllen. Rouher bat aber den schweizerischen Bevollmächtigten, vom Bundesrat neue Instruktionen einzuholen.
Im gesamten gesehen war das Ergebnis dieses neuen Offertenaustausches für die Schweiz nicht so schlecht, wenn auch die gewichtigste Forderung nicht bewilligt worden war. Doch sollte, nach Kerns Willen, in dieser Sache das letzte Wort noch nicht gesprochen sein. Er beabsichtigte, in einer besondern Audienz mit Rouher die Gaze- und Mousselineangelegenheit zu bereinigen, bevor neue Konferenzen stattfänden (593). Dass es sich wohl lohnte, dafür eine spezielle Anstrengung zu unternehmen, war ihm seit langem bewusst: "Die grosse Bedeutung, welche von unsern Industriellen darauf gelegt wird, diese Konzessionen auszuwirken, ist mir durch öftere Besprechung dieser Frage mit den von Ihnen ernannten Experten vollständig bekannt" (594). Vom Handelsdepartement wurde er in dieser Haltung durchaus bestätigt, indem Frey-Herosé betonte: "Vous voudrez donc maintenir positivement cette demande, en faisant observer que son obtention serait de nature à faciliter considérablement la conclusion du traité" (595).
Vorerst zeichnete sich aber wieder eine neue Verzögerung ab. Für drei Wochen waren wichtige Debatten im Corps législatif vorgesehen, durch die Rouher derart in Anspruch genommen werden würde, "dass ein Drängen von unserer Seite geradezu unklug wäre" (596). Ein anderes Ereignis sorgte dann dafür, dass an eine Fortsetzung der Verhandlungen vorderhand nicht zu den-

ken war: Unter Anstiftung des in Lugano weilenden Mazzini unternahmen vier Italiener, mit falschen Schweizerpässen versehen, den Versuch, nach Frankreich zu gelangen, um ein Attentat auf den Kaiser zu verüben. Nachdem sie verhaftet worden waren, ohne ihr Ziel erreicht zu haben, geriet man in Frankreich darüber in eine ausserordentliche Aufregung, die sich auch auf Kern übertrug. Dieser beschwor den Bundesrat, sich möglichst schnell von der ganzen Sache zu distanzieren und in den Zeitungen Artikel erscheinen zu lassen, die Mazzinis Vorgehen verurteilten (597). Eine ganze Reihe von Briefen ging in dieser Angelegenheit zwischen Kern und dem Bundesrat hin und her; der Bundesrat wies schliesslich Mitte April Mazzini aus der Schweiz aus, womit dieser Stein des Anstosses jedenfalls aus dem Weg geräumt war; schon vorher hatte man sich wieder den sachlichen Problemen des Handelsvertrages zuwenden können.

Die Differenzen waren immer noch bei den Konsumogebühren und der Gaze und Mousseline zu suchen. Kern riet dem Bundesrat, die neueste französische Forderung wegen der Ohmgelder anzunehmen, da damit für die Schweiz ja keine grossen Unannehmlichkeiten verbunden waren. Diese Konzession sollte aber nach Kerns Meinung gegen die Zollsenkung auf Gaze und Mousseline ausgehandelt werden. Gewiss hatte die französische Regierung in den Kammerdebatten den Industriellen eben zugesichert, die Stabilität des gegenwärtigen Zolltarifs sollte gesichert bleiben, doch konnte man sich bei einem entschiedenen Beharren auf seinen Forderungen doch gewisse Chancen erhoffen (598).

Die französische Taktik, mit immer wieder neuen Forderungen anzurücken, hatte anscheinend weniger Kern, als vielmehr Frey-Herosé zermürbt. So beklagte sich dieser mit einer gewissen Bitterkeit gegenüber dem schweizerischen Unterhändler, der Bundesrat hätte nun geglaubt, mit den Instruktionen vom Oktober des letzten Jahres hätte er seine letzte, abschliessende Meinung abgegeben; Frankreich aber sei offenbar wieder nicht zufrieden. "Alle seine Konzessionen erteilt es uns tropfenweise von seiner reich besetzten Tafel, und dabei verlangt es immer wieder von unserm Haushalt neue, reiche Gaben. Das muss einmal ein Ende nehmen, denn bei allem unserm Streben nach einem Handelsvertrag können wir uns doch nicht die Haut vom Leibe ziehen lassen und überall nach den Wünschen des grossen mächtigen Nachbars handeln, wo unsere Interessen eben ein anderes Verfahren vorschreiben" (599). Als besonders stossend empfand er, dass Frankreich die schweizerischen Verhältnisse stets nach seinen eigenen Massstäben zu beurteilen pflegte und dadurch zwangsläufig kein Verständnis für die Besonderheit schweizerischer Institutionen aufbrächte. Darüber hatte sich ja auch Kern schon öfters beklagt. Die immer wieder neu auftauchenden französischen Forderungen buchte der Vorsteher des Handelsdepartementes auf das Konto besonders begehrlicher Herren: "Möchte sich doch Frankreich einmal bescheiden und besonders nicht auf die ewigen und nie und nimmer satten Begehrlichkeiten seines Konsuls Chevalier in Genf, dieses eigentümlichen Herrn, sowie auf die seiner

Präfekten, Souspräfekten, Maires usw. an der Grenze hören"(600). Frey-Herosé stellte sich den neuesten Forderungen in der Konsumogebührenfrage entgegen, da ihm dadurch der Weg zu einer späteren Vereinfachung aller Konsumogebühren versperrt schien und durch diese Garantie für den französischen Weinkonsum in der Schweiz kein besonderer Vorteil resultierte.
Diese ablehnende Stellungnahme beunruhigte Kern. Für ihn schien die Konzession bei Gaze und Mousseline nur erhältlich, wenn man Frankreich beim Wein entgegenkam. Daher beschwor er Dubs, den neuen Bundespräsidenten, er sollte doch versuchen, seinen Kollegen Frey-Herosé umzustimmen. Die Schweiz müsste nicht viel konzedieren, aber es stünde für sie viel auf dem Spiel, nämlich der ganze Vertragsabschluss. "Ich hoffe, Herr Frey-Herosé werde bei nochmaliger Prüfung sich selbst überzeugen, dass wir diese Konzession, wenn wir nicht auf jeden Vertrag verzichten wollen, nicht verweigern können" (601). Wohl verstehe er, dass Frey-Herosé über das Vorgehen der Franzosen ungehalten sei; auch er, Kern, sei "mit Groll und Unwillen" aus jener Sitzung heimgegangen. Aber jetzt, so kurz vor dem Ziel, wegen einer Sache ohne grosse praktische Bedeutung rein aus Trotz die Flinte ins Korn werfen? Es wäre unbedingt nötig, betonte Kern, dass Dubs mit Frey-Herosé die neue Instruktion Punkt für Punkt durchginge. Bevor Kern diese Anweisungen nicht erhalten hätte, könnte er keine Audienz bei Rouher verlangen.

Nach wie vor fühlte sich der schweizerische Gesandte, wie wenn er in einem Kreuzfeuer stünde. Indirekt hatte er vernommen, dass die französischen Bevollmächtigten seine Haltung immer noch als zu starr, zu hart beurteilten, während in Bern nach wie vor eher das Gegenteil vorherrschte. Auf alle Fälle, schrieb er zu diesem Thema an Dubs, würde er dann sehr froh sein, wenn er aus diesem Kreuzfeuer hinausgelangt wäre; allerdings sei er ja schon an einiges gewöhnt. "Mein Motto ist jetzt aber: Vorwärts, so oder anders. Sie werden aber später erfahren, was die Käsefabrikanten, die Bijoutiers und Horlogers, die Strohhüte- und Seidenfabrikanten (für Stoffe und Bänder) und auch ein grosser Teil der Baumwollfabrikanten für ein Geschrei erheben werden, wenn es heisst: man habe wegen einem oder zwei Punkten abgebrochen!!"
(602). Das bedeutete nichts anderes, als dass die Verhandlungen bereits ihre eigene Dynamik entwickelt hatten: war man einmal über einen gewissen Punkt hinausgelangt und hatte damit verschiedene Erwartungen und Begehrlichkeiten geweckt, so konnten die Unterhandlungen gar nicht mehr abgebrochen werden, ohne dass grösserer oder kleinerer psychologischer Schaden angerichtet wurde. Dies galt aber durchaus für beide Seiten. Und da man natürlich längst diesen "kritischen Punkt" überschritten hatte, gab es demnach nun für beide Parteien im Ernst kein Zurück mehr.
Am 12. Februar wurden, gestützt auf den Antrag des Handelsdepartementes, die neuen Weisungen durch den Bundesrat für die Fortsetzung der Verhandlungen erlassen. Obschon der Waadtländer Fornerod in der Konsumogebühren-

frage Widerstand leistete und das Kollegium sich andererseits nicht entscheiden konnte, ob die Schweiz aus der Forderung betreffend die Gaze und Mousseline eine condition sine qua non machen wollte (603), erhielt die neue Anweisung folgende Gestalt:
Kern wurde bescheinigt, seine bisherige Haltung in der Gaze- und Mousselinefrage sei richtig gewesen. Wenn man sich nun vor Augen halte, welche schweizerischen Begehren bisher abgelehnt worden waren, während die Schweiz auf der andern Seite verschiedenen französischen Wünschen entsprochen habe, so komme der Bundesrat zum Schluss, es sei an der Forderung wegen der Gaze und Mousseline festzuhalten. Unter der Bedingung, dass Frankreich diese Ansätze auf 10 Prozent senke, konnte Kern folgende zwei Konzessionen anbieten: 1) zusagen, "dass die Konsumogebühren der Kantone auf nichtfranzösischen Weinen niemals zu ungunsten französischer Weine modifiziert werden sollen, und dass Erleichterungen, welche Schweizerweinen gewährt würden, auch den französischen gleichzeitig und in gleichem Verhältnis zukommen sollen". (604) 2) Ziegel und Backsteine können zollfrei aus dem Pays de Gex in die Schweiz eingeführt werden.
Kaum war Kern im Besitz dieser kleinen Instruktionen, suchte er bei Rouher um eine Audienz nach. Wie er nämlich erfahren hatte, waren Béhic, Ozenne und Herbet ganz gegen ein Entgegenkommen bei der Gaze und Mousseline eingestellt - ebenso schien der Kaiser vor der schweizerischen Konkurrenz bei diesen Erzeugnissen Besorgnisse zu haben (605) -, so dass Rouher, der eine Reduktion anscheinend befürwortete, bei seinen eigenen Leuten auf Widerstand stossen musste. Kern wollte ihn deshalb in seiner konzessionsbereiten Haltung stärken. Zuerst erklärte Kern, "eine definitive Ablehnung des Begehrens könnte sehr leicht den ganzen Vertragsabschluss kompromittieren" (606), womit er wahrscheinlich auf die dann zu befürchtende Kampagne der enttäuschten, einflussreichen Baumwollindustriellen der Schweiz gegen den Vertrag hindeuten wollte. Um die Franzosen zum Einlenken zu veranlassen, stellte er eine Reihe von Einfuhrzollreduktionen (im Rahmen der Oktober-Instruktion) und die eben erst erhaltenen Konzessionen in Aussicht. Rouhers Antwort blieb ausweichend, seine Begründung die gleiche wie vorher. Erst bei einer andern Gelegenheit räumte er ein, dass eine sorgfältige Prüfung ergeben hätte, trotz der schwierigen Situation liesse sich ein Ausgleich finden. Kern interpretierte dies so, dass eine Reduktion, wenn schon, dann erst nach einigen Jahren in Kraft treten sollte - eine Regelung, die bereits in den Verträgen mit Grossbritannien und Belgien angewandt worden war. Ebenso schien man auf französischer Seite gewillt, den Handelsvertrag mit der Schweiz nicht vor demjenigen mit dem Deutschen Zollverein in Kraft zu setzen (607).
Gestützt auf die Weisungen vom 12. Februar legte Kern zu Beginn der 21. Konferenz (am 21. März) (608) neue schweizerische Angebote vor, vermehrt um einige Tarifreduktionen auf verschiedenen gemischten Waren, was total eine Zolleinbusse, wie Kern den Verhandlungspartnern vorrechnete, von fast

20'000 Franken ausmachte. Frankreich seinerseits tat nun den seit langem
ersehnten Schritt: Rouher kündigte die Bereitschaft an, den Zoll für Gaze und
Mousseline auf 10 Prozent herunterzusetzen, allerdings mit der Einschränkung,
dass dies erst nach vier Jahren, nämlich auf den 1. Januar 1868, in Kraft treten sollte. Der Staatsminister wies darauf hin, welches Motiv Frankreich
zum Einlenken bewogen hätte: "... il déclare que le désir seul d'amener à
bonne fin la négociation et d'opérer un rapprochement entre les deux Pays
sur le terrain des intérêts commerciaux, a pu le décider à se départir de sa
première résolution" (609); und dies, obschon die früher erwähnten Gründe
immer noch gültig waren. Rouher hatte sich zu diesem Entgegenkommen sicher nicht leichten Herzens und gegen den zähen Widerstand der andern Unterhändler entschlossen. Kern gewann deutlich den Eindruck, Béhic, Drouyn
und Herbet hätten nur mit Mühe diesem Zugeständnis folgen können (610).
Was den Aufschub betraf, so handelte es sich ja nur um eine zweijährige Verzögerung, da der Handelsvertrag wohl ohnehin nicht vor dem 1. Januar 1866
in Kraft treten konnte.

Kern zeigte sich über die französischen Konzessionen erfreut, insistierte
aber - wahrscheinlich mehr aus taktischen Gründen - auf deren Inkrafttreten
gleichzeitig mit den übrigen Handelsvertragsbestimmungen, was Rouher jedoch mit dem Hinweis, solche Regelungen seien auch in die Verträge mit England und Belgien aufgenommen worden, strikte ablehnte. Die Schweiz konnte
mit dem Erreichten aber zufrieden sein.

Anschliessend las Kern eine Erklärung vor, welche die Niederlassungsfreiheit für die französischen Juden zum Gegenstand hatte: "Le Conseil fédéral
s'engage à proposer à l'Assemblée fédérale que les Israélites français jouissent dans toute la Suisse, sous le rapport du commerce, de l'industrie et de
l'établissement ou du séjour, des mêmes droits que les Français de la religion chrétienne;" die einschränkende Note vom 7. August 1826 [611] sollte
ungültig sein; "il est entendu entre les Gouvernements contractants, que le
traité de commerce n'entrera en vigueur que lorsque ce principe sera reconnu par la Suisse" (612).

Drouyn fand, diese Bereitschaft des Bundesrates zur Toleranz sei zu ehrenvoll, als dass man sie nicht öffentlich bekannt machen sollte! Da eine blosse
Erklärung im Konferenzprotokoll viel weniger Publizität erhielte als die Verträge, sollte demnach dieses Prinzip, nach der Meinung Frankreichs, im revidierten Artikel 1 des Niederlassungsvertrages von 1827 und zudem auch, in
einer noch zu diskutierenden Form, im Handelsvertrag selbst verankert werden. Kern war dieser Lösung nicht abgeneigt, bat aber den Bundesrat um
dessen Ansicht zur definitiven Formulierung (613).

Bei der Frage, wann der Vertrag in Kraft treten sollte, bestand Kern auf dem
1. Januar 1865, wobei er darauf hinweisen konnte, dass sich ein beschleunigtes Inkrafterklären auch auf die noch widerstrebenden süddeutschen Staaten
günstig auswirken müsste, deren Ratifikationen noch immer nicht erfolgt

waren. Preussen hätte so ein Mittel in die Hand bekommen, um den nötigen Druck auf die andern Mitglieder des Zollvereins ausüben zu können. "Letztere Bemerkung", so kommentierte Kern, "blieb nicht ohne Beachtung" (614). Drouyn wollte aber eine flexible Formulierung: "au 1er janvier 1866 au plus tard" (615), was der französischen Regierung alle Freiheit liesse, den Vertrag nach Möglichkeit auch früher in Kraft zu setzen. Die definitive Regelung blieb vorläufig noch vorbehalten.

Als Kern zur Aufenthaltsgebührenfrage die Erklärung vorlas, zu der ihn die Oktober-Instruktion ermächtigte, spürte er bald, wie unvereinbar die Standpunkte beider Länder waren: "Ich musste mich sofort überzeugen, dass hier jede neue Erörterung überflüssig und rein nutzlos wird, indem die französische Regierung fest entschlossen ist, uns gegenüber (wie sie es auch gegen Preussen und Italien getan hat) darauf zu beharren, diese Frage ad separatum zu verweisen" (616). In ihrer Ueberzeugung, die Abschaffung der Passvisagebühren von der Abschaffung der Aufenthaltsgebühren in den an Frankreich grenzenden Kantonen abhängig zu machen, waren die französischen Bevollmächtigten durch Turgots Mitteilungen über die Anzahl der Franzosen in der Schweiz bestärkt worden. Aus dieser Zusammenstellung, die Turgot vom Bundespräsidenten erhalten hatte, ging nämlich hervor, dass sich von den 35'800 Franzosen in der Schweiz deren 28'600 in den Kantonen Genf, Waadt, Neuenburg und Bern aufhielten oder niedergelassen waren; in Genf allein lebte fast die Hälfte aller in der Schweiz weilenden Franzosen (617).

Aber auch Dubs hatte ja schon früher zu einer separaten Behandlung der Frage geraten. Nach unerschöpflichen Debatten stand man in dieser Materie kaum etwas weiter, als zu Beginn - ein Risiko, dem bei Verhandlungen anscheinend eben nicht auszuweichen war. Zu Ende der Sitzung liessen die Bevollmächtigten die verschiedenen Vorschläge, die in den bisherigen Konferenzen diskutiert worden waren, Revue passieren und einigten sich dann, folgende sieben Vertragsprojekte vorzubereiten: einen Handelsvertrag mit französischem und schweizerischem Tarif; ein Arrangement für das Pays de Gex; eine Konvention zur Nutzung der Grenzgebiete und -waldungen; einen Niederlassungsvertrag; einen Vertrag über das Gerichtswesen (Revision eines Vertrages vom 18.Juli 1828); eine Konvention über die Auslieferung von Verbrechern; eine Konvention zum Schutze des literarischen, artistischen und industriellen Eigentums.

Den Entwurf eines Niederlassungsvertrages mit fünf Artikeln überreichten die Franzosen gleich an Kern. Am nächsten und übernächsten Tag erhielt er die Projekte zur Nutzung der Grenzgebiete und -waldungen und einen Entwurf zum Schutz des geistigen Eigentums (618).

Alles dies deutete darauf hin, dass nun eine wichtige Wegmarke erreicht worden war und eine neue - die letzte - Verhandlungsphase bevorstand: die materielle Seite der Verhandlungen war jetzt im grossen und ganzen erledigt; es verblieben nun noch die redaktionellen Probleme. Kein Wunder also, dass

Kern nach Bern berichtete: "Dass wir aber zu einem Abschluss gelangen, dafür habe ich jetzt mehr Hoffnung als je" (619).
Die 22. Konferenz (am 25. März) [620] war auch gleich völlig der Diskussion über die Redaktion der Uebereinkunft zum Schutz des geistigen Eigentums gewidmet. Kerns Vorschlag, das eidgenössische Konkordat vom 3.Dezember 1856 als Basis zu benutzen, wurde von den französischen Bevollmächtigten selbstverständlich abgelehnt. Sie beharrten auf ihrem Vertragsprojekt, von dessen Bestimmungen sich mehrere bereits im Verkehr mit andern Staaten praktisch bewährt hatten. Die meisten Artikel stammten wörtlich aus dem französisch-preussischen Vertrag (621). Aus dieser ersten Lesung des Entwurfs sollen hier nur einige wenige Punkte herausgegriffen werden.
Bereits der Artikel 1 war umstritten: darin war für den Schutz des literarischen und artistischen Eigentums zuerst die gegenseitige Gleichbehandlung der Ausländer mit den Einheimischen - das sogenannte "traitement national" - postuliert; in einem letzten Absatz wurde aber gesagt, dass die Franzosen in der ganzen Schweiz nicht weniger Rechte geniessen sollten als im Konkordat von 1856 vorgesehen war. Gegen die Vermischung der beiden Prinzipien setzte sich Kern zur Wehr. Entweder sollten sich beide Parteien gegenseitig das "traitement national" zusichern oder dann zum voraus eine Reihe von Schutzgarantien aufstellen, die in beiden Ländern angewendet würden. In diesem zweiten Fall könnte man sich aber darauf beschränken, das 1856er-Konkordat für alle Franzosen in der ganzen Schweiz gültig zu erklären. Rouher hielt Kern entgegen, die beiden Prinzipien seien eben vermischt worden, weil in der Schweiz noch keine einheitliche Bundesgesetzgebung über diese Materie bestehe! Das Konkordat gälte ja nur für 13 ½ Kantone. Um aber den Schutz auch in den andern Kantonen zu erhalten, hätte Frankreich vorderhand diesen Weg vorgeschlagen. Er formulierte schliesslich das letzte Alinea so: "La propriété littéraire étant l'objet d'une législation dans certains cantons de la Suisse, tandis que dans d'autres elle n'est protégée par aucune loi, il est entendu que pour assurer une garantie efficace aux droits des auteurs, compositeurs etc. les dispositions du concordat du 3 décembre 1856 constitueront le minimum de leur droit dans toutes les parties de la Suisse, jusqu'à ce que la propriété littéraire et artistique reçoive une protection légale dans toute la Suisse" (622). Darin lag eine deutliche Aufforderung an die Schweiz, in dieser Materie die Legiferierung voranzutreiben. Ueber eine so weitreichende Bestimmung musste Kern natürlich die Stellungnahme des Bundesrates einholen. Die beiden andern Streitpunkte betrafen Bestimmungen in demjenigen Teil des Entwurfes, der sich mit dem Schutz des industriellen Eigentums befasste. Kern erklärte, die Schweiz wäre zwar bereit, die dessins industriels mit festumrissenem Charakter vor Nachahmung zu schützen, doch sollte von diesem Schutz alles ausgeschlossen sein, was im allgemeinen als "genre, mode ou nouveautés", also ganze Kollektionen, bezeichnet wurde. Dieser Einschränkung, auf welche die schweizerischen Fabrikanten grossen Wert legten, wider-

setzten sich die französischen Bevollmächtigten nicht. Gegenüber Kerns Erklärung, er sei beauftragt, dahin zu wirken, dass für den Fall von Beschlagnahmungen von missbräuchlich verwendeten Mustern der Gerichtsstand gleich dem Wohnort des Beklagten sei, beschränkte sich Rouher mit dem Hinweis, nach französischer Gesetzgebung seien eben drei Gerichtsorte möglich: das Domizil des Beklagten, der Ort, wo das Delikt begangen wurde oder der Platz, wo die Beschlagnahmung erfolgt sei.
Bereits in der Instruktion vom Mai 1863 hatte Kern unter Punkt 2 den Auftrag erhalten, Frankreich eine Konvention vorzuschlagen, in der alle einschlägigen Vorschriften aufgenommen würden, damit kein besonderes Gesetz in der Schweiz nötig würde. Weshalb Kern dies jetzt nicht vorgeschlagen hatte, begründete er damit, dass der Bundesrat ihm zuerst die Begriffs- und Strafbestimmungen mitteilen müsste, die er unbedingt brauche, um das Terrain zu sondieren und abzuklären, ob eine solche Regelung überhaupt möglich wäre. Zudem sei es ihm in der 22. Sitzung bald klar geworden, dass ohnehin eine Fortsetzung der Debatten unumgänglich würde und er zu diesem Zweck neue Anweisungen benötigte. Bis zu einer definitiven Lösung aller Probleme dürfte noch manche harte Nuss zu knacken sein, nicht zuletzt wegen des neuen Handelsministers: "Béhic hat offenbar in diesen Fragen viel rigorosere Ansichten als Rouher, und letzterer natürlich will dann bei den Konferenzverhandlungen nicht hinter dem Handelsminister zurückbleiben" (623).
Ueber Kerns Verhalten urteilte Dubs in seinem Tagebuch sehr hart: "Kern scheint merkwürdigerweise die konstitutionelle Seite dieser Frage (gemeint war der französische Vorschlag, die Schweiz sollte eventuell die französische Rechtsprechung annehmen) gar nicht zu begreifen; er macht geradezu einfältige Vorschläge" (624). Das traf nicht zu; Kern sah diese Schwierigkeiten gewiss so gut wie der Bundespräsident, der wieder einmal von oben herab geurteilt hatte (625). Der Gesandte hatte nur noch nicht genug Zeit gefunden, um sich gründlicher in die Materie zu versenken. Er hatte dies jedoch noch vor (626), und seine späteren Anträge an den Bundesrat bewiesen, dass er sich weit über das Pflichtmass hinaus mit den äusserst verwickelten Fragen befasst hatte.

2. Die letzten Instruktionen (Mai 1864)

In der Zwischenzeit, während sich Kern in die Fragen des Schutzes des geistigen Eigentums vertiefte, erhielt er neue Anweisungen zum Niederlassungsvertrag und zu zwei Punkten im Handelsvertrag. Seine diesbezüglichen früheren Anträge hatten aber einfach den Weg über das Justiz- beziehungsweise das Handelsdepartement genommen und passierten unverändert den Bundesrat. Für den Niederlassungsvertrag war am wichtigsten, dass Kern

in erster Linie immer noch an den ursprünglichen Instruktionen festhalten
sollte, dann aber Hand dazu bieten konnte, im Artikel 1 die Formulierung
- von Frankreich vorgeschlagen - "sans distinction du culte" anzunehmen;
im weitern war der Bundesrat einverstanden, die Passvisagebühren zusammen
mit denjenigen für die Aufenthaltsbewilligungen endgültig ad separatum zu
verweisen, da sich sonst die Einigung über einen Vertrag wegen dieser Materie zu lange hinauszögern würde.

Was den Handelsvertrag anbelangte, konnte Kern die Einwilligung geben,
dass die Zollreduktion für Gaze und Mousseline erst am 1. Januar 1868 Gültigkeit erlangen sollte; der Bundesrat betonte aber noch besonders, es ginge
dabei um alle Sorten von Mousseline: "Es ist dieser Gegenstand für die
Schweiz von grosser Wichtigkeit, weshalb Sie nicht ermangeln werden, unser
hieran sich knüpfendes Interesse nach Kräften wahrzunehmen" (627). Das Inkrafttreten des Vertrages am 1. Januar 1866 schien dem Bundesrat annehmbar, insofern Kern nicht ein früheres Datum aushandeln konnte.

Viel dringlicher, aber auch viel schwieriger zu lösen war jetzt das Problem
des Schutzes geistigen Eigentums. Schon frühzeitig hatte Kern gebeten, dass
man ihm in dieser Frage nicht allzu strikt redigierte Instruktionen geben
sollte; der Bundesrat sollte vielmehr bloss umreissen, was in erster Linie
zu verteidigen war und wie weit er im äussersten Fall, wenn sonst keine
Verständigung möglich wäre, gehen durfte (628). In einer ersten, summarischen Begutachtung der Materie hob Kern Mitte April hervor, dass er sich
die endgültige Lösung unter Verwirklichung folgender drei Prinzipien vorstellte: die Uebereinkunft müsste die ganze Frage so regeln, dass keine eidgenössische Gesetzgebung mehr darüber notwendig wäre; im wesentlichen
müsse man sich an die französische Gesetzgebung (Code pénal und Gesetz
von 1857) anlehnen, denn nur so könne man auf eine Einigung hoffen; auch
für das literarische und artistische Eigentum müssten die Hauptbestimmungen in die Konvention aufgenommen werden, nicht bloss einfach das 1856er-
Konkordat auf die ganze Schweiz ausgedehnt werden (629).

Einige Tage später, nachdem Kern das Problem ganz gründlich studiert
hatte, lieferte er dem Bundesrat darüber ein umfangreiches Gutachten ab.
Die grössten Schwierigkeiten ergaben sich naturgemäss beim industriellen
Eigentum. Frankreich bot der Schweiz zwei Alternativen an: entweder regelte die Schweiz diese Materie durch gesetzliche Bestimmungen, bevor der
Handelsvertrag in Kraft treten konnte; oder aber: die Schweiz sollte solange
die französische Gesetzgebung bei sich anwenden, bis sie selbst eine einheitliche gesetzliche Regelung für das ganze Gebiet der Eidgenossenschaft geschaffen hatte. Beide Möglichkeiten, fand Kern, wären unannehmbar. Bei
der ersten stünde die Gesetzesarbeit in der Schweiz unter der ständigen
Drohung, Frankreich könnte den Handelsvertrag nicht annehmen, wenn das
Gesetz nicht nach seinen Wünschen ausfiele. Im zweiten Fall müsste sich
eine grosse Unzufriedenheit in der Schweiz breitmachen, denn eine solche

Lösung würde das schweizerische Nationalgefühl empfindlich verletzen. Daher wäre das beste: in die Uebereinkunft selbst musste alles hineingenommen werden, wie dies der Bundesrat schon in der Instruktion vom Mai 1863 vorgesehen hatte. Jetzt aber, da es an die konkrete Detailausarbeitung gehe, genügten die summarischen Instruktionen aber nicht mehr, weshalb er hier präzise Anträge stellte mit der Bitte "mich zu ermächtigen, auf Grundlage derselben die weitern Verhandlungen über diese Materie in der Konferenz fortzusetzen" (630). Hier auf diese Einzelheiten einzutreten, ist überflüssig und kann ohne weiteres unterbleiben. Kern machte neben den Hauptanträgen eine Reihe von Eventualanträgen, um in den Verhandlungen beim Erreichen einer Sackgasse nicht immer wieder neue Anweisungen aus Bern anfordern zu müssen, "indem wahrscheinlich nur im Sinn der letzteren eine Verständigung mit Frankreich möglich sein wird."
Trotzdem Kern anfangs Mai den Bundesrat mahnte, mit den Instruktionen nicht zuzuwarten, damit die Verhandlungen fortgesetzt werden konnten (631), hatte es besonders Frey-Herosé jetzt gar nicht eilig. Je mehr er sich in die Materie einarbeite, schrieb der Vorsteher des Handelsdepartementes an Kern, desto grössere Schwierigkeiten tauchten vor ihm auf; seine notorische Industriellenfreundlichkeit führte ihn sogar dazu, aus Angst, der Bundesrat könnte Verpflichtungen eingehen, über die sich nachher die Fabrikanten beklagen würden, Kern den Beizug einer Expertenkommission vorzuschlagen: "Im Interesse des Bundesrates dürfte es auch liegen, die Verantwortlichkeit nicht auf seine alleinigen Schultern zu nehmen, sondern noch Experten zur Untersuchung des Projektes beizuziehen" (632). Er hatte im übrigen einen wesentlich langsameren Fahrplan als Kern vorgesehen; während es dem Unterhändler sehr daran gelegen war, die Verträge noch vor die ordentliche Sommersession der Räte zu bringen (633), beschwichtigte ihn Frey-Herosé, man könne sich wohl Zeit nehmen "und dann hoffen, dass die Räte in der Dezembersitzung die Angelegenheit behandeln und die Ratifikation aussprechen" (634). Mit dieser Mitteilung versetzte er Kern wieder einmal in Alarmzustand. Eindringlich riet ihm dieser von der Einsetzung einer Expertenkommission ab, denn erstens seien die Ansichten der Industriellen seit der Januarkonferenz vom Vorjahr bekannt, zweitens aber wies er auf eine besondere Schwierigkeit hin: "Unsere Industriellen sind ganz und gar nicht vertraut mit den schwierigen Fragen der Gesetzgebung über das industrielle Eigentum, wie solche sich in neuerer Zeit ausgebildet hat. Ich mache ihnen keinen Vorwurf deswegen" (635). Er selbst habe aber drei Wochen gebraucht, um die ganze Materie durchzuackern. Eine neue Verzögerung dürfte jedoch von der Schweiz jetzt nicht mehr verursacht werden. Gleichzeitig beschwor Kern auch den Bundespräsidenten, Frey-Herosé von der unglücklichen Idee einer Expertenkommission abzubringen: "Herr Frey hat gewiss die besten Absichten, aber er ist offenbar zu ängstlich" (636). Hatte Kern mit den Franzosen einmal einen Vertragsentwurf ausgearbeitet, wofür er aber dringend

Instruktionen benötigte, so behielte ja der Bundesrat immer noch freie Hand, den Entwurf gehörig zu prüfen, vielleicht auch einem Gremium von Fachleuten vorzulegen. Doch jetzt, wo die Stimmung so günstig sei, sollte nicht länger gezaudert werden. Dubs beurteilte die Situation ähnlich, indem er im Tagebuch notierte: "Kern klagt über Verzögerung Freys in der Handelsvertrags-Angelegenheit ... Hat darin recht, Frey hat wegen des verlangten Schutzes des industriellen Eigentums auf einmal den Rappel bekommen. Mittlerweile geht die gute Zeit vorbei, die Herren wieder ins Bad usf."(637)

Die Intervention von Dubs trug aber offensichtlich doch gute Früchte, denn Frey-Herosé trieb die Sache plötzlich wieder voran und entschuldigte sich sogar bei Kern für die Idee der Expertenkommission, mit der er bloss beabsichtigt hätte, dem Bundesrat und dem Bevollmächtigten die Verantwortlichkeit "etwas leichter zu machen" (638). Hatte er kurz vorher noch Bedenken geäussert, ob sich die Industriellen positiv zu einer Verpflichtung des Schutzes des industriellen Eigentums stellen würden, so beurteilte er nun die Chancen dazu weit besser, denn: "Einige Erwerbszweige, z.B. Baumwollenindustrie der höheren Klassen, Seidenbandweberei, Uhrenfabrikanten, Käsebereitung, vielleicht auch die Lederfabrikation, dürften im Handelsvertrag nicht unwesentliche Vorteile finden. - Andere Zweige sind aber der grösseren Erleichterung der französischen Interessen bei uns sehr zuwider, wie z.B. die Weinproduzenten, die Holzkonsumenten, mehrere Handwerkszweige und dann die Judengegner, weil unter diesen Juden die eifrigsten Krämer, Colporteurs, Viehhändler etc. zu finden sind" (639). Da die grossen Industrien aber am meisten vom Vertrag profitieren konnten, sollten sie deshalb wohl bereit sein, dafür auch entsprechende Opfer zu bringen.

Schien sich Frey-Herosé wieder aufgerafft zu haben, so säumte hingegen nun der Vorsteher des Justizdepartementes, Bundesrat Knüsel. So musste Dubs den Gesandten in Paris nochmals um Geduld bitten und gab ihm gleichzeitig den paradox anmutenden Rat, vom Bundesrat fortan ohne dringende Gründe keine neuen Auskünfte mehr zu verlangen, sondern auf eigene Gefahr und Verantwortung die Verträge abzuschliessen und mit ihnen - wie Kern früher schon selbst es angeregt hatte - zur näheren Erläuterung nach Bern zu kommen. "Ich wünschte wirklich, dass Sie wirklich kommen; denn, unter uns gesagt, Herr Frey fängt an, etwas wunderlich zu werden, so dass er mitunter vom Vertrage spricht, als würde er - wegen der Garantie des geistigen Eigentums - weiss Gott was für ein Unglück auf die Schweiz bringen. Da nun dazu kommt, dass andere Mitglieder (gemeint waren: des Bundesrates) bei aller anscheinenden Zustimmung schon darum gern dem Vertrage ein Bein unterschlagen würden, weil es Ihren Verdiensten ein neues hinzufügt: so halte ich für passend, dass Sie in einem günstigen Augenblicke auf dem Platze selbst erscheinen" (640). Als Kern aber anderthalb Monate später wirklich auf dem Platze selbst erschien, schlug Dubs in seinem Tagebuch allerdings ganz andere Töne an! Vorerst aber schien es doch Dubs noch gar nicht ungern zu haben, wenn Kern ihm in ähnlicher Weise den Bart strich - den Vorwurf der gegenseitigen Liebedienerei und Heuchelei kann man beiden nicht ersparen: Kern dankte Dubs für den Wink, nicht ohne dringede Veranlassung neue Instruktionen zu verlangen, was er mit den Worten begründete: "Nachdem ich gesehen, dass neue Instruktionserteilungen (abgesehen von der von Ihnen neulich für den Niederlassungsvertrag in kurzer Frist proponierten) meistens vier bis sechs Wochten Zeit in Anspruch nehmen, so überzeugte ich mich ebenfalls von der Unmöglichkeit eines Abschlusses, wenn ich wiederholt neue Weisungen verlangen würde. Also vorwärts, dachte ich" (641). Zugleich bat er Dubs, ihn in dieser Beziehung präsidialiter nach Kräften zu unterstützen, was der Bundespräsident ohne Zweifel stets zu tun bemüht war.

Am 20. Mai endlich konnte die Instruktion, zu der ein gemeinsamer Antrag des Handels- und Justizdepartementes vorlag (642), im Bundesrat behandelt werden. Die an Kern gesandten Weisungen entsprachen im wesentlichen dessen eigenen Anträgen; einzig die Punkte 2 a) und 2 d) waren von den Departementen zusätzlich beantragt worden. Um die elastisch gehaltene Instruktion schon zum voraus gegen allfällige Vorwürfe aus dieser Richtung zu verteidigen (und vielleicht auch, um eigene Zweifel zu unterdrücken), wies Frey-Herosé darauf hin, den Bundesrat dürfe der Punkt 4 beruhigen, der ihm ausdrücklich noch die Gelegenheit einräume, den fertigen Vertragsentwurf genau zu prüfen. Die Instruktion (643) enthielt folgende Punkte:

1) Kern wurde ermächtigt, über die in Frage stehende Materie (Schutz des geistigen Eigentums) zu verhandeln und eine Uebereinkunft abzuschliessen, unter allfälliger Benützung seiner früheren Eventualanträge.

2) Folgende Punkte sollte er "nachdrücklich verteidigen und zur Geltung zu bringen suchen":
a) um den Schutz im andern Land erhalten zu können, sollte es nicht unumgänglich sein, ihn auch im eigenen garantiert zu haben;
b) in der Konvention muss von Zeichnungen, nicht aber von Modellen gesprochen werden (644); sollte dies nicht möglich sein, müsste darauf gedrungen werden, dass jedenfalls durch das Deponieren von Modellen neue Erfindungen oder Entdeckungen kein Privileg erhalten könnten;
c) die Skizzen oder Zeichnungen oder Muster sollten besiegelt, aber unverschlossen hinterlegt werden (645);
d) geschützt werden dürfte nur die jeweils hinterlegte Zeichnung, nicht aber "ein allgemeines Prinzip oder ein Genre";
e) in allen Fällen sollte dem Kläger eine Kautionsleistung auferlegt werden;
f) "dass die Reproduktion von Musikstücken in Musikdosen und Carillons, Orgeln, die im Grunde nur eine Art von Automaten sind, nicht als unerlaubte Nachahmung angesehen und behandelt werden."

3) Sollte ein Vertragsabschluss auf grund dieser besonders hervorgehobenen Punkte dem festen Widerstand der Franzosen begegnen, so wäre Kern ermächtigt, zu Lösungen Hand zu bieten, die ihnen im Sinn und Zweck möglichst entsprechen. "Jeden Schutz auf unbeschränkte Zeit (à perpétuité) wird er beharrlich ablehnen."

4) Der Entwurf des Vertrages muss dem Bundesrat als Ganzes vorgelegt werden.

5) Den weiteren Berichten Kerns wird entgegengesehen.

Die Beratungen hatten im Bundesrat keine hohen Wellen zu werfen vermocht, und die Beschlüsse waren ohne Gegenstimme gefasst worden (646). Dubs beurteilte die Sache als nicht besonders wichtig, sondern bloss mehr als "eine Frage der Eigenliebe der französischen Regierung, eine mission civilisatrice auf diesem Gebiete zu betätigen" (647). Die Schweiz habe aber keinen Grund, sich einer vertraglichen Regelung zu widersetzen. Vorderhand beschäftigten sich Kern und der Bundesrat noch mit der Bereinigung der Handelsvertragsredaktion und der beidseitigen Tarife; wir werden darauf später zurückkommen und verfolgen hier gleich, wie die Uebereinkunft zum Schutz des geistigen Eigentums ihre endgültige Gestalt annahm. Dies geschah in der Hauptsache in der 23. und 25. Konferenz, die letzte Bereinigung etwas später.

3. Die letzten acht Arbeitskonferenzen (Mai/Juni 1864)

Der schweizerische Bevollmächtigte legte zu Beginn der 23. Konferenz (648), zu der auf französischer Seite Juillerat, Chef de division im Innenministerium, beigezogen worden war, die Prinzipien dar, die den Bundesrat veranlasst hatten zu verlangen, dass alle einschlägigen Bestimmungen in den Vertrag aufgenommen würden und für beide Staaten diese Stipulationen verbindlich sein sollten. Da er aber ganz offensichtlich das französische Widerstreben gegen eine derartige Lösung voraussah, machte er gleich einen Eventualantrag, der auf folgendes hinauslief: die Schweizer mussten in Frankreich nach der französischen Gesetzgebung behandelt werden, während für die Franzosen in der Schweiz die neuen Bestimmungen, die in der Konvention niedergelegt würden, gelten sollten. Daraus ergäbe sich allerdings die Schwierigkeit, dass die Schweiz gezwungen wäre, diese Bestimmungen zwölf Jahre lang unverändert anzuwenden, wogegen Frankreich frei wäre, seine Gesetzgebung und Gerichtspraxis jederzeit abzuändern. Dafür müsste aber eine Lösung gefunden werden können.

Der zuerst gemachte Vorschlag fand, wie erwartet, die Zustimmung der französischen Bevollmächtigten nicht; für diese kam eine Lösung nur auf der

Basis des Eventualvorschlages in Frage. Um die angetönte Schwierigkeit zu beheben, schlug Rouher vor, die Schweiz sollte für den Fall einer Revision des französischen Gesetzes die Möglichkeit haben, die Vertragsbestimmungen zu modifizieren, womit die rechtliche Gleichheit gewährleistet wäre. Kern pflichtete diesem Vorschlag bei, brachte dann aber drei Punkte vor, deren Berücksichtigung beim Ausarbeiten der Uebereinkunft für die Schweiz wesentlich und unabdingbar wäre:
Die erste betraf die Musikdosen. Kern schlug vor, folgende Stipulation aufzunehmen: "Il est entendu entre les Hautes Parties contractantes que la reproduction de compositions musicales par des boîtes à musique et instruments analogues ne peut constituer une contrefaçon" (679). Indem er sich auf eine frühere Erklärung berief und zudem eine Petition von westschweizerischen Musikdosenfabrikanten verlas, die sich über Beschlagnahmungen auf dem Transit durch Frankreich beklagten (650), wies er darauf hin, dass in der Schweiz Musikdosen für den Uebersee-Export im Werte von 2 Mio. Franken fabriziert würden, diese Frage für die Schweiz also von grosser Wichtigkeit sei. Gegenwärtig gehe wegen der rigorosen Beschlagnahmungspraxis der ganze Export über Bremen. Die französischen Unterhändler bedauerten diese Praxis offenbar ebenfalls; um die Situation zu ändern, brauchte es aber eine Gesetzesrevision. Rouher und Drouyn verpflichteten sich sogar dazu, in der nächsten Zeit einen entsprechenden Entwurf vor das Corps législatif zu bringen und bis dahin dafür besorgt zu sein, dass von der Verwaltung aus keine Musikdosen mehr beschlagnahmt würden. Die Schweiz konnte damit wieder einen Pluspunkt buchen. Kern riet aber dem Bundesrat dringend, darüber Stillschweigen zu bewahren, damit nicht von interessierter französischer Seite aus wieder neue Klagen an die Regierung gerichtet würden (651). Auch der zweite Vorbehalt Kerns, der eine klare Definition des Begriffs "dessins" verlangte (nur eine bestimmte Zeichnung, nicht ein ganzes Genre etc.), wurde von Frankreich gutgeheissen, und die schweizerischen Bedenken erwiesen sich als gegenstandslos. Beim dritten Punkt ging es Kern darum, den Patentschutz für Erfindungen aus der Uebereinkunft verbannt zu wissen. Diese Materie aber, so legte Rouher dar, war in Frankreich ausschliesslich Sache der Gerichte, und ein derartiger Vorbehalt konnte, wie ebenfalls die beiden andern, nicht in die Konvention aufgenommen werden, sondern musste nach Rouhers Ansicht ihren Platz in einem Spezialprotokoll finden, womit sich Kern einverstanden erklärte.
Die eigentliche Detailberatung war für die 25. Konferenz (652) (am 6. Juni) vorgesehen, wobei neben Juillerat auch Julien, Directeur du Commerce intérieur im Handelsministerium, beiwohnte. Die Beratung soll hier nicht etwa vollständig nachgezeichnet werden, sondern es mögen nur einige besonders erwähnenswerte Punkte zur Sprache kommen.
Eingangs verlas Kern eine formelle Erklärung, wonach die Artikel der Uebereinkunft, welche die Schweiz beträfen, nur provisorischen Charakter besäs-

sen und einer gesetzlichen Regelung der Materie durch die Eidgenossenschaft nicht im Wege stünden. Eine zukünftige Regelung, dazu verpflichtete sich Kern, würde auf dem Prinzip aufgebaut sein, dass die Franzosen in der Schweiz gleich behandelt würden wie die Schweizer selbst. Zu einer provisorischen Regelung biete der Bundesrat Hand, damit der Handelsvertrag keine unliebsamen Verzögerungen mehr erlitte. Mit dieser Erklärung war Rouher einverstanden; zugleich schlug er vor - dies war neu -, die ganze Uebereinkunft in zwei Partien zu unterteilen, wobei im ersten Teil die Verpflichtungen Frankreichs, im zweiten diejenigen der Schweiz untergebracht werden sollten.

Nach diesem Grundsatz wurde nun auch vorgegangen, allerdings unter dem wichtigen Vorbehalt: "Il est entendu que cette révision n'est faite qu'à titre d'essai et que les rédactions adoptées ne sont pas définitives" (653). Aus dieser Formulierung spürt man die Rücksichtnahme gegenüber dem skeptischen Bundesrat heraus, der keine voreiligen Verpflichtungen hatte eingehen wollen. Was aus der Beratung resultierte, war im grossen und ganzen aber dann doch bereits die definitive Uebereinkunft, auf die man sich ohne grosse Mühe einigen konnte und die in den folgenden Konferenzen kaum mehr wesentliche Abänderungen erfuhr. Am Schluss der Konferenz konnten sich die Bevollmächtigten über einen einzigen Punkt nicht verständigen. Kern wollte nämlich wissen, wie sich die Franzosen zu der bundesrätlichen Auffassung stellten, wonach der Schutz des geistigen Eigentums für französische Industrielle in der Schweiz nur dann gewährleistet werden sollte, wenn diese diejenigen Formalitäten erfüllten, die in der Schweiz für die Erlangung des Schutzes notwendig wären. Wenn die französischen Fabrikanten dies in der Schweiz unterliessen, so sollte für schweizerische Industrielle die Verwendung französischer Muster und deren Export nach Frankreich gestattet sein. Eine solche Interpretation wies Rouher aber deutlich zurück. Erstens einmal beruhten alle Verträge Frankreichs mit den andern Staaten auf dem Prinzip, das der Auslegung des Bundesrates zuwiderlief; zweitens konstituierte die Hinterlegung eines Musters in Frankreich das Besitzesrecht und den Schutz vor Nachahmung im ganzen Kaiserreich auf absolute Weise. Das zweite Depot garantiere dann eben zusätzlich noch den Schutz im andern Land. Um die Einfuhr von schweizerischen Produkten nach Frankreich, die auf der Nachahmung französischer Muster beruhten, illegal zu machen, genüge aber bereits die Hinterlegung dieser Muster durch den französischen Besitzer in Frankreich allein. Mit seiner Verteidigung der bundesrätlichen Auffassung kam Kern nicht weit. Als er darlegte, die französische Interpretation hätte zwar für die Zeit gegolten, in der keine Verträge existierten, nicht aber während der vertraglichen Regelung, beendete Béhic, unter Bekräftigung der Ansicht Rouhers, die Diskussion damit, dass er darlegte, ein solcher Vertrag würde unter diesen Umständen alles andere als vorteilhaft für die französischen Industriellen sein, und er müsste keinen Augenblick zögern,

eine derartige Interpretation entschieden abzulehnen!
Kern war aber trotz dieser "Abfuhr" mit dem Erreichten zufrieden. Mehrere Punkte, die ihm und dem Bundesrat als wesentlich erschienen waren, hatten die Zustimmung der französischen Bevollmächtigten gefunden, und über die Aufnahme der Uebereinkunft in der Schweiz äusserte er sich hoffnungsvoll: "Ich bin zum voraus überzeugt, dass der Bundesrat und ganz besonders, dass die schweizerischen Industriellen gewiss ganz gern sehen werden, dass es mir durch förmliche Stellung als Vorbedingung unsrer neuen Zusätze gelungen ist, für obige wichtige Prinzipien die gegenseitige konventionelle Redaktion zu erhalten" (654). Da aber im Moment redaktionell noch alles mehr oder weniger im Fluss war, konnte er den fertigen Entwurf vorderhand dem Bundesrat noch nicht zusenden. Im übrigen war jedoch nun auf beiden Seiten die Bereitschaft deutlich spürbar, bald zu einem greifbaren Resultat zu gelangen: "Es herrscht entschiedene Stimmung auch bei den französischen Bevollmächtigten vor, den Abschluss zu fördern, und ich dringe am Schluss jeder Sitzung auf fixe Anordnung der nächstfolgenden, indem es sonst immer Mühe hält, die Herren auf einen bestimmten Tag zusammenzubringen" (655).
Unterdessen waren auch die Arbeiten am Handelsvertrag und an den dazugehörigen Tarifen weitergegangen. Beim Niederlassungsvertrag, der ebenfalls bearbeitet worden war, ging es nicht mehr um grundsätzliche Entscheidungen; diese waren längst gefallen. Es handelte sich jetzt darum, die treffende Formulierung für das Prinzip der Gleichberechtigung der Juden in der Niederlassung zu finden. Hatte Dubs noch am 20. Mai an Kern geschrieben, die Redaktion des Niederlassungsvertrages sei ihm "absolut gleichgültig" (656), da man nun so oder so mit den überholten Traditionen in dieser Frage brechen müsse, so befürwortete der Bundespräsident ein paar Tage später, nachdem Kern berichtet hatte, er, Kern, möchte die Mohammedaner eigentlich noch aus der Sache heraushalten (657), nun doch die Formulierung "sans distinction de culte" (658). Dubs hatte in verschiedenen Unterredungen mit schweizerischen Politikern erfahren können, dass diese Fassung in der Schweiz fast lieber angenommen würde als diejenige, welche nur die vom Staate anerkannten Konfessionen einschloss. Kern dankte ihm sehr artig für den Wink und zeigte sich entschlossen, diese Formulierung im Niederlassungsvertrag anzunehmen (659). Ebenso war er gewillt, den Rat von Dubs zu befolgen, wonach er dafür sorgen sollte, dass auch der Schweiz im Niederlassungsvertrag wenigstens _eine_ Konzession gemacht würde - aus rein optischen Gründen: man konnte auf diese Weise etwas besser verschleiern, dass der Vertrag einzig wegen der Judenfrage revidiert worden war.
Schon bevor die Konferenzen wieder aufgenommen wurden, waren von Herbet für die französische und von Kern für die schweizerische Seite in der Zwischenzeit die Vertragsprojekte ausgearbeitet, geprüft und modifiziert worden. Fast entschuldigend meinte Kern über diese Arbeit hinter den Kulissen: "Nur durch solche Redaktionsarbeiten wird es möglich, den Abschluss er-

heblich zu fördern, so dass in den Schlusssitzungen nur noch diejenigen Punkte zu erledigen bleiben, über welche man sich bisher noch nicht einigen konnte" (660). Dies führte aber dazu, dass Kern dadurch "zu aussergewöhnlich anhaltender Arbeit während ganzer Tage und oft dazu noch halber Nächte gezwungen" (661) war; die Sache schritt jedoch dank dieses unermüdlichen Einsatzes sehr schnell vorwärts.
Auch im Hinblick auf das rasche, definitive Zustandekommen des Handelsvertrages war Kern zuversichtlich. Mitte Mai sandte er den Entwurf, mit kurzen Bemerkungen versehen, an den Bundesrat zu Begutachtung; neue Instruktionen fand er unnötig (662). Er hob hervor, welche Punkte auf seine Veranlassung hin ins Vertragsprojekt aufgenommen worden waren: die Möglichkeit, schweizerische Waren auch über ausländische Eisenbahnlinien nach Frankreich einführen zu können (663); kein Verbot der Ausfuhr von Steinkohle sollte gestattet sein; Algerien sollte in den Gültigkeitsbereich des Handelsvertrages aufgenommen werden; die Vertragsdauer sollte auf zwölf Jahre ausgedehnt werden. Hingegen musste er versuchen, erst in der Konferenz selbst noch folgendes hineinzubringen: nur für ein Minimum von Waren sollten Ursprungszeugnisse nötig sein; die Patenttaxen für Handelsreisende mussten herabgesetzt werden; die Bestimmungen über die Schiffahrt und die Fischerei auf dem Genfersee, die jetzt wieder im Entwurf aufgetaucht waren, wollte er noch zu eliminieren suchen. Am 27. Mai gab ihm der Bundesrat grünes Licht für die weiteren Verhandlungen über den Handelsvertrag. Ganz schmerzlos schien die Bundesratssitzung zwar nicht verlaufen zu sein, denn Dubs notierte sich boshaft ins Tagebuch, Frey-Herosé hätte in der Frage der Handelspatenttaxen eine "geradezu wahnsinnige Instruktion geben" wollen; worin sie bestand, sagte er aber nicht. Hingegen meinte er über den Vorsteher des Handelsdepartementes: "Er wird allmählich alt und ist denn auch ungeheuer steckköpfig" (664).
Länger säumte das Handelsdepartement mit dem Prüfen und Gutheissen der Tarife, die dem Handelsvertrag beigegeben werden sollten. Das Hauptprinzip, so erläuterte Frey-Herosé, das ihn bei der Abfassung des schweizerischen Tarifs geleitet hätte, wäre in erster Linie das Bestreben gewesen, nur diejenigen Produkte darin aufzunehmen, die auch Frankreich in seinem Vertragstarif aufführte. Solche Waren, die nur im französischen Generaltarif aufgeführt waren und für die es keine Reduktion gab, wurden ebenfalls hier weggelassen und zwar aus folgenden Erwägungen: die Schweiz sollte sich für diese Produkte (dazu gehörten u.a. Getreide, Mehl, Stroh, Kaffee, Tee, Zigarren und Tabak) freie Hand behalten, um bei besondern Ereignissen wie Grenzbesetzung usw. die Ansätze auf diesen Produkten aus fiskalischen Gründen erhöhen zu können und damit ausserordentliche Einnahmequellen bereitzuhalten. Gegenüber Frankreich sollte man aber darüber nichts verlauten lassen, da von dort her sonst leicht verlangt werden könnte - wie im schweizerisch-belgischen Handelsvertrag -, dass alle Ansätze auf der jetzigen Höhe beibehalten werden müssten. Auch bei künftig abzuschliessenden Handelsverträgen

sollte das neue Prinzip strikte beachtet und angewandt werden (665). Erst anfangs Juni, nachdem Kern bereits verschiedentlich gemahnt und Herbet und Barbier eine diplomatische Mission nach London mehrmals verschoben hatten, genehmigte der Bundesrat beide Tarife. Fornerod wollte zwar, wie Dubs sich ausdrückte, "einen Stein hineinwerfen" (666), indem er eine Untersuchung vorschlug über die Frage, ob die Schweiz nicht zum System der Wertzölle übergehen sollte, doch fand er mit diesem sehr unzeitgemässen und unpassenden Vorschlag bei seinen Kollegen keinen Widerhall. Da sowohl beim französischen wie beim schweizerischen Tarif ungefähr allen Forderungen und Vorstellungen des Bundesrates entsprochen worden war, erklärte sich die Behörde mit den vorliegenden Entwürfen einverstanden und fügte abschliessend hinzu: "Wir hoffen, diese Tarifangelegenheit somit spruchreif gemacht zu haben..." (667).

In der 24.Konferenz (am 3.Juni) (668), an der auch Villefort, Sousdirecteur du contentieux im Aussenministerium, teilnahm, widmete man sich der vorläufigen Bereinigung der beiden wichtigsten Verträge. Beim Niederlassungsvertrag lagen ein französisches Vertragsobjekt von fünf Artikeln (669), das sich auf das Allernötigste beschränkte, und ein davon nur wenig abweichender schweizerischer Entwurf mit sieben Artikeln vor. Kern stimmte den ersten drei Artikeln des französischen Projektes zu, wollte aber die Erklärung betreffend die Juden, die im letzten Alinea des Artikels 1 enthalten war, in einem besondern Artikel 7 untergebracht wissen. Damit konnten sich die französischen Bevollmächtigten nicht einverstanden erklären. Kern wollte nämlich im Artikel 7 die einschränkenden Bestimmungen von 1826 ungültig erklären, während die Franzosen aber darauf bestanden, im ersten Artikel, an deutlich sichtbarer Stelle, die Formulierung "Les Français, sans distinction de culte" hinzusetzen. Wenn auch Kern vorderhand seine Zustimmung dazu noch nicht gab, so wissen wir doch, auf Grund der vorangegangenen Korrespondenz, dass er dieser Redaktion auch zustimmte. Allerdings wollte er versuchen, noch andere Punkte in den Vertrag hineinzubekommen: die Regelung der Militärpflicht für Doppelbürger und die Lösung des Problems der Kinder, die von ledigen Müttern schweizerischer Nationalität in Frankreich geboren und von den französischen Behörden häufig ohne die Mutter in die Schweiz abgeschoben wurden. Die Zustimmung zur Formulierung des Artikels 1 nach französischem Vorschlag wollte er auch von der Haltung Frankreichs in der Frage des geistigen Eigentums abhängig machen (670).

Bei der Diskussion des französischen Handelsvertrags-Entwurfs (mit 30 Artikeln) (671) gab es bedeutend weniger Meinungsverschiedenheiten. Die einzig ernsthafte entstand dadurch, dass nun doch zwei Artikel über die Schiffahrt und die Fischerei im Entwurf figurierten, was Kern zur Bemerkung veranlasste, er hätte geglaubt, bei der Diskussion in der 18.Konferenz sei endgültig entschieden worden, diese Fragen vom Vertrag auszuschliessen. Rouher wollte sich in Abwesenheit des Aussenministers nicht dazu verpflichten;

Kerns hartnäckiger Widerstand sollte aber doch schliesslich noch seine Früchte tragen. Zum Schluss schlug Kern einen zusätzlichen Artikel vor, in dem die vorzeitige Inkraftsetzung folgender Stipulationen vorgesehen sein sollte (auf den 1.Januar 1865):
a) Schweizerische Produkte, die im französischen Generaltarif enthalten waren und deren Einfuhr nach Frankreich bisher verboten war, sollten mit Ursprungszeugnissen zum neuen Vertragstarif eingeführt werden können. Das gleiche hätte zu gelten für folgende Produkte: Uhren, Bijouterie, Häute, Felle, Baumwollgarn und -gewebe, Seidenstoffe und -bänder, Strohgeflechte und Käse. Die zwei Kontrollbureaux an der Grenze für die Edelmetalle würden auf diesen Zeitpunkt eröffnet. Die neuen Bestimmungen für Handelsreisende (keine Taxen) sollten in Kraft treten. Für folgende Waren würde der neue schweizerische Einfuhrzoll gelten: Eisengusswaren, Fette und Oele, Glas, Töpfereien, Wein u.a.m. Die neue Konsumogebührenregelung sollte angewandt werden.
b) Der neue Niederlassungsvertrag könnte in Kraft treten. Ebenso
c) das neue Reglement für das Pays de Gex.
Die französischen Bevollmächtigten versprachen, diese Vorschläge zu prüfen.
In der 26.Konferenz (am 9.Juni) [672] legte Kern zu Beginn die Gründe dar, weshalb er diese vorzeitige Inkraftsetzung verlangt hatte. Er blieb aber erfolglos. Béhic, auf denjenigen Artikel hinweisend, der das Inkrafttreten der Verträge auf den 1.Januar 1866 stipulierte, betrachtete Kerns Forderung als unvereinbar mit der bereits getroffenen Abmachung. Auch Rouher wollte von einem stufenweisen Inkrafttreten nichts wissen, beteuerte aber andererseits die Bereitschaft Frankreichs, die Verträge mit der Schweiz so bald als möglich in Geltung zu setzen. Sein Vorschlag bildete schliesslich den ersten Abschnitt des Artikels 31 im Vertrag: "Le présent traité et les tarifs y annexés recevront leur application dans les deux pays, le 1er Janvier 1866, ou plus tôt, si les deux Hautes Parties contractantes reconnaissent d'un commun accord, que cette date peut être anticipée" (673). Kern zog daraufhin seinen Vorschlag überraschend schnell wieder zurück. Die daran anschliessende erneute Lesung des von Ozenne bereinigten Handelsvertrags-Entwurfs brachte wenig Interessantes, wie denn überhaupt die Verhandlungen nun in die letzte Phase eintraten, während der es nur noch darum ging - von gewissen Ausnahmen abgesehen - den verschiedenen Verträgen den letzten Schliff zu geben. So konnte Kern dann im Rückblick konstatieren: "Die Debatten waren in den letzten Sitzungen überhaupt weit kürzer als früher, weil die leitenden Motive schon in den vorangehenden Sitzungen entwickelt worden sind" (674). Jetzt wurde über einzelne Formulierungen diskutiert, die Reihenfolge gewisser Vertragsartikel modifiziert und letzte Missverständnisse ausgeräumt. Keine Einigung war über das Problem der Genferseeschiffahrt zu erzielen. Vergeblich suchte Kern die französischen Bevollmächtigten dazu zu überre-

den, diese Materie aus dem Vertrag zu entfernen. Also blieb für ihn nichts anderes übrig, als entweder diese heiklen Artikel in den Handelsvertrag aufnehmen zu lassen oder aber an den Kaiser zu appellieren. Sonst aber durfte Kern befriedigt feststellen, dass seine übrigen Forderungen im Handelsvertrag alle verwirklicht worden waren.
Für das Pays de Gex lag ein neun Artikel umfassender Entwurf von Kern vor (675); abgesehen von ganz geringfügigen Aenderungen wurde auch dieses Reglement in kurzer Zeit von den französischen Vertretern gutgeheissen.

Die Assistenz von Vicaire, Directeur général des forêts und Babinet, Directeur des Affaires criminelles et des grâces im Justizministerium in der 27. Konferenz (am 13.Juni) (676) erwies sich für die Diskussion der Uebereinkunft für die Grenzgebiete und -waldungen nur beim letzten Punkt als notwendig. Während die übrigen Artikel nach kurzer Besprechung beidseitig akzeptiert wurden, gab die Frage, welchen Status und welche Kompetenzen die Waldhüter erhalten sollten, zu längerer Diskussion Anlass. Schliesslich einigte man sich dahingehend, dass die von Schweizern auf französischem Boden begangenen Waldfrevel in der Schweiz gleich bestraft würden wie in Frankreich und umgekehrt; zudem wollte man den Waldhütern beider Nationen das Recht zuweisen, vor den Gerichten des andern Landes erscheinen und aussagen zu dürfen. Babinet wurde mit der Ausarbeitung entsprechender Artikel beauftragt.
In kurzer Zeit war auch die endgültige Fixierung der Tarife beendet. Einigen kleinen schweizerischen Wünschen willfahrten die französischen Bevollmächtigten ohne weiteres.
Je weiter die Redaktionsarbeiten voranschritten, desto deutlicher kristallisierte sich auch heraus, über welche Punkte sich die Bevollmächtigten beider Lager anscheinend nicht zu einigen vermochten. Auch in Privatbesprechungen mit Rouher und Drouyn war es Kern nicht gelungen, diese Hindernisse auszuräumen (677). In dieser Lage griff Kern zu seinem alterprobten Mittel, direkt an den Kaiser zu gelangen. Da Napoleon III. aber in Fontainebleau weilte, konnte Kern dies nicht in einer Audienz tun, sondern musste sich in einem Schreiben an den Kaiser wenden. Darin legte er diesem dar, dass für den endgültigen Abschluss der Verträge nur noch die Einigung über die Differenzen in den Fragen des Genfersees, der Passvisagebühren und der redaktionellen Fassung der Judenfrage nötig sei.
Die Schweiz anerkenne das Prinzip der freien Schiffahrt, widersetze sich aber einer solchen Bestimmung im Handelsvertrag "exclusivement pour éviter dans l'intérêt de la conclusion du traité même des discussions d'un ordre politique" (678). Sich auf die kaiserlichen Versprechungen vom Juni 1863 beziehend, bat Kern den Monarchen, Frankreich möge doch endgültig von diesen Forderungen abstehen. Auch bei den Passvisagebühren gehe der Bundesrat nicht von seiner bisherigen Auffassung ab, Frankreich solle sie doch abschaffen. Hingegen könne die Schweiz die Aufenthaltsgebühren nicht abschaf-

fen, ohne das Finanzwesen der Gemeinden empfindlich zu tangieren. Die einzig mögliche Lösung scheine daher diese zu sein: wenn sich Frankreich zur Abschaffung der Visagebühren verpflichte, so werde die Schweiz ihrerseits die Aufenthaltsgebühren für die ärmeren Bevölkerungsklassen senken oder ganz aufheben. So könnte man zwei Fliegen mit einer Klappe schlagen: "J'ai la confiance qu'on atteindra de cette manière le double but et d'amener une position plus favorable de la classe ouvrière française et suisse dans les cantons où ils résident et d'écarter la cause des plaintes générales de la part des Suisses sur ce qu'ils se voyent traités par la France moins favorablement que par les autres états..." Mit grossem Geschick spielte hier Kern auf Napoleons oft bekundete Neigung an, sich besonders der Verbesserung des Loses der ärmeren Klassen anzunehmen.

In der Judenfrage sei man sich grundsätzlich einig, doch hätte man sich vorderhand noch nicht über die redaktionelle Formulierung einigen können. In Wahrheit war es aber so, dass Kern zwar mit dem französischen Vorschlag einverstanden war, aber seine Einwilligung gegen das französische Entgegenkommen bei den beiden andern Punkten einhandeln wollte. Dies sprach er etwas später auch ganz erstaunlich offen aus: "J'ai la profonde conviction que le Conseil fédéral finira par adopter cette rédaction plus large si les deux autres questions reçoivent une solution dans le sens de mes propositions, et que dans ce cas, il saura vaincre les craintes se rattachant à des préjugés enracinés dans une partie considérable de la population suisse" (679). Nachdem sich die Schweiz den französischen Forderungen beim Schutz des geistigen Eigentums weitgehend angeschlossen hatte, so wäre es nun, beschwor Kern am Schluss des Schreibens den Kaiser, nichts als recht und billig, wenn zum Ausgleich der Schweiz in den drei eben genannten Punkten entsprochen würde.

Diese Intervention verfehlte ihre Wirkung nicht. Der Kaiser gab in der Ministerratssitzung vom 15. Juni seine Zustimmung zu den schweizerischen Wünschen und beauftragte seine Bevollmächtigten, in diesem Sinne der Schweiz entgegenzukommen (680).

Noch am gleichen Tage, in der 28. Konferenz [681], liess Rouher bei der Durchsicht des Handelsvertrages die Genferseeartikel fallen und begnügte sich mit Kerns formeller Erklärung, die Schiffahrt auf dem See sei frei, die Taxen in allen Häfen für die Schiffe beider Nationalitäten gleich und die Regelung der Fischereifragen Sache der anstossenden Kantone. Ebenso war der Staatsminister einverstanden mit der von Kern vorgeschlagenen Lösung der Visa- und Aufenthaltsgebührenfrage, die in einer speziellen Erklärung am Schluss der Verträge festgehalten werden sollte. Andererseits fanden auch die Artikel 7 - 9 der Konvention über die Grenzverhältnisse, welche die Stellung der Waldhüter regelten, bei Kern Anklang, der sich nun gleichfalls beim Artikel 1 des Niederlassungsvertrages mit der Redaktion "sans distinction de culte" einverstanden erklärte. Wie Dubs dies aus optischen Gründen ge-

wünscht hatte, kamen auf schweizerische Anregung zwei weitere Artikel in
diesen Vertrag: kein im andern Staate lebender Angehöriger eines der beiden
Länder sollte militärdienstpflichtig sein; wie im schweizerisch-badischen
Niederlassungsvertrag von 1863 sollte für die Gewerbeeinrichtung und -ausübung die Meistbegünstigung gelten.
Für die Uebereinkunft zum Schutze des geistigen Eigentums einigte man sich
nun definitiv, diese in zwei Teile zu gliedern: die erste Partie mit den für
Frankreich, die zweite mit den für die Schweiz verbindlichen Vorschriften;
über die meisten hängigen Fragen konnte man sich im grundsätzlichen schnell
einig werden. Als Kern hingegen nun noch - reichlich spät, das muss man
sagen - den Wunsch vorbrachte, auch für die Appretur und das Färben von
rohen Baumwolltüchern sollte der Freipassverkehr gewährleistet werden (682),
winkten Ozenne und Rouher sofort ab. Rouher betonte aber, dass die kaiserliche Regierung gewillt sei, alle (auch ausserhalb des Vertrages gewährten)
Vergünstigungen während der Vertragsdauer aufrechtzuerhalten. Kern hatte
höchst wahrscheinlich den Wunsch mit wenig Hoffnung auf Erfolg vorgebracht;
ihm ging es viel eher darum, den Baumwollindustriellen nochmals zu demonstrieren, wie sehr er sich für ihre Belange einsetzte.
"Die Konferenzverhandlungen rücken endlich ihrem sehr baldigen Ende entgegen", dieser Stosseufzer entrang sich Kern am folgenden Tag (683). Sein
Ziel war es, vom Bundesrat möglichst rasch die Vollmacht zur Unterzeichnung der Verträge zu erhalten, bevor Rouher seine obligate Badereise antrat
und die Chefbeamten nach London verreisten: "Unter solchen Umständen wird
es unumgänglich notwendig, dass ich mit den betreffenden Verträgen nach
Bern komme, um über die Verhandlungen einen mündlichen Rapport zu erstatten, und die Vollmacht zur förmlichen Unterzeichnung einzuholen" (684).
Die Anregung, selbst nach Bern zu kommen, war ja einige Zeit vorher von
Dubs gemacht worden. Kern entschuldigte sich beinahe für diesen Plan, zeigte sich aber im übrigen seiner Sache sehr sicher: "So viel kann ich Ihnen
aber jetzt schon sagen, dass ich bei der Vergleichung des Gesamtresultates
mit Ihren Instruktionen an der Zustimmung des hohen Bundesrates nicht zweifeln kann".
Dieser Ton war es, der verschiedenen Mitgliedern des Bundesrates nicht gefiel und der beinahe noch kurz vor Torschluss unliebsame Verzögerungen verursacht hätte. Als sich nämlich am 20.Juni der Bundesrat mit Kerns Antrag
nach einem mündlichen Rapport befasste, fehlten Dubs und Fornerod. Die
übrigen Mitglieder stellten sich ganz gegen Kerns Absicht, die einzig von
Frey-Herosé unterstützt wurde. Dieser sah den Grund für die negative Haltung seiner Kollegen, wie er nachher an Kern berichtete, in folgendem Umstand: "Wenn Sie in Ihrem Brief den Passus weggelassen hätten, wo es heisst,
dass Sie dann sofort die Vollmacht zur Unterzeichnung der Verträge mit nach
Paris nehmen wollten, - so wäre gegen meinen Antrag nicht so heftig und
nicht so glücklich gekämpft worden. Der Gedanke, dass sie den Bundesrat

überrumpeln wollen, war da und dort entstanden, und dieser offenbar vorherrschende, wenn auch nicht mit nackten Worten ausgesprochene Grund wirkte entscheidend auf die Schlussnahme" (685). Wie fiel diese aus? Mit einem Telegramm sollte Kern gemeldet werden, der Bundesrat wünsche vor allem Einsicht in die Akten zu erhalten und behalte sich die Einladung zu einer späteren mündlichen Berichterstattung noch vor (686).
Kern musste über diesen Beschluss - die Akten geben darüber allerdings keinen Aufschluss - kaum erfreut gewesen sein. Verärgert war ebenfalls Dubs, was sich im Tagebuch niederschlug; er war erst am Tag nach dem Bundesratsbeschluss wieder in Bern eingetroffen und gab dann Kern den Rat, sofort die Vertragstexte mit einem ganz knappen Bericht nach Bern zu senden und sich in der nächsten Woche für eine Reise zur mündlichen Berichterstattung bereitzuhalten (687).
Am gleichen Tag, da der Bundesrat seinen Trotzbeschluss gefasst hatte, fanden in der 29. und 30. Konferenz (am 20. Juni) (688) die allerletzten Bereinigungen aller fünf Abkommen statt. Nur bei der Frage, für wie lange der Niederlassungsvertrag gelten sollte, kam es nochmals zu einer längeren Diskussion. Kern wollte die gleiche Dauer wie beim Handelsvertrag, mit dem ja ohnehin ein enger Zusammenhang bestand; Herbet hingegen fand es bedauerlich, dass man von der Regelung von 1827, wo die unbegrenzte Dauer vorgesehen gewesen war, nun abgehen wollte: "... il considère comme contraire à l'esprit qui a présidé à la présente négociation de prévoir une durée pour l'application de principes de tolérance et d'humanité" (689). Die Bevollmächtigten aber zeigten sich von der Anrufung dieser hehren Prinzipien unbeeindruckt und einigten sich darauf, den Niederlassungsvertrag auch für zwölf Jahre gelten zu lassen. Nachmittags wurde Kerns Vorschlag, dem Reglement über die Grenzgebiete und -waldungen den Titel "Convention sur les rapports de voisinage et la surveillance des forêts limitrophes" zu geben, angenommen.
Schliesslich setzten, nachdem die Lesung aller Texte beendet war, die Bevollmächtigten beider Staaten ihre Paraphen "ne varietur" unter die Verträge und Anhänge. Während Kern mit einem Exemplar nach Bern gehen wollte, würden im Aussenministerium die endgültigen Vertragsdokumente vorbereitet. In einem Telegramm meldete Kern dem Bundesrat sogleich diesen Abschluss der Verhandlungen.
Obschon der Bundesrat nur die Akten verlangt hatte, erschien Kern am 23. Juni ganz plötzlich in Bern (690). Offensichtlich hatte er auf eigene Faust entschieden, der Weisung des Bundesrates nicht zu gehorchen, und er war überzeugt, dass seine Position und die eben zustandegebrachte Arbeit es ihm wohl erlauben würden, Bundesratsbeschlüsse zu ignorieren. Der Bundesrat, nun doch vor ein fait accompli gestellt, machte jedenfalls gute Miene zum bösen Spiel und liess, sicher auf die Intervention von Dubs, Kern in zwei Sitzungen mehrere Stunden lang über die Verhandlungen und die fertigen Ver-

träge rapportieren.

4. Kerns Schlussbericht und die Unterzeichnung durch die Bevollmächtigten (25.- 30.Juni 1864)

Als Kern mit seinem abschliessenden Rapport vor den Bundesrat trat, musste er sich bewusst sein, welche Stimmung ihn dort erwartete und was für ihn auf dem Spiele stand. Es ging nicht bloss um die Sache, also um die Verträge und Uebereinkünfte, sondern fast ebensosehr um das Prestige des Unterhändlers, der sich in den eben abgeschlossenen Unterhandlungen auch persönlich engagiert hatte und dessen Ansehen und Ruf in der Schweiz und in Frankreich hier nun einer strengen Prüfung unterstellt wurde. Wenn Kern sich den meisten Mitgliedern des Bundesrates gewiss überlegen fühlte, so war er eben jetzt doch auf deren Wohlwollen und ihre Zustimmung angewiesen. Dass er dabei gewiss nicht immer den rechten Ton fand, gehört mit zu seinen Charakterschwächen.

In der ersten Sitzung am 25.Juni durchging er in einem 3 1/2stündigen Bericht systematisch die einzelnen Verträge; an der zweiten Sitzung am 28.Juni hob er die gegenseitigen Konzessionen im ganzen hervor und zog die Bilanz (691).

Eingangs rechtfertigte er sein persönliches Erscheinen. Dies hätte er aus zwei Gründen als unumgänglich betrachtet: einmal wegen der grossen Tragweite der einzelnen Verträge, sodann um den endgültigen Abschluss der Abmachungen möglichst zu befördern und um zu allfälligen Fragen gleich Stellung nehmen zu können. Er fand es sehr wünschenswert, wenn die Verträge schon in der nächsten Session den Räten vorgelegt werden könnten. Diese müssten dann selbst entscheiden, ob sie die Verträge sofort behandeln oder aber die Beratungen darüber auf später verschieben wollten. Als Kern sich dann anschickte, die wichtigsten Punkte hervorzuheben, setzte er dabei die Kenntnis der zähen Debatten um die Weinfrage und die Savoyerzonen voraus und verwies auf die offiziellen Protokolle. Hier soll ein noch mehr abgekürztes Verfahren angewendet werden, indem es durchaus möglich ist, über verschiedene der Kernschen Exkurse in einzelnen Stichworten zu referieren.

a) Der Handelsvertrag und die damit verbundenen Tarife: Die rein technischen Bestimmungen übergehend, machte er die Bundesräte auf folgende besondern Artikel aufmerksam:
Die Einfuhr schweizerischer Produkte nach Frankreich über ausländische Eisenbahnen (Art. 5) brachte vor allem für die ostschweizerische Industrie einen gewichtigen Vorteil. Die Kontrolle war durch eine besondere Plombierung der Wagen gewährleistet.
Bei der Errichtung der Kontrollbureaux in Bellegarde und Pontarlier für

Edelmetalle (Art. 11) hatte Kern endlich durchgebracht, dass die Waren nach der Kontrolle nicht mehr wie bisher wieder in die Schweiz zurückgeschickt werden mussten, sondern direkt nach Frankreich weiterbefördert werden konnten.
Für eine ganze Anzahl von Produkten hatte Kern versucht, analog den andern von Frankreich abgeschlossenen Verträgen, die Abschaffung der lästigen Ursprungszeugnisse zu erreichen. Schliesslich wurde dies aber neben den auch andern Ländern zugestandenen Waren nur für einige spezifische schweizerische Erzeugnisse wie Käse, Parquetterie, Uhren und Uhrenbestandteile gewährt (Art. 13). Mit dem Inkrafttreten des französisch-preussischen Vertrages bestand aber die Aussicht, dass allmählich alle diese Formalitäten verschwänden.
Die Patenttaxen für Handelsreisende wurden beidseitig abgeschafft, ebenso nahm man auf Kerns Wunsch die Bestimmung auf, dass die Ausfuhr von Steinkohle nicht verboten werden durfte, was für die schweizerischen Eisenbahnen eine Lebensfrage war (Art. 28). Schliesslich hatte Kern erreicht, dass der Handelsvertrag auch für Algerien galt (Art. 29), womit der Schweiz das Eindringen auch in afrikanische Märkte ermöglicht wurde.
Was das Datum der Inkraftsetzung anbelangte, stellte Kern die Gründe dar, die Frankreich bewogen hatten, keine Vorverlegung für einzelne Teile des Vertrags zu gewähren: "Frankreich war ... gegen eine solche Ausnahmebestimmung, schon um den Schein zu vermeiden, als zweifle es daran, dass der preussisch-deutsche Zollvertrag (er meinte den französisch-deutschen Vertrag) zustande kommen werde" (692). Wäre einmal die Ratifikation dieses Vertrages perfekt, so stünde auch der integralen Inkraftsetzung des Vertrages mit der Schweiz nichts mehr im Wege.
Die daran anschliessenden Darlegungen über die Entwicklung in der Genferseefrage einerseits, in der Visa- und Aufenthaltsgebührenfrage andererseits ergaben keine neuen Gesichtspunkte. Kern betonte aber, dass ohne schweizerische Konzessionen bei den Aufenthaltsgebühren - Herabsetzung der Taxen für Arbeiter, besonders in der Westschweiz - kein französisches Entgegenkommen bei den Passvisa zu erwarten wäre. Frankreich wäre ja bereits von seiner ersten viel weitergehenden Forderung abgegangen; eine Angleichung der Aufenthaltsgebühren in allen schweizerischen Kantonen dürfte ohnehin längst fällig sein.
Bei den Tarifmodifikationen verweilte er vorderhand nur kurz: besonderer Erwähnung schien ihm die französische Ausfuhrzollreduktion auf Lumpen zu sein, durch die den schweizerischen Papierfabriken sukzessive billigere Rohmaterialien verschafft werden konnten. Zum schweizerischen Tarif bemerkte er dann ausdrücklich, dass sich die Schweiz freie Hand behalten habe für all diejenigen Produkte, die in diesem Vertragstarif nicht aufgeführt waren.

b) **Die Uebereinkunft zum Schutz des geistigen Eigentums:** Indem er auf seine schriftlichen Rapporte seit dem April hinwies, stellte er die bekannten zwei unannehmbaren Alternativen dar, die von Frankreich gestellt worden waren und dann durch den ebenfalls bekannten "Terminus der Verständigung" (693) ersetzt wurde, dessen Vorzüge er anschliessend schilderte. In einem Schlussprotokoll waren drei wichtige Bedingungen (die Musikdosen, Nouveautés und die Deponierung von Mustern betreffend) verankert, welche der Schweiz ebenso wie die folgenden Bestimmungen den gewünschten Schutz gewährleisteten: die dessins waren nur drei Jahre lang geschützt; deren Deponierung konnte offen oder versiegelt geschehen; nur die dessins de fabrique, nicht aber die modèles de fabrique waren geschützt; bei einer Beschlagnahmung musste vom Kläger eine Kaution geleistet werden; eine Nachahmung der dessins wurde nur bestraft, wenn eine fraudulöse Absicht nachgewiesen werden konnte. Endlich zeigten bereits die ersten Erfahrungen derjenigen Länder, die mit Frankreich ähnliche Vereinbarungen getroffen hatten, dass in der Praxis keinerlei Nachteile zu befürchten waren.

Die Teile über das literarische Eigentum wollte Kern lediglich als eine Verbesserung des 1856er-Konkordates aufgefasst wissen, denn auch hier musste der Kläger neuerdings eine Kaution leisten. Andererseits räumte er ein, dass die Bestimmungen über die Fabrikzeichen im wesentlichen eine Wiedergabe des französischen Gesetzes von 1857 waren; solche Strafbestimmungen aber schienen ihm wohl am Platze, denn "hier handelt es sich nämlich um Vergehen, die sich geradezu als Betrug qualifizieren, indem kein Kaufmann befugt sein kann, seine Ware auf den Namen des Konkurrenten auszubieten, sondern lediglich angewiesen ist, auf seinen eigenen Namen sich Kredit zu verschaffen". Zum Beweis, wie man in der Schweiz bei der Beurteilung all dieser Fragen vielfach von irrigen Voraussetzungen ausgehe, zitierte er - diese Art von Belehrung werden die Bundesräte besonders geschätzt haben! - einige Stellen aus einschlägigien fachlichen Werken über die protection industrielle, die in Frankreich und Deutschland erschienen waren.

c) <u>Der Niederlassungsvertrag:</u> Vorab musste er gestehen, dass zwei Fragen nicht hatten gelöst werden können und in eine Separatabmachung verwiesen wurden: die Militärdienstpflicht für Doppelbürger und die Heimschaffung der ausserehelichen Kinder ohne ihre Mütter. Auf die Meistbegünstigungsklausel hielt er sich dagegen einiges zugute; die Frage der Gleichstellung der Juden behandelte er nur ganz knapp und berührte das damit verbundene Problem der staatsrechtlichen Schwierigkeiten überhaupt nicht; ganz gewiss nicht aus Vergesslichkeit oder Unachtsamkeit!

d) <u>Reglement betreffend das Pays de Gex:</u> Noch als sich schon eine definitive Regelung über diese Verhältnisse abzuzeichnen begonnen hatte, waren vom französischen Aussenminister plötzlich wieder neue Forderungen gestellt worden. (694) Kern wies diese jedoch entschieden zurück, gestattete hingegen "immerhin innert den Grenzen der vom Bundesrat hiefür erteilten Vollmachten" (695) die Erhöhung einzelner Kontingente und konnte so die definitive Einigung erzielen. Auf nähere Erläuterungen verzichtete er.

e) Uebereinkunft über die Grenzwaldungen und nachbarlichen Verhältnisse:
Bei dieser Konvention wurde den schweizerischen Wünschen nach Kerns Worten mehr als nur entsprochen. "Diese Uebereinkunft entspricht gleich sehr den wohlverstandenen Interessen beider Länder und wird bei der Grenzbevölkerung sehr gute Aufnahme finden" (696).
Am Schluss seines ersten Rapportes stellte er die Frage, "ob die Verträge, wie sie vorliegen, den herwärtigen Intentionen und Instruktionen zu entsprechen vermögen" (697)? Er glaubte, wenn man die Verhältnisse genau abwäge und die mannigfachen Schwierigkeiten nicht ausser acht lasse, darauf nur eine positive Antwort geben zu können. "Mancher Wunsch und manche Hoffnung ist allerdings nicht in Erfüllung gegangen, manches Ziel aber über Erwarten erreicht worden, so ganz besonders in der Tariffrage und im Vertrage über das literarische Eigentum, wo mehrere Punkte der schweizerischen Anschauung offenbar besser entsprechen" (698).
Ein Vergleich der Instruktion mit den Verträgen zeige auch, dass sich nirgends ein Anhaltspunkt finden lasse, um ihnen die Genehmigung zu verweigern. Nicht zu übersehen sei aber zudem, dass nur entweder das Ganze angenommen oder aber verworfen werden dürfe. Von der ihm eingeräumten Möglichkeit, die Verträge mit Ausnahme desjenigen über den Schutz des geistigen Eigentums bereits zu unterzeichnen, habe er nicht Gebrauch machen wollen, sondern er möchte die Vollmachterteilung zum Unterzeichnen aller Verträge dem Ermessen des Bundesrates anheimstellen.
Ueber die Wirkung von Kerns Auftreten gibt uns eine sarkastische, wohl durch das verletzte Rivalitätsgefühl von Dubs gefärbte Eintragung in dessen Tagebuch einige Auskunft: "Kern hielt 3 1/2 Stunden langen Rapport, in welchem er sich gehörig spreizte; überhaupt legte er lächerliche Eitelkeit an den Tag. Es kommt ihm nie in den Sinn, mit einem Worte darauf hinzudeuten, dass ich ihm speziell dies oder das empfohlen habe, womit er dann reüssierte. Ich habe wenigstens die stille Satisfaktion, dass es so ist. Sein Brief an den Kaiser, den er mir vorlas, ist der Art, dass ich ihm die Weglassung einzelner Partien für die Verlesung im Bundesrat empfahl" (699).
Diese Beurteilung ist sicher, wenn sie auch in einigem zutrifft, nur cum grano salis zu nehmen. Kern ging ganz gewiss darauf aus, seine Verdienste herauszustreichen; hätte er aber nach der Ansicht von Dubs auch auf dessen Anteil an den Verhandlungen hinweisen sollen, so wäre gerechterweise auch Frey-Herosés Mitarbeit zu würdigen gewesen. Offenbar stand es, wie wir schon an verschiedenen Indizien vorher dies feststellen konnten, mit der Eintracht und dem Willen zur Zusammenarbeit im Bundesratskollegium nicht zum besten. Dies zeigt auch folgende Notiz bei Dubs, die beweist, welche Widerstände Kern noch zu überwinden hatte: "In der französischen Vertragsfrage zeigt Schenk bösen Willen, Knüsel Faulheit: warum so pressieren!"(700)

Drei Tage später erhielt Kern nochmals Gelegenheit, zum Ganzen einige erläuternde Ergänzungen vorzutragen und mit dem Hervorheben der Hauptgesichtspunkte den Bundesrat für die Erteilung der Unterschriftenvollmacht zu gewinnen. Er erörterte dabei die drei Fragen: Was gewährt die Schweiz? Was erhält die Schweiz? Wie sieht die Bilanz aus?
Bei der ersten Frage fiel nach Kern ins Gewicht, dass die Schweiz während zwölf Jahren auf den im Tarif aufgeführten Produkten die Zölle nicht erhöhen durfte, während sie dies bei den andern Waren, z.B. auf Tabak, weiterhin tun konnte. Hielt man sich aber das allgemeine Streben der Schweiz nach einem liberalen Zollsystem vor Augen, so sollte klar werden, dass diese Verpflichtung für die Schweiz nicht besonders schwer wog. Auch die verschiedenen Zollsenkungen, welche die Schweiz gewährte, stellten kein grosses Opfer dar, da sie "hauptsächlich da gewährt worden sind, wo eine Reduktion des Zolles mit dem eigenen Interesse zusammenfiel und wo mithin die Konzession früher oder später der öffentlichen Meinung gemacht worden wäre, bei den meisten Artikeln voraussichtlich schon bei der nächsten Revision des Zollgesetzes" (701). Bei der am stärksten umkämpften Position, beim Wein, konnte die Schweiz aber ihre Bastion halten und musste nur zwei geringfügige Konzessionen machen: beim Zoll für Flaschenweine und der Konsumogebühr für den Wein in Doppelfässern.
Was wir beim Niederlassungsvertrag geben, so beteuerte Kern, das geben wir im Grunde genommen nur uns selbst, indem wir nichts anderes tun, als eine "Forderung der Toleranz", ein Postulat der Zeit, zu erfüllen. Wollen wir noch mehr Handelsverträge abschliessen, so ist die Aufhebung dieser diskriminierenden Vorschriften zudem unumgänglich.
Als die wichtigste Konzession betrachtete er den Schutz des geistigen Eigentums; der Widerstand der Industriellen wäre zwar ganz begreiflich, aber es bestünde falsche, übertriebene Besorgnis darüber. Man war sich doch schon von Anfang an bewusst gewesen, dass diese Konzession von den Franzosen als conditio sine qua non betrachtet wurde, und "wollte man nicht darauf eingehen, so hätte man eigentlich die Unterhandlungen unserseits ablehnen müssen"(702). Dagegen hatte das Patentsystem glücklich umgangen werden können.
Das Reglement für das Pays de Gex schliesslich enthalte Konzessionen, die ebenso den Genfern wie den Bewohnern des Ländchens zugutekommen.

Die zweite Frage: Was erlangt die Schweiz? anvisierend, brachte Kern zum Bewusstsein, wie bedeutsam es wäre, dass bei einem vertragsmässigen Zusammenrücken der wichtigen Handelsnationen unser Land nicht beiseitestünde, sondern möglichst frühzeitig sich in diesen Verband eingliedern könnte: "Es ist dies ein Punkt, auf welchen das handelstreibende Publikum ohne Zweifel einen ganz entschiedenen Wert legen dürfte; "(703) denn dies müsste wieder zu einer neuen Liberalisierung des Aussenhandels führen. Am französischen tarif conventionnel fand Kern zwar bedauerlich, dass die Zölle auf Baumwollgarnen und -geweben immer noch hoch wären, doch konnte Kern auf eine ganze Reihe von andern wichtigen Vergünstigungen hinweisen; wir brauchen sie hier nicht mehr aufzuzählen. Diese Zollsätze blieben auch - im Gegensatz zum jetzt noch herrschenden Zustand - gegen alle zukünftigen Sonderaufschläge gesichert. An die Stelle des gefährlichen und amoralischen Schmuggels würde nun der loyale Handel treten. Nach all dem Gesagten kann es nicht verwundern, dass Kern beim Ziehen der Bilanz fand, die Schweiz erhalte weit mehr als sie gewähre (704), da sie eben das, was sie von Frankreich erhielt, längst vorher ohne Gegenleistung gegeben hatte. Dieser Sachverhalt hatte aber, wie Kern nochmals betonte, seine Stellung ganz besonders schwierig gemacht.

Bevor er seinen Rapport beendete, berührte er noch die Gründe, die eine baldige Beratung der Verträge durch die Bundesversammlung als klug erscheinen liessen:
- Viele französische Industrielle waren gegen den Handelsvertrag eingestellt, und ihre Demarchen konnten bei anhaltender Wiederholung die französische Regierung im negativen Sinn beeinflussen;
- da die Krise im Zollverein bald zu Ende ginge, werde der französisch-deutsche Handelsvertrag über kurz oder lang in Kraft treten, so dass die Schweiz nicht mehr säumen sollte;
- vor dem Inkrafttreten müssten noch verschiedene Ausführungsverordnungen abgeschlossen werden;
- schliesslich sollte im Hinblick auf Italien, mit dem die Schweiz auch einen Vertrag abzuschliessen gedenke, die Angelegenheit gefördert werden.

Aus all diesen Gründen wäre es wünschenswert, wenn sich die Räte nicht erst in der Dezembersession über die Sache aussprächen. Es ginge ja um eine grundsätzliche Entscheidung, um ein Entweder-Oder; Modifikationen blieben ausgeschlossen.

Kern beantragte abschliessend, der Bundesrat möge ihm die Vollmacht zur Unterzeichnung erteilen.

Wie muss man Kerns Bericht beurteilen? War er objektiv oder durch persönliche Motive gefärbt, wahrheitsgetreu oder die Schwierigkeiten verschleiernd, Positives und Negatives abwägend oder durch Zweckoptimismus verfälscht? Mit einem Wort: leistete er dem Bundesrat als Grundlage für dessen definitive Stellungnahme gute und brauchbare Dienste?

Im grossen ganzen gewiss; vielleicht weniger in einzelnen Punkten. Selbstverständlich strich Kern seine Verdienste und die positiven Seiten der Verträge besonders hervor. Die giftige Bemerkung von Dubs besagt dazu genug. Wenn es um die Kröten ging, welche die Schweiz zu schlucken bereit sein musste, so war es Kerns Tendenz, dies als etwas darzustellen, was ohnehin unweigerlich kommen müsste. Auch die Begründung der schweizerischen Tarifreduktionen machte er sich leicht, indem er kurzerhand einfach eine allgemeine Zolltarifrevision der Schweiz antizipierte. Seine Bemerkung, da man in der Schweiz bei Verhandlungsbeginn bereits gewusst habe, dass der

Schutz des industriellen Eigentums eine Bedingung der Franzosen sei, so hätte man daher - wenn man diesen Schutz ablehnte - gar nicht in Unterhandlungen eintreten sollen, schnitt natürlich jeder sachlichen Diskussion über die effektive Ausgestaltung der Vertragsbestimmungen von vornherein das Wort ab. Am krassesten war aber seine Taktik bei den Kompetenzfragen: mit dem Problem, ob der Bund befugt sei, sich für bestimmte Materien in Verträgen zu engagieren - eine Frage, mit der sich der Bundesrat und die Räte in der Folge noch sehr intensiv befassten, und die zur eigentlichen pièce de résistance wurde -, mit diesem dornenvollen Problem beschäftigte sich Kern in seinem Rapport überhaupt nicht. Ob er es für erledigt hielt? Mag sein; aber auf alle Fälle war dieses Totschweigen der grossen Bedeutung der Frage nicht angemessen.

Das Bundesrats-Kollegium, nur aus fünf Mitgliedern bestehend (705), war offensichtlich über das weitere Vorgehen geteilter Meinung. Während Schenk beantragte, den Entscheid um zwei, drei Wochen hinauszuschieben, wobei er darin von Knüsel unterstützt wurde, war Näff für einen Entscheid im Laufe einer Woche; Frey-Herosé und Dubs hingegen plädierten für einen sofortigen Beschluss (706). Näff liess sich von Dubs dann auf dessen Linie bringen, ebenso schliesslich auch Knüsel, der aber Garantien dafür wollte, dass die Bundesversammlung nicht gedrängt würde. Auch über die Behandlung der Sache, vor allem das Tempo, _nach_ der Unterzeichnung der Verträge durch Kern, konnte man sich vorderhand nicht einigen. Bei der Schlussabstimmung sprachen sich Frey-Herosé und Näff für eine sofortige Erteilung der Vollmacht für Kern aus, Schenk war dagegen und Knüsel enthielt sich der Stimme; also ein Resultat von 2:1, keine eben überwältigende Angelegenheit! (707) Dubs, dessen Stimmentscheid nicht nötig gewesen war, notierte sich bitter: "Dies ist die Finalabstimmung, die gewiss traurig genug war. Bei Schenk ist es förmlich böser Wille, bei Knüsel ½ böser Wille, ½ Faulheit und Näff war wieder einmal schlaff und gedankenlos. Diese Sache hat mich schwer geärgert" (708). Das schlechte Resultat war aber nicht durch die Verträge selbst verursacht worden, sondern hatte eben seine Gründe neben der disparaten Zusammensetzung des Bundesrates in Kerns ewigem Drängen, seinem hochfahrenden Auftreten in Bern und der Abneigung verschiedener Bundesräte, unvermittelt vor ein fait accompli gestellt zu werden, möglicherweise auch in der Furcht, von der Bundesversammlung später für ein allzu übereiltes Vorgehen gerügt zu werden.

Kern, mit der Unterzeichnungsvollmacht (709) versehen, reiste sofort nach Paris zurück, wo zwei Tage später in Anwesenheit des Protokollchefs des Aussenministeriums die Schlusskonferenz und die Unterzeichnung stattfand (710). Die Vertragstexte und die zusätzlichen Erklärungen wurden ein letztes Mal bereinigt, die gegenseitigen Vollmachten ausgetauscht und schliesslich die Verträge durch die Unterhändler beider Länder unterzeichnet. Nachher drückte Kern gegenüber den französischen Bevollmächtigten und allen Be-

teiligten seine Genugtuung über das Zustandekommen der Verträge aus und sprach die Ueberzeugung aus, dass die Einigung zwischen den beiden Ländern nicht nur materielle Früchte trage, sondern auch die Beziehungen der Freundschaft und guten Nachbarschaft zwischen den beiden Völkern verbessere. Entschuldigend fügte er bei "qu'il se fait d'autant plus un devoir d'exprimer ses sentiments de reconnaissance à Messieurs les Plénipotentiaires français qu'il n'a pu lui échapper que la différence entre les institutions politiques des deux pays et la multiplicité des lois existants dans les 22 Cantons suisses devaient nécessairement rendre les négociations plus difficiles et plus longues que celles qui ont eu lieu entre la France et les autres pays qui ont conclu jusqu'à présent avec elle des traités analogues" (711).
Drouyn erwiderte in kurzen Worten den Dank für die Gegenseite, dann wurden die Unterhandlungen für beendet erklärt. Die langwierige Verhandlungsarbeit war zu einem glücklichen Abschluss gelangt. Während für Frankreich die Verträge damit praktisch gültig waren - einzig die Unterschrift des Kaisers fehlte noch - hatten sie nun in der Schweiz noch die Hürde des Parlamentes zu überschreiten.

D. DIE BEHANDLUNG DURCH DIE EIDGENOESSISCHEN RAETE UND DER WEG ZUR BUNDESREVISION VON 1866

I. Die Botschaft des Bundesrates und die Berichte der Ratskommissionen

1. Die Botschaft des Bundesrates

Mit seinem Drängen auf prompte Erledigung hatte Kern einen längst gefassten Vorsatz verwirklichen können: am ersten Tag ihres Eintreffens zur ordentlichen Sommersession konnte allen Mitgliedern der Bundesversammlung ein Exemplar der Vertragstexte, die in aller Eile in Paris gedruckt worden waren, überreicht werden (712). Die Hoffnung, dass die Räte die Verträge noch in der laufenden Session behandeln würden, hatte er offenbar noch nicht begraben, obwohl die Wahrscheinlichkeit dafür sehr klein geworden war. Jedenfalls bat er den Bundesrat um die Gewährung des Sommerurlaubes, da "das Hauptgeschäft des letzten und dieses Jahres" (713) nun erledigt war und er auf der Durchreise in Bern einige Tage zu verweilen gedachte, um den Kommissionen der beiden Räte nähere Aufschlüsse über die eine oder andere Frage erteilen zu können, mit andern Worten: sie im Sinne der Vertragsannahme zu bearbeiten.

Von einigem Gewicht war die Frage, welcher Rat bei den Beratungen die Priorität hatte. Kern schien es eindeutig vorteilhafter, wenn sie dem Nationalrat zukäme; so bat er den Bundespräsidenten, dieser sollte den Präsidenten des Nationalrates darauf aufmerksam machen, für seinen Rat die Priorität zu verlangen (714). Weshalb Kern darauf so grossen Wert legte, sagte er nicht, doch lässt sich dies leicht erahnen: die prinzipiellen Gegner, welche die Verträge aus staatsrechtlichen Gründen zu bekämpfen gewillt sein würden, waren erwartungsgemäss in der Ständekammer zahlreicher - oder man konnte es wenigstens so annehmen; war die Schlacht einmal im Nationalrat - wo die Repräsentanten der Industrie, des Handels, der Banken und der Landwirtschaft sassen - gewonnen, so musste vom Ständerat nicht mehr viel befürchtet werden.

Drei Tage später war die Frage zugunsten des Nationalrates entschieden (715); dieser beschloss, eine elfköpfige Kommission zu wählen, die vorerst den Auftrag erhielt - da nun offenbar definitiv auf eine Behandlung in der laufenden Session verzichtet worden war -, Bericht und Antrag zu stellen, ob und auf welchen Zeitpunkt eine ausserordentliche Session stattfinden sollte.

Noch gab sich Kern nicht geschlagen, was die Behandlung in der jetzigen Session anbelangte. In Briefen an Frey-Herosé und Dubs wies er darauf hin, wie die Kommissionen bald einsehen würden, dass man ohne Bedenken ratifizieren könne und es auch nicht viel zu prüfen gäbe, weil Modifikationen

ausgeschlossen wären (716). In Paris, so wusste er zu berichten, hätten ihm
die beiden Minister, mit denen er verhandelt habe, deutlich zu verstehen gegeben, "dass eine möglichst beförderliche Ratifikation ganz entschieden im
wohlverstandenen Interesse der Schweiz liegt" (717). Die französischen Industriellen schienen über verschiedene Konzessionen verständlicherweise
nicht erfreut zu sein, während die französische offiziöse Presse darüber
bisher völliges Stillschweigen beobachte. Frankreich hätte eine möglichst
schnelle Ratifikation natürlich schon deshalb gewünscht, um die süddeutschen
Regierungen zum Unterzeichnen des französisch-deutschen Vertrages zu bewegen, woran nach Kerns Ansicht ja auch die Schweiz interessiert sein musste.
Am 11. Juli fiel schliesslich im Nationalrat die Entscheidung: mit 67 zu 38
Stimmen wurde beschlossen, die ordentliche Session bis zum 20. September
zu vertagen und zu diesem Zeitpunkt die Beratung der Verträge auf die Traktandenliste zu setzen. Segessers (LU) Vorschlag, bloss die Dezembersession
etwas vorzuverschieben, hatte zu wenig Anhänger gefunden (718).
Als Kern diesen Entscheid bedauerte (719), sah sich Dubs dazu gezwungen,
den Gesandten über die wahre Stimmung in den Räten aufzuklären. So wies
er mit Nachdruck darauf hin, "dass in den Räten absolute Abneigung vorhanden war, den Handelsvertrag schon in dieser Sitzung abzutun. Wir hätten
kaum zehn Stimmen dafür gehabt und es hätte den Anschein gehabt, als ob
man die Räte und das Volk überrumpeln wolle" (720). Sogar gegen die Behandlung im September hatte sich eine ansehnliche Opposition gebildet, und
Dubs war nach diesen Erfahrungen mehr denn je davon überzeugt, dass es
angebracht war, den Kommissionen und Räten genügend Zeit zu einem genauen Studium der Verträge zu geben. Zudem fand er, dass es mit der Ratifikation nun wirklich nicht derart eile und ein Drängen nur negativ wirken
konnte. Die Stimmung der öffentlichen Meinung in der Schweiz beurteilte der
Bundespräsident im ganzen zur Zeit als günstig, doch musste damit gerechnet werden, dass "aus allen Anzeichen nach die Opposition aber mit grosser
Heftigkeit auftreten wird. Man wirft uns nicht bloss in der ultramontanen (721),
sondern auch in der radikalen Presse vor, wir suchen auf Schleichwegen die
Bundesverfassung zu umgehen. Der Vertrag wird zwar fast sicher ratifiziert
werden; aber rechnen Sie nicht auf allzu grosse Mehrheiten!" (722) Dubs ermunterte Kern sodann, zu den Kommissionssitzungen, die in der zweiten
Hälfte August und anfangs September abgehalten werden sollten, nach Bern
zu kommen.
Bedeutend optimistischer als Dubs beurteilte der französische Botschafter
in Bern die Aussichten für die Verträge im Parlament. In Unterhaltungen mit
Ratsmitgliedern wollte er sich davon überzeugt haben, dass von schweizerischer Seite keine ernsthaften Schwierigkeiten zu erwarten waren: "En général, les députés s'y montrent favorables, et il est à présumer qu'il recevra
l'approbation de la grande majorité des deux assemblées" (723). Turgot
hatte sich offenbar nur mit Befürwortern unterhalten.

Die Bemerkungen von Dubs verfehlten ihre Wirkung auf Kern nicht, denn er zeigte in seiner Antwort darauf Einsicht in die Notwendigkeit, die Behandlung der Verträge noch etwas hinauszuschieben. "Wir haben allerdings eine längere Prüfung der Verträge nicht zu scheuen" (724), fügte er selbstbewusst bei. Einer prompten Annahme der Verträge müsste seiner Meinung nach sehr förderlich sein, wenn jetzt, nachdem sich Italien ebenfalls zur Aufnahme von Vertragsverhandlungen mit der Schweiz bereit erklärt hatte (725), der italienische Gesandte in Bern in der Niederlassungsfrage und beim Schutz des geistigen Eigentums das gleiche wie Frankreich fordern würde. Später könnte von Deutschland das gleiche erwartet werden. "Wir wollen dann die Herren sehen, welche dem schweizerischen Handel anraten, sich von allen diesen grossen Märkten auszuschliessen! - ! -" (726) Hier wird offenbar, wie bereits einer der Hauptarchitekten der Verträge mit Frankreich diese als einen ersten Schritt zu einer allgemeinen Oeffnung der Nachbarmärkte betrachtete, was sie dann - in der Retrospektive gesehen - wirklich auch geworden sind. Bei der gleichen Gelegenheit kam erneut Kerns unangenehme Unduldsamkeit gegenüber Stimmen aus der schweizerischen Presse zum Ausdruck, die sich kritisch, aber sachlich wenig informiert über die Verträge geäussert hatten. Im "Volksfreund" war offenbar behauptet worden, Zürich mit seinen Seidenstoffen sei besonders bevorzugt worden; dabei hätte doch vor allem, wie Kern kommentierte, die Seidenbandindustrie derartige Konzessionen erhalten, wie sie sonst keinem Land gewährt worden seien. Verächtlich-verärgert meinte der Gesandte dazu: "Und solche Leute wollen öffentliche Meinung machen, über Fragen, über welche sie sich nicht einmal die Mühe nehmen, Sachverhalte nur nachzufragen! Man denkt unwillkürlich an jene biblischen Worte: Herr, verzeihe ihnen etc. etc." (727) Der Diplomat in Paris schien wieder einmal vergessen zu haben, was Demokratie - auch in ihren negativen Aspekten - bedeutete.

Mittlerweile war die Botschaft des Bundesrates fertig geworden. Sie war, da Knüsel die Abfassung des Teils über den Schutz des geistigen Eigentums, die eigentlich seine Sache gewesen wäre, wohl nur zu gern Frey-Herosé überlassen hatte (728), das Werk der beiden Männer, die neben Kern schon bisher auf schweizerischer Seite den Hauptanteil gehabt hatten. Der Bundespräsident verfasste die Einleitung, die Parteien über den Niederlassungsvertrag und die grenznachbarlichen Beziehungen sowie den Schlussteil und den Beschlussentwurf; Frey-Herosé schrieb den langen Abschnitt über den Handelsvertrag und das Reglement für das Pays de Gex, während der Teil über den Schutz des geistigen Eigentums vom Handelsdepartementsvorsteher entworfen und von Dubs ergänzt wurde (729). Das Bundesratskollegium, das den Entwurf am 15. Juli behandelte, änderte daran nichts mehr.

a) <u>Einleitung</u>: Vorab wurde ein sehr summarischer geschichtlicher Abriss der schweizerisch-französischen Wirtschaftsbeziehungen geboten, beginnend mit dem Vertrag von Ensisheim von 1444 und endend mit dem kaiserlichen

Brief vom 5. Januar 1860 und den neuen französischen Verträgen mit den andern europäischen Staaten. Auf das schweizerische Verlangen nach Verhandlungsaufnahme übergehend, wurden die wahren Gründe für die drei Jahre dauernde Verschleppung entweder nur am Rande angedeutet (das Stocken der französisch-preussischen Verhandlungen) oder aber verständlicherweise ganz weggelassen (Savoyerfrage und die weiterwirkende Verstimmung). Ebenso konnte natürlich nicht erwähnt werden, durch welchen Zwischenfall die Schweiz im Mai 1862 zur Kenntnis der französischen Hauptforderungen gelangt war; die acht Punkte wurden aber detailliert aufgezählt.
Auf die Konferenz der Kantonsdelegierten im Januar 1863 wurde sodann ebenfalls hingewiesen. Die Formulierung: "dass unsere weitern Instruktionen an den schweizerischen Abgeordneten sich auf diese Konferenzbeschlüsse stützten" (730) konnte allerdings irreführend wirken, denn formelle Beschlüsse waren damals keine gefasst worden, sondern der Vorsteher des Handelsdepartementes und der Bevollmächtigte hatten einfach die Kantonsvertreter über deren Ansichten konsultiert und sich in der Folge ja meistens an deren Stellungnahme angelehnt; ab und zu hatte die Konferenz auch als Ersatz für nicht durchgeführte Vernehmlassungsverfahren gedient.
Bloss knapp gestreift wurde die Frage des Expertenbeizugs und der Konferenzunterbrechung während der zweiten Hälfte des Jahres 1863. Ueberhaupt nicht eingegangen wurde nun, da die ganze Ernte unter Dach gebracht war, auf die vielfachen Schwierigkeiten, das zähe Hin und Her und die vielen einzelnen Probleme, die es während den Verhandlungen zu lösen gegeben hatte. Besonders erwähnenswert schien es Dubs aber zu sein, auf den mehrmals gemachten Vorschlag Kerns für einen kurzen Vertrag mit der Meistbegünstigungsklausel und die ebenso prompte und standhafte Ablehnung durch die Franzosen hinzuweisen.
Den Stier bei den Hörnern packend, stellte er sodann an den Beginn der formalen Erörterung der Verträge "die Frage in den Vordergrund, ob nicht verfassungsmässige Hindernisse der Genehmigung derselben im Wege stehen?"(731) Anders als Kern zeigte er sich also gewillt, die Frage der Bundeskompetenz, von der er wusste, dass sie am härtesten umkämpft sein würde, nicht durch Stillschweigen oder Verniedlichen zu umgehen, sondern seine gewichtigsten Argumente dafür gleich zu Beginn in den Kampf zu werfen und so natürlich die Auseinandersetzung heraufzubeschwören. Besser so, als sich hinterher rechtfertigen und den Vorwurf hören zu müssen, die Frage sei vernachlässigt worden, oder der Bundesrat habe versucht, den Räten Sand in die Augen zu streuen. Im übrigen: nicht taktische Ueberlegungen bestimmten Dubs, sondern ihn interessierte brennend die praktische Lösung eines wichtigen theoretischen Problems; so oder so kam die Eidgenossenschaft jetzt nicht mehr um eine Entscheidung herum.
Den Skeptikern wurde eingeräumt: "Es enthält nämlich jeder der vier Hauptverträge gewisse Punkte, welche unter andern Umständen ohne Zweifel nicht

vom Bunde, sondern von den Kantonen selbst zu ordnen wären" (732). Damit waren beim Handelsvertrag der Verzicht auf die Patentgebühren für Handelsreisende und die Verpflichtung wegen der Konsumogebühren gemeint, beim Niederlassungsvertrag die Judengleichstellung, beim Schutz des geistigen Eigentums die Garantie, welche den Schweizern im eigenen Land noch nicht zugesichert war, und beim Vertrag über die grenznachbarlichen Verhältnisse waren es verschiedene polizeiliche Bestimmungen, die in die kantonale Gesetzgebung eingriffen.

Durfte der Bund diese Punkte regeln? "Der Bundesrat glaubt diese Frage bejahen zu sollen. Er stützt sich hiebei sowohl auf den Wortlaut der Verfassung selbst, auf den Gesamtcharakter unserer bundesstaatlichen Einrichtungen wie auch auf die bisherige ganz entschiedene Praxis" (733). Da aber bei allen obenerwähnten Punkten die Problemstellung die gleiche war, beschränkte sich der Bundesrat darauf, nur auf die Gleichstellung der nichtchristlichen Franzosen - was wohl im Sinne eines pars pro toto gemeint war - näher einzutreten.

aa) Wortlaut der Verfassung: Entgegen einer oft gehörten, nach der Auffassung des Bundesrates irrtümlichen Interpretation des Artikels 41 wurde hier betont, dass die Verfassung zwar alle Verhältnisse der Schweizer ordne, nicht jedoch diejenigen für Nichtschweizer; diese würden durch Staatsverträge geregelt. Aber wem gehörte in der Schweiz diese Befugnis? Artikel 8 gibt im Prinzip (namentlich für Zoll- und Handelsverträge) dem Bund dieses Recht, das in Artikel 9 ausnahmsweise den Kantonen für gewisse untergeordnete Materien (Gegenstände der Staatswirtschaft, des nachbarlichen Verkehrs und der Polizei) zugesprochen wird. "Es muss hervorgehoben werden, dass die Bundesverfassung auch nichts von einem Zusammenwirken von Bund und Kantonen wissen will; sie gibt ausdrücklich das Recht zu Verträgen der ersten Art 'dem Bunde allein' und das Recht zu Verträgen der zweiten Art den Kantonen allein mit einem blossen Aufsichtsrecht des Bundes" (734). Weil nun die vorliegenden Verträge von der Materie her ein Ganzes bildeten, war der Bundesrat nicht im Zweifel, dass dem Bund die Kompetenz zum Eingehen dieser oben genannten Verpflichtungen zustünde.

bb) Gesamtcharakter unserer bundesstaatlichen Einrichtungen: Als Föderativstaat war die Schweiz bei den Staatsvertragsverhandlungen gegenüber zentralisierten Staaten oft in gewissen Schwierigkeiten. Würde man nun die Kompetenzen des Bundes nur auf den Abschluss von Verträgen über zentralisierte Materien beschränken, so könnte wegen dieser verengernden Interpretation höchstens Post- und Telegrafenverträge und kleine Zollregulative abgeschlossen werden. Diese Auslegung würde aber deutlich den Geist der Bundesverfassung von 1848 verletzen: "Der Charakter dieser Staatsform, wie er auch der ganzen Physiognomie der Bundesverfassung aufgeprägt ist, kennzeichnet sich durch die Devise: Einheit der Bundesglieder nach aussen, Selbständigkeit derselben im Innern. Dem unbefangenen Auge wird nicht entgehen, dass diese

Staatsform einen etwas zwiespältigen Charakter hat, indem sie sich von aussen anders darstellt als von innen. Dieser Doppelcharakter kann gar leicht Konflikte erzeugen, wenn man in grossen und umfangreichen Fragen mit spitzfindiger Kritik verfahren will. Auf der andern Seite zeigt nun eine längere Erfahrung, dass ein billiges Vernehmen zwischen Bundes- und Kantonalsouveränität diese Staatsform zu einer ganz gedeihlichen machen kann. Man hat bis jetzt bei allen Verträgen mit dem Ausland sich gegenseitig Rechnung getragen. Der Bund hat bei den Unterhandlungen stets darauf Rücksicht genommen, dass keine fundamentalen Grundsätze der kantonalen Selbständigkeit angetastet werden, und die Kantone haben es für angemessen erachtet, nicht durch kleinliche Rechthabereien und Konsequenzmachereien Verkommnissen entgegenzutreten, welche im allgemeinen Interesse des Vaterlandes als wünschenswert erfunden wurden" (735). Hier sprach ganz unverkennbar ein radikaler Befürworter eines auf vermehrte Zentralisierung ausgerichteten Bundesstaates, mit einer deutlichen Tendenz zur Beschwichtigung gegenüber den föderalistisch Gesinnten, die eine weitere Aushöhlung der Kantonalsouveränität befürchten mochten: "Der Bundesrat glaubt auch beim vorliegenden Vertrage ganz die gleiche Stellung einnehmen zu sollen". Denn in zwei Punkten, bei den französischen Forderungen nach Abschaffung der Niederlassungs- und Aufenthaltsgebühren und nach Reduktion der Konsumoabgaben, habe die Schweiz erfolgreich die Interessen der Kantone und Gemeinden zu verteidigen gewusst.

Für den Bundesrat stand nach wie vor fest, dass der Artikel 8 BV durch den Artikel 41 BV in keiner Weise eingeschränkt wurde. Daraus folgte zwar nicht, wie Dubs ausführte, dass die ganze Bundesverfassung vom Artikel 8 beherrscht werde und der Bundesrat gestützt darauf dem Ausland gegenüber alle möglichen Zugeständnisse zu machen befugt wäre. Vielmehr glaubte er, "dass bei der Auslegung des Artikels 8 eine weise Berücksichtigung der übrigen Grundbestimmungen der Bundesverfassung walten und jeweilen bei den Vertragsabschlüssen eine billige Würdigung sowohl der Bundesinteressen im ganzen wie der Kantonalinteressen im besondern stattfinden müsse" (736).

cc) Bisherige Praxis: Hier wurde das Bestreben deutlich, sich die bisherigen einschlägigen Vertragsabschlüsse als Präzedenzfälle nutzbar zu machen, da bis anhin keine grundsätzliche Kritik am bundesrätlichen Vorgehen laut geworden war. Nach einer Aufzählung aller von der Schweiz seit 1848 abgeschlossenen Verträge mit den USA, England, Baden, Brasilien und Belgien, in denen Materien geregelt wurden, die in den Zuständigkeitsbereich der Kantone gehörten, hiess es zusammenfassend: daraus ist ersichtlich, "dass kein einziger Vertrag von Bedeutung seit dem Bestande des neuen Bundes abgeschlossen worden ist, welcher nicht Eingriffe in das sonst der Kantonalsouveranität überlassene Gebiet enthält. Der Bund hat disponiert über Materien des Privatrechts, des Zivil- und Strafprozesses, Jurisdiktionshoheit, Niederlassungsrecht, Militärpflicht, Steuerfreiheit usf. und hat in gar vielen

Fällen den ausländischen Angehörigen weitergehende Rechte erteilt als die
Inländer sie besitzen" (737). Mit diesen Erörterungen schien dem Bundesrat
die eingangs gestellte Frage von der formalen Seite her genügend beleuchtet
und die Bundeskompetenz als unbestritten erwiesen, worauf anschliessend
noch einiges zur materiellen Seite ausgeführt wurde.
Niemand dürfe sich darüber hinwegtäuschen, so wurde mahnend bemerkt,
dass der Grundsatz einer Niederlassungsfreiheit, die nur für Christen gelte,
in der neuern Zeit ganz unhaltbar geworden sei. Längst hätten die meisten
Staaten die bürgerlichen Rechte aus ihrer Abhängigkeit vom Glaubensbekenntnis gelöst; mit ihrem anachronistischen Verhalten füge sich die Schweiz daher selbst Schaden zu. Die Diskussionen um den Vertrag mit Holland hätten
"die Aufmerksamkeit der ganzen gesitteten Welt auf diese Anomalie gezogen" (738), so dass zu befürchten stünde, in Zukunft würde kein Staat mit
der Schweiz verhandeln wollen, ohne vorher die Beseitigung dieser Diskriminierung verlangen. Gerade für Verhandlungen mit den Staaten im Orient,
"der bei seiner ungeheuren Bevölkerung für die schweizerische Industrie
alljährlich bedeutungsvoller wird", müsste sich dies sehr schädlich auswirken. Aber nicht nur materielle Interessen, sondern das moralische Ansehen
der Schweiz stünden auf dem Spiel.
Wäre es daher nicht angezeigt, wenn die Schweiz von sich aus diese Einschränkungen abgeschafft hätte? Der Bundesrat ging von den gegebenen Verhältnissen aus und - dies wurde von Dubs sehr behutsam formuliert - wollte es
sich nicht entgehen lassen, vom Partnerstaat, der die Aufhebung jener
Schranken forderte, seinerseits zu verlangen, dass er diejenigen Schranken
beseitige, die er gegenüber den Produkten der schweizerischen Industrie errichtet hatte: "Ein solcher Austausch der Prinzipien der Verkehrsfreiheit
hat weder für den Geber noch für den Empfänger etwas Unwürdiges" (739).
Damit war zum Teil die Problematik des ganzen Sachverhaltes verschleiert,
zum Teil aber doch so dargestellt, dass die Kritiker mit Fug und Recht sagen konnten, die Juden seien also doch ein Tauschobjekt gewesen!

Schliesslich wurde angedeutet, der Bundesrat wäre entschlossen, "eine radikale Lösung jener auf Glaubensverschiedenheit beruhenden Beschränkungen
nach innen wie nach aussen durchzuführen" und entsprechende Anträge des
Parlamentes entgegenzunehmen, doch bat er gleichzeitig, ihm dafür keine
bestimmte Frist vorzuschreiben; je nach der Situation würde er von sich aus
die Sache möglichst beförderlich behandeln.

b) <u>Der Handelsvertrag</u>: Wie bei der Besprechung aller andern Verträge wurden hier in diesem Abschnitt alle Artikel der Reihe nach interpretiert, wichtige Dinge daraus hervorgehoben und beim einen oder andern auf die Verhandlungsschwierigkeiten hingewiesen. Wir gehen nur auf das allerwesentlichste
ein.
aa) Beitritt zum tarif conventionnel: Von grundsätzlichem Vorteil war es,

dass die Schweiz wegen der Meistbegünstigungsklausel (im Artikel 28) in den Genuss der Begünstigung kam, die Frankreich bereits andern Ländern gewährt hatte. Besonders erwähnenswert fand Frey-Herosé dabei die Reduktion auf folgenden Produkten: Seidene und halbseidene Waren (z.T. frei oder aber mässig belastet, früher verboten), Baumwollwaren (nicht so tief wie gewünscht, aber doch nicht mehr wie bisher verboten), Metalle, Chronometer, Papier, Butter, Milchzucker und Strohhüte. Aus der langen Liste der reduzierten Zollansätze seien hier nur folgende herausgenommen:

	alter Ansatz	neuer Ansatz
Eisen	-.80 bis 44.-/100kg	2.- bis 13.-/100kg
Eisengusswaren	verboten	3.- bis 10.-/100kg
Goldschmiedewaren und Bijouterie	3'300.- bis 22'000.-/100kg	500.-/100kg
Uhren	1.- bis 4.40/Stck. oder 10% ad val.	1.-/Stck. silberne 5.-/Stck. goldene 1.-/Stck. hölzerne 5.-/Stck. Musikdosen
Uhrenbestandteile	550.-/100kg	50.-/100kg
Seidengewebe	7.70/kg	2.-/kg
Seidenbänder	817.50/100kg	4.- bis 5.-/kg
Chemikalien	-.25 bis 223.--/100kg	frei oder -.60 bis 40.-/100kg
Töpfereien	4.- bis 16.50/100kg	frei bis 4.-/100kg
Käse	16.50/100kg	4.-/100kg
Milch und Butter	3.30/100kg	frei
Schokolade und Kakaoteig	160.- /100kg	35.-/100kg
Papier	86.50 bis 160.--/100kg	8.-/100kg

Bei den französischen Ausfuhrzollreduktion wurde die neue Situation auf Lumpen und Gerberrinde ausführlich dargestellt.

bb) Besondere französische Tarifreduktionen: Nach der Aufzählung all derjenigen Ermässigungen, die den Produkten der Hauptindustrien zugutekommen würden, vermerkte die Botschaft zu den Gaze- und Mousselinereduktionen: "Diese Industrie ist für die Schweiz von zu grosser Bedeutung, als dass wir nicht alles aufbieten zu sollen glaubten, um eine Einfuhrzollermässigung zu erlangen, welche ihr die französischen Märkte unter den möglich günstigsten Bedingungen öffnen würde" (740). So konnte diese Konzession von Frankreich eben nur gegen grosse Widerstände erfochten werden. Doch auch der Landwirtschaft strich Frey-Herosé den Bart und betonte, dass ihre Interessen nicht etwa vernachlässigt worden waren: "Der gegenwärtige Stand der schweizerischen Käseproduktion ist zwar keineswegs unbefriedigend, doch glaubte die Schweiz auf eine Ermässigung im französischen Einfuhrzoll dringen zu sollen, weil der Ackerbau und die Viehzucht nie genug in Betracht gezogen werden können und weil von dem gedeihlichen Fortkommen derselben der allgemeine Wohlstand unseres Landes besonders abhängt" (741). Der doch sonst so industrie- und handelsfreundliche Vorsteher des Handels- und Zolldepartementes offenbarte damit, dass er auch die Landwirtschaft nicht zu vernachlässigen beabsichtigte.

cc) Schweizerische Tarifreduktionen: Von den Einfuhrzollkonzessionen, welche die Schweiz trotz standhafter Abwehr zu machen gezwungen gewesen war, wurden folgende speziell erwähnt: Tischlerarbeiten, Seidengewebe, Seife und Parfümerien, Bier, Wein in Flaschen, gebrannte Wasser und Oele; bei der Ausfuhr das Holz. Die Bemerkung zum Wein zeigt, dass sich der Bundesrat über den Schutzzollcharakter im klaren war: weil man aus Rücksicht auf die Westschweiz den Fassweinzoll nicht habe senken können, hätte man aber den dringenden französischen Forderungen entsprochen durch eine Ermässigung auf Flaschenwein, "unter dessen Konkurrenz das schweizerische Gewächs nicht besonders zu leiden hat" (742). Was die französischen Zollansätze anbelangte, so war in Artikel 1 festgelegt worden, dass die bisher üblichen Zuschläge ("décimes") fortan unzulässig waren; ebenso fielen alle früheren Prohibitionen fort und wurden durch sehr mässige Zölle ersetzt, z. T. sogar ganz vom Zoll befreit. Die aufschlussreiche Liste all derjenigen Erzeugnisse, deren Einfuhr nach Frankreich bisher teils verboten, teils mit so hohen Zöllen belegt war, dass diese einem Verbot gleichkamen, ist imponierend lang. Aus ihr geht schlagend hervor, welch grosse Bedeutung der Handelsvertrag für die schweizerische Industrie, somit für die gesamte Volkswirtschaft, haben musste (743):

Metallindustrie: Eisen-, Stahl-, Zink- und Nickelarbeiten, Schiffe und Schiffsmaschinen;
Lederindustrie: firnissiertes Leder, Felle, Handschuhe und andere Lederartikel;
Textilindustrie: Leinener Tüll, Baumwollgewebe aller Arten und Klassen, Baumwollsamt, Tüll, Gaze und Mousseline, Kleidungsstücke, Stickereien, Strumpfwirkerwaren, Seidentüll, Seidengewebe und -bänder, Passementierwaren und Spitzen;
Chemische Industrie: Garancine und Curuma (rote und gelbe Farbstoffe), Farbhölzerextrakte und Seife;
Glasindustrie: Flaschen, Fensterglas, Becher, Kristallgläser, bearbeiteter Bergkristall;
Töpfereien: Fayencen und Steingut.

Auf die beiden ersten Vertragsartikel, denen die entsprechenden Tarife beigefügt waren, zurückschauend, wurde in der Botschaft abschliessend festgestellt: zwar erschienen die schweizerischen Zugeständnisse gegenüber den französischen als eher geringfügig, doch durfte eben nicht vergessen werden, dass die Schweiz seit langem schon mässige Zölle erhob; denjenigen Kritikern aber, welche die schweizerischen Konzessionen als zu gross erachteten, wurde vorgehalten, dass Frankreich uns dagegen einen sechszehnmals grösseren Markt biete, der bisher so viel wie verschlossen war. Laut einer den Akten beiliegenden Zusammenstellung beliefen sich die schweizerischen Zolleinbussen nach den neuen Ansätzen auf insgesamt jährlich 402'000 Franken, was ungefähr einem Zwanzigstel der gesamten Zolleinnahmen entsprach; durch den vermehrten Verkehr hoffte der Bundesrat aber diese Summe wieder hereinzubekommen.

Ueber die weiteren Erläuterungen zu den einzelnen Vertragsartikeln zu referieren, können wir uns ersparen, da sie nur uns bereits Bekanntes wiederholten.

c) <u>Der Niederlassungsvertrag</u>: "Dieser Vertrag ist mit ganz wenigen Ausnahmen eine einfache Reproduktion des bestehenden Staatsvertrages vom 30. Mai 1827" (744). Aber eben, diese Ausnahmen waren entscheidend! Hervorgehoben wurde vorerst, dass der neue Vertrag für die ganze Eidgenossenschaft galt; sodann wurde natürlich die Aufhebung der beschränkenden Vorschriften für Nichtchristen erörtert. Einer Zitierung der Note des französischen Bevollmächtigten von 1826 folgte die Klarstellung, dass es die französische Regierung von Anfang an als eine unabdingbare Ehrensache betrachtet habe, "keinen Vertrag einzugehen, der eine Klasse von Franzosen förmlich zurücksetze" (745). Die schweizerischen Einwände wären nicht berücksichtigt worden, so dass man sich schliesslich auf die jetzt vorliegende Lösung geeinigt hätte. Was das Kompetenzproblem anbelangte, so war dazu in der Einleitung schon das Nötige gesagt worden.

Anschliessend an die Aufzählung derjenigen Fragen, die nicht hatten erledigt werden können, sprach der Bundesrat die Hoffnung aus, dass die Kantone willig mitwirken würden, damit in der Frage der Aufenthaltsgebühren eine baldige Senkung erreicht werden konnte.

d) <u>Die Uebereinkunft zum Schutz des geistigen Eigentums</u>: Ueber diese Materie, das gestand der Bundesrat vorweg ganz offen, hatte die Schweiz mit dem meisten Widerstreben verhandelt. Nicht etwa, weil man hier glaubte, unsere Industrie sie auf den Nachdruck und die Contrefaçon angewiesen, um ihre bisherige Höhe beizubehalten, sondern weil bei den grossen Schwierigkeiten, im Einzelfall die Grenzen des sogenannten geistigen Eigentums fest zu umreissen, dem richterlichen Ermessen ein gefährlich weiter Spielraum überlassen werden musste. Da Frankreich den Musterschutz aber als absolute Voraussetzung eines Handelsvertrages bezeichnete, blieb der Schweiz keine andere Wahl, als zu einer Uebereinkunft Hand zu bieten.

Während der Schutz des literarischen und artistischen Eigentums, der Fabrikzeichen und Handelszeichen leicht annehmbar gewesen war, hatte derjenige für das industrielle Eigentum die schweizerischen Bedenken erregt. Auf die wahren Gründe ging die Botschaft verständlicherweise nicht näher

ein. Der Verlauf der Verhandlungen wurde in grossen Zügen nachgezeichnet; das Ergebnis, so wurde resümiert, entspräche im grossen und ganzen den Begehren, welche die Schweiz im Laufe der Unterhandlungen vorgebracht habe.
Die Botschaft begnügte sich hier, beim umfangreichsten aller Abkommen (51 Artikel), mit einigen Streiflichtern über besondere Probleme, anstatt jeden einzelnen Artikel zu behandeln. Der Bundesrat ging deutlich auf Beschwichtigung aus, indem entweder die Bestimmungen als sehr mild bezeichnet wurden oder die Erfahrungen, die andere Länder mit dem Musterschutz nach französischer Manier gemacht hatten, als beruhigend geschildert wurde. Ueber Genfs Erfahrungen wurde berichtet, dass "man dort in dem Vertrage zwar nicht die gehofften Vorteile gefunden, dass aber von eigentlichem Schaden und Nachteil, den der Vertrag mit sich gebracht, auch nicht die Rede sei" (746). Und darum ging es ja dem Bundesrat: den skeptischen Industriellen zu zeigen, dass keine Nachteile zu befürchten waren; Vorteile erhofften diese sich ohnehin nicht, denn diese brachte ihnen allein der Handelsvertrag!
Auch bisher schon hätten ja nachgeahmte Muster in Frankreich beschlagnahmt und die Urheber der Nachahmung bestraft werden können. Jetzt stand dieser Schutz den Franzosen auch in der Schweiz zu und den Schweizern ebenso in Frankreich: "Dies allein ist die eigentliche Essenz des Vertrages" (747). Sehr wichtig war auch, dass über allfällige Streitigkeiten die Gerichte urteilten (Art. 18), so dass diplomatische Auseinandersetzungen dadurch ausgeschlossen waren.
"Wir schlagen deshalb", lautete die verniedlichende Zusammenfassung, "in der Tat die direkte Bedeutung dieser Konvention nicht sehr hoch an" (748). Eine indirekte Wirkung könnte die Sache aber wohl haben, denn mit der Zeit würden sicher die in dieser Uebereinkunft niedergelegten Prinzipien auch in der innern Gesetzgebung der Schweiz Boden fassen. Allerdings bedürfte die Verwirklichung solcher Rechtsgrundsätze "noch weiterer reiflicher Erwägung" (749).

e) <u>Die Uebereinkunft betreffend nachbarliche Verhältnisse und die Beaufsichtigung von Grenzwaldungen</u>: Die Erneuerung des bestehenden Vertrages von 1828 konnte auf der Basis der striktesten gegenseitigen Gleichstellung auf befriedigende Weise durchgeführt werden. Die Bestimmung, dass 10 km beidseits der Grenze der freie Verkehr für alle Landesprodukte gelten sollte, durfte nach der Ansicht des Bundesrates "mit Recht als ein erster Schritt zu der Verwirklichung des Ideals der allgemeinen Handelsfreiheit betrachtet werden" (750). Der Kommentar war sehr kurz gehalten und schloss mit der Ueberzeugung, dass die Uebereinkunft zweckmässig und der Wohlfahrt des Landes günstig sei.

f) <u>Schlussbemerkungen</u>: Ueber zwei Punkte, die in den Verhandlungen zwar zur Sprache kamen, wo man aber zu keinen Ergebnissen gelangt war, wurde zuletzt noch orientiert. Der erste, weniger wichtige Punkt betraf polizeiliche und gerichtliche Verhältnisse: vergeblich hatte die Schweiz versucht, die Auslieferung von Verbrechern, die in der Praxis unbeanstandet verlief, vertraglich neu zu regeln; auch für die lästigen Zitationen von Schweizern vor französische Gerichte in Fällen, wo diese gar nicht kompetent waren, konnte keine Abhilfe geschaffen werden. Im Verlaufe der Verhandlungen waren diese beiden Wünsche, die eine Verzögerung des Vertragsabschlusses gebracht hätten, in den Hintergrund getreten, und ihre Regelung war auf später verschoben worden. Weit wichtiger aber war ein anderes Problem gewesen, "welches mehr in die Kategorie der politischen Fragen einschlägt" (751): die Savoyerfrage. Der Bundesrat betonte, er habe von Anfang an erklärt, in Verhandlungen nur eintreten zu können, wenn diese Verhältnisse dabei nicht tangiert würden. "Ueber die Gründe dieser Erklärung glaubt der Bundesrat sich jeder Auseinandersetzung enthalten zu können; es ist jedermann klar, dass eine Verbindung der beiden heterogenen Fragen nicht nur den Nationalinteressen zuwider gewesen wäre, sondern auch Stoff zu innern Streitigkeiten und gehässigen Anschuldigungen geboten hätte. Um solchen Preis aber wäre selbst ein vorteilhafter Handelsvertrag zu teuer erkauft gewesen" (752).

Obschon sich die französische Regierung nach anfänglichem Beharren mit dem schweizerischen Standpunkt einverstanden erklärte, hätte sie aber dann doch noch versucht, gewisse Probleme, die mit Savoyen im Zusammenhang stünden, zu regeln. Nur weil der Bundesrat fest geblieben sei, hätten es die französischen Bevollmächtigten schliesslich für ratsam befunden, auch diese Forderungen fallenzulassen. Die Intervention Kerns beim Kaiser und dessen letztlich gewiss ausschlaggebende Stellungnahme wurde dabei - der Text dieses Abschnittes stammte von Dubs - mit keinem Wort erwähnt... Mit einem Gefühl des Triumphes konnte der Bundesrat nun abschliessend melden, "dass die vorliegenden Verträge die bezeichnete politische Frage ihrem ganzen Umfange nach intakt lassen, was wohl mit allgemeiner Befriedigung vernommen werden dürfte" (753).
Seine Erörterungen zum Schluss in wenigen Worten zusammenfassend, hob der Bundesrat hervor, dass einesteils "unserer nationalen Arbeit ein bisher grösstenteils verschlossenes Nachbarland von 40 Millionen Seelen erschlossen wird" (754), andererseits die Schweiz einige Zollermässigungen und den Schutz des geistigen Eigentums gewähre und die letzte Schranke vor der freien Niederlassung aufhebe. Gewiss wären die schweizerischen Konzessionen gewichtig: "Aber wenn man, über momentane Unannehmlichkeiten sich hinaussetzend, fragt, ob sie der Schweiz auf die Dauer Schaden oder ob sie insbesondere den grossen Grundsätzen unserer Republik Gefahren bereiten könnten, so wird man bei unbefangener Betrachtung diese Frage verneinen müssen. Von diesem Gesichtspunkte aus glaubt Ihnen deshalb der Bundesrat

mit voller Ueberzeugung die Annahme der Verträge befürworten zu dürfen"
(755). Hält man diese Worte neben das sehr magere Abstimmungsresultat
in der Bundesratssitzung vom 28. Juni, so muss man gestehen, dass es doch
in Wirklichkeit mit der vollen Ueberzeugung offenbar nicht so weit her war,
wie es die Botschaft darzustellen beliebte. Die Hoffnung aussprechend, die
vermehrten Handels- und Geschäftsbeziehungen möchten eine Befestigung
der friedlichen und freundschaftlichen Beziehungen zur Folge haben (offenbar war damals nicht nur Marx von der Richtigkeit der Theorie vom Ueberbau überzeugt...), schloss die Botschaft mit dem Dank an Minister Kern,
von dem zu Recht gesagt wurde, er habe "in diesen langen und schwierigen
Verhandlungen die ihm vom Bundesrat erteilten Instruktionen mit grösster
Einsicht, Hingebung, Tätigkeit und Ausdauer vertreten und den Interessen
seines Vaterlandes kräftigen Ausdruck gegeben" (756).
Der Botschaft wurde ein Beschlussentwurf beigegeben, wonach die Bundesversammlung den Verträgen und Uebereinkünften die Ratifikation erteilte
und den Bundesrat mit dem Vollzug des Beschlusses beauftragte.
Als Kern vierzehn Tage nach Erscheinen der Botschaft in Bern eintraf und
den Bundespräsidenten besuchte, stellte sich als kleine Ueberraschung heraus, dass der Bundesrat offenbar mit den Zollreduktionen über das hinausgegangen war, was Kern den Franzosen eigentlich zugesagt hatte. Kern teilte
Dubs jedenfalls seine Verwunderung darüber mit, dass der Bundesrat nachträglich noch so weit gegangen war. Nun war es an Dubs, der davon kein
Wort wusste, sich zu wundern; er notierte im Tagebuch: (Kern) "wies mir
nun nach, dass wir auf der Seide und dgl. Zugeständnisse gemacht, die einen
Wert von jährlich 70'000 Franken Zoll repräsentieren, die gar nicht verlangt
wurden. Frey sagte kein Wort, hätte dafür sicher nicht eine Stimme bekommen. Sache umso ärgerlicher als Zugeständnisse gegen Italien zu verwerten
gewesen wären" (757). Was konnte man jetzt noch tun? Die beiden waren
sich bald einig: "Wir wollen aber die Sache nicht publik machen; ich bat Kern,
davon zu schweigen." Wenn man die Annahme der Verträge nicht gefährden
wollte, war das ganz sicher das Klügste.

2. Die Berichte der Kommissionen beider Räte

Die elfköpfige nationalrätliche Kommission, mit Landammann Heer aus
Glarus als Referenten, umfasste sieben Mitglieder aus der deutschen
Schweiz (Heer, Fierz, ZH, Feer-Herzog, AG, Peyer im Hof, SH, Schneider,
BE, Hoffmann, SG, und Benziger, SZ), drei aus der französischen (Ruffy, VD,
Vautier, GE, und Philippin, NE) und einen Tessiner (Pedrazzini) (758). Die
Industrie war darin vor allem durch die alten Bekannten Feer-Herzog, Peyer
im Hof und Fierz vertreten; die übrigen waren entweder Angehörige kanto-

naler Exekutiven (Heer, Ruffy und Vautier), Advokaten, z. T. mit engen Verbindungen zu Eisenbahngesellschaften (Hoffmann, Philippin und Pedrazzini) oder in freien Berufen tätig wie der Arzt Dr. Schneider und der Verleger Benziger (759). Keinen Vertreter in der Kommission besass demnach die Landwirtschaft. Die Behandlung der Verträge im Schosse dieser Kommission, bei deren Diskussionen auch Dubs und Kern zugegen waren, verlief nicht reibungslos und förderte allerlei Meinungsverschiedenheiten zu Tage; dies geht einmal hervor aus einem Bericht Turgots, wonach diesem vom Bundespräsidenten erzählt wurde, drei Mitglieder hätten Widerstand gezeigt, der immerhin so beträchtlich gewesen sein musste, dass Dubs folgende Bedenken geäussert haben sollte: "... il craint par ce qui s'est passé dans la commission, que l'opposition se manifeste le jour de la discussion publique avec plus de vivacité qu'on ne s'y attendait généralement" (760). Damit hatte Dubs ganz richtige Vorahnungen von der Parlamentsdebatte. Einen noch viel deutlicheren Beweis für die geteilte Meinung bildete aber der Bericht der Kommissionsminderheit; allerdings blieb Philippin mit seiner generellen Ablehnung allein.

a) Die nationalrätliche Kommissionsmehrheit

Ihrer Aufgabe gemäss beschränkte sich die Kommission darauf, "die Gesichtspunkte darzulegen, welche für uns zur Bildung unseres Gesamturteils über das umfassende Vertragswerk massgebend gewesen sind" (761), ohne dabei das in der bundesrätlichen Botschaft bereits Enthaltene zu wiederholen. Nach der positiven Antwort auf die einleitende Frage, ob das Eintreten in Verhandlungen zweckmässig gewesen sei, wurde kurz die Entwicklung der letzten sechzig Jahre geschildert, mit ihren vergeblichen Anstrengungen der Schweiz bis zum Umschwung, den Napoleon III. herbeigeführt hatte und für den ihm grosses Lob gezollt wurde. Die relative Verschlechterung der schweizerischen Position gegenüber andern Ländern auf dem französischen Markt verbot der Schweiz ein Abseitsstehen; nur der Eintritt in die allgemeine "handelspolitische Liga" würde es gestatten, "dass es dem schweizerischen Gewerbefleiss in einer Reihe von Gebieten gelingen wird, nahe gelegene und weit ausgedehnte Märkte neu zu erobern oder doch reichlicher als bisher auszubeuten" (sic!) (762). Daher erklärte sich die Kommission in ihrer grossen Mehrheit mit dem Bundesrat einverstanden, dass dieser sofort nach der Ausrichtung Frankreichs auf die neue Handelspolitik die geeigneten Massregeln ergriffen hatte, um mit diesem Land in Unterhandlungen treten zu können.

War die Kommission prinzipiell für einen Handelsvertrag eingestellt, so musste sie auch hinnehmen, dass den von Frankreich gebotenen Konzessionen gegenüber natürlich auch von der Schweiz einige Zugeständnisse gemacht werden mussten: "Denn dass ein Vertrag ... ein zweiseitiges Geschäft ist, das in der Regel nur zustandekommt, wenn beide Teile eine ungefähr gleiche

Befriedigung ihrer Interessen dabei finden, ... - das gehört zu den elementaren Wahrheiten, welche nicht näher erläutert zu werden brauchen" (763).
Zu entscheiden wäre also demnach nur, ob der bezahlte Preis im richtigen Verhältnis zum erhaltenen Wert stünde. Dabei wurde aber den materiellen Fragen wohl mehr Aufmerksamkeit geschenkt als dem Problem der sprachlichen Form, wenn es hiess: "In der Tat scheint der Kommission ihre ganze Aufgabe darin zu bestehen, dass sie prüfe, ob bei dem Vertragswerke zwischen der Schweiz und Frankreich die Zugeständnisse, welche uns gemacht worden sind, nicht allzu teuer bezahlt seien durch diejenigen, die hinwieder wir machen sollen, oder ob nicht gar Zugeständnisse versprochen worden sind, die wir nach den Vorschriften unserer Verfassung oder nach Massgabe der politischen Grundsätze, welche das Fundament unserer Republik bilden, gar nicht machen dürfen" (764). Denn kein materielles Interesse wäre nach Ansicht der Kommission gross genug, "um das Preisgeben fundamentaler Staatsgrundsätze aufzuwiegen" (765).
Zuerst wurde die Frage untersucht: was wird uns von Frankreich geboten? Die Darstellung der grundsätzlich veränderten Situation erbrachte keine neuen Gesichtspunkte; in Ergänzung zur bundesrätlichen Botschaft wurden die Vorteile für die Seiden- und Uhrenindustrie hervorgehoben - die ins Einzelne gehenden Erläuterungen über die gemischten Seidenbänder, bei denen Frankreich bis jetzt ausstehende Zusicherungen versprochen hatte, zeigten deutlich den Einfluss von Feer-Herzog. Lebhaft bedauert wurde die nicht verbesserte Situation für die Baumwollgarne und -stoffe sowie die bedruckten Zeuge; doch wurde Kerns Einsatz lobend anerkannt und die französische Unerbittlichkeit auf diesem Gebiet mit einem gewissen Verständnis zur Kenntnis genommen. Der Beizug der Experten zeigte auch hier seine Wirkung! Das Fehlen einer Vertragsklausel über den Freipassverkehr wurde zwar vermerkt, doch beruhigte man sich durch die entsprechenden französischen Erklärungen im Konferenzprotokoll.
Das Fazit, das aus den erhaltenen Konzessionen gezogen wurde, lautete daher günstig: im grossen und ganzen gewährte Frankreich bedeutende Vorteile für die schweizerische Exportindustrie. Gleichwohl war man aber in der Kommission besorgt, vor "allzu sanguinischen Hoffnungen" (766) zu warnen! Denn es durfte nicht vergessen werden, dass alle andern Industrieländer die gleichen Zollbedingungen genossen und dass die schweizerische Industrie mit der immer mehr erstarkenden französischen im eigenen Lande konkurrieren musste. Die Meistbegünstigungsklausel hatte aber auch ihre grossen Vorteile, denn - von diesem Fortschrittsoptimismus war die Kommission ganz erfüllt - der Tarif war entwicklungsfähig und zwar nur in einem liberalen Sinn. Es schien den Anhängern des Freihandels offenbar undenkbar, sich die Zukunft des europäischen Handelsverkehrs anders vorzustellen als wie folgt: "Hat Frankreich, haben alle grossen Kulturvölker Europas einmal bestimmt und entschieden mit den Doktrinen gebrochen, welche die Prohibitionen und

die masslosen Schutzzölle als das Heil der Nation erscheinen liessen, so ist eine Bahn beschritten, auf der man nicht mehr zurück k a n n , aber vorwärts m u s s" (767). Schon die Handelsgeschichte der nächsten zwanzig Jahre hat aber diese schönen Illusionen völlig zerstört. Doch für die unmittelbar bevorstehenden Jahre hatte es seine Richtigkeit, wenn der Handelsvertrag nicht nur wegen der in ihm enthaltenen konkreten Vorteile, sondern wegen seiner inhärenten Tendenz als Bahnbrecher für weitere Abkommen der Schweiz mit den Nachbarländern begrüsst wurde. Unterhandlungen mit dem Deutschen Zollverein wurden ausdrücklich gefordert. Der Kommissionsreferent selbst ging ja daraufhin im März des folgenden Jahres nach Berlin; doch gelang es allerdings erst nach mannigfaltigen Schwierigkeiten seinem Nachfolger Hammer, im Mai 1869 die Verhandlungen erfolgreich abzuschliessen (768).

Ebenfalls auf die Haben-Seite der Schweiz wurde die Uebereinkunft betreffend die nachbarlichen Verhältnisse etc. gebucht. Sie wurde "für eine sehr verständige Lösung des Problems und für eine wahre Wohltat für die Grenzbevölkerung" (769) gehalten; die bundesrätliche Hochschätzung des gegenseitigen freien Verkehrs auf zehn Kilometer (siehe oben S. 295) erweckte aber den Widerspruch, indem vermerkt wurde, dass "wir darin auch nicht gerade, wie es der hohe Bundesrat zu tun scheint, die erste Morgenröte des tausendjährigen Reiches absoluter und reiner Handelsfreiheit zu erblicken vermögen" (770).

Bei der Beantwortung der Frage: Was gibt demgegenüber die Schweiz? wurden zuerst einige beruhigende Erklärungen zu den schweizerischen Tarifreduktionen abgegeben, besonders zum Holzzoll. Auch das Reglement betreffend das Pays de Gex wurde kurz behandelt und als eine "Extra-Tarifreduktion von rein lokaler Bedeutung und ohne finanzielle Tragweite" (771) bezeichnet. Das Hauptgewicht dieses Teils der Untersuchung wurde sodann aber auf die Judenfrage gelegt, da diese "nach der Stimmung der öffentlichen Meinung ... in den Vordergrund gehört" (772).

Zuerst wurden alle Argumente gegen eine Zulassung aufgezählt, d.h. vor allem diejenigen, die sich aus der Diskussion von 1848 und der seitherigen Praxis ergeben konnten und anhand derer die Kompetenz des Bundes bestritten werden sollte. Diese eigenartig anmutende Methode hatte Heer bewusst gewählt, weil er gestand, "ursprünglich die gleiche Ansicht gehabt zu haben und durch die Erörterungen der bundesrätlichen Botschaft zunächst mehr überrascht als überzeugt worden zu sein" (773). Nach gewissenhafter und unbefangener Prüfung war er schliesslich aber zur Ansicht gelangt, dass die angeführten Argumente als solche zwar richtig, die Konklusion daraus dennoch falsch war. Er hielt es daher für unumgänglich notwendig, die formale Kompetenzfrage und das Problem der politischen Möglichkeit oder Schicklichkeit genau und scharf auseinanderzuhalten. Seine Ueberlegungen, die er auch dementsprechend gliederte, haben deshalb einen besondern Wert, weil

sie von einem ursprünglichen Gegner stammen, der sich die Revision seiner Meinung nicht leicht machte und dem viele Dinge nicht von vornherein - wie bei den unbedingten Befürwortern - selbstverständlich waren.
aa) Formelle Kompetenz: Nach einer in drei Punkten durchgeführten Argumentation (774), die hier nicht nachgezeichnet werden soll, wurde der Schluss gezogen, "dass die Kompetenzfrage, richtig und schonungslos erörtert, dahin entschieden werden muss, dass der Bund nicht das Recht hat, mit irgend einem Staate einen Vertrag abzuschliessen, wodurch dessen Angehörigen die freie Niederlassung in sämtlichen Kantonen eingeräumt wird" (775); daraus folgte, dass man in dieser Beziehung immer noch dort stand, wo man 1827 war, und alle seit 1848 abgeschlossenen Staatsverträge waren daher von der Bundesversammlung in inkompetenter Stellung genehmigt worden. Nun aber erfolgte ein erstaunlicher Salto: wer sich mit der Ohnmacht des Bundes nicht abfinden wollte, "der muss eben darauf verzichten, bei der Lösung der Judenfrage die Kompetenz der Bundesbehörden bestreiten zu wollen" (776). Ueberraschend schnell wurde dieses Problem dann als erledigt betrachtet. Mit dem einfachen Hinweis, die bisherige Praxis der Bundesbehörden wäre nie auf Widerspruch gestossen, wurde daraus abgeleitet, der Bund sei also demnach kompetent, den französischen Juden die freie Niederlassung zu gewähren. Es wurde also gar nicht die formelle Kompetenz untersucht, sondern einfach mit der Macht der Tatsachen argumentiert. Dem entsprach andererseits auch die nachfolgende Ansicht, dass - rückblickend auf die bisherige restriktive Praxis gegenüber den Juden - eine neue Auslegung der Bundesverfassung unter veränderten Umständen (gemeint war die allgemein liberalere Haltung gegenüber den Juden) durchaus als legitim betrachtet wurde: " ... für die praktische Behandlung der politischen Geschäfte müssen wir jeder Generation das Recht wahren, unabhängig von den Ansichten einer frühern Zeit, die Auslegung einer gesetzlichen oder verfassungsmässigen Bestimmung, innerhalb deren Wortlautes, nach bestem Wissen und Gewissen selber zu machen" (777).
bb) Materielle Seite: War die Ungleichheit zwischen Schweizern und französischen Juden, die durch den Niederlassungsvertrag entstand, zu rechtfertigen? Nein, man musste gleichzeitig entschlossen sein, den schweizerischen Juden das gleiche zu gewähren. Denn es wurde als "eine so einleuchtende Forderung nationaler Würde" (778) bezeichnet, Fremde in derart prinzipiellen Dingen nicht besser zu stellen als Einheimische, dass darüber gar keine langen Erörterungen notwendig waren. Im Gegensatz zum Bundesrat wollte aber die Kommission diese Emanzipation so schnell wie möglich verwirklicht wissen. Ueber das Vorgehen sollte dabei der Bundesrat selbst entscheiden, doch zeigte sich die Kommission für den Fall, dass kein anderer Weg ans Ziel führte, ohne Bedenken bereit, eine entsprechende Verfassungsvorlage dem Volk zu unterbreiten. Die Aussichten hiefür beurteilte sie optimistisch: "Wir haben nicht die geringste Besorgnis, dass dieses, wenn erst

die französischen Juden müssen geduldet werden, den schweizerischen Israeliten gleiches Recht verweigern sollte" (779). Hätte man hingegen diese Emanzipation vor dem Abschluss des Handelsvertrages vollzogen, so hätte man unklugerweise diese Konzession bei den Verhandlungen nicht mehr verwerten können; man war sich also auch hier des Handelswertes dieses Zugeständnisses voll bewusst.

cc) Opportunität: Bei der Frage, ob man den Schritt auch tun soll, traten, so führte der Bericht aus, "alle Befürchtungen und teilweise die Vorurteile in den Vordergrund, welche überall, wo es sich um Gleichstellung der Juden handelte, eine ausserordentlich grosse Rolle gespielt haben" (780). Ein Blick auf die Staaten ringsum bewiese, wie rückständig die Schweiz, die doch sonst auf ihre liberalen Prinzipien so stolz sei, in dieser Beziehung noch sei. Gewiss hätte man einiges Verständnis für die Besorgnisse der Basler, aber das Beispiel Zürichs, das in den letzten Jahren den Juden die Niederlassungsfreiheit gewährt habe, zeige deutlich, wie unbegründet diese Sorgen in der Praxis seien. Eine gehörige Portion von kaum unterdrücktem Misstrauen spricht aber auch aus den Beschwichtigungen der Kommission, wenn sie darauf hinwies, dass bisher schon herumziehende Juden als Krämer, Viehhändler und Hausierer in die Schweiz gekommen wären und sie dazu meinte: " ... jene vagierenden Elemente seien weit schlimmer und gefährlicher (!) als diejenigen Israeliten, welche allenfalls in Folge der ihnen einzuräumenden Befugnis festen Wohnsitz in der Schweiz nehmen" (781).

Massgebend für den Entscheid war aber für die Kommission die Ueberzeugung, dass die Schweiz die Judenfrage jetzt im liberalen Sinne lösen musste und man sich glücklich schätzen konnte, wenn dies in den Verhandlungen mit Frankreich nutzbringend hatte verwendet werden können.

Als anschliessend an dieses heikelste Problem die Rede auf den Wein kam, beschränkte man sich auf die Wiederholung von bereits Bekanntem. Allerdings wurde die bereits früher verschiedentlich besprochene Praxis des Bundesrates, die Kantone in der Ohmgeldfrage nicht zu konsultieren, kritisch kommentiert. Die Bundeskompetenz in dieser Angelegenheit schien der Kommission höchst fraglich. Noch ein Jahr zuvor, bei den Verhandlungen mit Belgien, hatte der Bundesrat die Kantone angehört, "dieses Mal scheint derselbe, weil damals die Antworten nicht durchgängig nach Wunsch ausfielen, zu der - die Sache allerdings sehr vereinfachenden - Ansicht gelangt zu sein, es sei besser, auch das Fragen zu unterlassen" (782). Da aber von den eigentlich Betroffenen, den Kantonen, bisher keine Verwahrungen dagegen gemacht worden wären, so erklärte sich die Kommission angesichts der geringen finanziellen Tragweite der Angelegenheit mit dem Bundesrat einverstanden.

Beim Vertrag zum Schutz des geistigen Eigentums schliesslich war am stärksten der Eindruck aufgekommen, es handle sich hier um eine der Schweiz aufgezwungene Konzession. Die Bedenken richteten sich natürlich

gegen den Schutz der Fabrikzeichnungen und Muster. Die Kommission hatte
aber einsehen müssen, dass dem Bundesrat nur die Wahl geblieben war, entweder die französischen Forderungen anzunehmen oder aber die Verhandlungen abzubrechen, weshalb der Vertrag in der vorliegenden Form gebilligt
wurde, um so mehr, als wichtige Sicherungen eingebaut waren. Als grundsätzlich verletzend wurde empfunden, dass in einem Staatsvertrag Prinzipien aufgestellt wurden, die vielleicht sonst gar nicht unterschrieben würden,
zudem Strafbestimmungen erlassen wurden, zu deren Proklamierung der
Bund eigentlich gar nicht befugt wäre und schliesslich "gewissermassen auch
hier der Ausländer eine bessere Stellung erhält als der Inländer, ohne dass
wir ein Mittel vor uns sähen, diesen fatalen Effekt, wie es bei der Judenfrage geschehen kann, sofort zu beseitigen" (783). Daher erschien der Kommission dieser Vertrag "als ein Opfer im eigentlichen Sinne des Wortes"(784)
und kostete sie deshalb eine gewisse Ueberwindung. Die Opfer moralischer
Natur durften nicht um materieller Vorteile willen zu leicht genommen werden. Aber nach eingehender und allseitiger Prüfung des Für und Wider hatte
sich doch die Mehrheit der Kommission zur Ansicht durchgerungen, auch
dieser Vertrag sei annehmbar, seine praktische Bedeutung überdies sehr
gering, und er enthalte materiell nichts, was wirklich zu tiefliegenden Bedenken Anlass gäbe.

Nach dem Hinweis auf leider Fehlendes wurde der Bundesrat für seine Haltung in der Savoyerzonenfrage besonders gelobt. Dann gelangte die Kommission zum Schluss, bei den vorliegenden Verträgen handle es sich um einen
"Tausch von Gewährungen" (785), den sie für annehmbar halte und deshalb
die Vereinbarungen zur Annahme empfehle. Beigegeben wurde ein Eventualantrag, der den Bundesrat nach Annahme der Verträge dazu einlud, sofort
die Frage der Niederlassungsfreiheit für die schweizerischen Juden einer
Lösung entgegenzuführen.

b) Die nationalrätliche Kommissionsminderheit

Philippins Entschluss, die Verträge in einem eigenen Bericht zu bekämpfen,
war erst nach reiflicher Ueberlegung in ihm aufgekommen; so verfasste er
erst nach dem Auseinandergehen der Kommission seinen Bericht. Zwar beurteilte er selbst sein Unternehmen als ziemlich aussichtslos, doch hatte
er sich, wie er sagte, dadurch nicht abschrecken lassen, Prinzipien zu verteidigen, die sechzehn Jahre lang gegolten hatten und die er nun in Frage gestellt sah. Was er dabei am meisten bedauerte, war die Tatsache, dass ganz
verschiedenartige Uebereinkommen zu einem unlösbaren Ganzen vereinigt
worden waren. Welche Rolle dabei der Handelsvertrag zu spielen hatte,
schien ihm unverkennbar zu sein: "Le traité de commerce ... est un dangereux appât, et nous espérons, pour la liberté des Conseils et pour la tradition de nos moeurs publiques, que ce procédé ne fera pas école" (786). Seiner Meinung nach war in allen vier Abkommen die Kantonalsouveränität ver-

letzt und die Bundeskompetenz überschritten worden; dies nachzuweisen war sein Ziel.

aa) Allgemeines über die Kompetenz: Von den Verfassungsartikeln 1, 8 und 9 und den Beratungen der Bundesrevisionskommission von 1848 (die er als den natürlichen Verfassungskommentar bezeichnete) ausgehend, schied er die Kompetenzen des Bundes und der Kantone aus, wobei er vorerst zu keinen neuen Resultaten gelangte. Besonders betonte er aber, weder der Bund noch die Kantone dürften mit dem Ausland Verträge abschliessen, in denen die Rechte des andern Teils beeinträchtigt waren. Nochmals wiederholte er sodann, dass die Koppelung von Verträgen über verschiedenartige Materien unstatthaft sei, da der Bund über Bereiche, die laut Artikel 9 der Verfassung den Kantonen vorbehalten blieben, nicht verhandeln durfte. Den neuen Bundesstaat sah Philippin als überzeugter welscher Föderalist so: das Hauptgewicht lag bei der Souveränität der Kantone; was der Bund an Befugnissen besass, war eigens an ihn delegiert worden. Daraus leitete er ab "La souveraineté cantonale étant la règle, l'exception, c'est-à-dire la délégation, doit s'interpréter en droit étroit et tout ce qui n'a pas été expressément délégué à la Confédération, appartient aux Cantons" (787). Was hätte denn sonst, fragte er nicht ohne Grund, der Artikel 9 noch für einen Sinn? Dass der Bund in der Praxis durchaus seine Rolle als Mandatär für Kantonsregierungen in Verhandlungen mit ausländischen Staaten versehen hatte (z.B. beim Abschluss der Konvention von 1858 zwischen Genf und Frankreich über das literarische und artistische Eigentum), zeigte nach Philippins Ansicht deutlich genug, wie richtig seine Auffassung der Bundeskompetenz war. Die andern Beispiele aus der Praxis, die von den Befürwortern der Verträge ebenso zu Recht aufgeführt worden waren, berührte er natürlich nicht.

bb) Der Handelsvertrag: Obschon der Abschluss eines solchen Vertrages selbstverständlich in die Kompetenz des Bundes fiel, waren in denjenigen Artikeln, die die Konsumogebühren betrafen (Artikel 9 und 10, Artikel 2 des Reglementes für das Pays de Gex), die Kantonsrechte verletzt worden, die in Artikel 32 der Bundesverfassung niedergelegt waren. Dabei ging es Philippin offensichtlich nicht um die Verteidigung dieser indirekten Steuern, sondern eben um mehr: " ... nous défendons un principe qui ne peut être méconnu sans porter une atteinte évidente à des droits constitutionellement garantis, sans marcher à grands pas vers un état ou le mot Canton ne rappellerait plus qu'une circonscription géographique" (788). Als ein Anzeichen dafür, wie weit diese Aushöhlung schon vorgeschritten war, betrachtete er den Umstand, dass der Bundesrat sich erlaubte, die Kantonsregierungen in der Ohmgeldfrage nicht mehr anzufragen. Unausgesprochen lag hinter Philippins Worten die Warnung: Wehret den Anfängen! Aber: hätte er realistisch auf die letzten fünfzehn Jahre zurückgeblickt, so hätte er sehen müssen, dass man ja längst über die Anfänge hinweggeschritten war.

cc) Der Niederlassungsvertrag: Um nicht falsch verstanden zu werden, gab

er zuerst ein unumwundenes Votum für die Gleichstellung der Juden ab; in
der Folge machte er denn auch einen Vorschlag, der über das von der Mehrheit in dieser Beziehung Vorgeschlagene hinausging. Anhand des Artikels 41 der Verfassung und den entsprechenden Erörterungen
der Revisionskommission von 1848 wies er nach, welche Motive seiner Meinung nach zur vorliegenden Fassung des Artikels geführt hatten. Die Interpretation, dieser gälte nur für schweizerische, nicht aber für ausländische
Juden, lehnte er entschieden ab. 1848 wäre nämlich eine Verfassungsbestimmung, die so ausgelegt worden wäre, kaum vom Volk angenommen worden.
Gewiss träfe es zu, dass sich erfreulicherweise seither die Ansichten gegenüber den Juden gewandelt hätten, obschon leider die Vorurteile bei weitem
noch nicht geschwunden wären. Aber die Befugnis, die Verfassung abzuändern, gestützt auf diese Wandlung, bliebe nach wie vor beim Volk: "Le peuple
n'a délégué à personne son droit de révision; ses députés ont juré d'observer
la constitution et ils n'ont reçu nulle part le mandat de la modifier" (789).
Bis jetzt hatte man die Judenfrage in den Verhandlungen mit andern Staaten
ausgeklammert; in Zukunft, bei allfälligen Unterhandlungen mit den Nachbarstaaten, würde dies nicht mehr möglich sein. Um den unmöglichen Zustand
zu vermeiden, dass die Juden der umliegenden Länder in der Schweiz besser
gestellt wären als die schweizerischen, gab es nach Philippins Ansicht nur
eines: sofortige Partialrevision der Bundesrevision. "Il est le seul (moyen)
en effet qui ne laisse aucune place au doute; seul aussi il évite la possibilité
d'inégalités offensantes pour les nationaux; seul enfin il appelle franchement
le peuple à consacrer par un vote solennel les progrès accomplis, à effacer
par un acte de sa volonté souveraine un préjugé des temps passés" (790).
Eine solche Revision sollte gewiss nicht ohne reifliche Ueberlegung angegangen werden; da es aber gälte, einen wesentlichen Grundsatz des öffentlichen
Rechts zu ändern, erschiene ihm ein solches Vorgehen durchaus angemessen,
und der positive Ausgang eines solchen Entscheides war für Philippin durchaus gesichert.
dd) Die Uebereinkunft über das geistige Eigentum: Es bedürfe, so meinte er
einleitend, keiner langen Erklärungen, um nachzuweisen, dass hier der Bund
seine Kompetenz auf Kosten der Kantone in massloser Weise überschritten
habe. Indem er wieder auf den Vertrag zwischen Genf und Frankreich von
1858 hinwies, wo der Bund auch nur eine Vermittlerrolle gespielt hatte, beharrte er darauf, dass im vorliegenden Fall genau gleich hätte vorgegangen
werden müssen. Besondern Anstoss nahm er an den Strafbestimmungen und
Prozessvorschriften des Vertrags, der in einigen Punkten kantonalen Bestimmungen entgegenlief. Dazu schien ihm, dass die Schweiz wegen der
Drucker und dem Schutz des musikalischen Eigentums materiell benachteiligt würde. Namentlich für den französischsprechenden Teil der Schweiz, so
glaubte er, würden die negativen Aspekte der Uebereinkunft bald fühlbar werden.

ee) Die Uebereinkunft betreffend die Grenzverhältnisse: Die Beweisführung war hier absichtlich ganz kurz gehalten. In Artikel 9 der Bundesverfassung wurde den Kantonen das Recht eingeräumt, über staatswirtschaftliche Fragen mit dem Ausland zu verhandeln. Somit hatte der Bund mit der vorliegenden Vereinbarung die Souveränität der Kantone beeinträchtigt. "Pousser la démonstration plus loin, ce serait l'affaiblir" (791).
Damit bei den Schlussfolgerungen angelangt, gestand Philippin ein, dass er zwar mit Aufmerksamkeit gehört habe, wie bedeutende Männer die Verträge als ein Zeichen des Fortschritts für den neuen Bund gepriesen hätten, dass er sich aber nicht habe verhehlen können, welche Klippen und Gefahren eben dieser Fortschritt mit sich bringe. Die Entscheidung darüber stünde jetzt aber den Vertretern der Nation zu.
Der Handelsvertrag, so anerkannte Philippin, bringe an und für sich eine Verbesserung, stelle jedoch das Gleichgewicht zwischen den beiden Ländern nicht her. Die übrigen Uebereinkünfte - mit Ausnahme desjenigen über das geistige Eigentum - könnten angenommen werden. Schliesslich stellte er zwei Anträge:
1) sollte das Eintreten auf die Sache vertagt werden;
2) sollte folgender Antrag angenommen werden: "Le Conseil fédéral est invité à présenter à l'Assemblée fédérale dans sa prochaine session ordinaire, un rapport et des propositions à l'effet de rendre le droit d'établissement garanti par l'article 41 de la constitution fédérale indépendant de la foi religieuse du citoyen" (792).

c) <u>Die ständerätliche Kommission</u>

Von den neun Mitgliedern stammten sieben (Stähelin-Brunner, BS, Berichterstatter, Sutter, AR, Wirth-Sand, SG, Rüttimann, ZH, Lehmann, BE, Blumer, GL, und Welti, AG) aus der deutschen und zwei aus der französischen Schweiz (Camperio, GE, und Roguin, VD) (793). Stähelin, Sutter und Wirth waren grosse Industrielle oder Handelsherren; aus kantonalen Exekutiven stammten Roguin, Camperio und Welti. Als Rechtslehrer waren Rüttimann und Blumer tätig, während durch Lehmann in dieser Kommission doch auch die Landwirtschaft vertreten war (794).
Die Beratungen ergaben ein überraschend einmütiges Resultat, ein fast unumschränktes Zustimmen zu den Verträgen, was sich in einem streckenweise ganz in gouvernementaler Sprache abgefassten Bericht niederschlug. Deshalb wirkt dieser Bericht auch als der weitaus farbloseste der drei Kommissionsberichte. Von der verschiedentlich erwarteten und befürchteten Opposition der Ständekammer findet sich beinahe nichts darin. Die Frage, ob Verhandlungen mit Frankreich grundsätzlich opportun gewesen seien, wurde schon in der Einleitung "unbedenklich bejaht" (795), da für den schweizerischen Handel grosse Vorteile in Aussicht standen.
aa) Der Handelsvertrag: Der Berichterstatter, der die Vor- und Nachteile

schilderte, vermochte gegenüber der bundesrätlichen Botschaft keine neuen Gesichtspunkte mehr anzuführen. Zwar wurde bedauert, dass im französischen Vertragstarif noch immer sehr viele hohe Ansätze mit Schutzzollcharakter bestünden, doch folgte darauf gleich die beruhigende Antwort, es könne gewiss auf eine allmähliche Besserung gehofft werden (796). Auch die Erörterungen über die schweizerischen Konzessionen hielten sich brav im Rahmen der bundesrätlichen Ansichten.

bb) Der Niederlassungsvertrag: Da die Frage nach der Kompetenz auf später verschoben wurde, kam zuerst die materielle Seite der Judengleichstellung zur Sprache. Nach dem bisher sonst noch nirgends gemachten Hinweis, dass wegen der Meistbegünstigungsklausel die Beschränkung auch für die badischen Juden dahinfiele, erklärte sich die Kommission erfreut über den allgemeinen Wandel in der Haltung gegenüber den Juden und sprach sich unumwunden für deren Niederlassungsfreiheit aus. Allerdings nicht ganz ohne einen Seitenblick: das Scheitern der Vertragsprojekte mit Holland und Persien hätte zu deutlich gezeigt, wie schädlich diese Beschränkung für die schweizerische Handelsvertragspolitik geworden war. Daher, so wurde schliesslich erklärt, "erachten wir es nicht nur für angemessen, sondern halten es für eine politische Notwendigkeit, dass die Schweiz ein System aufgebe, das weder mit ihren sonstigen freisinnigen Institutionen im Einklange steht, noch ohne grosse Nachteile fernerhin aufrecht erhalten werden kann. Wir sind von der Notwendigkeit dieses Schrittes so sehr durchdrungen, dass wir dafür halten, derselbe müsse angebahnt werden, selbst wenn der französische Vertrag dermalen nicht den Anlass dazu bieten würde" (797). Zudem wurde beantragt, den Bundesrat zur Untersuchung einzuladen, ob dieser Vertrag nicht auch auf Algerien ausgedehnt werden sollte und darüber Bericht zu erstatten.

cc) Der Schutz des geistigen Eigentums: Ueber die Frage, ob von einem solchen Eigentum überhaupt die Rede sein konnte und ob sich daher der Schutz rechtfertigen liesse, waren nach der Ansicht des Berichterstatters die Meinungen auch der Rechtslehrer und Nationalökonomen - er nannte keine Namen - geteilt. Die Lösung aber, die in der vorliegenden Uebereinkunft gefunden worden war, schien ihm vor allem in materieller Hinsicht zufriedenstellend. Weniger günstig wurde die formelle Seite beurteilt: "Es ist etwas mehr als Ungewohntes, wenn ein Gesetz mit dem ganzen Apparate von Strafbestimmungen u. dgl. in einem Vertrage Aufnahme findet" (798). Doch wurde dies damit entschuldigt, dass man sich sonst eben nicht hätte einig werden können. Gewiss wäre es für die Schweiz weit angenehmer gewesen, wenn man dieses Abkommen hätte abweisen können, umso mehr, als ein solches in der Schweiz in keiner Weise notwendig oder zweckdienlich sei. Aber andererseits sah die Kommission die negativen Seiten dieses Vertrages nicht als derart bedeutungsvoll an, dass er nicht hätte eingegangen werden können: "Wir müssen im Gegenteil zugestehen, dass er auf Grundsätzen beruht, die

in einem nicht zu leugnenden Billigkeits- und Gerechtigkeitsgefühle ihren
Grund haben, Grundsätze, die auch in andern Staaten zur Geltung gekommen
sind" (799).
dd) Konvention betreffend die Grenzverhältnisse: Dagegen wurden keine Einwände erhoben.
Nachdem nun die einzelnen Verträge beleuchtet worden waren, wurde das
Für und Wider der Abkommen in ihrer Gesamtheit abgewogen, ohne dass
sich dabei neue Aspekte gezeigt hätten. Recht schnell, fast hastig, gelangte
die Kommission zum Schluss, wenn man die gegenseitigen Konzessionen
gegeneinander abwäge, so sei die Annahme der Verträge wohl gerechtfertigt.
Im zweiten Teil des Berichts ging der Berichterstatter an eine genaue Prüfung der konstitutionellen Fragen, die aufgespart worden waren. Er machte
es sich auch hier nicht allzu schwer; die Argumentierung mutet zum Teil
dürftig und oberflächlich an. Nach der Aufzählung all derjenigen Punkte, wo
der Bund der Kompetenzüberschreitung angeklagt war, wurden die beiden
Interpretationsmöglichkeiten des Artikels 8 der Bundesverfassung untersucht, d.h., es wurde gleich vorweg die enge, beschränkte Auslegung, die
dem Bund nur die Befugnis zu Verhandlungen über die in diesem Artikel
streng umschriebenen Gebiete zusprechen wollte, verworfen. Das gesamte
"Fremdenrecht" gehörte nach der Meinung der Kommission in den Kompetenzbereich des Bundes. Gestützt auf die weiter ausgreifende Interpretation,
die sich die Kommission gemeinsam mit dem Bundesrat zu eigen gemacht
hatte, ging aus Artikel 8 für den Bund nicht nur ein formelles Recht hervor,
sondern "ein neues materielles Recht, welches gleich den andern ihm durch
die Bundesverfassung zugewiesenen Befugnissen seine Kompetenz erweitert,
und in demselben Umfange die Souveränität der Kantone beschränkt" (800).
Die Praxis seit 1848 diente als Beweis für diese Interpretation. So gelangte
die Kommission zu folgenden Ergebnissen: durch den Artikel 8 werde, wie
durch andere dem Bund vorbehaltene Rechte, die Souveränität der Kantone
beschränkt; der Bund sei seinerseits aber gebunden durch die Fundamentalprinzipien der Verfassung und durch die Rechte, welche die Verfassung den
Kantonen ausdrücklich gewährleistet. Was an dieser Beweisführung erstaunen muss, ist die Tatsache, dass die ständerätliche Kommission in ihren
Ueberlegungen von vornherein vom Bund und dessen Kompetenzen ausging
und nicht etwa, wie zu erwarten gewesen wäre (und wie dies der Föderalist
Philippin tat), von der Souveränität der Stände. Noch überraschender aber
mutet die Antwort auf die selbstgestellten Fragen: Erhält der Bund damit
aber nicht ein zu grosses Gewicht auf Kosten der Kantone? Erleidet nicht
die Souveränität der Kantone einen ganz empfindlichen Stoss? Der Berichterstatter war bei der Antwort deutlich zum Lavieren gezwungen, indem er
zwar diesen Befürchtungen eine gewisse Berechtigung nicht absprechen
konnte, andererseits aber doch auf die fatalen Folgen einer zu engen Ausle-

gung von Artikel 8 hinwies: "Keine andern, als dass dem Bunde die Hände so sehr gebunden wären, dass in unsern von Tag zu Tag wichtiger werdenden Beziehungen zum Ausland die wichtigsten Fragen nicht anders als im Einverständnisse mit den Kantonen könnten geordnet werden, ein Weg, der, wie die Erfahrung lehrt, in der Regel entweder gar nicht oder doch nur sehr langsam zum Ziele führt" (801). Ein kühnes Wort, beinahe eine Kapitulation der Kantonsvertreter; wo blieb denn da die Rolle des "Hemmschuhs", die dem Ständerat doch eigentlich ursprünglich zugedacht gewesen war?
Die Kompetenzfrage wurde daraufhin an den drei konkreten Punkten noch genauer unter die Lupe genommen. Aus Artikel 41 ging nach der Meinung der Kommission nur hervor, dass allen christlichen Schweizerbürgern die freie Niederlassung gewährleistet war; die Bundesverfassung enthielt dagegen aber nicht etwa ein Verbot der Niederlassung für ausländische Juden, und sie garantierte auch nicht den Kantonen das Recht, die Befugnisse des Bundes in bezug auf die Niederlassung ausländischer Juden zu beschränken. Hinwiederum war die kantonale Souveränität dadurch beschränkt, dass die Kantone jeden christlichen Schweizer aufnehmen mussten. Dass die Kantone über die Zulassung schweizerischer Juden frei entscheiden konnten, war eine Folge von Artikel 3, der die Souveränität der Kantone insofern begründete, als sie nicht durch andere Verfassungsartikel ausdrücklich eingeschränkt wurde.
Die Kompetenz des Bundes, den französischen Juden in der Schweiz die freie Niederlassung zu gewähren, war demnach nach Ansicht der Kommission weder durch die Bundesverfassung noch durch ein den Kantonen garantiertes Recht beschränkt. Die praktische Lösung sah die Kommission in der gleichen Weise, wie sie der Bundesrat vorgeschlagen hatte. Besonders erfreulich erschien ihr dabei, dass jetzt erstmals das ganze Problem in seiner vollen Tiefe geprüft und diskutiert worden war. Einstimmig war die Kommission schliesslich auch zur Ueberzeugung gelangt, "dass der Uebelstand, wonach die ausländischen Juden mehr Rechte hätten als die schweizerischen, nicht dürfe bestehen bleiben" (802). Die Anträge darüber, wie er beseitigt werden sollte, behielt sich die Kommission aber noch vor.
Bei der Konvention für den Schutz des geistigen Eigentums war, wie der Berichterstatter vermerkte, weder ein Fundamentalsatz der Bundesverfassung noch ein den Kantonen garantiertes Recht verletzt worden. Doch musste er im gleichen Atemzug einräumen, dass der Bund hier seine Befugnis in einer Weise ausgedehnt habe, "die aber scharf in die sonst den Kantonen allein zustehenden Rechte eingreift" (803). Dieser offensichtliche Widerspruch wurde wenig elegant übergangen: "Unter andern Umständen müssten wir daher finden, es sei diese übergrosse Anspannung der Rechte des Bundes, wenn auch nicht eine unerlaubte, so doch jedenfalls keine angemessene" (804). Und weiter unten folgte ein ebenso fragwürdiger Trost: "Wir hoffen, die Kantone werden ihrerseits anerkennen, dass es sich hier um eine politische Notwendigkeit handelte, wobei eine allzugrosse Empfindlichkeit über Eingriffe des

Bundes in Befugnisse, die ihnen sonst überlassen bleiben, nicht gerechtfertigt wäre" (805). Besser hätte es ja auch Kern nicht sagen können ...
Die Argumentierung in der Konsumogebührenfrage war ebenfalls sehr eigenartig. Vorweg wurde nämlich dem Bund die Kompetenz, in dieser Sache Verpflichtungen einzugehen, abgesprochen und die Kommission rügte, dass die Kantone nicht angefragt worden waren. Dann aber setzte sie sich mit einem kühnen Sprung über diese Einwände hinweg und kam -- nach einem Hinweis auf die geringen praktischen Auswirkungen der einschlägigen Vertragsartikel - doch dazu, das Vorgehen des Bundesrates in diesem gegebenen Fall zu billigen. Im übrigen wurde aber bedauert, dass nicht der schweizerische Einfuhrzoll auf Fassweinen gesenkt worden war, so dass die Konsumogebühren hätten unberührt bleiben können. Doch der Kommission (in welcher auch Staatsrat Roguin aus Lausanne sass ...) war klar geworden, weshalb der Bundesrat diesen Weg nicht gewählt hatte: der Widerstand der Weinproduzenten war eben zu stark gewesen. Diese Berücksichtigung fand nicht den Beifall des Berichterstatters, der meinte, dass "es sich sonderbar ausnimmt, wenn ausnahmsweise ein Produktionszweig in besonderer Weise begünstigt wird, und auf Unkosten der Konsumenten ein Vorrecht haben soll" (806). Und dies umso mehr, als der Wein in der Schweiz damals zu den notwendigen Lebensbedürfnissen gerechnet werden durfte und die einheimische Weinproduktion durch die neuen Verkehrserleichterungen zu einer hohen Prosperität gelangt war.
Die Kommission kam aber am Schluss zur Ueberzeugung, es stünden weder konstitutionelle Hindernisse im Weg noch wären die Verträge der Ehre und Würde der Schweiz abträglich; da die Zugeständnisse der Schweiz gegenüber den Vorteilen, die der Handelsvertrag biete, wohl zu rechtfertigen seien, beantragte sie einstimmig die Ratifikation der Verträge und schloss ihren Bericht ebenfalls mit dem Dank an Minister Kern.

II. Die parlamentarische Debatte

Als sich die Räte am 20. September wieder in Bern einfanden, um wie vorgesehen die Julisession fortzusetzen, hatten sich in der Zwischenzeit zwei Ereignisse abgespielt, die zwar zu Diskussionen in beiden Räten Anlass boten, aber doch das Interesse am wichtigsten Geschäft dieser ausserordentlichen Session, den Verträgen mit Frankreich, nicht zu beeinträchtigen vermochten: während in Genf am 22. August heftige Wahlunruhen stattgefunden

hatten, die eine eidgenössische Intervention nötig gemacht hatten (übrigens am gleichen Tag, da die Genfer Konvention vom Roten Kreuz unterzeichnet worden war), war am Eidgenössischen Polytechnikum ein Konflikt zwischen dem Rektor und einigen Studenten ausgebrochen, zu dessen Schlichtung der Bundesrat hatte Hand bieten müssen.
Mit der Diskussion der Verträge mit Frankreich begann der Nationalrat am 21. September und führte sie am 24. September mit der Abstimmung zu Ende, worauf der Ständerat die Beratungen aufnahm und am 28. September abstimmte. Am 30. September schliesslich bereinigte der Nationalrat die Differenzen zur Ständekammer (807).

1. Die Debatte im Nationalrat

Heer als Berichterstatter verzichtete darauf, das im gedruckten Bericht bereits Niedergelegte nochmals zu wiederholen; in der Zwischenzeit waren der Kommission nämlich via Bundesrat verschiedene Schreiben zugegangen, die vom Parlament beachtet werden mussten. Zuerst verlas er eine Petition mehrerer Seifenfabrikanten, die - etwas spät - für ihren Industriezweig konkrete Wünsche vorbrachten: die Reduktion des Einfuhrzolls für alle Kategorien von Seifen auf -.75/50 kg und die gleichzeitige Erhöhung des Einfuhrzolls auf den benötigten Rohstoffen von -.30 auf -.50/50 kg sollte revidiert werden: der Einfuhrzoll für Seifen sollte auf 1.-/50 kg erhöht und derjenige für Fette und Oele wieder auf -.30/50 kg herabgesetzt werden. Heer empfahl nun, da der Handelsvertrag abgeschlossen war, auf die erste Forderung nicht einzutreten, die zweite aber dem Bundesrat zur Prüfung zu überweisen. (808)
Weit gewichtiger und mehr Aufmerksamkeit erheischend waren aber die Schreiben der Kantonsregierungen von Basel-Stadt, Luzern, Uri und Graubünden, die sich als einzige unter den Kantonen nach der Zusendung der Verträge und der bundesrätlichen Botschaft dazu geäussert hatten und deren Verwahrungen nun verlesen wurden. In allen Zuschriften wurde nicht materiell zu den Verträgen Stellung genommen, sondern die Art und Weise ihres Zustandekommens angefochten.
Die Regierung von Basel-Stadt beanstandete, dass der Bundesrat die Kantone bei der Neugestaltung des Niederlassungsvertrages nicht angehört hatte, doch stellte sie den Entscheid darüber, welches Gewicht diesen Bedenken gegeben werden solle, den eidgenössischen Räten anheim (809).
Mit der bundesrätlichen Interpretation, die dem Bund die Kompetenz zum Abschluss aller vorliegenden Verträge zusprach, konnte sich die Regierung von Luzern nicht einverstanden erklären (810). Keine materiellen Vorteile schienen ihr eine solche Interpretation auf Kosten der souveränen Kantone zu rechtfertigen. Auf deren Rechte ausdrücklich hinzuweisen, betrachtete

sie als ihre unbedingte Pflicht.
Die Regierung von Uri wollte, was den Artikel 41 BV betraf, ihre Rechte
ebenfalls deutlich gewahrt wissen und erlaubte sich, die Bundesbehörden vor
allzu eiligen Schritten in dieser Sache zu warnen (811). Desgleichen erklärte
die Regierung von Graubünden, dass sie die Souveränitätsrechte ihres Standes voll und uneingeschränkt gewahrt wissen wollte (812).
Heer bekämpfte im zweiten Teil seines Votums den Antrag Philippins und
sprach dessen theoretischer Begründung die Richtigkeit ab. Er neigte aber
deutlich dazu, der theoretischen Argumentierung überhaupt aus dem Wege zu
gehen und einfach auf die bisherige Praxis hinzuweisen, deren Gewicht die
Beweisführung von Philippin erdrücken musste. Auch eine Verschiebung,
wie sie Philippin vorschlug, hielt Heer für verfehlt, denn dies müsste eine
Menge Schwierigkeiten bringen.
Bei der Begründung seines Antrages ging daraufhin Philippin davon aus, dass
sich der Bund - das war eine sehr kluge Beobachtung - in einer der wichtigsten Phasen der Entwicklung seines Verfassungsrechtes befände. Die Frage
wäre, ob man den Anwendungsbereich der Verfassung, zu deren Wahrung die
Bundesbehörden verpflichtet seien, durch eine blosse Neuauslegung erweitern
dürfe oder ob nicht in diesem Fall eine förmliche Revision notwendig werde.
Die erste Möglichkeit verwarf er und plädierte nachdrücklich für eine sofortige Verfassungsrevision, da dafür nun der richtige Zeitpunkt gekommen
wäre. Sein Ziel war es dabei, das Glaubensbekenntnis von den bürgerlichen
Rechten unabhängig zu machen.
Der Berichterstatter französischer Sprache, Ruffy (VD), hielt sich im grossen und ganzen an den Kommissionsbericht der Mehrheit und war bemüht,
die praktischen Nachteile, die sich aus Philippins Antrag ergeben mussten,
nachzuweisen und deshalb von diesem Vorgehen abzuraten.
Nach diesen drei Voten, die eigentlich nur Präzisierungen zu den Berichten
gebracht hatten, begann die allgemeine Aussprache. Segesser (LU), der unbestrittene Führer der konservativen und föderalistischen Opposition, gab
in seiner kämpferischen Rede, die, hie und da von Heiterkeit unterbrochen,
vom Rat mit gespannter Aufmerksamkeit verfolgt wurde (813), den Argumenten der Gegner glanzvollen Ausdruck und setzte damit den ersten wichtigen
Akzent in der Diskussion. Von den beiden vorliegenden Anträgen abweichend,
beabsichtigte er, wie er gleich vorweg sagte, dem Rat zu beantragen, "die
Bundesversammlung habe sich wegen Inkompetenz des Eintretens auf die
Vorlage des Bundesrates zu enthalten" (814). Denn, so führte er aus, sowohl
dem Bundesrat wie den beiden Ratskommissionen wäre der Versuch, die
Bundeskompetenz nachzuweisen, vollständig misslungen. Wer die historische Interpretation der Bundesverfassung nicht vernachlässige, müsse
zwangsläufig zu dieser Auffassung gelangen.
Bezeichnenderweise ging Segesser selbst bei seiner Darlegung von der Kantonalsouveränität aus, von wo aus er dem Bund das Recht absprach, in Nie-

derlassungssachen über die Wahrung des im Artikel 41 BV den christlichen Schweizern vorbehaltene freie Niederlassungsrecht hinauszugehen. Was den Abschluss von Staatsverträgen betraf, so war zudem nach Segessers Auffassung die Kompetenz der Bundesbehörden nach 1848 gegenüber den Befugnissen der Tagsatzung nach 1815 nur ganz unwesentlich erweitert worden. Er musste natürlich eingestehen: " ... der Gesamtcharakter unseres öffentlichen Lebens hat sich seit der Einführung der Bundesverfassung verändert, nicht aber hat sich der Gesamtcharakter unseres positiven Bundesstaatsrechts verändert, nur die Praxis der Behörden ist in manchen Fällen von der wörtlichen Vorschrift des Grundgesetzes abgewichen" (815). Sollte dies aber als Begründung für das bundesrätliche Vorgehen genügen? Selbstverständlich wandte sich Segesser gegen eine solche Argumentation, und er beanstandete zu Recht die nebulöse Formulierung des Bundesrates, eine "weise Berücksichtigung" müsse in jedem einzelnen Fall das Mass der gegenseitigen Rechte des Bundes und der Kantone regulieren. Ebenso wies er die Theorie der ständerätlichen Kommission von den unbedingt zu beachtenden Fundamentalbestimmungen der Verfassung zurück, da sie ihm viel zu biegsam schien: "Ich glaube, die Artikel der Verfassung sind alle gleich fundamental, gleich unantastbar, solange sie als Verfassungsartikel bestehen" (816). Den Schluss der nationalrätlichen Kommissionsmehrheit, der Bund sei zwar nicht kompetent, habe aber bisher doch alle ähnlichen Verträge seit 1848 abgeschlossen, demnach sei er also auch jetzt befugt, fand er völlig abwegig. Da der Bund diese Kompetenz eben nicht besass, gab es nur zwei Lösungsmöglichkeiten: entweder Verfassungsrevision oder Staatsstreich. Gewiss hätten Staatsstreiche aus Krisen herausgeführt; so habe er sich längst mit demjenigen von 1847 versöhnt. "Aber dass zugunsten der Seidenbandverkäufer, der Uhrenfabrikanten, der Käsehändler in irgendeinem Lande ein Staatsstreich als notwendig erachtet wurde, ist mir noch nicht vorgekommen. Ich meinerseits würde den Weg der Verfassungsrevision vorziehen" (817). Diese aber sei Sache des Volkes und der Stände. Doch gleich setzte er sich gegen den Vorwurf zur Wehr, die Ultramontanen suchten die Revision, um im Trüben zu fischen, denn es bestünde ja für sie gar keine Aussicht, Fische zu fangen...

Zuletzt ging er näher auf die Judenfrage ein. Den Niederlassungsvertrag, so legte er dar, würde er neben den formellen auch aus materiellen Gründen verwerfen, "nicht aus religiöser Unduldsamkeit, sondern aus sozial-politischen Gründen" (818). Nach einem Exkurs über religiöse Toleranz, die sich für viele seiner Zeitgenossen leider in Indifferenz verwandelt habe, begründete er - in eigenartig anmutender Mischung von Bewunderung einerseits und Furcht und Hass andererseits - seine Abneigung gegen eine Aufnahme der Juden. Jahrhundertelang verfolgt und rechtlos, immer wieder ausgeplündert und zerstreut, seien sie trotz allem eine Nation von bewundernswerter Stärke, Einigkeit und Reichtum geblieben. Auch die seit fünfzig Jahren ange-

bahnte Assimilation in vielen europäischen Ländern hatte nach Segessers Ansicht diese starken Bande nicht aufgelöst. Um die drohende Gefahr für die Schweiz heraufzubeschwören, griff er aber dann zu den altbekannten und gängigsten antisemitischen Vorwürfen: "Ihr Hass gegen die christliche Gesellschaft ist derselbe geblieben, aber ihre Macht ist unendlich gewachsen. Sie sitzen an den Stufen der Throne, die ihnen verpfändet sind; sie beherrschen die Eisenbahnen und die grossen Geldinstitute, die auf ihrem Reichtum ruhen, sie geben den Ton an in der Tagespresse und in der Literatur, sie dringen in die höchsten wie in die tiefsten Schichten des sozialen Lebens ein und der Zweck, den sie selbstbewusst verfolgen, ist Zerstörung der christlichen Gesellschaft, Zerstörung der christlichen Zivilisation; es ist ihre Bestimmung, ihr Lebenszweck, der Grundgedanke der Religion, der ihnen alles vertritt, was andern Völkern Vaterland, Staat, Recht ist" (819). Nach diesen Worten ist Segessers Beteuerungen, es seien bei seiner Abneigung keine religiösen Gefühle im Spiel, nur schwer zu glauben. Welche Wurzeln sein Antisemtismus auch haben mochte: er diskreditiert den Mann, der sich sonst so viel auf seinen Humanismus zugute tat. Segesser schloss sein Votum mit dem Vergleich der jetzigen Verträge mit den Soldbündnissen zwischen den Eidgenossen und Ludwig XI., die, zuerst von allen Eidgenossen hoch gepriesen, sich hinterher als der Keim zu grossen Verderbnissen und tiefem Zerfall erwiesen hätten. Hoffentlich müssten nicht spätere Generationen das gleiche Urteil über die vorliegenden Abkommen fällen.
Bundesrat Frey-Herosé, der die Debatte des ersten Tages abschloss, wandte sich gegen Segessers Versuch, bei der Interpretation der heutigen Verfassungsprobleme auf den Bundesvertrag von 1815 zurückzugreifen. Doch spürte er wohl instinktiv, dass er sich mit dem grossen Kenner der Rechtsgeschichte nicht auf dem theoretischen Feld auseinandersetzen konnte, ohne den Kürzern zu ziehen, weshalb er für die Verteidigung der Verträge seine Argumente vor allem dort herholte, wo die Macht der Tatsachen sprach: allen vorgebrachten Einwänden ganz einfach aus dem Wege gehend, bestand er darauf, dass jetzt der Zeitpunkt günstig sei, um mit Frankreich einen Vertrag abzuschliessen und wies auf die zu erwartenden Vorteile hin. Mit der oberflächlichen Bemerkung, man müsse das Eisen schmieden, solange es warm sei, versuchte er das Nichtanhören der Kantone in der Konsumogebührenfrage zu entschuldigen, da ein Vernehmlassungsverfahren die Unterhandlungen verzögert hätte; ob Frankreich dann noch immer zu Verhandlungen bereit gewesen wäre, hätte man eben nicht wissen können. Sein ganzes Votum war ganz darauf angelegt, die Befürchtungen der Ratsmitglieder und allfällige Enttäuschungen über gewisse Konzessionen der Schweiz oder erhoffte, aber nicht erreichte französische Zugeständnisse zu beschwichtigen. Wer den grossen Voteilen des Handelsvertrages gegenüber auf den konstitutionellen Bedenken beharrte, war nach Frey-Herosés Ansicht ein Doktrinär, der krampfhaft versuchte, Verfassungsverletzungen an den Haaren herbeizuziehen. Eine Ver-

schiebung war auch nicht möglich; jetzt musste über Annahme oder Verwerfung entschieden werden.
Wie stark Segessers Votum gewirkt haben musste, beweist der Text eines Telegramms, das Kern am gleichen Abend an den französischen Aussenminister sandte: "Opposition très vive - le résultat douteux" (820). Bereits am nächsten Tag aber berichtete Turgot beschwichtigend über diese Opposition aus den Kantonen der Innerschweiz, die aus Intoleranz und um der Aufrechterhaltung ihrer Traditionen willen gegen die Verträge seien. Turgots bisherigem Optimismus entsprach die Beurteilung: "Je doute cependant, M. le Ministre, que cette scission dans l'assemblée crée de sérieux embarras au Conseil fédéral. La ratification du traité est souhaité par la très grande majorité de la population suisse qui reconnait les avantages importants dont la Confédération se trouvera gratifiée, et la majorité dans le parlement devra correspondre à celle du pays" (821).
Das eigentlich entscheidende Plädoyer für die Verträge war aber Bundespräsident Dubs vorbehalten, dessen zweistündige Rede am nächsten Morgen "mit gespannter Aufmerksamkeit" (822) angehört wurde und die - der Form, des Gehaltes und des grossen Schwunges wegen, mit der sie vorgetragen wurde - ganz offensichtlich viele Zuhörer zu beeindrucken und zu überzeugen vermochte.
Zuerst verteidigte er das Vorgehen des Bundesrates gegen den Vorwurf Philippins, der Handelsvertrag bilde nur die Lockspeise ("appât"), damit die Schweiz die andern Verträge annähme; die Koppelung der Verträge sei vielmehr deshalb entstanden, weil die Schweiz verlangt habe, die verschiedenen Materien säuberlich zu trennen, wogegen aber habe zugestanden werden müssen, dass entweder alle Verträge angenommen oder abgelehnt würden. Dies habe ja auch im Interesse der Schweiz gelegen: oder wäre es etwa angenehm gewesen, wenn Frankreich den Niederlassungsvertrag oder denjenigen zum Schutz des geistigen Eigentums angenommen, den Handelsvertrag aber abgelehnt hätte? So wäre man nirgends hingelangt.
Auf die Materie eintretend, stellte er befriedigt fest, dass bisher einmütig anerkannt worden sei, wie vorteilhaft die Verträge für die Schweiz seien. Für die Zukunft seien die Aussichten zudem noch besser, denn mit dem Entstehen einer grossen Freihandelsunion genössen deren Mitglieder immer grössere Vorteile. Was stände demgegenüber einer Annahme entgegen? In allererster Linie die damit verbundene Judenemanzipation, deren Problematik nun Dubs - alle kleinern sonstigen Einwände links liegenlassend - mit der nötigen Ausführlichkeit untersuchen wollte. Dies beabsichtigte er nach zwei Richtungen hin zu tun: War es konstitutionell möglich, auf diese Weise die Judenemanzipation durchzuführen? War sie politisch gerechtfertigt?
Die verfassungsrechtlichen Erörterungen begann er mit einer genauen Interpretation des Artikels 41 BV, den er, da es sich um ein Ausnahmeverhältnis handelte, ganz dem Wortlaut entsprechend beachtet wissen wollte. Demgemäss

aber berührte dieser Artikel in keiner Weise die ausländischen Juden. Dubs wandte sich auch dagegen, dass man eben den Geist berücksichtigte, der diesem Artikel zugrundeläge. Denn sonst gelange man dazu, die Verfassung im illiberalen Sinne zu interpretieren. Der Anstoss zur diskriminierenden Fassung sei 1848 nicht von Basel, wie allgemein behauptet werde, sondern von Zürich ausgegangen, das sich vor einer Einwanderung der aargauischen Juden gefürchtet habe. Von den ausländischen Juden sei erst später die Rede gewesen. Die Beispiele aus der innern Praxis der Schweiz, die Dubs dann aus eigener Anschauung und Mitwirkung schilderte, bewiesen, dass die Beschränkungen der Rechte für die Juden nicht über den genauen Wortlaut der Bundesverfassung hinaus zulässig waren - und das genau gleiche beabsichtige eben der Bundesrat auch in diesem vorliegenden Falle. Was die Praxis gegen aussen betraf, so musste der Bundespräsident gestehen, dass bisher in verschiedenen Staatsverträgen der Artikel 41 BV vorbehalten blieb, was von den Gegnern der vorliegenden Verträge auch entsprechend vermerkt worden wäre. Aus dieser Klemme löste sich Dubs mehr oder weniger elegant, indem auch er diese Frage nicht mehr theoretisch zu Ende diskutierte, sondern ganz schlicht auf die Tatsache hinwies, dass man mit Frankreich durch ein längeres Festhalten an diesem Vorbehalt einfach nicht mehr weitergekommen wäre. Er stellte dann dar, wie er selbst und schliesslich der Bundesrat bei der näheren Prüfung des Artikels 41 BV zu der Auffassung gelangt seien, dadurch werde es dem Bund nicht verwehrt, fremde Juden in der ganzen Schweiz zuzulassen. Dabei setzte er besonderes Gewicht darauf, hier liege also nicht ein Bruch der Verfassung, sondern ein Bruch mit einer bisherigen Ansicht über die Bundesverfassung vor, was er als durchaus legitim bezeichnete. Was den Vorwurf anbelangte, Fremde würden dadurch besser gestellt als Einheimische, konnte er auf Präzedenzfälle hinweisen, in denen dies schon so gewesen war, z.B. hatten Badenser das Recht, sich sofort im Kanton Luzern niederzulassen, während ein im Aargau lebender naturalisierter Schweizer fünf Jahre warten musste, bis er sich im Kanton Luzern niederlassen konnte.

Damit kam Dubs zwischenhinein kurz auf die politische Seite der Frage zu sprechen. Den von verschiedenen Seiten gemachten Vorschlag, die Judenfrage vor dem Vertragsabschluss mit Frankreich zu regeln, lehnte er entschieden ab: "Machen wir mit Frankreich fertig, das andere ist dann eine Sache unter uns" (823). Wenn nötig, so musste dies durch eine Verfassungsrevision geschehen.

Als er auf eine weitere wichtige Frage, das Verhältnis zwischen dem Bund und den Kantonen einging, wandte er sich vor allem gegen die von Philippin und Segesser vorgebrachten Ansichten. Segessers Auslegung, der Artikel 3 sei der Grundartikel der Bundesverfassung, stellte er die Auffassung entgegen, Artikel 1 sei die Fundamentalbestimmung, und dem Artikel 3 gehöre gleichwertig der Artikel 8 zur Seite. Würde man sich Segessers Theorie zu

eigen machen, so müssten konsequenterweise alle seit 1848 abgeschlossenen Verträge wieder aufgelöst werden, denn der Bund wäre sie ja alle unbefugterweise eingegangen. Andererseits bezeichnete Artikel 9 nur die Ausnahmefälle für Artikel 8, und in allen Fällen, worüber sogenannte gemischte Materien zu verhandeln war, hatte der Bund das Recht und die Pflicht, dies zu tun. Jeder wichtige Vertrag war aber nach der Meinung von Dubs gemischter Natur. Wo er mit seiner Argumentation hinaus wollte, wurde erst klar, als er aus dem wegleitenden Bericht zur Bundesverfassung diejenigen Sätze vorlas, aus denen deutlich werden sollte, was den Schöpfern des neuen Bundesstaates vorgeschwebt hatte: ein stärker geeintes Gebilde, als dies unter dem Bundesvertrag der Fall gewesen war, ein Gemeinwesen, "welches die Glieder dem Ganzen, das Kantonale dem Nationalen unterordnet, indem sonst keine Eidgenossenschaft möglich wäre und die Kantone in ihrer Vereinzelung zu Grunde gehen müssten; - das ist's, was die jetzige Schweiz bedarf"(824). Hier tritt noch einmal besonders klar hervor, wie sehr bei der Auseinandersetzung um die Verträge neben den wirtschaftlichen Erwägungen auch das Ringen um grundsätzliche Anschauungen über den neuen Staat an einer Wegmarke angelangt war: auf halbem Wege zwischen 1848 und 1874 stehend, hatte sich eine allgemein akzeptierte Linie noch nicht finden lassen. Die zum Teil weit auseinanderklaffenden Meinungen über die Interpretation der gewichtigsten Verfassungsartikel belegen diese Tatsache wohl nur allzu deutlich.
Dem Vorwurf Segessers, es werde ein Staatsstreich geplant, begegnete Dubs seinerseits mit der Beschuldigung, die Minorität plane einen solchen, indem sie dem Bundesstaat das Grab schaufeln wolle, um den alten Staatenbund wiedererwecken zu können. "Das Recht der Verträge dem Bunde zu verweigern ist nichts anderes als eine Entmannung desselben" (825), mit dieser Bemerkung schloss er seine Erörterungen zur konstitutionellen Seite der Frage, um sich dann der politischen zuzuwenden.
Mit voller Ueberzeugung, in besonderer Frontstellung gegen Segessers gestrige Rede, plädierte er für das Niederreissen der diskriminierenden Schranken. Das Volk frage: Wohin führt ihr uns? Vorwärts oder Zurück? Beschämt müssten die Schweizer beim Blick auf das Ausland feststellen, dass sie fast allein oder doch in wenig erfreulicher Gemeinschaft stünden: "Wir sind zum Fingerzeig der europäischen Gesellschaft geworden, und man hat uns in Acht und Bann getan" (826). Zu unserem eigenen Schaden haben wir uns isoliert; es gibt nur eines: beseitigen wir die Hindernisse! Die Worte Segessers bekämpfend, gestand er den Juden die Berechtigung zu, ein gewisses Selbstgefühl zu haben; den ihnen vorgeworfenen Hass sollten die Christen doch eben durch Liebe vergelten; der Schachergeist, den man - ohne zu unterscheiden - allen Juden vorwerfe, sei durch die jahrhundertelange Verfolgung hervorgerufen worden, und wer etwas dagegen tun wolle, der müsse ihnen eben die Möglichkeit geben, aus ihrer Isolierung herauszugelangen.
Dubs sah den Widerstand gegen die Juden verankert in der katholischen Auf-

fassung von der geistlichen Gewalt über die weltliche, für welche die Taufe die Bedingung zum Eintritt in den Staat darstelle, während dieser Eintritt für die moderne Anschauung, die den bürgerlichen Staat von der Kirche unabhängig wissen wolle, durch die blosse Tatsache der Geburt erfolge. Auf welcher Seite Dubs stand, verstand sich von selbst: "... uns, meine Herrn, die wir uns als Leiter des modernen Staates fühlen, ist unsere Stellung bestimmt angewiesen" (827). Spielte es dabei eine Rolle, ob der Anstoss zur Revision von aussen kam? - Nein, denn auch Frankreich hatte seine Ideen zur politischen Neugestaltung aus Amerika übernommen, sie waren also "ein gut republikanisches Gewächs" (828).

In seinen Schlussbetrachtungen warf er einen kurzen Blick auf die wirtschaftlichen Vorteile, die der Handelsvertrag für sehr viele einzelne Familien in der Schweiz zu bringen imstande war und wies auf die vermehrte Sicherheit hin, die ein naher Markt für die schweizerische Industrie gegenüber weit entfernten bedeutete. Zum Schluss vor den düsteren Umtrieben eines Klingnauer Blattes warnend, das aus antisemitischen Motiven heraus für die Verwerfung der Verträge agitierte, beschwor er nochmals den Rat, für die Verträge zu stimmen.

Diese Rede war unbestreitbar zum Höhepunkt der Debatte geworden; man kann der Bemerkung eines Zeitungsberichterstatters nur beipflichten: "Nach diesem erschöpfenden Votum, so wie nach den gestrigen, kann in Sachen nicht wohl viel Neues mehr vorgebracht werden" (829). Dass die Rede sehr gut aufgenommen worden sei, notierte sich Dubs befriedigt im Tagebuch, wo er auch die Reihe der Gratulanten aufzählte, von Kern über Escher bis hin zu Fürst Wallerstein, dem früheren bayerischen Politiker (830), der ihm Komplimente über die Einfachheit und den grossen Schwung seiner Rede gemacht und behauptet habe, er hätte in dieser Kammer wenig Derartiges gehört (831)! Die "Neue Zürcher Zeitung", dem Bundespräsidenten sehr nahestehend, bezeichnete die Rede als einen bedeutenden Vortrag, an den sich "lebhafte Bewegung und Konversation" unter den Ratsmitgliedern anschloss, so dass die folgenden Redner zum Teil Mühe hatten, sich die nötige Aufmerksamkeit zu verschaffen (832).

Turgot berichtete über diese Rede nach Paris, der Bundespräsident habe in einem "discours habile" die Vorwürfe der Opposition zurückgewiesen, doch schien nun Kern, mit dem sich Turgot unterhalten hatte, nicht mehr auf eine so grosse Mehrheit zu hoffen, wie er es vor dem Beginn der Debatte getan hatte (833). Der schweizerische Gesandte unterliess es jedenfalls nicht, wie Simon Bavier berichtet, widerstrebende Mitglieder der Bundesversammlung persönlich zu bearbeiten, was wohl im einen oder andern Fall seine Früchte trug (834).

Ueber die Fortsetzung der Debatte, die in der Tat nicht viel Neues mehr erbrachte, soll hier auch nur entsprechend knapp referiert werden. Ramsperger (TG) schloss sich aus grundsätzlichen Erwägungen der Ansicht Philippins an,

während Lüthi, der Baumwollfabrikant aus dem gleichen Kanton (siehe oben
S. 93) aus materiellen Gründen für eine Annahme der Verträge eintrat und
die Zulassung der Juden als leicht durchführbar bezeichnete (835). De Courten (VS) stand hingegen für ein Nichteintreten ein, wollte aber die Revision
der Bundesverfassung schon im nächsten Monat verwirklicht wissen, so dass
man anschliessend die Verträge mit ruhigem Gewissen ratifizieren könnte
(836). Eine neue Variante brachte Joos (SH) ins Spiel: die Verträge sollten
nur unter Genehmigung durch das Volk angenommen werden (837). Den Abschluss des zweiten Verhandlungstages bildete das Votum Plantas (GR), der
sich zwar gegen Segessers Judendiskriminierung wandte, aber doch gleich
diesem für Nichteintreten plädierte, weil durch die Verträge in verschiedener Hinsicht die Bundesverfassung verletzt würde (838). Er stiess sich ausserdem am seiner Ansicht nach unwürdigen Tauschhandel von wirtschaftlichen Vorteilen gegen politische Zugeständnisse. Aus seinen Worten war unverhohlen die Spitze gegen die Industrie und den Handelsstand zu spüren; auf
ihn traf am deutlichsten die Behauptung von Dubs zu: "In der Handelsvertragsfrage haben die Herren von Segesser, von Curten und von Planta offenbar
sämtliche aus Hass gegen die Industrie gegen den Vertrag votiert" (839).

Für Feer-Herzog (AG), der am nächsten Tag als erster sprach, gab es wegen der Kompetenzfrage gar keine Bedenken; der Artikel 8 BV war für die
Beziehungen der Schweiz zum Ausland massgebend und durfte niemals zu eng
ausgelegt werden (840). Viel mehr Gewicht legte er aber auf die wirtschaftlichen Vorteile (von deren Nutzniessern er natürlich einer der grössten war
...), welche der Schweiz aus dem Handelsvertrag erwachsen mussten. Doch
betonte er ausdrücklich, dass es sich nicht nur um das Interesse einiger
Klassen von Produzenten handle, sondern ebenso sehr um dasjenige von Hunderttausenden von Arbeitern und deren Familien. Wobei man aber gewiss über
die verschiedenartige Verteilung des zu erwartenden Mehrverdienstes wohl
verschiedener Meinung sein konnte! Aklin (AG) äusserte sich dann ausfällig
über die Juden in seinem Kanton (841). Unbedeutende, ihrer Absicht kaum
dienende Voten gegen die Verträge hörte man von Klein (BS) und Ferdinand
Curti (SG) (842) - beide stimmten am Schluss aber doch dafür! Auch die befürwortenden Voten von Graffenried (BE), Stehlin (BS) und Bützberger (BE)
(843) vermochten keine neuen Aspekte mehr zu beleuchten, wobei bemerkenswert war, dass von Graffenried, auf Segessers historische Interpretation der
Bundesverfassung eingehend, zum entgegengesetzten Resultat gelangte und
die von Segesser gewünschte Einschränkung der Bundeskompetenz im neuen
Bundesstaat verwarf.
Da immer noch elf Redner eingeschrieben waren, ermahnte der Präsident
zu Beginn des vierten Sitzungstages (es war der 24.September) zur Kürze;
der Antrag, die Debatte noch am gleichen Tag zu beenden, wurde mit grossem Mehr angenommen. Einsichtigerweise verzichteten verschiedene Ratsmitglieder auf ihre Voten. Die Mehrzahl der noch auftretenden Redner, ihrer

sechs (Kaiser, SO, Niggeler, BE, Pedrazzini, TI, Fierz, ZH, Vuy, GE, und Hungerbühler, SG) (844), sprachen sich zugunsten der Verträge aus. Nur Graf (BL) und Girard (NE) (845) bekämpften, der letztere in einem bemerkenswert langfädigen Referat, die Anträge der Mehrheit.
Die Meinungen waren nun gemacht, man konnte zur Abstimmung schreiten. Heer verzichtete auf eine abschliessende Replik - der heute geltende Brauch, dem Departementsvorsteher oder dem Bundespräsidenten das letzte Wort zu reservieren, bestand damals noch nicht - und nahm bloss kurz Stellung zu den verschiedenen vorgebrachten Anträgen. Heer schlug zudem vor, die Hauptabstimmung unter Namensaufruf vorzunehmen, da eine Anspielung auf einen Staatsstreich gefallen war, "damit man doch diejenigen kenne, die solche Pläne im Schild führen" (846). Aus dem komplizierten Abstimmungsmodus sind nur die Resultate auf die zwei Hauptfragen interessant:
1) Soll der Gegenstand vertagt werden? (Antrag Philippin)
30 Ja, 85 Nein (847).
2) Sollen die Verträge genehmigt (Antrag der Kommissionsmehrheit) oder verworfen werden (Antrag Segesser)?
96 für Genehmigung, 20 für Verwerfung (848).
Ueber das Endresultat lässt sich nur eine eindeutige Aussage machen: es war ein glanzvolles Ergebnis. Bei einer näheren Analyse entzieht es sich aber jeder Zusammenfassung oder einfachen Einordnung in ein bestehendes Schema: Ausser den beiden Vertretern von Unterwalden stimmte keine einzige kantonale Vertretung geschlossen gegen den Vertrag. Aus Bern, Luzern und dem Wallis waren es je drei Gegenstimmen; aus allen andern Kantonen war es - mit Ausnahme von zwei Bündnern - jeweils nur ein Einziger, der die Verträge verwarf. Keine Opposition kam aus folgenden zehn Kantonen und zwei Halbkantonen: Zürich, Uri, Glarus, Zug, Freiburg, Solothurn, Basel-Stadt, Aargau, Thurgau, Tessin, Waadt und Genf.
Ein gewisser Schwerpunkt zeichnete sich mit den als Ultramontane verschrieenen drei Luzernern und drei Innerschweizern ab, doch steuerten andererseits die gleichen Kantone ebenso viele Ja-Stimmen bei. Mit einem Wort: die Opposition war völlig zersplittert und rekrutierte sich fast nur aus lauter Einzelnen, von denen jeder seine besondern, nicht mehr eruierbaren Gründe zur Verwerfung der Verträge hatte. Die Vertreter der volksreichen, zum grossen Teil stark industrialisierten Kantone Zürich, Bern, St. Gallen, Aargau und Thurgau gaben klar den Ausschlag, ebenso waren die französische und die italienische Schweiz an der erdrückenden Mehrheit zugunsten der Verträge massgeblich beteiligt. Es zeigte sich nun auch, dass sich die Rücksicht, die der Bundesrat gegenüber den landwirtschaftlichen Belangen an den Tag gelegt hatte, seine Früchte trug. Dubs frohlockte: "Allerdings ein sehr brillantes Resultat. Im Ständerat ist die Mehrheit ganz sicher" (849).
Mit ebenso grossen Mehrheiten wie bei den Verträgen waren vom Nationalrat zwei weitere Beschlüsse gefasst worden. Im ersten wurde der Bundesrat

eingeladen, "der Bundesversammlung so bald wie möglich Bericht und Antrag zu hinterbringen, zu dem Zwecke, die in § 41 und § 48 gewährleisteten Rechte von dem Glaubensbekenntnisse der Bürger unabhängig zu machen"(850). Der zweite Beschluss sicherte den Kantonen die Rechte, die ihnen durch Artikel 32 (Konsumogebühren) garantiert waren, zu und lud den Bundesrat ein, dahin zu wirken, dass die Einfuhr gemischter Seidenbänder nach Frankreich nicht ungünstiger als bisher behandelt würde, und schliesslich zu prüfen, ob der Zollreduktionsforderung der Seifensieder entsprochen werden konnte (851).

2. Die Debatte im Ständerat

Nach der überraschend starken Annahme der Verträge durch den Nationalrat und dem einmütig abgefassten Bericht der ständerätlichen Kommission war zu erwarten, dass in der zweiten Kammer keine grossen Kontroversen mehr aufkommen würden, obschon hier die eigentlichen Hüter der Kantonalsouveranität sassen. Nicht dass sich die Opposition, besonders aus den Urkantonen, etwa nicht bemerkbar gemacht hätte; aber sie stand doch nun von vornherein zu sehr auf verlorenem Posten. Ein Führer vom Schlage Segessers fehlte ihr hier, und auch in diesem Rat erhielt die Opposition keinen Zuzug aus der sonst ausgesprochen föderalistisch gesinnten Westschweiz. So ergibt sich denn aus der Debatte des Ständerates sehr deutlich der Eindruck, dass die Gegner der Verträge fast mehr aus Trotz als aus Ueberzeugung an ihrer Frontstellung gegen die Bestrebungen festhielten, welche den Bundesbehörden gegenüber dem Ausland grössere Kompetenzen einräumen wollten.

Stähelin-Brunner (BS) steuerte, wie schon im gedruckten Bericht, unverkennbar auf eine möglichst reibungslose Annahme der Verträge hin (852). An die bundesrätlichen Ausführungen und die im Nationalrat zugunsten der Verträge vorgebrachten Voten anknüpfend, resümierte er nochmals das bereits Gesagte, erstaunlich gouvernemental, allen Schwierigkeiten ausweichend; verfassungsrechtliche Bedenken wischte er mit der Aufforderung beiseite: wir dürfen nicht zu zaghaft und ängstlich sein, denn sonst würden wir aus unerheblichen Gründen wichtige Interessen aufs Spiel setzen. Aus dem Votum von Sutter (AR) ging sehr eindrücklich hervor, in welchen Konflikt ein Mann geraten konnte, der als Landammann eines kleinen Kantons dessen Souveränitätsrechte verteidigen sollte und andererseits als Industrieller für einen Handelsvertrag eintreten musste, der ihm selbst und der Bevölkerung seines Kantons wesentliche Vorteile (Stickerei, Gaze und Mousseline) einbringen musste (853). Das letztere gab wohl gegenüber seinen - wie er bekannte - anfänglich starken verfassungsrechtlichen Bedenken den Ausschlag. Indem er sich eng an Dubs' und Heers Argumentation anschloss, kam er denn auch gleich diesen zum Schluss, der Bund sei zum Abschluss der Verträge uneingeschränkt kompetent. Gewiss hätte er die Judenfrage gerne ausgeklammert gesehen, und aus formalen Gründen stand er den Bestimmungen über die Konsumogebühren und den Schutz des geistigen Eigentums skeptisch gegenüber. Wenn er aber auf der andern Seite in Rechnung zog, welche Perspektiven sich in wirtschaftlicher Hinsicht eröffneten, dann schwanden alle Bedenken dahin. Er beschwor den Rat, mit der Ratifikation nun nicht mehr zuzuwarten, denn dies müsste fatale Folgen haben und alles Erreichte wieder aufs Spiel setzen. Am Schluss wurde er ganz deutlich und unmissverständlich: er dankte Kern nicht nur für dessen gesamtes Bemühen, sondern als Repräsentant derjenigen Industrie, für die dank der Beharrlichkeit des Unterhändlers eine bedeutende Konzession erreicht worden war! Als weiteres Kommissionsmitglied sprach sich daraufhin Rüttimann (ZH) zugunsten der Verträge aus (854). Als Kenner des Staatsrechts der USA und Autor eines einschlägigen Werkes (855) zog er einige Parallelen zwischen den beiden Ländern, was die Kompetenz anbelangte, Staatsverträge abzuschliessen. Sie schien ihm für die vorliegenden Verträge unbestritten, denn die Kompetenz zu Staatsverträgen war seines Erachtens nur durch andere Verfassungsartikel wie die Garantie z.B. der Pressefreiheit beschränkt; Artikel 41 BV aber bildete kein solches Hindernis.

Von Zelger (NW) wurde nun verlangt, dass die Schreiben der Kantonsregierungen verlesen würden, denn dies verlange das "Dekorum", da diese Schriftstücke an den Rat, nicht bloss an die Kommissionen gerichtet seien. Doch da geschah, was zu erwarten war und sich bis heute nicht anders abspielen dürfte: "Diesem Verlangen wird entsprochen, jedoch ergreifen dem Dekorum zuwider und zum Verdrusse Herrn Zelgers die Mitglieder zum grössern Teile die Flucht, die Zurückgebliebenen beschäftigten sich anderweitig. Diese Lektüre hat den Geschäftseifer und Diskussionlust der Versammlung erkaltet" (856); und, Dante variierend, könnte man sagen: an dieser Stelle fuhren sie nicht weiter... Das geschilderte Ereignis vermag zu beleuchten, wie sehr sich offenbar die Spannung und das Interesse an einer Auseinandersetzung unter den Ständeräten schon verflüchtigt hatte.

Am nächsten Tag trat mit von Hettlingen (SZ) der Führer der Opposition in Erscheinung (857). Er gestand vorweg, wie schwer es ihm falle, diese Position zu verteidigen, nachdem Minister Kern, der gesamte Bundesrat, die Kommissionen beider Räte und die Mehrheit des Nationalrates sich über die Vorzüge der Verträge einig seien und sich gegenseitig schon zur Annahme beglückwünschten. Das Volk, dessen wichtigsten materiellen und geistigen Interessen berührt würden, sei aber indifferent geblieben, was gewiss - im Blick auf möglichen Stoff zu unbesonnener Agitation - auch als ein Vorteil zu werten sei. Er verwahrte sich gegen den Vorwurf, hier aus konfessionellen Motiven gegen die Verträge aufzutreten. Es ginge ihm vielmehr darum, an der Verfassung festzuhalten und zu zeigen, wo sie verletzt worden sei. In verschiedenen Punkten hielt er sich eng an Segessers Beweisführung, so etwa in der Forderung, Artikel 8 BV müsse ganz eng und strikte beachtet werden. Nachdrücklich wandte er sich - mit einer gewissen Berechtigung - gegen die Tendenz, um der materiellen Vorteile wegen die Verfassung zu grosszügig zu interpretieren oder sogar gegen sie zu verstossen. So träten mit der Zeit an die Stelle des Rechts die Opportunität und die Gewalt, was schliesslich zur Konfusion führen müsste. Konfessionelle Untertöne fehlten auch bei ihm nicht: gewiss stelle er sich der Zulassung von Juden und Mohammedanern nicht entgegen; aber es wolle nicht einen Liberalismus, der nur auf einem Bein hüpfe, sondern der auch dem Mönch und dem Kloster seine Existenz gönne. Frankreich, meinte er abschliessend, müsste eigentlich aus Gerechtigkeitsgründen der Schweiz Konzessionen machen, ohne von uns Gegenleistungen zu fordern. Er beantragte Nichteintreten. Jacottet (NE), in seinem Votum die Mitte haltend zwischen unbedingter Annahme und dem Antrag von Philippin, trat schliesslich doch für die Verträge ein, wollte aber in einem Vorbehalt die Rechte der Kantone bei den Konsumogebühren gewahrt wissen (858). In die gleiche Kerbe wie der Vertreter von Schwyz hieb auch Arnold (UR), der bestritt, dass die Innerschweizer Magistraten sich prinzipiell gegen jeden Fortschritt stellten, in reaktionärem Trotz die Mitarbeit im neuen Bundesstaat verweigerten und ultramontanen Neigungen nachgäben (859). Es sei aber ihre Pflicht, dem Wagen in der Bundesstadt zuweilen den Hemmschuh unterzulegen, wenn allzu forsch kutschiert werde.

Die eindruckvollste und wirksamste Stellungnahme, von verschiedenen Seiten bezeugt (860), bot zum Abschluss des zweiten Tages Landammann Welti (AG). Er ging davon aus, dass in der ganzen Debatte bisher viel zu sehr nur die formale Seite der Frage beleuchtet worden sei, während die Sache, nämlich die vorteilhaften Verträge, zu wenig beachtet geblieben wäre. Das traf zwar für den Ständerat, nicht aber für den Nationalrat zu. Ausserdem barg dieser Denkansatz, wie wir gesehen haben, eben die grosse Gefahr in sich, die verfassungsrechtlichen Probleme allzu schnell unter den Tisch zu wischen. Welti wies darauf hin, wie sehr sich die Schweiz, würde sie in der intoleranten Haltung verharren, selbst bestrafen würde. Indem er sich, teilweise mit einer zu pauschalen Verdammung der historischen Interpretationsmethode, doch auch den staatsrechtlichen Fragen widmete, gelangte er zur sicheren Ueberzeugung, dass der Bund die unbestrittene Kompetenz besass, die Verhältnisse für die Ausländer in der Schweiz zu regeln. Er zeigte sich zudem erfreut, dass der vorteilhafte Handelsvertrag den Anlass zur Liberalisierung gegenüber der Juden bilde und mokierte sich über die früheren Judengegner, die sich nun plötzlich wegen der Hintansetzung der schweizerischen Juden so besorgt zeigten. Den Zwang zum Guten liesse er sich gerne gefallen; er trat entschieden für die Verträge und die Verfassungsrevision ein (861).

Planta (GR), der erste Redner des dritten und letzten Verhandlungstages, gestand zu Beginn, mit Weltis Urteil über die Vorteile des Handelsvertrages völlig einverstanden zu sein, was ihn aber nicht hindere, die Kompetenz des

Bundes zu bestreiten und - weil die Souveränität der Kantone verletzt worden sei - folgende Anträge zu stellen: Die Verträge durften nur unter der Voraussetzung ratifiziert werden, dass vorgängig die Kantone den Verpflichtungen in der Ohmgeldfrage zustimmten und der Artikel 41 BV revidiert würde (862).

Das Votum von Häberlin (TG) zugunsten der Verträge brachte nichts Neues (863). Bundesrat Frey-Herosé, für sein Auftreten um Entschuldigung bittend (!), wiederholte nur, was er im Nationalrat schon vorgebracht hatte, bereicherte aber sein Votum mit einem Vers von Goethe; charakteristischerweise war es allerdings ein sehr braver und biederer Spruch (864). Wie schon Joos im Nationalrat, machte Emil Frey (BL), der den Verträgen positiv gesinnt war, aber verfassungsrechtliche Bedenken hatte, den gewiss nicht weniger verfassungswidrigen und monströsen Vorschlag, die Frage der Ratifikation sei dem Volk zu unterbreiten (865).

Deutlich begann sich nun die Diskussion zu erschöpfen. So brachte etwa Eugen Escher (ZH) nur noch ein Resümee von Dubs' Argumenten (866) und Camperio (GE) brandmarkte mit einem Anflug von Demagogie den Artikel 41 BV als die schlechteste, absurdeste, reaktionärste und undemokratischste Verfassungsbestimmung und spielte sie aus gegen den Artikel 8, dem die Zukunft gehöre, in dessen Richtung sich der Bund zu entwickeln habe (867).

Mit Zelger (NW) ergriff dann nochmals ein entschlossener Gegner das Wort und protestierte dagegen, dass man aus dem Rücken der Kantone die Haut herausschneiden wolle, um sie gegen Tarifermässigungen einzutauschen! (868) Nachdem verschiedene Redner auf das Wort verzichtet hatten, unter ihnen auch der Bundespräsident, wurde von Ziegler (SH) eine letzte Attacke gegen die Absicht geritten, die Verträge ohne vorherige Verfassungsrevision ratifizieren zu wollen (869). Dann konnte abgestimmt werden. Wie schon im andern Rat, musste über zwei Hauptanträge entschieden werden:

1) Antrag von Hettlingen auf Nichteintreten wegen Inkompetenz:
    13 Ja, 30 Nein (870).
2) Antrag der Kommission auf Genehmigung der Verträge:
    30 Ja, 11 Nein, 2 Enthaltungen (871).

Alle Vertreter aus den drei Urkantonen lehnten geschlossen ab, dazu kamen die Stimmen je eines Vertreters aus den Kantonen Zug, Schaffhausen, Appenzell-Innerrhoden, Graubünden und Wallis, während sich derjenige von Basel-Land und der andere Bündner der Stimme enthielten. Auch hier im Ständerat liess sich also ein gewisses Schwergewicht der Opposition in den Waldstätten feststellen, während die restlichen Gegner aus andern, vorwiegend landwirtschaftlichen Kantonen stammten. Es war ein Ergebnis, das gewiss viele Erwartungen übertraf; Dubs bezeichnete es denn auch mit seinem Lieblingswort: "Brillante Mehrheit" (872). Zusätzlich zu den vom Nationalrat gefassten Beschlüssen wurde der Bundesrat noch eingeladen, dahin zu wirken, dass der Ansatz für gesägtes Holz in den französischen Vertragstarif (bei der Einfuhr) aufgenommen würde; ausserdem sollte der Bundesrat untersuchen, ob der

Niederlassungsvertrag auch auf Algerien auszudehnen wäre (873). Diesen Beschlüssen stimmte am 30. September der Nationalrat ohne Diskussion mit grosser Mehrheit zu (874).
Damit war das langwierige Unternehmen praktisch zu seinem von vielen Seiten ersehnten Abschluss gekommen. Allerdings fand das Ereignis in der Oeffentlichkeit keinen besonders ausgeprägten Widerhall mehr - die Zeitungen berichteten darüber nur im Rahmen ihrer Parlamentsberichterstattung und verzichteten fast durchwegs auf eine Kommentierung; umso stärker musste aber die Genugtuung der unmittelbar betroffenen Exportbranchen über die erlangten Ergebnisse sein. Auch unter den hauptbeteiligten Politikern herrschte eine freudige Stimmung. Am Abend des 30. September fand bei Turgot ein Diner mit zahlreichen Reden und gegenseitigen Glückwünschen statt. Ganz ohne Misstöne scheint es aber auch bei dieser Gelegenheit nicht zugegangen zu sein, denn Dubs schrieb ins Tagebuch: "Kern antwortete Turgot mit dicken Schmeicheleien gegen den Kaiser, welche allgemein missstimmten. Ist ein taktloser Mensch" (875); man wird zwar ebenfalls diese Bemerkung mit Vorsicht aufnehmen müssen! Die Befriedigung, welche die Mehrzahl der Bundesräte doch schliesslich empfunden haben muss, fand auch im Geschäftsbericht für das Jahr 1864 seinen Niederschlag, wo mit stolzer Befriedigung und unter kühner Vorausnahme der künftigen Entwicklung festgehalten wurde: "Der Abschluss des bedeutsamsten der Verträge, bedeutsam an sich wegen der Reichhaltigkeit der besondern Verkehrsbeziehungen und noch bedeutsamer als Bahnbrecher für eine Reihe von nachfolgenden Verträgen, erfolgte am 30. Juni des Berichtsjahres zwischen der Schweiz und Frankreich in Paris. Er bildet unstreitig das wichtigste Ereignis dieses Jahres im Gebiete der auswärtigen Angelegenheiten und wohl auch einen epochemachenden Vorgang für unsere schweizerische Volkswirtschaft im allgemeinen" (876). Diese Beurteilung, bereits aus einer gewissen Distanz heraus niedergeschrieben, beweist noch einmal, dass sich der Bundesrat der Tragweite des Unternehmens bewusst war und dies auch mit dem für diese Zeitepoche charakteristischen Pathos zu verkünden verstand. Aufschlussreich ist aber, wie zwanzig Jahre später, unter handelspolitisch völlig veränderten Umständen der schweizerische Unterhändler
- nun ein greiser Mann - in seinen Erinnerungen den Vertrag beurteilte; zu berücksichtigen ist allerdings, dass kurz vor der Niederschrift der Erinnerungen der Vertrag von 1864 durch ein neues Abkommen ersetzt worden war, so dass der frühere Vertrag dadurch verständlicherweise etwas an Glanz verlor: nach einer grundsätzlich positiven Beurteilung des Vertrages und seiner Auswirkungen bemängelte Kern sein eigenes Werk mit folgenden Bemerkungen: "Indessen war der Vertrag vom 30. Juni 1864 nicht ohne Unvollkommenheiten; der französische Einfuhrtarif war einer der höchsten von Europa geblieben, und der schweizerische hatte den sehr schweren Nachteil, dass er uns für alle Waren ohne jede Ausnahme band, was zur Folge hatte, dass die Eidgenossenschaft sogar auf solchen Artikeln, die Frankreich in keiner Weise in-

teressierten, sich keine Einnahmen verschaffen konnte, und uns jeder Freiheit für Unterhandlungen mit andern Regierungen beraubte. Wenn ich also auch die im Jahr 1864 gegenüber dem frühern Zustand der Dinge verwirklichten Fortschritte gern anerkenne, so muss ich doch konstatieren, dass eine Revision dieses Vertrages sowohl im Interesse unserer Finanzen als in dem unserer Ausfuhr unerlässlich war" (877). Dieser Nachteil, dessen Auswirkungen sich erst nach einiger Zeit, ja sogar erst nach einigen Jahren zeigten, war zur Zeit des Vertragsabschlusses zu wenig beachtet worden. Allerdings trifft Kerns Behauptung, die Schweiz hätte sich für alle Waren binden lassen, nicht zu; es blieb doch noch eine gewisse Anzahl von Positionen, zugegebenermassen von geringerer Wichtigkeit, vertraglich nicht gebunden. Zudem dachte die Schweiz in der Mitte der Sechzigerjahre keineswegs an die Erhöhung einzelner Tarifposten aus fiskalischen oder verhandlungstaktischen Gründen. Solche Erwägungen spielten erst wieder nach dem Ausklingen der Freihandelsära in der zweiten Hälfte der Siebzigerjahre eine Rolle - und aus dieser Sicht heraus stammte Kerns kritische Beurteilung des Vertrages von 1864. Damals aber - das ist aus der vorliegenden Untersuchung klar hervorgegangen - hätte die Schweiz kein vorteilhafteres Abkommen erhalten können.

Während vor dem Beginn der Parlamentsdebatten mehrere Kantonsregierungen ihre Vorbehalte gegenüber allfälligen Souveränitätsbeschränkungen angebracht hatten, erfolgte nun nach dem Entscheid der Bundesversammlung nur eine einzige Verwahrung, jedoch von einer bezeichnenden Seite: Der Regierungsrat von Basel-Landschaft eröffnete sein Schreiben an die Bundesversammlung vom 30. September mit der herausfordernden Feststellung, die eben gefassten Beschlüsse stünden mit der Bundesverfassung in Widerspruch. Diese verfassungsrechtlichen Bedenken wurden aber, wie die Fortsetzung des Briefes zeigt, nur vorgeschoben, um dadurch den wahren Beschwerdegrund zu verschleiern. Worum es den Basellandschäftlern eigentlich ging, wurde in folgendem Satz deutlich: "Sie haben damit die Tore der Schweiz und namentlich Basellands auch der Hefe der Elsässer Juden geöffnet, die schon bisher wahrlich nicht der Religion, sondern ihres gemeinschädlichen Schachergeistes wegen ferngehalten wurden" (878). Nach diesem unzweideutigen Ausfall musste es für die Bundesbehörden schwerhalten, die daran anschliessenden Ueberlegungen und Beteuerungen ernstzunehmen: Für die Eidgenossen, hiess es weiter, gäbe es nichts Höheres als die Bundesverfassung; sei dieses heilige Band gelockert, so stelle sich die Frage, ob dieser gebrochene Bundesvertrag die einzelnen Glieder überhaupt noch verpflichte? Man stelle sich nicht gegen den wirtschaftlichen Fortschritt, doch dürfe dieser nicht auf Kosten des Rechts gehen. Zukünftig seien daher die Bundesbehörden nicht berechtigt, die kantonalen Behörden wegen Verstössen gegen Verfassungsvorschriften zurechtzuweisen - wie dies bisher bei ganz geringfügigen Vorkommnissen geschehen sei. Damit ein Stillschweigen nicht etwa als Zustimmung gedeutet werde, so solle hier erklärt werden, dass die Bundesbeschlüsse als ungültig betrachtet werden "und so

verwahren wir anmit offen und frei das schweizerische und das kantonale Grundgesetz, die Hoheitsrechte des Standes Basel-Landschaft sowie des Schweizervolkes".
Irgendwelche unmittelbaren Folgen konnte nun - post festum - eine solche Verwahrung natürlich nicht mehr haben. Als es aber in der Folge darum ging, die Niederlassungsfreiheit für französische Juden in der Schweiz zu verwirklichen, ergaben sich - dies soll hier nur angedeutet werden - gerade mit dem Kanton Basel-Landschaft besondere Anstände, weil Regierungsrat und Landrat zwei französischen Juden die Niederlassungsbewilligung verweigerten und die Bundesbehörden - zuerst der Bundesrat, nach einer Beschwerde an die Bundesversammlung schliesslich auch diese - die betreffenden Behörden eindringlich ermahnen mussten, die Diskriminierung aufzuheben, was endlich auch geschah (879).

III. Der Weg zur Bundesrevision von 1866

Die konkreten Auswirkungen des Handelsvertrags auf die schweizerische Volkswirtschaft zu untersuchen, würde den Rahmen dieser Arbeit bei weitem sprengen; der Einfluss nur gerade dieses Vertrages liesse sich gar nicht von den vielen andern Faktoren, die den Wirtschaftsverlauf der zweiten Hälfte der Sechzigerjahre beeinflussten, trennen. Deshalb muss auf den Versuch einer solchen Analyse verzichtet werden. Wir wollen einzig einen kurzen Blick auf die weitere Entwicklung des schweizerisch-französischen Handelsvolumens werfen:

Schweizerisch - französischer Handel von 1865 - 1869 (880)
(Handelswerte, in Millionen Franken)

Jahr	Generalhandel		Spezialhandel	
	Export aus CH	Import in CH	Export aus CH	Import in CH
1865	372,6	359,3	90,3	230,9
1866	454,0	374,6	111,1	226,3
1867	353,8	368,8	107,0	232,9
1868	377,0	371,5	140,6	263,0
1869	390,2	365,0	133,0	261,3

Im französischen Spezialhandel nahm die Schweiz folgenden Rang ein:

a) Einfuhr aus der Schweiz   b) Ausfuhr nach der Schweiz

1862	an 9. Stelle	an 5. Stelle
1863	an 8. Stelle	an 4. Stelle
1864	an 10. Stelle	an 5. Stelle
1865	an 11. Stelle	an 5. Stelle
1866	an 7. Stelle	an 4. Stelle
1867	an 8. Stelle	an 4. Stelle
1868	an 8. Stelle	an 3. Stelle (hinter GB und
1869	an 8. Stelle	an 4. Stelle Belgien)

Bei einer Analyse der ersten Aufstellung richtet sich unser Interesse vor allem auf die schweizerische Ausfuhr im Spezialhandel. Hatte diese in den vier Jahren vor dem Vertragsabschluss jährlich ungefähr 60 Millionen Franken betragen, so stiegen nun in kurzer Zeit diese Exporte auf mehr als das Doppelte an. Der französische Export nach der Schweiz (Spezialhandel) wuchs ebenfalls beachtlich an, doch vollzog sich dies verständlicherweise - da der schweizerische Markt nur in beschränktem Masse zur Aufnahme grösserer Einfuhrmengen fähig war - mit einer ziemlich geringeren Zuwachsrate. Die dagegen eher stagnierende Entwicklung des Generalhandels vermag zu beweisen, dass der Handelsvertrag wie beabsichtigt den direkten Austausch zwischen den beiden Ländern anzuregen vermochte und damit sein Ziel erreichte.

Es gelang aber nicht allen schweizerischen Exportbranchen, in gleichem Masse an der Ausfuhrsteigerung nach Frankreich teilzuhaben. Wesentliche Steigerungen konnten folgende Zweige verzeichnen:

(Handelswerte, in Franken)	1862/64	1869
Garne (ohne Zollsenkung!)	58 828	4 507 936
Seidengewebe	5 421	12 248 040
Mousseline	verboten	1 880 937
Gaze	"	756 384
Stickereien	"	1 721 621
Lebende Tiere	6 611 095	14 308 760
Käse	955 975	8 878 809
Butter	1 288 456	2 472 248
Rohe Seide und Flockseide	17 454 214	31 126 387
Wein	189 014	410 343
(Der französische Weinexport nach der Schweiz ging zurück:	20 909 798	15 319 563)

Einen geringen Rückgang erlitten paradoxerweise die - stark konjunkturanfälligen - Seidenbänder: von 796 237 Franken (1862/64) auf 761 054 Franken (1869); ebenso die Strohgeflechte: von 1 301 878 Franken (1862/64) auf 1 006 504 Franken (1869).

Den stärksten Rückgang mussten aber die Uhren und Bijouteriewaren in Kauf

nehmen: von 4 209 648 Franken (1862/64) auf 2 416 088 Franken (1869).
Gegenüber den andern Handelspartnern Frankreichs, dies zeigt die zweite
Aufstellung, vermochte die Schweiz ebenfalls Terrain gutzumachen: Stand
sie mit ihrer Ausfuhr nach Frankreich (Spezialhandel) im Jahre 1864 noch an
10. Stelle, so vermochte sie zwei Jahre später auf die 7. Stelle vorzurücken
und verblieb nachher für einige Jahre an der 8. Stelle, während sie gleichzeitig für Frankreich eines der wichtigsten Absatzgebiete blieb (1864: an 5. Stelle, 1868: an 3. Stelle).

Mindestens ebenso bedeutungsvoll waren die Verträge für die Schweiz aber
in staatsrechtlicher Hinsicht. Schon am Tage nach der Annahme durch die
Bundesversammlung beauftragte der Bundesrat die Vorsteher des Politischen,
des Justiz- und Polizei- und des Handels- und Zolldepartementes, gemeinsam
die notwendigen Vollziehungsmassnahmen vorzubereiten und für die Ausführung der fünf Bundesbeschlüsse (siehe oben Seite 246 und 249f) besorgt zu
sein. Unter diesen Beschlüssen stand natürlich die Frage der uneingeschränkten Niederlassungsfreiheit im Vordergrund, die sich Dubs - einer Eintragung
im Tagebuch zufolge - für sich reservierte. (881)
Bevor dieses Problem aber angegangen werden konnte, mussten noch einige
direkt mit den Verträgen zusammenhängende Dinge erledigt werden: Beiderseits wurden die Verträge und Tarife endgültig kontrolliert und in angemessener Form ausgefertigt; der Bundesrat erteilte Kern den Auftrag, von der
französischen Regierung zu erreichen, dass die Verträge schon am 1. Juli
1865 in Kraft treten sollten, was nach langem Widerstreben - erst im Laufe
des folgenden Jahres - schliesslich auch zugestanden wurde; (882) Anfangs
Oktober 1864 erhielt Kern als Anerkennung für seine Arbeit vom Bundesrat
"eine kalligraphisch-schöne Dankesurkunde in angemessenem Einband" zugestellt. Nachdem am 24. November 1864 die von Kaiser Napoleon III. und Bundespräsident Dubs unterzeichneten Verträge ausgetauscht worden waren, bedankte sich Kern für die Urkunde in einer für ihn sehr charakteristischen Weise, die noch einmal sein überaus stark entwickeltes Selbstgefühl sichtbar werden lässt: "Sie haben mir seinerzeit, als Sie mir die offizielle Vertretung der
Schweiz bei so eminent wichtigen Unterhandlungen übertrugen, ein sehr grosses Zutrauen bewiesen, das ich im ganzen Umfang zu schätzen wusste. Es
war mir dies ein doppelter Sporn, mit der grössten Gewissenhaftigkeit und
mit unermüdlicher Tätigkeit die Interessen meines Vaterlandes zu verteidigen und in jeder Richtung nach besten Kräften zu wahren. Von den obersten
Behörden meines Landes bei der Lösung einer Aufgabe, die ich allerdings als
die umfassendste und schwierigste betrachte, die ich bisher im öffentlichen
Wirken zu übernehmen hatte, eine Anerkennung zu finden, wie sich solche in
dem Inhalt Ihrer Urkunde vom 3. Oktober ausspricht, soll und wird mir zur
grössten Ermunterung dienen, auch in Zukunft mit gleicher Tätigkeit und gleicher Pflichttreue meine Kräfte den Interessen des Vaterlandes zu widmen.

Bei bereits vorgerücktem Lebensalter und nach mehr als 33-jährigem öffentlichem Geschäftsleben ist eine solche Anerkennung wie diejenige, die Sie über die Lösung dieser so umfassenden und schwierigen Aufgabe gegen mich ausdrücken, doppelt wohltuend" (883).

Dem französischen Herrscher war kurz vorher ebenfalls ein Dank zuteilgeworden: die gesamte westschweizerische und französische Judenschaft sandte Napoleon III. wegen seiner Haltung in der Judenfrage anlässlich der Verhandlungen eine Dankadresse zu, die in verschiedenen Zeitungen veröffentlicht wurde (884); wie wir aus all dem Vorausgegangenen wissen, war dieser Dank durchaus gerechtfertigt und an den richtigen Empfänger adressiert.

Zum Erreichen des Ziels, die Niederlassungsfreiheit von der Konfession unabhängig zu machen, boten sich dem Bundesrat zwei Wege an: er konnte entweder sofort auf eine Revision der betreffenden Verfassungsartikel hinstreben oder aber vorher versuchen, die Kantone zum freiwilligen Verzicht auf das ihnen in jenen Artikeln zugestandene Recht zu bewegen. Der Bundesrat war zwar gewillt, das Problem möglichst rasch zu lösen; da es andererseits aber auch nicht derart eilte, entschied er sich auf Antrag seines Präsidenten für den zweiten Weg: so konnte man zum einen die Meinung der Kantone über das ganze Problem erfahren, zum andern sich unter Umständen doch ein langwieriges Revisionsverfahren ersparen.

Bundespräsident Dubs selbst schien sich allerdings von einem solchen Appell an die Kantone nicht allzu viel zu versprechen. So analysierte er nämlich Mitte November 1864 in einem Brief an Kern die Situation folgendermassen: "Infolge der etwas rasch gefassten Beschlüsse der Räte in der Judenfrage werden wir zu einer Partialrevision der Bundesverfassung genötigt werden; denn obschon ich das Möglichste tun werde, um die Kantone zu einem Verzicht zu bestimmen, so wird dies in einigen Kantonen sehr grosse Schwierigkeiten ergeben, da einzelne Kantonsverfassungen ganz ähnliche Bestimmungen haben wie die Bundesverfassung. Kantonale Revisionen können wir natürlich nicht veranlassen" (885).

Diese Bemerkungen beweisen deutlich, dass das Kreisschreiben des Bundesrates vom 24.Dezember 1864, in welchem die Kantone zum freiwilligen Fallenlassen der einschränkenden Bestimmungen eingeladen wurden (886), von Anfang an nichts anderes als eine Vernehmlassung war; auf diese Weise konnte der Bundesrat, bereits im Hinblick auf die in Angriff zu nehmende Revision, die Stellungnahme der einzelnen Kantone kennenlernen. Die Antworten fielen denn auch erwartungsgemäss eindeutig aus: die Mehrzahl der Kantone war gegen eine freiwillige Verzichtleistung eingestellt. Der Bundesrat sah sich daher genötigt, daraus den nicht unerwarteten Schluss zu ziehen: "Ohne die uns gewordenen Rückäusserungen näher zu erörtern, genügt es zu erwahren, dass die Beseitigung der fraglichen Beschränkungen auf dem Wege der Verzichtleistung durch die Kantone nicht gelungen ist" (887). Somit blieb nur der Weg der Verfassungsrevision übrig. Auch dazu hatte sich Dubs im schon erwähnten Brief an Kern bereits näher ausgesprochen. Es schien dem Bundespräsidenten bedenklich und zu riskant, nur gerade die Judenfrage in die Revision einzubeziehen: "Es sollte noch eine andere Frage damit verbunden werden, und ich habe einen Plan dazu einem kleinen Freundeskreis nahegelegt, der als ganz praktikabel befunden wurde ..." (888). Hier also ist der Keim zu der Tatsache zu finden, dass zusätzlich zum einzigen Problem, das eigentlich eine Verfassungsänderung dringend machte, eine Reihe von weiteren Punkten in die Revisionsvorlage aufgenommen wurde: man befürchtete offensichtlich - dies kam allerdings in der Botschaft des Bundesrates vom 1.Juli 1865 zu der Revisionsvorlage (889) verständlicherweise nicht zum Ausdruck -, eine Abstimmung nur gerade über die Judenfrage könnte die öffentliche Meinung auf unliebsame Weise aufpeitschen; daher wickelte man diese psychologisch heikle Frage in harmlosere Revisionsbegehren ein. Während in der Botschaft die Bundesverfassung von 1848 als ein grosses Werk einhellig gelobt wurde, legte man paradoxerweise eine Anzahl von Aenderungsvorschlägen vor, die zum Teil recht weitreichende Wirkungen zur Folge gehabt hätten (890).

Den Verlauf der Revisionskampagne übergehend - es sei auf die darüber bestehende Literatur verwiesen (891) -, begnügen wir uns damit, das Ergebnis der Volksabstimmung vom 14.Januar 1866 festzuhalten: es zeigte sich, dass im Schweizervolk keine Mehrheit vorhanden war, welche die Verfassung jetzt schon in so manchen verschiedenartigen Punkten revidieren wollte. Trotzdem sich Dubs in einer besondern Propagandabroschüre (892) für die Revision eingesetzt hatte - was Segesser zu einer Darlegung der gegnerischen Argumente veranlasste (893), wurde nur derjenige Punkt angenommen, um dessentwillen die Revision ja überhaupt unternommen worden war. Eine stossende Rechtsungleichheit war damit aus der Welt geschafft; für die Juden in der Schweiz begann ein neuer Abschnitt in ihrer langen, leidvollen Geschichte des Kampfes um Gleichberechtigung. Der gründliche Umbau der Bundesverfassung musste aber um einige Jahre hinausgeschoben werden.

E. ZUSAMMENFASSUNG

Als zu Beginn des Jahres 1863 die schweizerisch-französischen Unterhandlungen aufgenommen wurden, liess sich die Schweiz damit in ein Unternehmen ein, für das sie wenig oder gar keine Erfahrung mitbrachte: zum ersten Mal in ihrer Geschichte schickte sie sich an, mit einem starken Handelspartner Verhandlungen zu führen über einen vielschichtigen, weitreichenden Vertrag wirtschaftlichen Inhaltes, der eng verknüpft war mit andern Verträgen, in denen schwierige Probleme rechtlicher Natur zu lösen waren. Versuchen wir nun, die verschiedenen Phasen und mannigfaltigen Aspekte der in der vorliegenden Untersuchung dargestellten Vorgänge gesamthaft zu überblicken und abschliessend die wichtigsten Erkenntnisse zusammenzufassen.

Den handelspolitischen Voraussetzungen gemäss war es natürlich die Schweiz, die 1860 das grössere Interesse an Unterhandlungen über Zollfragen haben musste. Unglücklicherweise stellte sich aber die Krise um Savoyen genau in dem Augenblick zwischen die beiden Länder, da die Schweiz alles Interesse gehabt hätte, mit Frankreich in Verhandlungen einzutreten, wenn sie nicht gegenüber den andern Verhandlungspartnern Frankreichs zu sehr ins Hintertreffen geraten wollte. Da die Schweiz ihre Bereitschaft zum Verhandeln in diesen Krisenmonaten völlig verlor, dauerte es mehr als ein Jahr, bis weitere Schritte unternommen wurden. Nachdem sich in der Schweiz die Aufregung um Savoyen gelegt hatte und die Schweiz in Paris ihr Gesuch um Aufnahme von Verhandlungen einreichte, zeigte sich nun Frankreich - vor allem der Aussenminister Thouvenel - seinerseits zurückhaltend. Frankreichs Verhandlungen mit verschiedenen europäischen Staaten (Deutscher Zollverein, Italien, Holland) waren nämlich nun in Gang gekommen; die schweizerischen Wünsche wurden deshalb ganz deutlich hintangestellt. Es bedurfte des nimmermüden Drängens durch den schweizerischen Gesandten, damit schliesslich erst mehr als anderthalb Jahre nach der Einreichung des schweizerischen Gesuches die Unterhandlungen wirklich aufgenommen werden konnten.

Bereits bei der Vorbereitung der Konferenzen und beim Herausarbeiten der Verhandlungspositionen durch die beiden Partnerstaaten zeigten sich grundsätzliche, unübersehbare Unterschiede. Während in der Schweiz diese Vorbereitung viel breiter auf die verschiedenen interessierten Kreise (Kantonsregierungen, Vertreter der Industrie, des Handels und der Landwirtschaft) abgestützt wurde und die Bundesbehörden ausdrücklich deren Stellungnahme in mündlicher oder schriftlicher Form anforderten, war dies in Frankreich anders: dort stellten die betroffenen Ministerien das erforderliche Material zusammen und forderten nur in vereinzelten Fällen (Savoyen) den Präfekten zu einer Meinungsäusserung auf. Diese Verschiedenheit war darauf zurückzuführen, dass es sich die schweizerische Regierung nicht leisten konnte, so selbstherrlich und unabhängig wie die autoritäre französische vorzugehen.

Die föderalistische Struktur einerseits und der Umstand, dass die Verträge vom Parlament genehmigt werden mussten, liessen deshalb eine ständige Absicherung und Rückversicherung durch den Bundesrat als angezeigt erscheinen. Zudem musste man sich in der Schweiz die nötigen materiellen Unterlagen für eine erfolgreiche Verhandlungsführung erst noch beschaffen. Für Frankreich, das schon 1860 eine umfassende Enquête über den Stand der Industrie durchgeführt hatte und mit mehreren Staaten bereits unterhandelte, erübrigten sich dagegen diese besondern Vorberatungsarbeiten. Wenn während der Verhandlungen durch die französischen Unterhändler die Begehren einzelner Wirtschaftszweige geltend gemacht wurden, so geschah dies immer aus verhandlungstaktischen Gründen; den Pressionen der interessierten Kreise war die französische Regierung in Wirklichkeit viel weniger stark ausgesetzt, als die Unterhändler dies gelegentlich vorgaben.
In der Schweiz spielte beim Herausarbeiten der Ausgangsposition die Konferenz der Kantonsdelegierten im Januar 1863 die ausschlaggebende Rolle; daneben fielen aber auch die aktiven Vorstösse der Vertreter verschiedener Exportbranchen und das energische Eintreten mehrerer Kantonsregierungen für die Interessen ihrer Ausfuhrzweige ins Gewicht. In einigen Fällen brachten auch direkt interessierte Angehörige der eidgenössischen Räte (Feer-Herzog, Fierz, Sutter, Lüthi, Peyer im Hof u.a.) ihre Anliegen in unmissverständlicher Form vor. Der Bundesrat beschränkte sich dabei in den meisten Fällen darauf, die Wünsche entgegenzunehmen und sie kommentarlos an Kern weiterzuleiten, der versuchen musste, sie nach Möglichkeit durchzusetzen.
Es bedeutete für die Schweiz einen ausserordentlichen Glücksfall, dass Rouher, der massgebende französische Unterhändler, den schweizerischen Wünschen nach einer weitgehenden Liberalisierung der Zollpolitik sehr positiv gegenüberstand. Man kann Rouher nicht den Vorwurf machen, dass er auf eine unfaire Weise versucht hätte, die grundsätzlich schwächere Stellung der Schweiz und seine eigene unbestrittenermassen grosse Beschlagenheit auf Kosten des kleineren Verhandlungspartners auszunutzen. Die gewichtigsten französischen Forderungen (Judenfrage, Musterschutz und Savoyerzonen) waren mit Ausnahme der letztgenannten durchaus gerechtfertigt; das hartnäckige Widerstreben der Schweiz brachte jedoch die Franzosen schliesslich dazu, auf dieses Begehren zu verzichten. Mehr als einmal setzte sich Rouher gegenüber der härteren Linie seines Kollegen und seiner Untergebenen mit einer kompromissbereiteren Haltung durch - am deutlichsten wurde dies bei der Regelung der Tarifansätze für Gaze und Mousseline. In seinen Berichten an den Bundesrat erwähnte Kern denn auch mehrmals lobend diese erfreuliche Bereitschaft Rouhers zum Entgegenkommen und betonte, wie die Schweiz dadurch vieles erhalte, was ihr sonst nicht gewährt worden wäre.
Die persönlichen Auffassungen der französischen Unterhändler und die Haltung, die sie gegenüber den schweizerischen Forderungen einnahmen, waren umso entscheidender, als sie in ihrer Verhandlungsführung viel unabhängiger waren

als der schweizerische Bevollmächtigte. Ihre Vollmachten reichten sehr weit; sie waren an keine Instruktionen gebunden, sondern mussten einzig bei ganz entscheidenden Fragen die endgültigen Weisungen des Kaisers einholen. Gelegentlich benützten die französischen Unterhändler den Hinweis, sie müssten beim Nichteinlenken der Schweiz die Angelegenheit dem Kaiser unterbreiten, als taktisches Druckmittel, um Kern zum Einlenken zu bewegen. Dies hatte jedoch nur selten Erfolg, weil Kern wusste, dass der Monarch der Schweiz gegenüber im allgemeinen eher wohlwollender eingestellt war als die Minister und Chefbeamten.

Der schweizerische Unterhändler besass zwar eine Vollmacht zum Verhandeln und Unterzeichnen, doch wurde er vom Bundesrat bewusst durch straffe Instruktionen gebunden, so dass ihm ein nur geringer Spielraum übrigblieb. Das Ringen zwischen Kern und dem Bundesrat über die Frage, wie eng oder wie weit dieses "Gängelband" sein durfte, setzte bereits sehr bald nach Verhandlungsbeginn ein und zog sich wie ein roter Faden durch alle Konferenzen hin. Kerns Drängen zeitigte erstmals in der Instruktion vom Oktober 1863 einen gewissen Erfolg, als es dem Bevollmächtigten in einigen Punkten ermöglicht wurde, je nach der Situation von sich aus in einem allerdings genau umgrenzten Umfang über die vom Bundesrat festgelegten Positionen hinauszugehen. Weiter wollte der Bundesrat in der Folgezeit aber nicht gehen: Kern sollte nicht mehr als sein verlängerter Arm sein. Daraus mussten sich aus zwei Gründen Schwierigkeiten ergeben: vor allem einmal, weil sich Kern den meisten Mitgliedern des Bundesrates überlegen fühlte - was er tatsächlich auch war - und weil er andererseits angesichts der Zurückhaltung des Handels- und Zolldepartementes und des Gesamtbundesrates stets der vorwärtsdrängende Teil war, was mit der gleichzeitigen starken Gängelung oft kollidieren musste. Kerns Wille zum "Vorwärtsmachen" und sein unverhüllt zur Schau getragenes Selbstbewusstsein führte denn auch vor allem in der Schlussphase der Verhandlungen zu Misstönen. Den ohnehin häufigen Spannungen innerhalb des Bundesratskollegiums, die sich etwa im Tagebuch von Dubs niderschlugen und die das Festhalten an einem stetigen Kurs in der Verhandlungsführung erschweren mussten, gesellte sich ganz offenkundig eine weitere menschliche Schwäche bei: der Neid verschiedener Bundesräte gegenüber Kern, der sein Prestige in der Schweiz durch das in Paris Erreichte stark zu steigern vermochte und dadurch das Ansehen des Bundesrates in den Schatten zu stellen drohte! Sogar Dubs, der besonders während seines Präsidialjahres für Kern die Rolle des Vertrauensmannes im Bundesrat versah, blieb nicht frei von solchen Ausfällen gehässigen Neides. Gewiss trugen Kerns Charaktereigenschaften gehörig das Ihre zu diesen Schwierigkeiten bei. Doch ist eines ganz unbestritten: am Zustandekommen der Verträge hatte Kern den stärksten Anteil und das grösste Verdienst. Hätte nicht er beständig gedrängt, so wären möglicherweise die Verhandlungen gar nicht erst aufgenommen worden oder aber während gewisser kritischer Phasen abgebrochen worden oder

versandet.
Gerieten die Unterhandlungen in ein besonders prekäres Stadium, so griff Kern zum letzten Mittel: er legte die schweizerischen Auffassungen und Wünsche Napoleon III. vor (so im Juni 1863 und im Juni 1864), womit er beide Male erfolgreich blieb. Kerns Aufgabe wurde im grossen und ganzen nur in einem beschränkten Ausmass dadurch erleichtert, dass ihm Experten aus den wichtigsten schweizerischen Ausfuhrbranchen beigeordnet wurden. Während ihm besonders die Vertreter der Textilindustrie und diejenigen für den Kanton Genf sehr nützliche Aufschlüsse erteilen konnten, hatten die übrigen Fachleute bloss eine passive, aber darum nicht minder wichtige Funktion zu erfüllen: ihre Teilnahme an den Konferenzen gab den von ihnen vertretenen Wirtschaftskreisen in der Schweiz die Gewissheit, dass ihre Interessen sachgerecht und eindringlich genug vertreten wurden. Die Ablehnung mehrerer Tarifforderungen ging dadurch gerade direkt an die richtige Adresse; die Tatsache, dass in der Schweiz nach Vertragsabschluss von keiner Seite Klagen erfolgten wegen einer zu wenig harten Verhandlungsführung, macht deutlich, dass die Abordnung von Experten in psychologischer Hinsicht ein geschickter Schachzug war, der einem allfälligen Widerstand gegen die Verträge aus landwirtschaftlichen oder industriellen Kreisen von vornherein die Spitze brach.

Der Verlauf der 32 Konferenzen lässt deutlich mehrere Phasen erkennen: zu Beginn tasteten sich beide Parteien vorerst ab; die Hauptfragen wurden dabei erst einmal zur Diskussion gestellt und die gegenseitigen Positionen abgegrenzt. In dieser ersten Phase (Januar bis März 1863) gelang es erwartungsgemäss nicht, in den wesentlichen Punkten, wo die grössten Differenzen bestanden, zu einer zufriedenstellenden Annäherung zu gelangen. Einzig weniger umstrittene Tariffragen konnten bereits endgültig abgeklärt werden.

Nach dem ersten Verhandlungsunterbruch begann ein langes und zähes Seilziehen über die umstrittenen Hauptprobleme, wobei sich die Judenfrage bald in den Vordergrund schob, die von Kern schon fast von Anfang an mit der Forderung nach einer französischen Einfuhrzollsenkung auf Seidenbänder Gaze und Mousseline verbunden wurde. Den französischen Forderungen, welche die Weineinfuhr in die Schweiz betrafen, konnte sich Kern erfolgreich entgegenstellen, ebenso verzeichnete er mit seiner konsequenten Weigerung, über die Savoyerzonen zu verhandeln, einen wesentlichen Erfolg: noch vor dem Unterbruch der Verhandlungen im Juni 1863 sahen sich die Franzosen wohl oder übel gezwungen, diese Frage fallenzulassen. Kern bewies, dass die Schweiz trotz ihrer bittenden Stellung beim Verhandeln über einen langen Atem verfügte; dadurch gelang es ihm, die für die Schweiz wirklich unannehmbaren französischen Forderungen abzuweisen, ohne deshalb auf die Erfüllung eigener wesentlicher Begehren verzichten zu müssen.

Während bald nach der Wiederaufnahme der Verhandlungen zu Beginn des Jahres 1864 im beidseitigen Einvernehmen das Problem der Passvisa- und Aufenthaltsgebühren beiseite gestellt wurde, kristallisierte sich in der Folge ein neuer Diskussionsschwerpunkt heraus: der Schutz des geistigen Eigentums. Dank der intensiven Arbeit Kerns und der gegenseitigen Kompromissbereitschaft gelang es aber dann doch schneller als eigentlich erwartet, zu einer beide Parteien zufriedenstellenden Regelung zu gelangen. Zur ungefähr gleichen Zeit erklärte sich zudem Rouher auch zum Entgegenkommen in der Frage der Zölle für Gaze und Mousseline bereit , womit alle wesentlichen Anstände beseitigt waren. Die Bereinigung und endgültige Redaktion der Vertragstexte erfolgte zur Hauptsache ausserhalb der offiziellen Konferenzen; indem man derart verfuhr, konnte diese Phase stark abgekürzt werden, was die Paraphierung der Verträge noch vor der obligaten Sommerpause erlaubte. Kern war darüber zu Recht nicht wenig stolz.

In der Schweiz war vor Beginn der Unterhandlungen von verschiedenen Seiten befürchtet worden, durch eine Vermengung der wirtschaftlichen Probleme mit allgemeinen politischen Gesichtspunkten könnten vitale Interessen der Schweiz und besonders der Stadt Genf aufs Spiel gesetzt werden. Diese Gefahr schien in der Tat während einiger Konferenzen zu bestehen, doch erreichte Kern durch seine absolute Weigerung, dass sich die Diskussion strikte nur auf wirtschaftliche oder eng damit zusammenhängende rechtliche Fragen beschränkte. Die feste Haltung des schweizerischen Unterhändlers war nicht nur darauf zurückzuführen, dass der Bundesrat und Kern selbst von einer solchen Vermengung nichts wissen wollten; einen ebenso gewichtigen Einfluss übte die Tatsache aus, dass die öffentliche Meinung in der Schweiz Verhandlungen über die noch immer schmerzende Savoyerfrage nicht ohne grosse Verstimmung hingenommen hätte, was den Abschluss eines Handelsvertrages mit beachtlichen wirtschaftlichen Vorteilen gefährdet hätte. Das nicht ganz reine Gewissen Frankreichs in der Savoyerfrage vermochte offenbar zu bewirken, dass die Franzosen bald einmal von ihren ursprünglichen Maximalforderungen absahen und sich darauf beschränkten, für das Pays de Gex eine möglichst vorteilhafte Vereinbarung einzuhandeln. Damit hatte jede politische Konzession der Schweiz in dieser heiklen Frage vermieden werden können, was der Bundesrat in seiner Botschaft mit Stolz und Genugtuung hervorhob und was von den Parlamentariern ebenfalls mit der grössten Befriedigung zur Kenntnis genommen wurde.

Sieht man vom Schutz des geistigen Eigentums ab, wo sich unvermeidlicherweise aus sachlichen Gründen wirtschaftliche und rechtliche Fragen gegenseitig durchdrangen, so war es einzig das Problem der freien Niederlassung für die Juden, bei dem sich die Schweiz zu einem Entgegenkommen gezwungen sah, das nicht das Wirtschaftliche betraf. Indessen waren auch hier - allein durch die Haltung der Schweiz bedingt - die wirtschaftlichen Momente eng verzahnt mit den ethischen und juristischen Fragen. So sehr man sich auch in der Schweiz zu verschleiern bemühte, dass man sich ein Entgegenkommen in der Judenfrage durch entsprechende französische Zollsenkungen honorieren lassen wollte, trat doch dieser "Tauschcharakter" bei verschiedenen Gelegenheiten klar und unmissverständlich zutage. Kern offenbarte am deutlichsten im Juli 1863 - nachdem das Gerücht aufgekommen war, der Bundesrat beabsichtige, die Judenfrage sehr bald vor das Parlament zu bringen -, wie wichtig ihm die Judenfrage als wirksame Waffe zum Einhandeln von Konzessionen war; bei der gleichen Gelegenheit betonte er, wie es verhandlungstaktisch ungeschickt gewesen wäre, wenn die Schweiz von sich aus vorweg die Beschränkung der Niederlassungsfreiheit aufgehoben hätte. Dabei befürwortete Kern jedoch uneingeschränkt die Aufhebung der Diskriminierung, aber eben erst, nachdem sie in den Verhandlungen ihre Dienste geleistet hatte. Ebenso war es mit Dubs, der schon sehr frühzeitig eine Verfassungsrevision befürwortet hatte, doch den verhandlungstaktischen Wert der Frage auch nicht verkannte. Sein Dilemma trat noch in einer Passage der bundesrätlichen Botschaft zutage, wo er sich in wenig überzeugender Weise gegen den Vorwurf zur Wehr zu setzen versuchte, mit dem Einhandeln von zollpolitischen Vorteilen gegen die Aufhebung der Niederlassungsbeschränkungen hätte die Schweiz zweifelhaft gehandelt: "Ein solcher Austausch der Prinzipien der Verkehrsfreiheit hat weder für den Geber noch den Empfänger etwas Unwürdiges" (894). Das verständliche Unbehagen des Bundespräsidenten, das sich in dieser Formulierung ausspricht und das in der Schweiz weitverbreitet sein musste, wurde zur Haupttriebfeder für die bald in Angriff genommene Verfassungsrevision. Am unverblümtesten bekannte sich Koechlin zum Tauschcharakter der Judenfrage, sowohl in seinem Handeln wie in seinen mündlichen oder schriftlichen Aeusserungen. Seine Auffassung wurde besonders in Basel von sehr vielen andern Industriellen und Handelsherren wie von einem Grossteil der Bevölkerung geteilt.

Versuchen wir das Endergebnis der Verhandlungen zusammenfassend zu beurteilen, so können wir feststellen: deutlicher als ursprünglich zu erwarten gewesen war, zeigt das Resultat den Charakter eines Kompromisses. Beide Seiten hatten dem Partner entgegenkommen und mehrere anfängliche Forderungen fallenlassen müssen: Frankreich verzichtete auf seine Begehren wegen Savoyen, wegen des Patentschutzes, wegen der Weinzollsenkungen und wegen der Vereinheitlichung der Konsumogebühren. Die Schweiz musste die Forderungen nach einer Garnzollreduktion, nach einer vertraglichen Regelung des Freipassverkehrs und nach der Errichtung eines Entrepôt in Paris aufgeben. Diese Gegenüberstellung bringt unmissverständlich zum Ausdruck, dass Frankreich bei weitem zu grösseren Verzichten gezwungen war als die Schweiz. Hingegen hatte aber die Schweiz natürlich in der Judenfrage und beim Musterschutz sehr gewichtige Konzessionen machen müssen. Zog die Schweiz jedoch die Bilanz, so durfte sie befriedigt feststellen, dass sie nach diesem Do-ut-des-Geschäft alle ihre wichtigen Forderungen im Handelsvertrag verwirklicht sah und nur bei denjenigen Forderungen entgegenzukommen gezwungen worden war, bei denen dies schon von Anfang an als mehr oder weniger unvermeid-

lich hatte erwartet werden müssen. Dies mussten in der Schweiz auch diejenigen eingestehen, welche die Verträge aus staatsrechtliohen Gründen bekämpften.
Bei der Behandlung der Verträge in den beiden Kammern der eidgenössischen Räte prallten dann erwartungsgemäss die Auffassungen hart aufeinander. Die Diskussionen, denen die Voten von Segesser, Dubs und Welti den Stempel aufdrückten, markierten eine wichtige Etappe in der Ausmarchung zwischen Zentralisten und Föderalisten: die Anhänger einer stärkeren Bundeskompetenz vermochten durchzusetzen, dass die Bundesbehörden fortan unbehinderter und unbeschwerter mit andern Staaten über wirtschaftliche Fragen Verhandlungen führen konnten, deren Ergebnisse unter Umständen Rückwirkungen auf das Landesrecht der Schweiz oder auf die Rechte der Kantone zur Folge haben konnten. Diese Kräftigung der Bundeskompetenzen war aus folgenden Gründen ohne allzu grosse Schwierigkeiten zustandegekommen: Einmal war die Opposition in den Räten nur sehr zerstreut aufgetreten. Aus der traditionell föderalistisch gesinnten Westschweiz erhielt sie einzig aus dem Wallis und aus Neuenburg einen geringen Zuzug. In der welschen Schweiz versprach man sich verständlicherweise einen starken Aufschwung des Handels mit dem Nachbarstaat. Zudem waren politische Konzessionen gegenüber den Savoyerzonen vermieden worden, und den Weinproduzenten hatte der bisherige Schutz erhalten werden können - all dies hatte die sonst sehr wachsamen Hüter der Kantonalsouveränität verstummen lassen. Die gleiche Beobachtung war andererseits auch für den Ständerat zu machen, wo der Opposition vor allem auch ein Führer vom Formate Segessers fehlte.
Angesichts der unbestreitbaren wirtschaftlichen Vorteile der Verträge war es für diejenigen Parlamentarier, deren direkte Interessen auf dem Spiel standen, ein Leichtes, die vorgetragenen Bedenken wegen einer Verfassungsverletzung entweder ganz zu ignorieren oder aber kurzerhand unter den Tisch zu wischen. So gingen z.B. Feer-Herzog, Lüthi und Staehelin-Brunner vor; auch Bundesrat Frey-Herosé konzentrierte sich in seinen Voten vor beiden Räten darauf, vor allem die Macht der Tatsachen wirken zu lassen. Zu Recht konnte daher im Ständerat von Hettlingen anprangern, dass sich die Mehrzahl der Befürworter der Verträge allzu leichtfertig über die staatsrechtlichen Schwierigkeiten hinweggesetzt hätten. Dieser Vorwurf konnte allerdings gegen Bundespräsident Dubs nicht erhoben werden: anders als sein Kollege Frey-Herosé wich er einer gründlichen Auseinandersetzung mit den verfassungsrechtlichen Problemen nicht aus und gab seiner Auffassung in pointierter Weise Ausdruck. An der sehr deutlichen Mehrheit zugunsten der Verträge hatte dieses Votum, wie bereits betont, einen nicht zu unterschätzenden Anteil.
Die Befürworter der Verträge zielten ganz bewusst über das vorliegende Geschäft hinaus: sie visierten bereits die Verfassungsrevision an. Wenn im Laufe der Vertragsunterhandlungen bei vielen noch die Meinung herrschte, die

freie Niederlassung der Juden in der Schweiz liesse sich ohne Verfassungsänderung durch eine freiwillige Verzichtleistung durchführen, so bestand von Beginn der Parlamentsdebatte an kein Zweifel mehr darüber, dass dieser Weg nicht gangbar war und eine Zustimmung zu den Verträgen gleichzeitig ein Ja zur Bundesrevision implizierte. Wohl standen also die Verträge mit Frankreich zur Debatte; aber ebenso wurde gleichzeitig die Vorentscheidung über die Revision der Verfassung gefällt und dem Bundesrat denn auch der Auftrag erteilt, die entsprechenden Vorarbeiten an die Hand zu nehmen. Wie nicht selten im Laufe ihrer Geschichte beschritt die Schweiz also auch bei dieser Gelegenheit den Weg zu einer dem Fortschritt der Zeit angemessenen Regelung erst, nachdem von aussen her der entscheidende Impuls dazu gegeben worden war.

Die Untersuchung darüber, inwieweit es den schweizerischen Exportbranchen gelang, die durch den Handelsvertrag verbesserten Ausfuhrbedingungen entsprechend auszunützen, musste aus bereits dargelegten Gründen summarisch bleiben. Das schweizerische Exportvolumen (Spezialhandel) nach Frankreich, dies kann als wichtigstes Ergebnis festgehalten werden, stieg innerhalb von fünf Jahren auf mehr als das Doppelte: durch den Handelsvertrag wurde also den Erwartungen gemäss erreicht, dass sich die schweizerische Direktausfuhr aus ihrer bisherigen Stagnation zu lösen vermochte und sich die Hoffnungen auf einen Aufschwung zum grössten Teil realisieren konnten. Unterschiedlich war allerdings der Anteil der verschiedenen Exportzweige an diesem Aufschwung. Während die Baumwollindustrie der Ostschweiz, die Seidenstoffwebereien in Zürich und Basel und die Landwirtschaft ihre Ausfuhren um ein Vielfaches zu steigern vermochten, gingen hingegen die Seidenbandausfuhren um ein Geringes, die Exporte an Uhren und Bijouteriewaren sogar sehr beträchtlich zurück - ein Zeichen für ihre besondere Konjunkturabhängigkeit.

Neben den wirtschaftlichen Vorteilen, die stets im Vordergrund der Bemühungen gestanden waren, hatten der Bundesrat, der Unterhändler und die Vertreter der verschiedenen Exportbranchen in den Verhandlungen mit Frankreich ganz neuartige, wertvolle Erfahrungen sammeln können, die der Eidgenossenschaft in den nächsten Jahren, bei den Unterhandlungen mit den andern umliegenden Grossmächten, nützliche Dienste leisten konnten. Der politisch und militärisch unscheinbare Kleinstaat schickte sich an, zu einem wirtschaftlich ebenbürtigen Verhandlungspartner zu werden.

ANHANG

Tabellen

Graphische Darstellungen

Anmerkungen

Quellen und Literatur

Register

Tabelle A

Schweizerisch-französischer Handel 1851 - 1864
(Handelswerte in Mio. Franken)

Jahr	Generalhandel		Spezialhandel	
	Exp. aus CH	Imp. in CH	Exp. aus CH	Imp. in CH
1851	121,4	96,7	23,0	55,2
1852	137,5	113,6	31,0	55,9
1853	199,8	118,3	43,2	57,6
1854	221,6	124,4	40,4	57,7
1855	196,9	148,2	48,6	69,6
1856	241,4	195,7	59,0	86,4
1857	199,3	206,1	46,1	87,7
1858	188,2	209,1	43,8	101,5
1859	261,3	274,0	52,6	115,6
1860	236,7	314,0	54,4	135,9
Durchschnitt 1851-60	200,4	180,0	44,2	82,3
1861	203,5	266,5	58,9	142,8
1862	238,8	295,0	58,6	137,8
1863	330,8	319,4	64,9	173,2
1864	344,5	359,7	61,5	202,3

Tabelle B

Schweizerisch-französischer Spezialhandel im Durchschnitt der Jahre 1862 - 1864

(Nach Warenkategorien, Handelswerte, in Fr.)

Ware	Durchschnitt 1862/1864	
	Export aus CH	Import in CH
1. Textilien		
a) Garne (Baumwolle, Hanf, Wolle)	58'828	1'734'943
b) Gewebe		
—Seidenstoffe	5'421	6'943'306
—Seidenbänder	796'237	1'125'597
—Baumwolle:		
roh und gebleicht	verb.	1'181'580
gefärbt	verb.	586'084
bedruckt	verb.	1'449'061
Mousseline	verb.	39'868
Gaze	verb.	--
Hand- und Maschinenstickerei	verb.	--
Total Gewebe (Baumwolle, Seide)	1'274'957	33'390'904
2. Uhren		
—Silberne Schalen, einfaches Werk	1'295'649	6'105
—Silberne Schalen, Repetier/Wecker	5'873	--
—Goldene Schalen, einfaches Werk	2'640'270	52'708
—Werke o. Schalen	25'902	278'973
Total Uhren und Uhrenbestandteile	4'209'648	930'173

Fortsetzung Tabelle B

Ware	Durchschnitt 1862/1864	
	Export aus CH	Import in CH
3. Tiere		
−Rindvieh	5'103'800	3'157'124
Total lebende Tiere	6'611'095	7'514'117
4. Tierische Produkte		
−Käse	955'975	174'675
−Butter	1'288'456	561'381
−Rohe Seide und Flockseide	17'454'214	22'446'167
−Häute und Pelze	2'358'131	219'738
Total tierische Produkte	22'056'776	23'401'961
5. Bauholz	14'259'507	50'672
6. Wein	189'014	20'909'798
7. Strohgeflechte	1'301'878	296'328

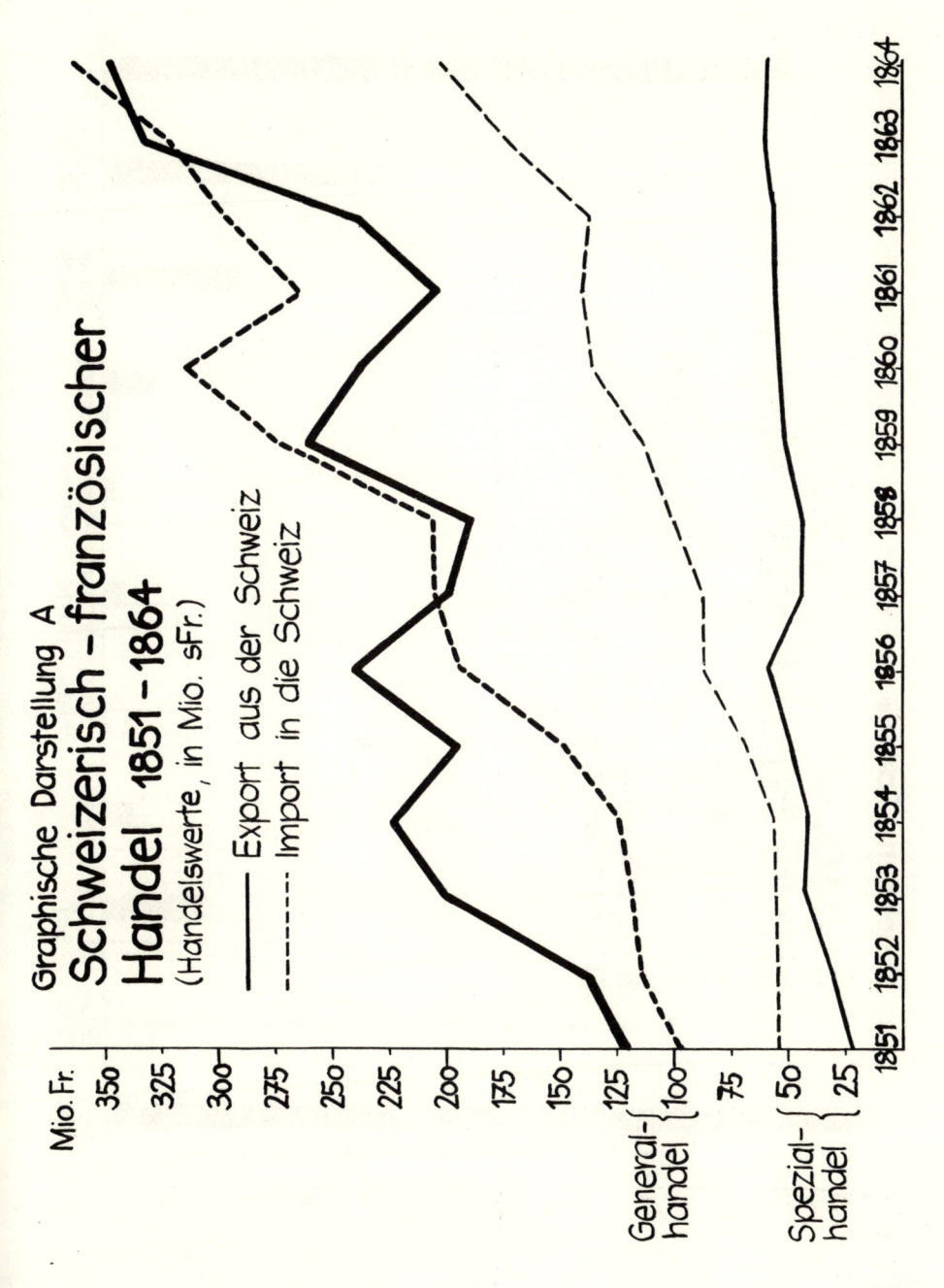

Graphische Darstellung A
Schweizerisch-französischer Handel 1851–1864
(Handelswerte, in Mio. sFr.)

—— Export aus der Schweiz
----- Import in die Schweiz

Graphische Darstellung B

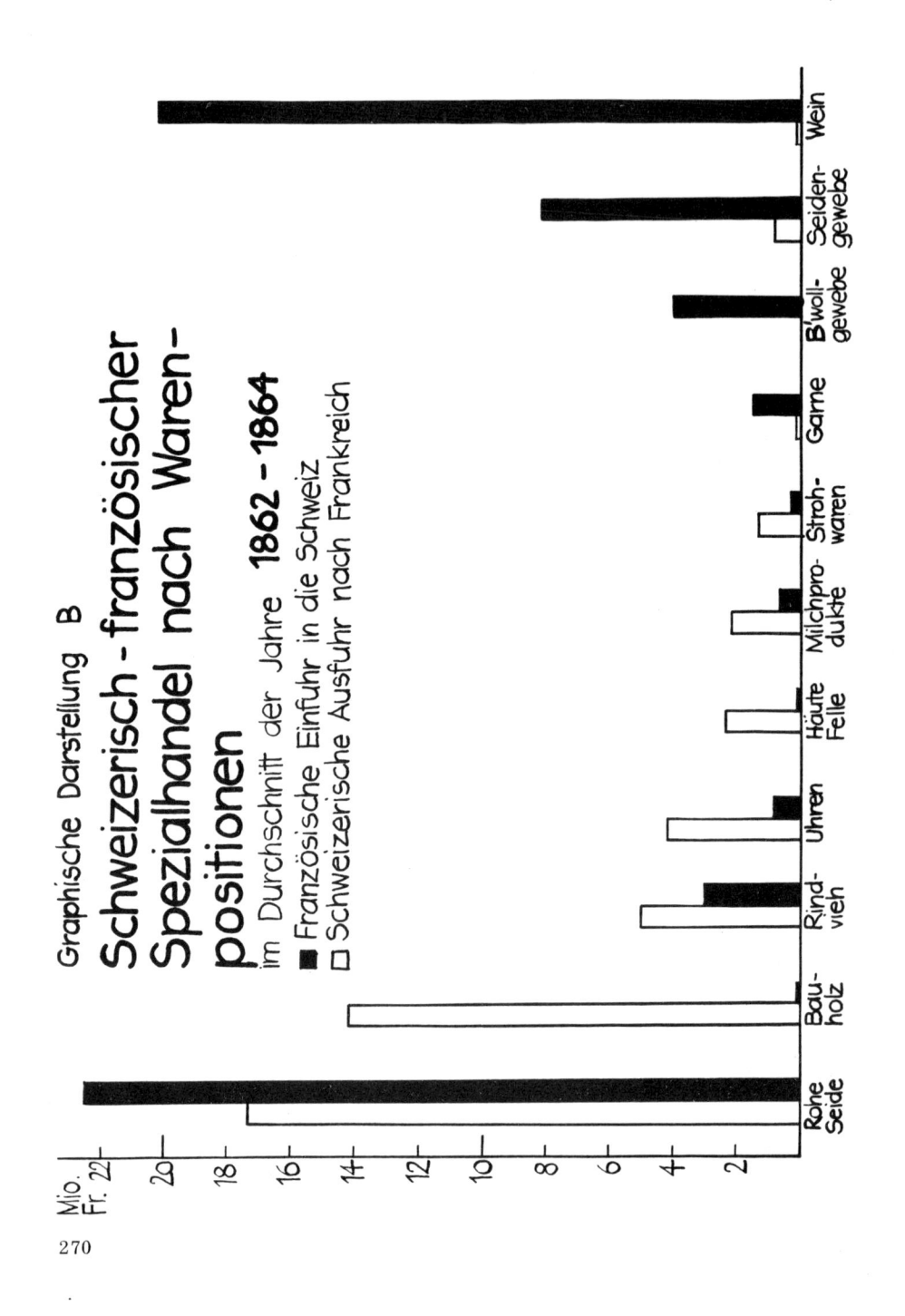

Schweizerisch-französischer Spezialhandel nach Warenpositionen

im Durchschnitt der Jahre **1862-1864**

■ Französische Einfuhr in die Schweiz
□ Schweizerische Ausfuhr nach Frankreich

ANMERKUNGEN

1) Schaffner, Hans, Möglichkeiten und Grenzen der Handelsvertragspolitik. Basel 1952. Vortrag an der Jahresversammlung des Basler Handels- und Industrievereins, 3 f.
2) Dürr, E., Neuzeitliche Wandlungen in der schweizerischen Politik. Basel 1928, 22 f.
3) Schneider H., Geschichte des schweizerischen Bundesstaates, 457-504 und 757-803; Gitermann, V., Geschichte der Schweiz; Fueter, E., Die Schweiz seit 1848.
4) Rezension von "Peter Ochs: Geschichte der Stadt und Landschaft Basel". In: J.v.Müller, Schriften in Auswahl. Hg. von E.Bonjour. Basel 1953, 309
5) Emminghaus, Volkswirtschaft II 126
6) a.a.O. 8
7) a.a.O. 125 f. Für ungefähre Angaben über die Grössenverhältnisse zwischen Ein-, Aus- und Durchfuhr vgl. a.a.O. 127 ff. Er stützt sich dabei auf Gonzenbach und Franscini.
8) Zahlen aus Welter, Exportgesellschaften 4; dieser stützt sich weitgehend auf die Angaben der Expertenkommission der Industrieausstellung in Bern von 1857 und auf Franscinis "Neue Statistik der Schweiz".
9) Bericht Bolley 252
10) Welter, Exportgesellschaften 5
11) Die Frage der Konzentration der Betriebe und der verschiedenartigen Entwicklung innerhalb der einzelnen Baumwollverarbeitungszweige wird ausführlich behandelt bei Bodmer, Industriegeschichte 291 ff.
12) a.a.O. 308
13) Bosshardt, Protektionismus 136
14) Bodmer, Industriegeschichte 328
15) Grosshandel 93. Schon sehr früh (in den Zwanzigerjahren) verlegten allerdings einzelne Unternehmen ihre Fabriken nach Oesterreich, Ungarn, Italien, Russland und andere Länder, um auf diese Weise die hohen Zollschranken überwinden zu können. Vgl. Bodmer, Industriegeschichte 327
16) Welter, Exportgesellschaften 6
17) Bodmer, Industriegeschichte 329
18) Bericht Bolley 64
19) Bodmer, Industriegeschichte 406 f.
20) a.a.O. 326
21) Bericht Bolley 226, wo darauf hingewiesen wurde, dass der Export von Uhren in alle Welt erfolgte; Nordamerika war aber der Hauptabnehmer.
22) Bodmer, Industriegeschichte 411 ff.
23) Emminghaus, Volkswirtschaft II 126

24) Welter, Exportgesellschaften 8
25) Wartmann, St.Gallen 422
26) Welter, Exportgesellschaften 15
27) Wartmann, St.Gallen 423
28) a.a.O. 423
29) Welter, Exportgesellschaften 15. Vgl.auch: P.A.Nakai, Der japanisch-schweizerische Handelsvertrag von 1864. Diss.phil. Bern 1967.
30) Signer, Handelspolitik 32
31) Bosshardt, Protektionismus 137; Grosshandel 99 f.
32) Vgl. dazu Welter, Exportgesellschaften passim
33) Emminghaus, Volkswirtschaft II 46
34) Vgl. dazu Stupanus, Handelspolitische Theorie 23 ff. und Schmidt, Handelspolitik 38 ff.
35) List, F.: Das nationale System der politischen Oekonomie. Hg. von A. Sommer. Basel-Tübingen 1959, 282 f.
36) Grosshandel 102
37) a.a.O. 102
38) Aus den Kreisen der französischen Freihändler sei ein kleiner Ausschnitt aus einer 1846 in Paris gehaltenen Rede wiedergegeben, die meines Wissens trotz ihres für die Schweiz schmeichelhaften Inhaltes bei uns unbekannt geblieben ist; der Titel der von M.Wolokowski gehaltenen Rede lautete: "Les résultats de la liberté commerciale en Suisse":
"La Suisse a hardiment accepté le principe de la liberté du commerce. Un peuple de deux millions d'âmes vit sous son régime depuis la chute du système continental. Est-ce qu'en Suisse les sinistres prédictions, dont on évoque sans cesse le fantôme lorsqu'il est question d'appliquer la liberté du commerce à la France, se sont réalisées? Est-ce que l'industrie suisse est morte, étouffée par les étreintes de l'industrie anglaise? En aucun manière. La Suisse prospère, elle est forte; son industrie est pleine de vigueur et d'élasticité; elle est au nombre de celles que les partisans du régime protecteur affectent à redouter, et cette industrie, jamais elle n'a eu recours au bénéfice des droits protecteurs". Wolokowski, La liberté commerciale et les résultats du traité de commerce de 1860. Paris 1869, 181
39) Schmidt, Handelspolitik 44
40) a.a.O. 51 ff. Vgl. Rupli, Zollreform 147 ff.
41) Bosshardt, Protektionismus 134
42) Frey, Handelspolitik 456
43) Leuthold, Zolleinnahmen 45
44) Der erste Zolltarif des neuen Bundesstaates wurde auf den 1. Februar 1850 in Kraft gesetzt.
45) Wenn Bosshardt, Protektionismus 151, sagt: "Die schweizerische Zollvereinheitlichung war ja nicht zuletzt auch zu dem Zwecke durchgeführt

worden, dem Bund ein brauchbares Instrument zur Erzielung günstiger Handelsverträge zu verschaffen", so muss man dazu jedoch bemerken, dass man für die Verwirklichung solcher Absichten ganz bestimmt viel höhere Ansätze hätte aufstellen müssen. Mit diesen niedrigen Positionen konnte kein Verhandlungspartner zu Konzessionen gezwungen werden. In einer neueren Publikation (Bosshardt-Nydegger, Aussenwirtschaft) betont nun aber der gleiche Autor ebenfalls die Schwäche dieser ersten gesamtschweizerischen Zollkonzeption, die sich darin zeigte, "dass ein solcher Tarif als Instrument einer auf Abbau ausländischer Schutzzölle gerichteten Verhandlungs- und Kampfzollpolitik denkbar ungeeignet war" (308).

46) Die dadurch bewirkte Abhängigkeit des Bundesfinanzhaushaltes von der Zollpolitik fand nicht nur bereits zur Zeit, als der Zolltarif geschaffen wurde, seine scharfen Kritiker (vgl. Stupanus, Handelspolitische Theorie 49 ff.), sondern erwies sich dann auch in den Verhandlungen der Sechzigerjahre als hinderlich. Vgl. dazu auch Leuthold, Zolleinnahmen 52 f.

47) Im Gegensatz zu den meisten Autoren, die den rein fiskalischen Charakter des Zolltarifs betonen, sieht Signer, Handelspolitik 27 "eine, wenn auch äusserst schwache schutzzöllnerische Färbung des Tarifs, da Halbfabrikate höher als Rohstoffe und Fertigfabrikate höher als Halbfabrikate belastet wurden". Einschränkend fügt er jedoch bei: "... um von einem Schutzsystem sprechen zu können, fehlen aber die hohen Ansätze".

48) Huber, Zollwesen 207

49) Ueber die Kontroversen und den Verlauf der Verhandlungen, die zum BG über das Zollwesen vom 30. Juni 1849 führten, vgl. Schneider, Geschichte des schweizerischen Bundesstaates 1848-1918 74 ff.; Huber, Zollwesen 189 ff.; Wartmann, St. Gallen 448 ff.; Lampenscherf, Freihandel 8 ff.; Schmidt, Handelspolitik 66 ff.

50) Frey, Handelspolitik 460

51) Leuthold, Zolleinnahmen 50. Im Jahre 1872 wurde dieses System durch die Einteilung nach Warenkategorien ersetzt, was die Orientierung wesentlich erleichterte.

52) Vergleiche mit zeitgenössischen ausländischen Ansätzen zeigen, dass die Schweiz bei weitem die niedrigsten Zölle hatte; vgl. Leuthold, Zolleinnahmen 51 und Wartmann, St. Gallen 454.

53) AS I 197 ff. Zusammenfassung der Tarifpositionen bei Huber, Zollwesen 217, Emminghaus, Volkswirtschaft II 46 ff. und 54 ff.

54) Wartmann, St. Gallen 454

55) Huber, Zollwesen 242

56) Bodmer, Industriegeschichte 338

57) Emminghaus, Volkswirtschaft II 39: "Es war ein ganz gewaltiger Umschwung der Dinge, den diese Gesetzgebung herbeiführte". Vgl. auch E. Fueter, Die Schweiz seit 1848, Zürich 1928, 40 f.

58) Bleuler, W., Studien über Aussenhandel und Handelspolitik, Zürich 1929, 32: "Von einer einheitlichen und zielbewussten schweizerischen Handelspolitik kann man erst von der zweiten Hälfte des 19.Jh. an sprechen. Sie setzte mit der Gründung des Bundesstaates im Jahre 1848 ein".
59) Schmidt, Handelspolitik 76 f.; Wartmann, St.Gallen 457 f.
60) BB1. 1851 III 141 ff.; AS I 405 ff.; Frey, Handelspolitik 463
61) Schmidt, Handelspolitik 79
62) Frey, Handelspolitik 463; Wartmann, St.Gallen 457
63) BB1. 1851 III 143
64) siehe unten S. 240ff.
65) Oder aber: die Verträge kamen eben dann, wie noch zu zeigen sein wird, mit verschiedenen Staaten gar nicht zustande.
66) siehe Anmerkung 64
67) Frey, Handelspolitik 463; Schmidt, Handelspolitik 77; Wartmann, St. Gallen 457 f.
68) Ueber die Entwicklung des Freihandelsprinzips im europäischen Rahmen siehe den Abschnitt A II.
69) BB1. 1851 III 143: "Der vorliegende Vertrag mit Sardinien ist in dieser Beziehung die erste erfreuliche Frucht unseres neuen Systems; hoffen wir, dass es nicht die letzte sein werde".
70) Die Revision dieses Reglementes nahm bei den Verhandlungen von 1863/64 einen wesentlichen Raum ein und wird dort näher beleuchtet.
71) Frey, Handelspolitik 465; Schmidt, Handelspolitik 79
72) BB1. 1853 III 221 f. und 236 f.
73) Frey, Handelspolitik 466 f.
74) AS, V, 1857 201 ff. und 271 ff.; Signer, Handelspolitik 30 f.
75) Frey, Handelspolitik 466
76) BB1. 1864 I 487 f.; Schmidt, Handelspolitik 81; Signer, Handelspolitik 36
77) Frey, Handelspolitik 467
78) BB1. 1863 I 1 f.
79) Schmidt, Handelspolitik 81. In der bundesrätlichen Botschaft an die Räte heisst es auch eher zurückhaltend, dass "wir denselben für möglichst günstig und den schweizerischen Interessen angemessen erachten, indem derselbe langjährige Uebelstände beseitigt und den Schweizern in Belgien die Stellung der meistbegünstigten Nation einräumt..." (BB1. 1863 I 9)
80) Zit. bei Lacour-Gayet, Histoire du commerce V 78
81) Friedlaender-Oser, Economic history 110
82) Historia mundi X 662 f., wo W. Röpke auch die Bedeutung dieses Ereignisses für die Wirtschaftsgeschichte des 19.Jh. würdigt.
83) Kulischer, Wirtschaftsgeschichte 499 f.
84) Historia mundi, X, 586 (W. Treue)
85) siehe hinten im Anhang Tabelle B, wo einzelne dieser verbotenen Waren-

kategorien bezeichnet sind.
86) Eulenburg, Aussenhandel 208
87) a.a.O 210
88) Historia mundi, X, 587 (W. Treue)
89) Nach Bosshardt, Protektionismus 154, war Napoleon III. "der erste Freihändler auf einem europäischen Thron". So bezeugte der Kaiser 1854 auch gegenüber James Fazy in einer privaten Unterredung deutlich seinen Willen, das Freihandelsprinzip trotz den mächtigen Oppositionsgruppen durchzusetzen. Vgl. Les Mémoires de James Fazy, ev. par François Ruchon. Genève 1947, 79
90) Gorce, Second Empire III 217
91) Dunham, Treaty of 1860 63
92) Gorce, Second Empire III 219; Dunham, Treaty of 1860 63: "The truth would appear to be that Louis Napoleon had no economic principles and that his commercial policy was determined partly by considerations of foreign policy and partly by his well-known sollicitude for the welfare of the working classes".
93) Chevalier war ausserdem Professor der Nationalökonomie am Collège de France und ein wichtiger Mitarbeiter des "Journal des Débats". Dunham, Treaty of 1860 38; Gorce, Second Empire III 217 f.
94) a.a.O. 215
95) Lacour-Gayet, Histoire du commerce V 65
96) Gorce, Second Empire III 216
97) Schmidt, Handelspolitik 84
98) Dunham, Treaty of 1860: "The activitiy of the protectionists procured the defeat ot the bill introduced in the session of 1856, but it did not bring the Gouvernment's surrender on the principle of the necessity for abolishing prohibitions" (24).
99) a.a.O. 48
100) a.a.O. 50 ff.
101) Für die genaue Darstellung der Verhandlungen, die so ganz anders verliefen als alle nachfolgenden, eingeschlossen diejenigen mit der Schweiz, vgl. Dunham, Treaty of 1860 passim
102) Levasseur, France II 292 f.
103) BB1. 1864 II 254. Da es sich nicht nur für Frankreich, sondern für ganz Europa in der Folgezeit als sehr wichtig erwies und immer wieder erwähnt wurde, muss es hier mit einiger Ausführlichkeit dargestellt werden.
104) Zit. bei Levasseur, France II 292
105) a.a.O. 292. Schnerb, Rouher et le Second Empire. Paris 1949, beurteilt das Programm folgendermassen: "Les différentes parties du programme étaient magistralement coordonnées et constituaient les bases d'une véritable révolution économique" (106).
106) In England musste er vom Parlament genehmigt werden; dies erfolgte am

9. März durch das Unterhaus, am 15. März durch das Oberhaus. Dunham, Treaty of 1860 116
107) Diese Funktion - die eines Modells - wurde dem Vertrag schon beim Zustandekommen von Chevalier zugedacht, jedenfalls wenn man Dunham folgt: "Chevalier, at least, thougt that the treaty with England should be only the first and most important of the network of commercial treaties through which the tariff level of Europe would be progressively lowered. His wish was fulfilled and many other treaties on the model of the Anglo-French agreement were concluded by both France and England" (a.a.O. 98).
108) Martens, Recueil 130 ff.
109) Kulischer, Wirtschaftsgeschichte 507
110) Friedlaender-Oser, Economic history: "The Cobden-Chevalier treaty included essential mutual concessions in duties and a sweeping unconditional most-favored-nation clause which created a general free trade climate for the next fifteen years" (111).
111) Schmidt, Handelspolitik: "... die Klammer, die bald den grössten Teil Europas handelspolitisch verband" (85).
112) Gorce, Second Empire III 223
113) Dunham, Treaty of 1860 353
114) Gorce, Second Empire III 234 f.; Die differenziertesten Untersuchungen darüber bei Dunham, Treaty of 1860, 2. Teil passim.
115) Dunham, a.a.O., betont in seiner Schlussbetrachtung (367 f.), dass keine wichtige französische Industrie durch die Liberalisierung der Zollpolitik geschädigt worden sei.
116) Kulischer, Wirtschaftsgeschichte 507; Clapham, J.H., The economic development of France and Germany 1815 - 1914. Cambridge 1921, 260 f.
117) Lüthy, H., Die Tätigkeit der Schweizer Kaufleute und Gewerbetreibenden in Frankreich unter Ludwig XIV. und der Regentschaft. Diss.phil. Zürich 1943, 1 f.
118) Wild, Helen, Die letzte Allianz der alten Eidgenossenschaft mit Frankreich vom 28. Mai 1777. Diss.phil. Zürich 1917, bes. 328 ff. Vgl. auch Feller, Richard, Geschichte Berns III 403
119) AS Helv.Rep. II 888
120) Wartmann, St.Gallen 197
121) Bosshardt, Protektionismus 125
122) Vgl. Wolf, K., Die Lieferungen der Schweiz an die französischen Besetzungstruppen zur Zeit der Helvetik. Diss.phil. Basel 1948, passim.
123) Wartmann, St.Gallen 233
124) Bosshardt, Protektionismus 126. Zur Wirkung der Kontinentalsperre vgl. Cérenville, B., Le système continental et la Suisse 1803 - 1813. Lausanne 1906, passim
125) Grosshandel 87

126) Rupli, Zollreform 20
127) Bosshardt, Protektionismus 127
128) Unter "Finanzzöllen" ist nach Eulenburg, Aussenhandel, folgendes zu verstehen: "Reine Finanzzölle treffen solche Waren, die im Innern nicht hergestellt werden und deren Gebrauch nach dem Stande der Lebensgewohnheit trotzdem nötig erscheint. Sie tragen deutlich den Charakter einer Verbrauchsabgabe bestimmter Art; das hat mit dem eigentlichen Schutzgedanken gar nichts zu tun" (173).
129) Bosshardt, Protektionismus 128
130) Huber, Zollwesen 26 und 30
131) Wartmann, Schweiz 106
132) Grosshandel 89
133) Wartmann, St.Gallen 346 ff.
134) Scheven, Restaurationszeit 93
135) Sie wurden in zwei Gruppen abgeschlossen, am 31.März 1816 und am 2.Juni 1816.
136) Ueber den Verlauf der Verhandlungen und die divergierende Haltung der einzelnen Kantone vgl. Scheven, Restaurationszeit 11 ff.
137) Denn, wie Eulenburg, Aussenhandel, darlegt, ist es unerlässlich, "dass kleinere Staaten von Natur mehr freihändlerisch eingestellt sein müssen. Der Gedanke der Autarkie und einer möglichst gleichmässigen Ausbildung aller produktiven Kräfte kann bei ihnen gar nicht entstehen, sind sie doch von vornherein ergänzungsbedürftig. Sie können wohl einzelne Gewerbezweige schützend emporzüchten, müssen aber die übrige Einfuhr freigeben, da sie gar nicht über die erforderliche Kapazität verfügen. Auf der andern Seite bedürfen sie für ihre Spezialausfuhren der Aufnahmebewilligkeit und Absatzmöglichkeit in andern Ländern. Dies führt sie, wie wir deutlich wahrnehmen, von vornherein zu einer mehr liberalen Handelspolitik" (214).
138) ASnEA II 697
139) Die Liste dieser Güter bei Huber, Zollwesen 34
140) a.a.O. 34; vgl. auch Rupli, Zollreform 29 ff.
141) Scheven, Restaurationszeit 69
142) Vorgeschichte, Zustandekommen, Verlauf und Scheitern dieses Zollkrieges sind ausführlich dargestellt bei Huber, Zollwesen 66 ff. und Scheven, Restaurationszeit 69 ff.
143) Huber, Zollwesen 86 f.
144) a.a.O. 108
145) ASnEA I 985 und 987
146) Huber, Zollwesen 109
147) ASnEA I 987
148) Huber, Zollwesen 186; deutlich sagt Clapham, J.H., The economic development of France and Germany 1815-1914, über diesen Trend der

französischen Zollpolitik: "Year by year, under the government of the Restoration, the system (d.h. das Schutzzoll- und Prohibitionssystem) was strengthened and amplified" (72).
149) Lacour-Gayet, Histoire du commerce V 60 ff.
150) BB1. 1852 I 517
151) Oben im Abschnitt A II.
152) BB1. 1853 II 181 f.
153) BB1. 1854 II 303
154) Ueber die Neuregelung dieses Verhältnisses siehe Abschnitt C passim.
155) BB1. 1855 I 468 f.
156) BB1. 1856 I 311 f. Allerdings gab es damals auch schon - dies sei hier nur am Rand angedeutet - verschieden geartete Auffassungen über die Rolle des Staates im Wirtschaftsleben; Vgl. dazu E. Gruners Aufsatz "100 Jahre Wirtschaftspolitik. Etappen des Interventionismus in der Schweiz". In: Ein Jahrhundert schweizerischer Wirtschaftsentwicklung. Bern 1964. Gruner unterscheidet zwischen den deutlich abgrenzbaren Flügeln der Manchesterliberalen und der Staatssozialisten: "Auf die kürzeste Formel gebracht, bestand der Unterschied in der Staatsauffassung darin, dass jene vor allem einen rationell arbeitenden, leistungsfähigen, diese aber einen gerechten, um die Wohlfahrt aller besorgten Staat wünschten" (39).
157) BB1. 1856 I 313
158) BB1. 1857 I 561 und BB1. 1858 I 340
159) BB1. 1860 I 443-450
160) BB1. 1861 I 411
161) BB1. 1861 I 418
162) a.a.O. 418
163) Vgl. die Tabellen A und B im Anhang.
164) BB1. 1861 I 419
165) Dies ist eines der Indizien, dass man sich in der Schweiz von einer verfrühten Publizität in der Frage eines Handelsvertrages mit Frankreich nur ungünstige Auswirkungen versprach. Das zurückhaltende Vorgehen, vor allem durch die immerwiederkehrenden Mahnungen des schweizerischen Gesandten in Paris, Kern, veranlasst, wird auch durch folgende Einzelheit illustriert: im handschriftlichen Original des Berichtes des Handels- und Zolldepartementes über seine Tätigkeit im Jahre 1861 stand - nach einem Hinweis auf die sich stets verschlimmernde Lage des schweizerischen Handels nach Frankreich - der Satz: "Die Reklamationen des schweizerischen Handelsstandes werden deshalb auch stets dringender und setzen der zuwartenden Stellung der Schweiz ihre Grenzen". Zollakten 1848-96, Band 280). Von unbekannter Hand wurde dieser Satz durchgestrichen, und er erschien im gedruckten Geschäftsbericht nicht (BB1. 1862 II 23). Gerade dieser Geschäftsbericht sollte aber in seiner purgier-

ten Form beim französischen Aussenministerium Anstoss erregen. Der daraus entstandene Zwischenfall wird in Abschnitt B I 4 näher zu beleuchten sein.
166) BB1. 1861 II 124
167) BB1. 1862 II 765 ff.
168) BB1. 1862 II 768 f.
169) a.a.O. 769
170) a.a.O. 772
171) Diese Frage zu beantworten, hat von den Autoren, die sich bisher mit dieser Kampfzollanregung befassten (Frey, Schmidt) noch keiner unternommen.
172) Bund, 11.7.1862, Nr. 189
173) a.a.O., 26.7.1862, Nr. 204
174) a.a.O., 28.7.1862, Nr. 206
175) Herbet (Direktor der Handelsabteilung im Aussenministerium) an Rouher (Handelsminister), 13.8.1862. ANP, RC F 12 6612
176) Die statistischen Angaben und die darauf basierenden Tabellen und graphischen Darstellungen des vorliegenden Abschnittes und des Anhanges stammen aus folgenden offiziellen Publikationen (hier die Abkürzungen):
Beiträge zur Statistik V
Commerce 1851/61
Handel 1862/74
Statistik 1851/84
Daneben sind beigezogen worden:
Zeitschrift für Schweizerische Statistik 1865
Wirth, Schweiz I
Da es praktisch nicht durchführbar gewesen wäre, die Herkunft der einzelnen Zahlen meiner Zusammenstellungen - es sind Synthesen der verschiedenen statistischen Angaben - nachzuweisen, ist darauf verzichtet worden.
177) Commerce 1851/61, S. III
178) In extenso z.B.: Berner-Zeitung, 18.1.1860, Nr. 15; Eidgenössische Zeitung, 18.1.1860, Nr. 18; La Suisse, 18.1.1860, Nr. 15
179) Eidgenössische Zeitung, 25. und 30.1.1860, Nrn. 25 und 30
180) Bund, 17.1.1860, Nr. 16
181) Berner-Zeitung, 24.1.1860, Nr. 20
182) P. de Grenus u.a., Lausanne, an BR, 17.1.1860, VA 170. Die Petition kam in der BR-Sitzung vom 24.1.1860 zur Sprache.
183) BR an Kern, 24.1.1860, GP 61
184) Kern ans HZD (Handels- und Zolldepartement), 1.2.1860, VA 166
185) HZD an BR, 12.2.1860, VA 166
186) Kreisschreiben des HZD an die erwähnten Regierungen und Handelskammern, 30.1.1860, VA 166. In verschiedenen Kantonen hatten sich die -

verschiedene Bezeichnungen tragenden - Handelskammern zu wichtigen Institutionen des wirtschaftlichen Lebens entwickelt, so z.B. das seit dem 17.Jh. bestehende Kaufmännische Direktorium von St.Gallen, welches im Laufe des 19.Jh. stets an Einfluss gewann und 1843 einer drohenden Verstaatlichung zu entgehen gewusst hatte; "seither entfaltete das Direktorium eine immer vielseitigere und durchgreifendere Tätigkeit auf seinem speziellen Gebiete, zog das ganze ostschweizerische Industriegebiet in den Kreis seiner Arbeiten und Schöpfungen und ist die anerkannte Vertretung dieses Gebietes in Angelegenheiten des Handels und der Industrie geworden. (...) Alles noch auf der alten Grundlage verburgerter Kaufleute". Furrer, Volkswirtschaftslexikon der Schweiz, II, Bern 1889, 120 f.

187) Reg.rat von BE ans HZD, 4.4.1860, VA 166
188) Handels-Collegium von BS ans HZD, 1.6.1860, VA 166
189) Kfm.Direktorium in St.Gallen ans HZD, 20./25.4.1860, VA 166
190) Handels-Kommission von GL ans HZD, 21.3.1860, VA 166
191) Reg.rat von GE ans HZD, 28.3.1860, VA 166
192) Standeskommission von AR ans HZD, 16.3.1860, VA 166
193) Reg.rat von BE ans HZD, 4.4.1860, VA 166
194) Reg.rat von FR ans HZD, 8.2.1860, VA 166
195) Reg.rat von AG ans HZD, 20.8.1860, VA 166
196) Zur Geschichte der Savoyerfrage vgl. Monnier, L., L'annexion de la Savoie et la politique suisse 1860. Genève 1932 passim
197) Schneider, H., Geschichte des schweizerischen Bundesstaates 1848-1918, 1. Halbband 1848-1874, S.615, Fussnote 2: "... das zurückhaltende Benehmen Frankreichs bei den Handelsvertragsverhandlungen..."
198) Kfm.Dir. in SG an BR, 23.11.1860, VA 166
199) HZD an BR, 30.11.1860, VA 166
200) Auszug BR-Prot., 30.11.1860, VA 166
201) Kern an BR (Vertraulich), 9.1.1861, VA 166
202) Kern bat den BR unter verschiedenen Malen, die mitgeteilten Informationen als vertraulich zu behandeln, da er sonst bei allfälligen Indiskretionen und Veröffentlichungen aus seinen bisherigen Nachrichtenquellen nichts mehr erfahren könnte! z.B. in seiner Depesche vom 7.2.1861, VA 166
203) de Lentulus ans HZD, 19.1. und 30.1.1861, VA 166
204) Kern an BR, 21.1.1861, VA 166
205) Kern an BR, 7.2.1861, VA 166
206) Kern an BR, 7.2.1861 (2.Schreiben vom gleichen Tag), VA 166
207) BR an Kern, 10.2.1861, GP 61
208) Kern an BR, 12.2.1861, Kopie in VA 166
209) Massignac, Turgots Stellvertreter in Bern, hatte schon anfangs Februar 1861 in einem Bericht an Thouvenel auf den bevorstehenden BR-Beschluss

hinweisen können und dabei vermutet, der Bundesrat werde wohl gegen den Widerstand seines Vizepräsidenten Stämpfli von Frankreich den Abschluss eines Handelsvertrages fordern. Massignac an Thouvenel, 1.2.1861, AMAE, CC 6
210) HZD an BR, 18.2.1861, VA 166
211) Auszug BR-Prot. 23.2.1861, VA 166. Fornerod gab zu Protokoll, dass er diesem Beschluss nicht zugestimmt habe. Massignacs Vermutung, Stämpfli werde dagegen stimmen, erfüllte sich jedoch nicht.
212) Diese Massnahme schien wirksam zu sein: Massignac berichtete eine Woche nach dieser BR-Sitzung nach Paris, der Bundesrat habe sich noch nicht entschieden; zwei entgegengesetzte Auffassungen bekämpften sich noch: die eine dränge aus materiellen Gründen, koste es was es wolle, auf den Abschluss eines Handelsvertrages; die andere, weniger an der Industrie interessiert, stelle bestimmte Bedingungen. Doch sei zu erwarten, dass es nur noch eine Frage der Zeit sei, bis das materielle Interesse über die andern Erwägungen triumphiere. Massignac an Thouvenel, 2.3.1861, AMAE, CC 6.
Eine Woche später schien dem französischen Geschäftsträger die Sache durch den BR doch entschieden und die Erteilung der Instruktion an Kern kurz bevorzustehen... Massignac an Thouvenel, 9.3.1861, AMAE, CC 6
Materiell äusserte er sich etwas später zu den zu erwartenden schweizerischen Forderungen nur in einem summarischen, bissigen Aperçu: "Du reste fidèle à ses habitudes, la Suisse voudra tout avoir et ne rien donner". Massignac an Thouvenel, 23.3.1861, AMAE, CC 6
213) BR an Kern, 23.2.1861, GP 61
214) Kern an BR (vertr.), 24.3.1861, VA 166
215) a.a.O. Soweit ich sehe, ist dieser Einfluss der Schweiz - die Wirkung als Vorbild - auf die französischen Freihandelsbestrebungen bis jetzt in der Literatur wenig oder nicht beachtet worden.
216) Kern an BR, 24.3.1861, VA 166
217) a.a.O.
218) Kern an Escher, 2.4.1861, Escher-Archiv
219) Im Escher-Archiv, BA.
220) Ersichtlich aus der Note Thouvenels an Kern, 1.4.1861, GP 61
221) a.a.O.
222) Kern an BR, 2.4.1861, Kopie in VA 166
223) Thouvenel an Rouher, 17.4.1861, ANP, AC F 12 6300
224) a.a.O. In einem Gutachten von Barbier, Directeur-général des douanes et contributions indirectes im Finanzministerium (der den schweizerisch-französischen Verhandlungen später beständig beiwohnte), für den Finanzminister vom 11.7.1861 kam dieser zu den gleichen Schlussfolgerungen wie das Aussenministerium.
Für ihn stand die Frage des Weinzolls und der Konsumogebühren im

Vordergrund: "C'est ici la question la plus importante du traité, les vins occupant le premier rang dans le tableau de nos exportations en Suisse". ANP, ZF F 12 6937
225) Kern an BPräs., 3.5.1861, VA 166
226) Kern an BR, 17.6.1861, Kopie in VA 166
227) Kern an BR, 8.7.1861, Kopie in VA 166
228) Kern an BR, 17.7.1861, Kopie in VA 166
229) Vgl. Franz, Entscheidungskampf, 1.Buch passim
230) Prot. der Konf. im HZD, 23./24.7.1861, VA 166
231) Kern an BR, 26.9.1861, Kopie in VA 166
232) a.a.O. Unter künstlerischem (oder artistischem) Eigentum verstand man dasjenige an Werken der bildenden Kunst und der Musik.
233) Kern an BR, 17.1. und 3.2.1862, Kopien in VA 166
234) Kern an BR, 18.3.1862, VA 166
235) Franz, Entscheidungskampf 146 f.
236) Kern an BR, 10.4.1862, Kopie in VA 166
237) Feuille fédérale 1862 II 22
238) Turgot an Thouvenel, 17.4.1862, AMAE, CC 6
239) Thouvenel an Turgot, 19.5.1862, Kopie in VA 166. Der Entwurf dazu in den AMAE, CC 6
240) a.a.O.
241) Kern an BPräs. (vertr.), 8.6.1862, Kopie in VA 166
242) Kern an BR, 4., 5. und 8.6.1862, alle in VA 166
243) Kern an BR, 4.6.1862, VA 166
244) Kern an BPräs., 8.6.1862, Kopie in VA 166
245) Kern an BR, 5.6.1862, VA 166
246) Kern an BPräs., 8.6.1862, Kopie in VA 166
247) a.a.O.
248) Kern betonte, dass es sich um "vorläufige" Abklärungen handle, da er ja noch keine offiziellen Instruktionen erhalten habe.
249) Kern schilderte sein Auftreten so: "...die Tarife der Verträge mit Grossbritannien und Belgien in der einen Hand und das Schweizerische Zollgesetz nebst Tarif in der andern..." a.a.O..
250) Franz, Entscheidungskampf 84 f.
251) a.a.O. 154 f.
252) Kern führte an: Die finanzielle Einbusse für Genf beim Wegfall aller Zölle, die Ueberschwemmung des genferischen Marktes mit savoyischen Produkten (dies nur versteckt angedeutet) und die Gefahr des Schmuggels aus Frankreich über die Freizonen nach der Schweiz.
253) Auszug BR-Prot. 16.6.1862, VA 166
254) Kern an BR, 21.10.1862, VA 166
255) Kern an BR, 5.8.1862, Kopie in VA 166
256) Kern ans HZD, 2.8.1862, VA 166

257) EPD ans HZD, 18.9.1862, VA 166
258) Ueber die Person des neuen Aussenministers vgl. unten im Abschnitt C I 1
259) Kern an BR, 21.10.1862, VA 166
260) Kern an BR, 2.11.1862, VA 166
261) Kern an Drouyn de Lhuys, 15.11.1862, Kopie in VA 166
262) Drouyn an Kern, 18.11.1862, GP 61
263) Drouyn an Rouher, 18.11.1862, ANP, AC F 12 6301
264) Rouher an Drouyn, 24.11.1862, ANP, AC F 12 6301
265) Kern an BPräs., 20.11.1862, VA 166
266) Kern an BPräs., 4.12.1862, VA 166
267) BBl. 1862 II 621
268) Waadt richtete am 17.12.1862 telegrafisch die Frage an den Bundesrat, ob eigentlich Personen vorzuschlagen oder materielle Wünsche zum Handelsvertrag vorzubringen seien, worauf der Bundesrat antwortete: "Proposez des personnes à nommer membres de la commission". VD schlug gleich 15 Personen vor!
269) Alle Antworten, unter verschiedenen Daten, in VA 169
270) Reg.rat von TI an BR, 3.1.1863, VA 169
271) Reg.rat von VS an BR, 22.12.1862, VA 169
272) Gutachten des JPD (Dubs), 30.12.1862, VA 167
273) Turgot an Drouyn, 27.12.1862, AMAE, CC 6
274) Martial Chevalier an Drouyn, 21.12.1862, ANP, AC F 12 6301
275) Ueber die (geheim geführten) Verhandlungen vgl. Schneider, Geschichte des Bundesstaates 615 ff., wo auch die Literatur verzeichnet ist (S. 616, Fussnote 1).
Einzig im Bericht der Mehrheit der nationalrätlichen Kommission (vom 20. Januar 1863) wurden in diesem Zusammenhang auch die Handelsvertragsverhandlungen erwähnt: "Und was den Handelsvertrag anbetrifft, so hängt derselbe mit der Uebereinkunft wegen dem Dappental durchaus nicht zusammen. Man hat ja mehrere Jahre schon vom Abschluss eines Handelsvertrages gesprochen, und obgleich die diesfälligen Unterhandlungen nunmehr begonnen haben, so können leicht noch Jahre hingehen, bis er abgeschlossen sein wird". BBl. 1863 I 491.
276) Drouyn an Rouher, 7.1.1863, ANP, AC F 12 6301
277) Drouyn an Rouher, 12.1.1863, ANP, AC F 12 6301. Beigelegt war diesem Schreiben eine Anzahl von Eingaben französischer Industrieller aus Lyon und St. Etienne über den Missbrauch ihrer Muster durch schweizerische Fabrikanten.
278) Drouyn an Rouher, 6.1.1863, ANP, AC F 12 6301
279) Rouher an Drouyn, 17.1.1863, ANP, AC F 12 6301
280) Von der Konferenz wurde ein sehr ausführliches Protokoll angefertigt (VA 169). Welchen Charakter die Konferenz durch ihre Zusammenset-

zung hatte, geht aus einer Bemerkung Kerns während einer der späteren Konferenzsitzungen mit den französischen Unterhändlern hervor: "... cette Conférence, composée particulièrement d'industriels et de commerçants..." (N.C. 66)
281) SBV I 647. Dort allerdings auch die falsche Bemerkung, Feer-Herzog sei Unterhändler bei den Verhandlungen mit Frankreich gewesen.
282) Schneider war schon in den Jahren 1848-1850 als Mitglied der Zollkommission mit den Fragen des Aussenhandels in Berührung gekommen. Vgl. H. Fischer, Dr.med. J.R. Schneider, Bern 1963, bes. 458 f.
283) So schilderte in Kellers "Grünem Heinrich" ein Baumwolldruckereibesitzer der Mutter Heinrichs die Aussichten des Sohnes als Musterzeichner in den schönsten Farben; er könnte später nach Paris gehen, "wo die Sache ins Grosse betrieben wird und die ausgezeichnetesten Dessinateurs der verschiedenen Industriezweige leben wie die Fürsten und von den Geschäftsleuten auf Händen getragen werden". Gottfried Keller, Der grüne Heinrich, 2. Fassung Zürich 1920 (Rascher & Co.), Band I 250
284) Dieser Artikel lautet: "En ce qui concerne les marques ou étiquettes de marchandises ou de leurs emballages, les dessins et marques de fabrique ou de commerce, les sujets de chacun des Etats contractants jouissent respectivement dans l'autre de la même protection que les nationaux.
Il n'y aura lieu à aucune poursuite à raison de l'emploi dans l'un des deux pays des marques de fabrique de l'autre, lorsque la création de ces marques dans le pays de provenance des produits remontera à une époque antérieure à l'approbation de ces marques par dépôt ou autrement dans le pays d'importation." Martens, Recueil 186
285) "Vertreter unserer Kattundruckerei"; Landammann von GL an BR, 13.12.1862, VA 169
286) Am 27.Juli 1862 hatte das Aargauer Volk den Grossen Rat abberufen, weil dieser ein Gesetz zur Emanzipation der beiden jüdischen Gemeinden im Bezirk Zurzach aufgenommen hatte; das Gesetz wurde vom Volk ebenfalls am 11.November 1862 mit sehr starker Mehrheit verworfen. Näheres vgl. Arnold Keller, Augustin Keller 1805-1883. Aarau 1922, 351 ff.
287) Vgl. unten S. 215 f.
288) Er hatte vor der Konferenz an Frey-Herosé geschrieben: "Wir wollen nicht drängen; die Herren Experten sollen ganz frei sich äussern". Kern an Frey-Herosé, 16.12.1862, VA 166
289) Gegen eine Verfassungsrevision nahm er aus Furcht vor dem Aufkommen einer gefährlichen Agitation Stellung und propagierte eine Revision des Niederlassungsvertrages von 1827.
290) Im Hinblick auf den projektierten Niederlassungsvertrag hatte der französische Gesandte drei Vierteljahre vor dem Vertragsabschluss folgende

Note an die Tagsatzung gerichtet: "Le premier point, qui ait paru avoir besoin de quelques éclaircissements, est relatif aux israélites, sujets du Roi, qui, en cette qualité, pourraient se croire autorisés à réclamer dans tous les cantons le bénéfice de l'article I du projet arrêtée entre la Commission et moi. Je ferai observer à cet égard que cet article ne concédant aux Français que les droits qui sont accordés par chaque Etat de la Confédération aus ressortissants des autres cantons, il s'en suit nécessairement que dans ceux des cantons où le domicile et tout nouvel établissement seraient interdits par les lois aux individus de la religion de Moï'se, les sujets du Roi qui professent cette religion ne sauraient se prévaloir de l'article en question pour réclamer une exception à la règle générale". ASnEA II 926

291) Vgl. unten im Abschnitt B II 3.
292) Der schweizerische Importzoll betrug:
Wein in Fässern   1.50/50kg
     in Flaschen   15.--/50kg
293) Zum Vergleich: 1861 betrugen die Einfuhrzölle 7'570'401 Franken. BBl. 1862 II 39
294) Apropos "Wunschkonzert": Als beim ersten Punkt (Eisenguss) Brunner die Wünsche von Solothurn vorbrachte, wandten sich Lambelet (NE) und Oswald (BS) mit verschiedenartigen Begründungen gegen diese Forderung, was Gonzenbach (BE) dazu veranlasste zu erklären, jeder Kanton könne hier ungehindert seine Wünsche vorbringen und verdiene angehört zu werden. An diese Auffassung hielt man sich dann auch im weitern Verlauf der Konferenz.
295) SVB I 500
296) Siehe dazu unten Abschnitt B II 5.
297) "Le Conseil fédéral ... qu'animé du désir de resserrer toujours davantage les relations d'amitié et de bon voisinage qui existent heureusement entre la Suisse et la France et de faciliter les relations commerciales réciproques, il a constitué et nommé pour son mandataire Monsieur Jean-Conrad Kern, Docteur en Droit, son Envoyé Extraordinaire et Ministre Plénipotentiaire près Sa Majesté l'Empereur des Français, auquel il donne charge et pouvoir de négocier, conclure et signer, sous réserve de ratification, avec le ou les Plénipotentiaires de Sa Majesté, un Traité de commerce entre la Suisse et la France". 19.1.1863, VA 167
298) Kern an BR, 17.1.1863, VA 167
299) Turgot an Drouyn, 12.1.1863, AMAE, CC 7
300) z.B. in der "Nation Suisse" vom 11. und 14.1.1863, Nrn. 9 und 11.
301) Drouyn an Rouher, 15.1.1863, ANP, AC F 12 6300
302) Kern an BR, 22.1.1863, VA 167
303) **Kern an BPräs., 24.2.1863, VA 167**
304) Memorial an den BR, 29.1.1863, VA 167. Es wurde dem BR persönlich

überreicht durch Rieter (Winterthur), Peter Jenny (GL) und Lüthi (TG). Frey-Herosé empfahl Kern die vorgebrachten Wünsche und resümierte sie in seinem Begleitschreiben ohne jeden Kommentar. Frey an Kern, 3.2.1863, GP 61

305) Memorial der Druckereibesitzer des Kt. ZH an BR, 26.1.1863, VA 167
306) Memorial der Druckereibesitzer des Kt. GL an BR, 30.1.1863, VA 167
307) Reg.rat. von SG an Kern, 6.2.1863, GP 61
Landammann und Standeskommission von AR an BR, 7.2.1863, VA 170. Der regierende Landammann Roth war der Vater von Kerns Sekretär Dr. Arnold Roth; über diesen vgl. Anmerkung 400.
308) Lüthi an Kern, 24.1.1863, GP 61
309) SBV I 708
310) Vgl. unten S. 129
311) Bürgermeister und Rat von BS an BR, 28.1.1863, VA 167
312) Reg.rat von BL an BR, 7./10.2.1863, VA 170
313) Fischer, Meisterschwanden, ans HZD, 4.6.1861, VA 170
314) Eingabe an BR, 2.1.1863, VA 170
315) Eingaben aus dem AG, 17./19.1.1863 und aus LU, 20.1.1863, beide VA 170
316) Bezirksrat von Onsernone an BR, 5.8.1863, GP 61
317) Juillard & Amstutz, Moutier, an BPräs., 8.3.1861; Mathey, Valuse (NE), via Reg.rat an BR, 7.8.1861; Cartier, Les Brenets, an BR, 18.10.1862, alle VA 170
318) Eingabe an BR, 1.2.1863; Delegierte von NE an BR, 20.1.1863, beide GP 62
319) Eingabe an BR, 13.3.1863 GP 61
320) Lombard, GE, an BR, 8.3.1863, GP 61
321) Eingabe an BR, 29.1.1863, VA 170. Darunter befanden sich u.a. Dr. Schneider (BE), Welti (AG), Blumer (GL), Segesser (LU) und Treichler (ZH).
322) Schreiben des Organisationskomitees (von Arx, SO, Lehmann, BE, und Weber, LU) an BR, 18.2.1863, VA 170.
Für die Versammlung vom 14. Februar 1863 hatte Jost Weber ein Exposé ausgearbeitet, das später als Broschüre unter dem Titel "Die schweizerische Landwirtschaft und der französische Handelsvertrag" (Luzern 1863) gedruckt wurde.
323) Eingabe an BR, 1.2.1863, VA 170
324) Michel ans HZD, 12.1.1863, VA 170
325) Eingabe ans HZD, 21.2.1863, GP 61
326) De Loys u.a. an BR, via Reg.rat von VD, 21.1.1863, VA 170
327) Aus 13 Gemeinden, von Vevey bis Morges, VA 170
328) Staatsrat von VS an BR, 22.4.1861, VA 170
329) Alle in VA 170. Begleitschreiben des Reg.rates von VD an BR, 9.1.1863,

VA 170
330) S. Gränicher, Zofingen, an BR, 14.3.1863, VA 170
331) G. Keller, Winterthur, an BPräs., 15.2.1861; Schweizerische Gerbereibesitzer an BR, 24.10.1861; H. Reymond, Morges, ans HZD, 23.11.1861, alle VA 170
332) Frey-Ziegler, Winterthur, an Kern, 2.2.1863; Papierfabrik Sihl, ZH, an Kern, beide GP 61. Papierfabrik Serrières an BR, 21.3.1863; Papierfabrik Ziegler-Thomas, Grellingen, an BR, 29.10.1863, beide VA 170
333) Eingabe ans HZD, 4.1.1863, VA 170
334) Stockmar an Kern, 8.3.1863, GP 61
335) Eingabe an BR, 12.3.1863, VA 170
336) Alle Eingaben in VA 170 und GP 61
337) Rieter an BR, Telegramm und Brief, 22.2.1863, VA 166
338) Demierre Tourte an Kern, 7.2.1863, GP 61
339) Reg.rat von Waadt an Kern, 13.2.1863, GP 61
340) Instruktion des BR an Kern, 29.1.1863, VA 167. Kern erhielt eine Fassung in französischer Sprache. GP 61
341) Begleitschreiben des BR zur Instruktion an Kern, 29.1.1863, GP 61. Der Entwurf dazu, von Frey-Herosé, vom 21.1.1863, VA 167
342) Entwurf der Instruktion, von Frey-Herosé, vom 19.1.1863, VA 167.
343) Kern bemerkte erst später, dass Frankreich gar keine Zölle mehr auf Holz und keine Ausfuhrzölle auf Fellen und Häuten bezog. Kern an BR, 11.4.1863, VA 167
344) Kern an BPräs., 27.1.1863, VA 167, wo der Gesandte vermutete, die Instruktionen würden wohl so lauten, "wie ich im Einverständnis mit dem Chef des Handelsdepartementes ein erstes Projekt redigiert hatte".
345) Vorschläge ans HZD, 8. und 9.1.1863, beide VA 167
346) Ueber Fazys gespanntes Verhältnis zum Bundesrat vgl. Schneider, Geschichte des Bundesstaates 1848-1918 824 f.
Gonzenbach stand als Konservativer seit seiner Nichtwiederwahl zum eidgenössischen Staatsschreiber im Jahre 1847 beim freisinnigen Bundesrat nicht in Gunst. Vgl. Dreyer, R., August von Gonzenbach, Diss. phil. Bern 1940, passim.
347) Turgot an Drouyn, 12.und 16.1.1863, AMAE, CP 592
348) Turgot an Drouyn, 20.1.1863, AMAE CP 592
349) HZD an BR, 28.1.1863, VA 167
350) Auszug BR-Prot., 29.1.1863, VA 167
351) Feer-Herzog an BR, 1.2.1863, VA 167
352) Rieter an BR, 6.2.1863, VA 167; J. Lüthi an Kern, 24.1.1863, GP 61; Telegramme von Rieter an Frey-Herosé, 8. und 9.2.1863, VA 167
353) Auszug BR-Prot., 9.2.1863, VA 167
354) Rieter an BR, 14.2.1863; Rieter an Frey-Herosé, 16.2.1863, beide VA 167

355) Auszug BR-Prot., 18.2.1863, VA 167
356) Kern an BR, 8.3.1863, VA 167
357) BR an Kern, 11.8.1863, GP 61: "... weil bei der hervorragenden Stellung, welche die Landwirtschaft in der Schweiz einnimmt, die besondere und ausdrückliche Berücksichtigung dieses Verkehrszweiges nur vom besten Einfluss sein wird".
358) HZD an BR, 11.3.1863, VA 167
359) Kern an BPräs., 14.3.1863, VA 167
360) Kern an BPräs., 21.3.1863, VA 167
361) Reg.rat von Genf an BR, 5.2.1863, VA 167
362) HZD an BR, 11.3.1863, VA 167
363) Auszug BR-Prot., 11.3.1863, VA 167
364) HZD an BR, 11.3.1863; Auszug BR-Prot., 13.3.1863, beide VA 167
365) V. Böhmert, Arbeiterverhältnisse und Fabrikeinrichtungen der Schweiz. Zürich 1873, Band II 34. Ebendort die Zahlen für andere Industriezweige, in denen ähnliche Löhne bezahlt wurden.
366) Drouyn an Rouher, 25.4.1863, ANP, ZF F 12 6937
367) Vgl. dazu unten S. 113
368) Ferrand, Préfet, an Rouher, 22.1.1863, ANP, AC F 12 6300
369) Pissard, Député de la Hte.Savoie, an Rouher, 8.2.1863, ANP, AC F 12 6300. Aus 63 Gemeinden des Arrondissements von Thonon gingen gleichlautende, gedruckte Eingaben mit den Unterschriften aller Dorfbewohner ein. ANP, AC F 12 6300
370) Eingabe von Ende Januar an Kaiser Napoleon III. (aus Mulhouse) und vom 14.2.1863 an Rouher (aus Colmar), beide ANP, AC F 12 6301
371) Eingabe an Napoleon III., 6.3.1863, ANP AC F 12 6300
372) Bonneterie, Ganterie, elastische Gewebe: Eingaben aus Rouen, 7.1.1863, Troyes, 20.1.1863 und Nancy, 22.1.1863 alle an Rouher, alle in ANP, AC F 12 6301
373) Eingabe an Rouher, 20.2.1863, ANP AC F 12 6301
374) Alle Eingaben an Rouher, vom Dezember 1862 bis März 1863, ANP, AC F 12 6303
375) Alle Eingaben an Rouher, vom 16.1.1863 bis 17.4.1863, ANP, AC F 12 6300
376) Forges d'Audincourt (Doubs) an Rouher, 15.1.1863, ANP, AC F 12 6301
377) Préfet du Jura an Rouher, 26.1.1863, ANP F 12 6301
378) Grand Larousse, Artikel über Drouyn de Lhuys. Paris 1961
379) a.a.O., Artikel über Rouher. Die Standardbiographie ist: R. Schnerb, Rouher et le Second Empire. Paris 1949. Vgl. auch G.Pradalié, Le Second Empire. Paris 1957.
380) Er soll damals gesagt haben: "Je n'ai pas changé de profession; je suis toujours avocat; ... seulement, je n'ai qu'une cliente, la France". Schnerb, Rouher 132

381) Grand Larousse, t. 9, 400
382) Schnerb, Rouher 161 ff. Auch S. 100: "... Rouher dont le paternalisme s'alliait à un libéralisme économique plus décidé".
383) Pradalié, Second Empire 62; Schnerb, Rouher 92 f.
384) a.a.O. 103 ff.
385) a.a.O. 109 f.: "...il tâtait le drap de votre habit, ... et jetait des regards profonds sur le cuir de vos bottes".
386) a.a.O. 119. M. Chevalier sagte über Rouhers Tätigkeit als Ministre d'Etat: "Il est l'Atlas de ce régime ou plutôt l'avocat que l'Atlas. Il plaide les affaires du Second Empire; il ne les suit pas en homme d'Etat". Zit. Schnerb, Rouher 133
387) 1864 sagte Rouher: "A propos des tarifs différentiels: je les connais à fond, ... j'ai consacré à leur étude huit années de ma vie". Zit. Schnerb, Rouher 96
388) N.C. 3 ff.
389) Kern an seinen Bruder Johann Martin in Berlingen (TG), 29.12.1863. In: Briefe von Dr. Kern an seine Brüder, hg. von Th. Greyerz, Thurgauische Beiträge zur vaterländischen Geschichte, Heft 66, Jg. 1929, 210
390) Kern an BPräs., 27.1.1863, VA 167
391) Turgot, der sich über diese Verhandlungen erst einen Monat später durch die Einsicht in die Konferenzprotokolle orientieren konnte, räumte zwar ein, dass Kerns Befürchtungen wegen der Gerichte nicht unbegründet wären: so sässen im obersten Gericht des Kts. Solothurn, der zu den fortgeschrittensten der Schweiz gehöre, ein Wirt und ein Schneider; von einem solchen Gericht wäre in der Tat kein kompetentes Urteil über derart verzwickte Fragen zu erwarten! Der wahre Grund zur Ablehnung durch Kern lag aber nach Turgots Ansicht anderswo: "Il paraît évident toutefois... que la raison principale du refus d'adhérer à la garantie des dessins industriels est de consacrer aux fabricants de rubans de Bâle et aux fabricants de soieries de Zurich la contrefaçon gratuite des dessins de St. Etienne et de Lyon". Die Einwilligung zum Schutz des literarischen und artistischen Eigentums führte Turgot wenig schmeichelhaft für die Schweiz auf folgende Tatsache zurück: "... comme les arts et la littérature ne jouent en Suisse qu'un rôle extrêmement secondaire..." Turgot an Drouyn, 25.2.1863, AMAE, CC 7
392) N.C. 6
393) Kern an BPräs., 27.1.1863, VA 167
394) N.C. 9
395) a.a.O. 11
396) Kern an BPräs., 27.1.1863, VA 167
397) Kern schrieb diese Berichte nach eigenen Worten jeweils als eine sofortige "gedrängte Uebersicht", da die offiziellen Protokolle zuerst ausgearbeitet und in der nächsten Sitzung genehmigt werden mussten und erst

dann dem BR einige vervielfältigte Exemplare übersandt werden konnten. Weitere sehr aufschlussreiche Quellen sind daneben die Privatschreiben, die Kern an einzelne Mitglieder des Bundesrates richtete; deren besonderer Wert geht aus folgender Aussage Kerns hervor: "Ich lasse in solchen Privatzeilen der persönlicheren Stimmung freieren Lauf, als es offizielle Berichte nicht wohl gestatten". Kern an Dubs, 11.2.1864 (priv.), ZBZ, NLD. Diese Briefe sind deshalb hier in den Anmerkungen in der Regel als "priv." gekennzeichnet.

398) Kern an BPräs., 27.1.1863, VA 167
399) a.a.O.
400) Dr. jur. Arnold Roth, geb. 1836 in Teufen, trat 1861 als Sekretär der Gesandtschaft in Paris ein; ab April 1869 Sekretär des EPD in Bern. 1871 Landammann von Appenzell-Ausserrhoden, StR von 1871-76; von 1877 bis zu seinem Tode (1904) schweizerischer Gesandter in Berlin. Vgl. Nef, W., Minister Arnold Roth. Ein Lebensbild. Trogen 1905 passim; vgl. auch SBV I 518
401) Dass die Zusammenarbeit zur gegenseitigen Zufriedenheit ausgefallen sein muss, bezeugen die Briefe, die auch nach Roths Weggang aus Paris zwischen den beiden gewechselt wurden; siehe bei Nef, a.a.O., im Anhang
402) Zürich, Schaffhausen, Appenzell-Innerrhoden und Appenzell-Ausserrhoden, St.Gallen, Thurgau, Neuenburg.
403) Kern an BPräs., 30.1.1863 (vertr.), VA 167
404) a.a.O.
405) N.C. 15. In der Instruktion war eigentlich eine Reduktion bis auf 7 Fr./ 100kg vorgesehen; Kern wollte aber noch einen gewissen Spielraum behalten. So schrieb er am 19.1.1863 an den BR, indem er sich gegen einen Vorwurf verteidigte: "Nicht nur bin ich in allen meinen bisherigen Erklärungen nicht über Ihre Instruktionen hinausgegangen, sondern ich ging z.B. noch nicht einmal so weit als mich dieselben ermächtigen." Dies tat er im besondern bei den Flaschenweinen, "weil ich vorzog zuzuwarten und zu sondieren, mit welchen Konzessionen überhaupt diese Frage ausgeglichen werden könnte". VA 167
Dieses Vorgehen gehört selbstverständlich ins Arsenal jedes einigermassen gewieften Unterhändlers. Diesen "Tricks" werden wir auf beiden Seiten noch mehrere Male begegnen; daraus resultiert nicht zuletzt auch die Länge der Verhandlungen.
406) N.C. 15
407) Die schweizerische Rückweisung des französischen Vorschlages kommentierte Turgot später: "Mais il y a longtemps que j'ai prévenu le Département que la Suisse demanderait tout et n'accorderait, sinon rien, du moins qu'un ombre, tout en la faisant marchander encore pied à pied". Turgot an Drouyn, 25.2.1863, AMAE, CC 7

408) Kern an BPräs., 30.1.1863, VA 167
409) TB Dubs, 1.2.1863, ZBZ NLD
410) N.C. 19
411) Zum Vergleich wies Rouher auf den belgischen Einfuhrzoll von -.50/hl und den französischen von -.25/hl hin. N.C. 22
412) a.a.O. 23
413) Kern an BPräs., 2.2.1863, VA 167
414) BR an Kern, 4.2.1863, GP 61
415) Gutachten des JPD, 3.2.1863, VA 167
416) BR an Kern, 6.2.1863, GP 61
417) Auszug BR-Prot., 6.2.1863, VA 167
418) Kern an BR, 6.2.1863, VA 167
419) TB Dubs, 8.2.1863, ZBZ NLD
420) N.C. 26 ff.
421) a.a.O. 26
422) Rouher verlas die Petition der Industriellen aus Mulhouse, vgl. oben Abschnitt B II 6.
423) N.C. 30
424) Er gab damit die genau gleiche Begründung wie Friedrich List. Vgl. oben Abschnitt A I 1
425) Kern an BR, 11.2.1863 (vertr.), VA 167
426) a.a.O.
427) a.a.O.
428) Bericht der Baumwollfachleute über ihre Mission nach Paris an den BR, 2.3.1863, VA 167
429) Kern an BR, 11.2.1863, VA 167
430) N.C. 36 ff.
431) Dabei stützte sich Kern auf einen zweiten Brief der Baumwollexperten vom 12.2.1863, GP 62
432) N.C. 36
433) Darauf wiesen Kern und die Baumwollexperten in ihrem Bericht an den BR besonders hin. Kern an BPräs., 14.2.1863, VA 167
434) a.a.O. Ich habe diese Stelle, die Bekanntes wiederholt, hier zitiert, um einen konkreten Eindruck von den oft ermüdenden Wiederholungen Kerns zu geben; es ist dies eine der besondern Mühseligkeiten, die man während der ganzen Verhandlungszeit mit der Korrespondenz des Gesandten erlebt.
435) a.a.O.
436) a.a.O.
437) N.C. 41 ff.
438) a.a.O. 46 ff.
439) Kern an BPräs., 21.2.1863, VA 167, wo er auf dieses Studium hinweist, "was immer sehr beförderlich ist;" die zahlreich vorhandenen Notizen

belegen diese Arbeit.
440) Feer-Herzog an Kern, 28.1.1863, GP 62
441) Genaue Zahlen siehe Tabelle B im Anhang
442) Kern an BPräs. 24.2.1863, (vertr.), VA 167
443) a.a.O.
444) Bericht Koechlin-Geigy über seine Mission nach Paris an den BR, 27.2.1863, VA 167
445) N.C. 49
446) a.a.O. 49
447) a.a.O. 50
448) Wobei Kern, wie er 21.2.1863 an den BPräs. geschrieben hatte, zum voraus klar war, dass Frankreich auf diesen Vorschlag schwerlich eingehen würde, da dann natürlich die besondern französischen Anliegen (Judenfrage, Weinfrage, Musterschutz) nicht geregelt würden. Der Vorschlag hatte also nur die Funktion eines Druckmittels, und mit seiner Hilfe war es möglich zu sondieren, wie stark Frankreichs Wunsch nach einer vertraglichen Regelung eigentlich war.
449) Kern an BPräs., 24.2.1863 (vertr.), VA 167
450) Kern an BPräs., 25.2.1863, VA 167
451) Kern an BPräs., 27.2.1863, VA 167
452) Drouyn an Rouher, 3.3.1863, ANP, AC F 12 6301
453) Kern an BPräs., 25.2.1863, VA 167
454) Bericht der Baumwollexperten, 2.3.1863, VA 167
455) Bericht Koechlin-Geigy, 27.2.1863, VA 167
456) Kern an Dubs, 26.4.1863, ZBZ NLD
457) N.C. 53 ff.
458) In den bisherigen Handelsverträgen Frankreichs war der Wertzoll für Uhren vorgesehen (5% ad val.).
459) Kern an BR, 11.3.1863, VA 167
460) Bericht der drei Uhrenexperten an BR, 17.3.1863, VA 167
461) N.C. 57 ff.
462) a.a.O. 58
463) Kern an BPräs., 14.3.1863, VA 167
464) Bloesch an Frey-Herosé, 20.3.1863, VA 170
465) Bloesch an Frey-Herosé, 25.3.1863, VA 170
466) N.C. 61 ff.
467) Kern war vom BR am 11.3.1863 dazu ermächtigt worden. Auszug BR-Prot., 11.3.1863, VA 167.
Bestehende Ansätze:
Franz. Generaltarif 16.50/100kg
Franz.-engl.-belg. Vertragstarif 10.-/100kg
Schweiz. Einfuhrzoll 7.-/100kg
468) Kern an BPräs., 21.3.1863, VA 167

469) Bericht der Landwirtschaftsexperten über ihre Mission nach Paris an den BR, 25.3.1863, VA 167
470) N.C. 64
471) Kern an BPräs., 19. und 24.2.1863 (vertr.), VA 167
472) Auszug BR-Prot., 11.3.1863, VA 167; BR an Kern, 11.3.1863, GP 60
473) N.C. 65 ff.
474) a.a.O. 66
475) a.a.O. 67
476) a.a.O. 67
477) a.a.O. 67
478) Kern an BPräs., 26.3.1863 (vertr.), VA 167
479) a.a.O.
480) Drouyn an Turgot, 28.3.1863, Kopie in VA 167
481) a.a.O.
482) TB Dubs, 9.3.1863, ZBZ, NLD
483) a.a.O., 8.4.1863
484) Turgot an Drouyn, 4.4.1863, AMAE, CC7
485) a.a.O.
486) TB Dubs, 8.4.1863, ZBZ, NLD
487) Kern an BR, 1.4.1863, VA 167. Die Zusammenstellung stammte von Herbet.
488) Damit gab er, wie erinnerlich, die selbst geschaffene Reserve auf: "Es schien mir, nachdem das viel weitergehende Begehren Frankreichs hier so entschieden formuliert und festgehalten wird, sei der Zeitpunkt gekommen, mit dem instruktionsgemässen Zugeständnis nicht weiter zurückzuhalten". Kern an BR, 1.4.1863, VA 167
489) HZD an BR, 10.4.1863, VA 167
490) BR an Kern, 10.4.1863, VA 167. Kern stellte daraufhin das Missverständnis richtig, indem er sagte, über Savoyen seien keine neuen Instruktionen nötig, denn das bisherige "Nein!" genüge, wogegen aber über das Pays de Gex solche gegeben werden müssten. Kern ans HZD, 13.4.1863, VA 167
491) Kern an BR, 11.4.1863, VA 167
492) a.a.O.
493) Kern an BR, 12.4.1863, VA 167
494) Es ging dabei um die Auseinandersetzung zwischen der Gazette de Lausanne, 9. und 20.4.1863 und dem Journal de Genève, 16., 24. und 26.2.1863. Kern bemerkte dazu: "Die Haltung der 'Gazette de Lausanne' bei diesem Anlasse ist sehr rätselhaft (sie war sehr profranzösisch), und die Erwiderungen darauf im Journal de Genève sehr inopportun". Kern an BR, 23.4.1863, VA 167. Turgot beurteilte allerdings die Aeusserungen der Gazette de Lausanne ganz anders; ihm schienen sie ein Beweis dafür zu sein "qu'il est encore dans ce pays de voix indépendantes

qui ne craignent pas de dire la vérité". Turgot an Drouyn, 25.4.1863, AMAE, CP 592
495) Kern an BR, 23.4.1863, VA 167
496) Am 17., 23., 24. und 30.4.1863, alle in VA 167
497) BR an Kern, 20.4.1863; Frey-Herosé an Kern, 25.4.1863, beide in GP 61
498) Kern an BR, 23.4.1863, VA 167
499) Kern ans HZD, 22.4.1863, VA 167
500) Frey-Herosé an Kern, 25.4.1863, GP 61
501) a.a.O.
502) Turgot an Drouyn, 25.4.1863, AMAE, CP 592
503) Kern an BR, 24.4.1863, VA 167
504) Kern an BR, 30.4.1863, VA 167
505) Dubs an Kern, 28.4.1863, GP 61
506) Vom 30.4.1863, VA 167
507) Instruktion an Kern, 7.5.1863, GP 61
508) Diese lautete: "Les français ne pourront revendiquer en Belgique la propriété exclusive d'une marque, d'un modèle ou d'un dessin s'ils n'en ont déposé deux exemplaires au greffe du tribunal de commerce à Bruxelles." Selbstverständlich galt die Reziprozität für Belgier.
509) Dies stand im völligen Gegensatz zum Antrag des HZD vom 1.5.1863, das die grossen Schwierigkeiten bei der Durchführung der von Frankreich geforderten Schutzmassnahmen folgendermassen am besten gelöst sah: "Nach dem Dafürhalten des Departementes dürfte aber diese Inkonvenienz durch Erlassung eines Bundesgesetzes am besten beseitigt werden, durch welches z.B. das Bundesgericht oder ein Handelsgericht mit der Sache betraut würde, dessen Urteile alsdann ihre Vollziehung leichter finden müssten."
Der BR schloss sich aber der Ansicht von Dubs an.
510) Hier wird nur eine Auswahl der Liste des Bundesrates angeführt.
511) HZD an BR, 1.5.1863, VA 167
512) Das HZD hatte auch diese Frage geprüft, war aber zur Ansicht gelangt, eine Verlegung dieser Gebühren an die Schweizergrenze wäre nicht durchführbar. Der BR hatte sich davon offenbar nicht überzeugen lassen.
513) Antrag des HZD an BR, 20.5.1863, ohne Aenderungen vom BR genehmigt am 27.5.1863, beides in VA 167
514) Lentulus ans HZD, 6.5.1863, VA 167
515) Die Kontingente derjenigen Waren, die zum 4. Teil des gewöhnlichen Zolles eingeführt werden konnten, wurden wie folgt erhöht (1 q = 50 kg):

Ware	Bisher	Neu
Ziegel und Backsteine	6000 q	15000 q
Kalk und Gips	keine Beschränkung mehr	
Töpfereien	1200 q	2000 q

Ware	Bisher	Neu
Felle und Häute	600 Rinderfelle)	gleich
	6000 feine Felle)	zusätzlich:
	)	300 q Rindsleder
		120 q Schmalleder
Käse	--	1600 q
Holzwaren	200 q	400 q
Marmor	--	50 q
Wein	--	Keine Konzession möglich. Sie ist auch nicht nötig, da das Pays de Gex selbst einführen muss.
Honig	--	40 q

Von Frankreich müsste dagegen die Abschaffung der "droits de circulation" verlangt werden, die von jedem Fahrzeug erhoben wurde, das die Grenze zum Pays de Gex überquerte.

516) Bis zum 16.6.1863 trafen die Antworten aller Kantone ein; die meisten stimmten dem Projekt bei, einige mit Vorschlägen für geringfügige Aenderungen. Alle in VA 167.
517) BR an Kern, 29.5.1863, GP 61
518) TB Dubs, 7.5.1863, ZBZ NLD
519) So kann es auch nicht verwundern, wenn bei W. Burckhardt, Kommentar der Schweizerischen Bundesverfassung vom 29. Mai 1874, 3. Auflage, Bern 1931, S. 84, über diese Praxis des Bundesrates nur unbefriedigende, rein das Formale betreffende Ausführungen zu finden sind: "Die Praxis (seit 1864) steht denn auch grundsätzlich auf dem Standpunkt, dass die sachlichen Schranken, welche die Verfassung der Bundesgewalt auf dem Gebiete der Gesetzgebung zugunsten der Kantone aufgestellt hat, auf dem Gebiete der internationalen Vereinbarung für den Bund nicht gelten.
Dennoch sind vor und nach der wiedergegebenen prinzipiellen Erörterung im Jahre 1864 hin und wieder Zweifel aufgetaucht, und sind die Kantone zur Abschliessung von Verträgen, die ihre innere Kompetenz berührten, beigezogen worden, sei es, dass der Bundesrat namens der Kantone den Vertrag schloss, oder namens des Bundes allein, aber nach Einholung der Zustimmung der Kantone." Ueber die Natur dieser "Zweifel" schweigt sich aber Burckhardt völlig aus; die Kärrnerarbeit des Historikers kann hier wieder einmal mehr erhellend wirken.
520) Kern an BPräs., 21.5.1863, VA 167
521) a.a.O. Es handelte sich um die schon besprochenen Instruktions-Nachträge vom 27. und 29.5.1863.

522) Kern an BPräs., 24.5.1863 (priv. und vertr.), VA 167
523) N.C. 72 ff.
524) Siehe oben Anmerkung 134.
525) Kern an BR, 31.5.1863, VA 167
526) N.C. 77 ff.
527) Kern an BR, 31.5.1863, VA 167. Der BR nahm zum französischen Vorwurf Stellung, indem er replizierte: "Die für Marmor aus dem Pays de Gex in Aussicht gestellte Zollerleichterung, welche auf ein Maximum von 50 q beschränkt wird, beruht nicht auf einem Schreibfehler, sondern entspricht ganz unserer Absicht." Bis jetzt seien nur 10 q eingeführt worden, und es sei gar keine höhere Kapazität vorhanden. BR an Kern, 5.6.1863, GP 61
528) Kern an BR, 31.5.1863, VA 167
529) TB Dubs, 29.5.1863, ZBZ NLD
530) a.a.O., 6.6.1863
531) N.C. 80 ff.
532) a.a.O. 81
533) a.a.O. 81
534) Kern an BR, 2.6.1863, VA 167
535) a.a.O.
536) Turgot an Drouyn, 26.6.1863, AMAE, CC 7
537) Turgot an Drouyn, 30.6.1863, AMAE, CC 7
538) N.C. 82 ff.
539) Dass sich Frankreich mit diesem Angebot nicht begnügen würde, war Kern bereits klar gewesen, als er es in der 13. Sitzung vorgebracht hatte; die französischen Gegenforderungen kamen für ihn deshalb nicht unerwartet. Kern an BR, 24.6.1863, VA 167
540) N.C. 83
541) Kern an BR, 6.6.1863, VA 167
542) a.a.O.
543) N.C. 92 ff.
544) a.a.O. 95 ff.
545) Kern an BPräs., 13.6.1863, VA 167
546) N.C. 95
547) a.a.O. 99 ff.
548) a.a.O. 99
549) Kern an BR, 18.6.1863, VA 167
550) a.a.O.
551) a.a.O.
552) a.a.O.
553) Dies teilte mir Dr. A. Schoop in Frauenfeld mit, der eine Biographie über J.C. Kern vorbereitet. (Inzwischen erschien der 1.Teil, der bis 1856 reicht).
554) Kern an BR, 22.1.1863, VA 167

555) a.a.O.
556) Kern an BR, 24.6.1863, VA 167
557) BR an Kern, 15.6.1863, Kopie in VA 167. Damit hatte der BR der alten Bitte Kerns nach weniger engen Instruktionen wenigstens in einem Punkt nachgegeben.
558) Genfer Experten an Kern, 23.6.1863, VA 167
559) Kern an BR, 24.6.1863, VA 167
560) N.C. 103 ff.
561) Kern erhielt dann am 20.7.1863 von Challet-Venel einen ausführlichen Bericht, worin der Regierungspräsident von Genf nachwies, dass die Behauptungen Chevaliers unhaltbar waren. Im Jahre 1862 waren nämlich 192 Franzosen und 100 Savoyer (die 1860 für Sardinien optiert hatten) unentgeltlich gepflegt worden; die für sie bezahlte Summe betrug 18'864 Franken. Dies besagte natürlich noch nichts über die Aufnahmepraxis, d.h. die Zahl derer, die abgewiesen wurden. Immerhin hatte die anschliessende Bemerkung von Challet-Venel wohl eine gewisse Berechtigung: der französische Vizekonsul, ein etwas intriganter Charakter, versuchte seit der Annexion Savoyens, durch stetige tendenziöse Berichterstattung nach Paris die Politik einer guten Nachbarschaft zwischen Genf und Frankreich zu unterminieren. VA 167
562) N.C. 106
563) Kern an BR, 30.6.1863, VA 167
564) a.a.O.
565) N.C. 106
566) Kern an BR, 30.6.1863
567) Die Zusammenstellung vom 31.6.1863, die hier benutzt wurde, stammt von Roths Hand, ist aber offensichtlich im Einvernehmen mit der französischen Seite abgefasst worden. VA 167
568) Drouyn an Turgot, 4.7.1863, Kopie in VA 167. Drouyn an Béhic, 16.7.1863, ANP, ZF F 12 6937. In seiner Antwort an Drouyn vom 23.7.1863 erklärte sich Béhic mit den Ansichten des Aussenministers grundsätzlich einig, betonte aber, dass er nicht bereit wäre, aus politischen Gründen einen für Frankreich ungünstigen Handelsvertrag zu schliessen. ANP, ZF F 12 6937
569) Drouyn an Turgot, 4.7.1863, ANP, ZF F 12 6937
570) a.a.O.
571) Journal de Genève, 18.7.1863, Nr. 169. "Le Conseil fédéral vient de décider de faire des propositions à l'Assemblée fédérale relativement à la question des Juifs."
572) Kern an BR, 19.7.1863, VA 167
573) Kern an BPräs., 24.7.1863, VA 167
574) HZD an BR, 5.8.1863, VA 167. BR-Prot., 12.8.1863, Auszug VA 167
575) Es existieren darüber nur einige flüchtige Notizen von BPräs. Fornerod,

die zeigen, dass Kern im Prinzip nur bereits Bekanntes vortrug. VA 167
576) Kern an BR, 11.10.1863, Kopie in VA 167
577) HZD an Kern, 23.9.1863, VA 167
578) BR an Kern,16.10.1863 (= Begleitschreiben zur Instruktion), VA 167
579) Instruktion an Kern, 16.10.1863, VA 167. Dieser Passus beruhte auf einem Gutachten, das Dubs am 9.9.1863 verfasst hatte und das Kern ebenfalls nach Paris übersandt wurde. VA 167
580) siehe oben Anmerkung 516
581) Kern an BR, 20.10.1863, VA 167
582) Kern an BR, 31.10.1863, VA 167
583) Kern an BR, 3.12.1863, VA 167
584) NZZ, 4.12.1863
585) Magny an Drouyn, 16.12.1863, Kopie in ANP, AC F 12 6300
586) Frey-Herosé an Kern, 24.12.1863 (priv.), GP 61
587) Louis Henri Armand Béhic, geb. 1809 in Paris, war von 1826 bis 1846 auf verschiedenen Stufen in der Finanzverwaltung tätig, von 1846 bis 1848 Deputierter, anschliessend Direktor der Eisenwerke von Vierzon (bei Bourges). In den ersten Jahren des Second Empire an wichtiger Stelle im Marineministerium, organisierte er die Truppentransporte im Krimkrieg, vergrösserte gleichzeitig seine industriellen Unternehmen und war Président de la Commission d'Organisation des Banques coloniales.
Am 23. Juli 1863 wurde er zum Nachfolger von Rouher ernannt. Von diesem Posten trat er im Januar 1867 wieder zurück, nachdem er unter anderem auch zu den Mitunterzeichnern der Lateinischen Münzunion gehört hatte. Bis zum Ende des Second Empire sass er im Senat, nach dem Sturz Napoleons III. gehörte er zum Parti bonapartiste in der neuen Kammer. 1879 nicht mehr wiedergewählt, zog er sich völlig ins Privatleben zurück und widmete sich der Leitung seiner verschiedenen geschäftlichen Unternehmen. Er starb im März 1891. Angaben aus: Dictionnaire de biographie française, t. 5, Paris 1951
588) N.C. 109 ff.
589) a.a.O. 115
590) a.a.O. 116
591) a.a.O. 117
592) Kern an BPräs. 3.1.1864, GP 62. Kern spielte damit auf gewisse Differenzen zwischen beiden Ländern in der Polenfrage an.
593) a.a.O.
594) Kern an BR, 21.1.1864, VA 168
595) HZD (Frey-Herosé) an Kern, 27.1.1864, GP 61
596) Kern an BPräs., 3.1.1864, GP 62 (Kopie)
597) Kern an Dubs, 13.1.1864 (priv.), ZBZ NLD
598) Kern an BR, 21.1.1864, VA 168

599) Frey-Herosé an Kern, 27.1.1864 (priv.), GP 61
600) a.a.O.
601) Kern an Dubs, 5.2.1864 (priv.), ZBZ NLD
602) Kern an Dubs, 11.2.1864 (priv.), ZBZ NLD
603) TB Dubs, 12.2.1864, ZBZ NLD
604) BR an Kern, 12.2.1864, VA 168
605) Kern an BR, 20.3.1864, Kopie in VA 168
606) Kern an BPräs., 9.3.1864 (vertr.), VA 168
607) Kern an BR, 20.3.1864, Kopie in VA 168
608) N.C. 124 ff.
609) N.C. 126
610) Kern an BPräs., 22.3.1864, VA 168
611) Siehe oben Anmerkung 290
612) N.C. 127
613) Kern an BPräs., 22.3.1864, VA 168
614) a.a.O. Kern besuchte am nächsten Tag den preussischen Gesandten in Paris, Graf von Golz, um mit ihm die Situation zu besprechen. Beide waren sich darüber einig, dass man den Widerstand der süddeutschen Staaten am besten durch ein beschleunigtes Inkraftsetzen des schweizerisch-französischen Handelsvertrages brechen konnte.
615) N.C. 128
616) Kern an BPräs., 22.3.1864, VA 168
617) Drouyn an Rouher, 27.2.1864, ANP, AC F 12 6300
618) Drouyn an Kern, 22. und 23.3.1864, GP 61. Beim Entwurf für die Nutzung der Grenzgebiete war der schweizerische Vorschlag hineinverarbeitet worden. Das Projekt zum Schutz des geistigen Eigentums basierte auf den Verträgen mit Belgien und dem Zollverein, enthielt aber, da die Schweiz keine einschlägige Gesetzgebung besass, eine Anzahl weiterer Bestimmungen.
619) Kern an BPräs., 22.3.1864, VA 168
620) N.C. 133 ff.
621) Kern an BPräs., 26.3.1864, VA 168
622) N.C. 134
623) Kern an BPräs., 26.3.1864, VA 168
624) TB Dubs, 28.3.1864, ZBZ NLD
625) Die Bemerkungen des neu in den Bundesrat eingetretenen Carl Schenk über seinen Kollegen Dubs in seinem Tagebuch, die zur ungefähr gleichen Zeit gemacht wurden, treffen wohl einen wesentlichen Zug von Dubs, wenn auch zu berücksichtigen ist, dass Schenk schliesslich ein Stämpfli-Anhänger war und dadurch schon eine gewisse Abneigung gegen den Zürcher mitbrachte: "Sein Charakter missfällt mir je länger je mehr. Er ist ein unangenehm hartes Wesen, seine Bemerkungen sind schneidend und ohne Urbanität. Von Gemütlichkeit keine Spur" (März

1864).
626) Kern an BPräs., 10.4.1864, VA 168
627) BR an Kern, 25.4.1864, Missivenbuch des BR April/Juni 1864
628) Kern an Dubs, 10.4.1864 (priv.), ZBZ NLD
629) Kern an BPräs., 15.4.1864, VA 168
630) Kern an BR, 21.4.1864, VA 168. Dies war Kerns längstes Schreiben während der ganzen Verhandlungsperiode: 35 Seiten!
631) Kern an BPräs., 2.5.1864, VA 168
632) Frey-Herosé an Kern, 3.5.1864, GP 61
633) In mehreren Briefen der Monate April und Mai 1864.
634) Frey-Herosé an Kern, 3.5.1864, GP 61
635) Kern an Frey-Herosé, 8.5.1864, VA 168
636) Kern an Dubs, 9.5.1864, GP 62 (Kopie)
637) TB Dubs, 10.5.1864, ZBZ NLD
638) Frey-Herosé an Kern, 12.5.1864, GP 61
639) a.a.O.
640) Dubs an Kern, 14.5.1864, GP 61
641) Kern an Dubs, 17.5.1864, ZBZ NLD
642) HZD und JPD an BR, 17.5.1864, GP 61
643) Instruktion an Kern, 20.5.1864, GP 61
644) Diese Unterscheidung war für die Schweiz sehr wesentlich, weil der Schutz der Modelle so etwas wie einen Patentschutz darstellte, den die Schweiz zu diesem Zeitpunkt aber noch ablehnte.
645) In Paris und Bern wurde je eine Stelle vorgesehen, wo diese Muster zu deponieren waren.
646) TB Dubs, 20.5.1864, ZBZ NLD
647) a.a.O.
648) N.C. 144 ff.
649) a.a.O. 146
650) Am 2.5.1864 hatten sich 23 Fabrikanten, vornehmlich aus Ste. Croix, an den Reg.rat von VD gewandt, der die Petition an den BR weiterleitete. Debain, Musikalienhändler in Paris, hatte auf gerichtlichem Weg mehrere Male Musikdosen auf dem Transit durch Frankreich beschlagnahmen lassen, da er die Rechte auf den darin verwendeten Melodien besass. Um dieser Beeinträchtigung des schweizerischen Exportes nach Uebersee zu begegnen, sollte die von Kern vorgeschlagene Bestimmung in die Uebereinkunft aufgenommen werden.
Dass es sich für Kern wohl lohnte, sich dieser Frage anzunehmen, zeigt eine Ermahnung von Dubs, die auf die Stimmung in der Westschweiz ein gewisses Licht wirft: "Diese (= die Musikdosenfrage) wird am meisten unmusikalischen Lärm machen, wenn unsern Verlangen nicht entsprochen wird. Der Kanton Waadt ist ohnehin wegen der Weinfrage etwas gereizt, so sachte man dieselbe auch berührt hat. Es läge sehr

im Interesse der Sache, dass dieser Anstand beseitigt wird." Dubs an Kern, 20.5.1864 (priv.), VA 168
651) Kern an BPräs., 8.6.1864, VA 168
652) N.C. 164 ff.
653) a.a.O. 165
654) Kern an BPräs., 8.6.1864, VA 168
655) a.a.O.
656) Dubs an Kern, 20.5.1864, VA 168
657) Kern an Dubs, 19.5.1864, ZBZ NLD
658) Dubs an Kern, 24.5.1864, GP 61
659) Kern an Dubs, 27.5.1864, ZBZ NLD
660) Kern an BPräs., 2.5.1864, VA 168
661) Kern an Dubs, 19.5.1864, ZBZ NLD
602) Kern an BR, 15.5.1864, VA 168
663) Diese Bestimmung war zwar für die schweizerischen Eisenbahnen ungünstig, da gerade aus der Ostschweiz auf diese Weise viele Waren durch Süddeutschland nach Frankreich transportiert werden konnten. Kern rechtfertigte sich aber so: "Wir haben aber nicht sowohl die Interessen der Eisenbahnen als vielmehr und in erster Linie diejenigen des schweizerischen Handels und der Industrie zu berücksichtigen." a.a.O.
664) TB Dubs, 27.5.1864 ZBZ NLD
665) Kern ans HZD, 16.5.1864, Kopie in GP 62
666) TB Dubs, 3.6.1864, ZBZ NLD
667) BR an Kern, 3.6.1864, GP 61
668) N.C. 156 ff.
669) a.a.O. 131
670) Kern ans HZD, 4.6.1864, VA 168
671) N.C. 149 ff.
672) a.a.O. 171 ff.
673) a.a.O. 172
674) Kern an BPräs., 8.7.1864, VA 168
675) N.C. 178 ff.
676) a.a.O. 182 ff.
677) Kern, Schlussbericht 12
678) Kern an Napoleon III., 13.6.1864, Kopie in GP 61
679) a.a.O.
680) Kern, Schlussbericht 13
681) N.C. 187 ff.
682) Kern stützte sich dabei auf ein Schreiben von NR Fierz aus Zürich, worin ihm dieser von seinem im Frühjahr 1863 mit Rouher geführten Briefwechsel über diese Frage berichtete und Kern bat, diese Bitte - die ihm Rouher abgeschlagen hatte - in der Konferenz nochmals zu geeigneten Zeit vorzubringen. Fierz an Kern, 15.12.1863, GP 61

683) Kern an BPräs., 16.6.1864, VA 168
684) a.a.O.
685) Frey-Herosé an Kern, 21.6.1864, GP 61
686) BR-Prot. April/Juni 1864, 20.6.1864
687) TB Dubs, 21.6.1864, ZBZ NLD; Dubs an Kern, 21.6.1864, GP 61
688) N.C. 194 ff. und 197 ff.
689) a.a.O. 196
690) TB Dubs, 23.6.1864; Kern, Schlussbericht 3
691) Von diesen Sitzungen verfertigte der Bundeskanzler Schiess ein Protokoll, das, von Kern überarbeitet, anschliessend gedruckt wurde.
692) a.a.O. 11
693) a.a.O. 17
694) Drouyn an Kern, 24.5.1864, GP 61. Darin wurde auf den meisten Produkten ungefähr eine Verdoppelung der Einfuhrkontingente verlangt und auf der alten Forderung beharrt, das Arrangement sollte alle drei Jahre neu revidiert werden.
695) Kern, Schlussbericht 24
696) a.a.O. 25
697) a.a.O. 25
698) a.a.O. 25
699) TB Dubs, 25.6.1864, ZBZ NLD
700) a.a.O. 27.6.1864
701) Kern, Schlussbericht 28
702) a.a.O. 30
703) a.a.O. 31
704) a.a.O. 34
705) Fornerod war abwesend; für Pioda, der seit einigen Monaten diplomatischer Vertreter der Schweiz in Turin war, hatte noch keine Ersatzwahl stattgefunden.
706) TB Dubs, 28.6.1864, ZBZ NLD
707) a.a.O.; Frey-Herosé an Kern, 4./5.7.1864, GP 61
708) TB Dubs, 28.6.1864, ZBZ NLD
709) BR an Kern, 28.6.1864, GP 61
710) N.C. 199 f.
711) a.a.O. 200
712) Kern an BPräs. 2.7.1864, VA 168
713) a.a.O.
714) Kern an Dubs, 2.7.1864, ZBZ NLD
715) Frey-Herosé an Kern, 4./5.1864, GP 61
716) Kern an Frey-Herosé, 7.7.1864, Kopie in GP 62
717) Kern an Dubs, 8.7.1864, VA 168
718) NZZ, 13.7.1864, Nr. 195
719) Kern an Dubs, 12.7.1864, ZBZ NLD

720) Dubs an Kern, 14.7.1864 (priv.), GP 61
721) Damit meinte Dubs vor allem die "Schwyzer-Zeitung", in der Segesser seine Angriffe lancierte, die er dann auch im Nationalrat vorbrachte.
722) Dubs an Kern, 14.7.1864 (priv.), GP 61
723) Turgot an Drouyn, 9.7.1864, AMAE, CP 593
724) Kern an Dubs, 18.7.1864 (priv.), ZBZ NLD
725) Dies war im Mai 1864 geschehen; die erste Zusammenkunft zwischen Jocteau, dem neuen Gesandten in Bern, und Dubs und Frey-Herosé fand am 20. August 1864 statt. Bis zum Abschluss der Verträge dauerte es allerdings noch ganze vier Jahre! Vgl. Ermatinger, Dubs 63; BBl. 1868 III 416 ff. (Bericht des Bundesrates zu den Verträgen mit Italien).
726) Kern an Dubs, 18.7.1864, ZBZ NLD
727) a.a.O.
728) Frey-Herosé an Kern, 4./5.7.1864, GP 61
729) Handschriftliche Entwürfe in VA 168
730) BBl. 1864 II 255
731) a.a.O. 256
732) a.a.O. 256
733) a.a.O. 257
734) a.a.O. 257 f.
735) a.a.O. 258 f.
736) a.a.O. 259
737) a.a.O. 261
738) a.a.O. 263
739) a.a.O. 264
740) a.a.O. 277
741) a.a.O. 278
742) a.a.O. 287
743) a.a.O. 289 ff.
744) a.a.O. 309
745) a.a.O. 310
746) a.a.O. 318
747) a.a.O. 321
748) a.a.O. 321
749) Nach mannigfachen vergeblichen Anläufen (BV-Revision von 1866 und der Versuch von 1872) enthielt die BV von 1874 im Artikel 64 den Passus: "Dem Bunde steht die Gesetzgebung zu: ... über das Urheberrecht an Werken der Literatur und Kunst;" darauf basierte das BG betr. den Schutz der Fabrik- und Handelsmarken vom 19.2.1879. Der Patentschutz für Erfindungen wurde nach einer ersten Verwerfung in der Volksabstimmung (1882) erst 1887 im Artikel 64 BV verankert. Vgl. Burckhardt, Kommentar der Schweiz. BV von 1874, 583 ff.
750) BBl. 1864 II 323

751) a.a.O. 326
752) a.a.O. 326
753) a.a.O. 327
754) a.a.O. 327
755) a.a.O. 327
756) a.a.O. 328
757) TB Dubs, 1.8.1864, ZBZ NLD
758) BBl. 1864 II 609. Fierz und Vautier waren verhindert, den Sitzungen beizuwohnen.
759) SBV I passim
760) Turgot an Drouyn, 27.8.1864, AMAE, CP 593
761) BBl. 1864 II 577. Ursprünglich war Philippin noch unentschlossen gewesen, ob er einen eigenen Bericht abfassen wollte. Daher wurde der Mehrheitsbericht von Heer einfach als Bericht der nationalrätlichen Kommission bezeichnet. Erst später traf dann Philippins Bericht ein.
762) a.a.O. 579
763) a.a.O. 580
764) a.a.O. 580
765) a.a.O. 581
766) a.a.O. 587
767) a.a.O. 588
768) Ermatinger, Dubs 72 ff. Vgl. auch Vischer, E., Landammann Dr. Joachim Heers deutsche Gesandtschaft 1867/68. Jahrbuch des Hist. Vereins des Kts. GL 59, 1960, 33 ff.; BBl. 1869 II 307 ff. (BR-Botschaft zu den Verträgen mit dem Norddeutschen Bund).
769) BBl. 1864 II 590
770) a.a.O. 591
771) a.a.O. 593
772) a.a.O. 593
773) a.a.O. 594
774) a.a.O. 595
775) a.a.O. 595 f.
776) a.a.O. 596
777) a.a.O. 597
778) a.a.O. 597
779) a.a.O. 598. Diese Auffassung der Kommission wird bestätigt durch eine Notiz bei Dubs: "Grosse Besprechung mit Heer, Peyer und Feer über Bundesrevision; sie zeigten sich im allgemeinen dem Projekte günstig." TB Dubs, 26.8.1864, ZBZ NLD
780) BBl. 1864 II 598
781) a.a.O. 599 f.
782) a.a.O. 601
783) a.a.O. 605

784) a.a.O. 606
785) a.a.O. 608
786) Feuille fédérale 1864 II 589
787) a.a.O. 594
788) a.a.O. 597
789) a.a.O. 602
790) a.a.O. 604
791) a.a.O. 609
792) a.a.O. 611
793) BBl. 1864 II 710
794) SBV I passim
795) BBl. 1864 II 681
796) a.a.O. 684
797) a.a.O. 689
798) a.a.O. 693
799) a.a.O. 695
800) a.a.O. 700
801) a.a.O. 701 f.
802) a.a.O. 706
803) a.a.O. 707
804) a.a.O. 707
805) a.a.O. 707
806) a.a.O. 709
807) Von den Verhandlungen wurde von einem Stenographen im Auftrag der Bundeskanzlei ein Protokoll angefertigt (gedruckt unter dem Titel "Verhandlungen der eidgenössischen Räte über die Verträge mit Frankreich im Herbstmonat 1864, ihrem wesentlichen Inhalte nach dargestellt aus Auftrag der Bundeskanzlei"), das zwar keine wörtliche Wiedergabe darstellte, aber doch eben das Wesentliche der Voten festhielt. Verschiedene Redner beklagten sich jedoch über die Verstümmelung ihrer Voten, was Heer zur Erklärung veranlasste, die nationalrätliche Kommission sehe den Versuch leider als misslungen an und das Bulletin sollte keineswegs als photographisch-getreues Bild der Verhandlungen genommen werden. (Verhandlungen 169). Der Verfasser, Franz von Erlach, anerkannte die Richtigkeit dieser Vorwürfe zum grossen Teil. Doch zeigt ein Vergleich der Wiedergabe dieser Reden im Bulletin mit derjenigen in der "NZZ" und im "Bund", dass sie im Bulletin weit ausführlicher festgehalten sind und gegenüber den Zeitungsberichten nirgends wesentlich differieren. Daher sind diese "Verhandlungen" hier - neben den beiden genannten Blättern - als Hauptquelle benutzt worden. Von den beiden wichtigsten Reden, denjenigen von Segesser und Dubs, sind ausserdem Sonderdrucke erschienen, die natürlich zur Darstellung beigezogen wurden.

808) Der BR beantragte der BVers. am 28.12.1864, diese Zollsätze nicht mehr herabzusetzen; beide Räte stimmten diesem Antrag zu. VA 170.
809) Reg. von BS an BVers., 24.8.1864, VA 169, und Verhandlungen 7 ff.
810) Reg. von LU an BVers., 7.9.1864, VA 169, und Verhandlungen 11 ff.
811) Reg. von UR an BVers., 12.9.1864, VA 169, und Verhandlungen 13 ff.
812) Reg. von GR, 17.9.1864, VA 169, und Verhandlungen 17
813) NZZ, 24.9.1864, Nr. 268
814) Segesser, Rede 3
815) a.a.O. 9
816) a.a.O. 10
817) a.a.O. 13
818) a.a.O. 14
819) a.a.O. 17
820) Kern an Drouyn, 21.9.1864, AMAE, CC 7
821) Turgot an Drouyn, 22.1.1864, AMAE CC 7
822) NZZ, 24.9.1864, Nr. 268; Journal de Genève, 24.9.1864, Nr. 227: "M. le conseiller fédéral Dubs ... qui a été écouté par l'assemblée au milieu d'un profond silence, qui lui donnait un aspect remarquable de dignité et qui contrastait singulièrement avec le bruit et l'inattention qui règnent trop souvent dans cette salle lorsqu'un débat arrive à se prolonger."
823) Dubs, Rede 11
824) a.a.O. 16 f. Das Zitat stammt aus dem erwähnten Bericht.
825) a.a.O. 17
826) a.a.O. 19
827) a.a.O. 21
828) a.a.O. 21
829) Bund, 24.9.1864, Nr. 264
830) Wallerstein war bis 1848 bayerischer Innenminister gewesen und 1862 vor seinen Gläubigern in die Schweiz geflohen. Vgl. Allgemeine Deutsche Biographie, Band 40. Leipzig 1896
831) TB Dubs, 22.9.1864, ZBZ NLD
832) NZZ, 24.9.1864, Nr. 268
833) Turgot an Drouyn, 23.9.1864, AMAE, CC 7
834) Bavier, S., Lebenserinnerungen. Chur 1925, 52 f.. Bavier blieb aber bei seiner ablehnenden Haltung, begründete diese jedoch mit einem unzutreffenden Argument: "Es wurden nämlich den französischen Geschäftsreisenden grössere Begünstigungen eingeräumt als den schweizerischen. Dies war ein Eingriff in die Gesetzgebung der Kantone und zugleich eine Verletzung des Grundsatzes der Gleichberechtigung." Weitere kleinere Irrtümer (z.B. soll Dubs ganze vier Stunden gesprochen haben; die Angaben zum Abstimmungsresultat sind völlig falsch) belegen, wie unzuverlässig die aus der Rückschau geschriebenen Erinnerungen oft sein

können; vgl. dazu Junker, B., Memoiren als Quelle zur Geschichte der schweizerischen Politik. In: Festgabe Hans von Greyerz, Bern 1967, 173 ff., bes. 179. Baviers Erinnerungen gehörten eigentlich auch in die Zusammenstellung am Ende des Aufsatzes.

835) Verhandlungen 44 ff. und 47 f.
836) a.a.O. 48 f.
837) a.a.O. 49 f.
838) a.a.O. 51 f.
839) TB Dubs, 22.9.1864, ZBZ NLD
840) Verhandlungen 55 ff.
841) a.a.O. 58 ff.
842) a.a.O. 60 ff. und 66 ff.
843) a.a.O. 63 ff., 69 ff. und 71 ff.
844) In der angegebenen Reihenfolge: a.a.O. 73 ff., 76 f., 77 ff., 81 und 173 ff., 86 f. und 87 ff.
845) a.a.O. 81 f. und 83 ff. NZZ, 27.9.1864, Nr. 271
846) NZZ, 28.9.1864, Nr. 272
847) Verhandlungen 93
848) a.a.O. 94. Für Verwerfung stimmten: Aklin (AG), Bavier (GR), Bernet (SG), von Büren (BE), Courten (VS), Cretton (VS), Dähler (AI), Engemann (BE), Fischer (LU), Graf (BL), Joos (SH), Philippin (NE), Planta (GR), de Rivaz (VS), Scherz (BE), Segesser (LU), Styger (SZ), von Matt (LU), Wirz (OW) und Wyrsch (NW).
849) TB Dubs, 24.9.1864, ZBZ NLD
850) Verhandlungen 96
851) a.a.O. 97
852) a.a.O. 99 ff.
853) a.a.O. 102 ff.
854) a.a.O. 109 ff.
855) J.J. Rüttimann, Das nordamerikanische Bundesstaatsrecht, verglichen mit den politischen Einrichtungen der Schweiz. 2 Teile. Zürich 1867/76
856) NZZ, 29.9.1864, Nr. 273
857) Verhandlungen 113 ff.
858) a.a.O. 119 ff. und 159 ff.
859) a.a.O. 122 ff.
860) So im Bund, 30.9.1864, Nr. 270: "Das letzte Votum, und zwar ein ausgezeichnetes, war dasjenige Weltis." Die Notiz im Tagebuch von Dubs bezeugt, dass er die Rede seines zukünftigen Kollegen im Bundesrat - der dann auch den Stern des Zürchers zum Sinken brachte - genau verfolgt und analysiert hatte: "... brillantes Votum von Welti. Präparierte Partie enthält vorzügliche Gedanken, unpräparierte viele Trivialitäten; Eingang viel schöner als Schluss, was Rückschluss auf Natur gestattet." TB Dubs, 27.9.1864. Weltis Votum in Verhandlungen 124 ff.

861) Der Reg.rat von AG, unter dem Vorsitz von Welti, hatte diesen Wunsch bereits vor der Debatte (am 24.8.1864) in einem Schreiben dem BR unterbreitet. VA 169
862) Verhandlungen 131 ff.
863) a.a.O. 148 ff.
864) a.a.O. 134 ff. "Benutze redlich deine Zeit,
Willst was begreifen, such's nicht weit!".
Nach dieser Lebensweisheit hätten sich - so Frey-Herosé - in den letzten Jahrhunderten die in der Heimat gebliebenen Schweizer gerichtet.
865) a.a.O. 140 ff.
866) a.a.O. 143 ff.
867) a.a.O. 145 f.
868) a.a.O. 146 ff.
869) a.a.O. 154 ff.
870) a.a.O. 157. Die Verträge verwarfen: Arnold (UR), Broger (AI), Hermann (OW), von Hettlingen (SZ), Kaiser (ZG), Muheim (UR), Murbach (SH), Peterelli (GR), Roten (VS), Steinegger (SZ) und Zelger (NW).
871) a.a.O. 157. Am Vorabend hatte Dubs notiert: "Man schätzt 28 contra 15." TB Dubs, 27.9.1864, ZBZ NLD
872) TB Dubs, 28.9.1864, ZBZ NLD
873) Verhandlungen 164
874) a.a.O. 169. Die Bundesbeschlüsse vom 30. September 1864, in I - III gegliedert, in AS VIII 160 ff. Der Wortlaut der bereinigten Verträge und Uebereinkünfte ebendort 215 - 379.
875) TB Dubs, 30.9.1864, ZBZ NLD
876) BBl. 1865 II 4
877) Kern, Politische Erinnerungen. Frauenfeld 1883, 298 f.
878) Reg.rat von BL an BVers., 30.9.1864, VA 168
879) Vgl. BBl. 1865 III 801 ff. und 946; BBl. 1865 IV 85 ff.
880) Es wurde nur die Entwicklung bis 1869 berücksichtigt, und zwar aus zwei Gründen: nach diesem Zeitpunkt traten die Handelsverträge der Schweiz mit den drei andern Nachbarländern in Kraft, was z.T. eine Neuorientierung der Warenströme mit sich brachte; zudem wurden durch den Krieg 1870/71 die Verhältnisse in Frankreich sehr stark verändert (unmittelbare Wirkung des Krieges, Annexion von Elsass-Lothringen, grosse Kriegsentschädigung an Deutschland), so dass ein Weiterführen des Vergleichs nicht sinnvoll wäre.
881) TB Dubs, 1.10.1864, ZBZ NLD
882) BBl. 1865 II 10
883) Kern an BR, 25.11.1864, VA 168
884) Gazette de Lausanne, 25.10.1864, Nr. 253; TB Dubs, 24.10.1864, ZBZ NLD

885) Dubs an Kern, 15.11.1864, GP 61
886) BBl. 1864 III 370
887) BBl. 1864 III 39
888) Dubs an Kern, 15.11.1864, GP 61
889) BBl. 1865 III 33 ff.
890) Vgl. die Aufstellung bei W. Rappard, Die Bundesverfassung 1848-1948, 312
891) His, Geschichte des Schweizerischen Staatsrechtes II 85 f.; Rappard, a.a.O. 308 ff.; Schneider, Geschichte des schweizerischen Bundesstaates 850 ff. (in Fussnote 3, S.851, ist die gesamte zeitgenössische und die bis 1931 erschienene Literatur angegeben); Ermatinger, Dubs 97 ff.; Aubert, Traité de droit constitutionnel suisse I 42 ff.
892) Dubs, Zur Bundesrevision. Zürich 1865
893) Segesser, Abhandlung über das Revisionsprogramm des Herrn Dubs. Schwyz 1865
894) BBl. 1864 II 264. Vgl. auch oben S. 216

QUELLEN UND LITERATUR

A. Handschriftliche Quellen

(Abkürzungen unterstrichen)

Bundesarchiv Bern

(BA; wo nichts bemerkt ist, entstammen die Quellen dem Bundesarchiv)
-VA: Vertragsakten I, Verträge mit Frankreich vom 30. Juni 1864, Bände 166 - 170
-GP: Gesandtschaft Paris 1864, Bände 59 - 62
-Verträge I, Bände 70 - 73
-Register zu den Protokollen des Bundesrates 1860 - 1864
-Protokolle des Bundesrates 1860 - 1864
-Missiven des Bundesrates 1860 - 1864
-Zollakten 1848 - 1896, Band 280
-Escher-Archiv, Korrespondenzen

Zentralbibliothek Zürich (ZBZ)

-NLD: Nachlass von Bundesrat Jakob Dubs: Tagebuch 1863/64 (TB)
Korrespondenzen

Archives Nationales Paris (ANP)

Série F 12: Commerce et Industrie; daraus benutzt:
-AC: Accords commerciaux et législation douanière étrangère XIXième siècle: Suisse F 12 6300 - 6311
-RC: Relations commerciales avec les pays étrangers et législation douanière 1801 - 1905: Suisse F 12 6612 - 6616
-ZF: Zones franches entre la France et la Suisse 1827 - 1919: Négociations 1827 - 73: F 12 6937

Archives du Ministère des Affaires Etrangères Paris (AMAE)

-CC: Correspondance consulaire et commerciale, "Berne" 1858 - 1865, tomes 6 - 8
-CP: Correspondance politique, "Suisse" 1860 - 1865, tomes 588 - 593

Privatbesitz von Herrn Hermann Böschenstein in Bern:

Tagebuch von Bundesrat Carl Schenk von 1864
In den Zitaten wurde in der Regel die moderne Rechtschreibung und Zeichensetzung angewandt.

B. Gedruckte Quellen

(Abkürzungen unterstrichen)

AS Helv.Rep.: Aktensammlung aus der Zeit der Helvetischen Republik (1789 - 1803), Band II. Bern 1886, Hg. von J. Strickler.

ASnEA: Amtliche Sammlung der neuern Eidgenössischen Abschiede. 2 Bände. Bern 1874/76. Hg. von J. Kaiser.

AS: Amtliche Sammlung der Gesetze und Verordnungen der Schweizerischen Eidgenossenschaft. Bern 1848 ff.

Bavier, Simon: Lebenserinnerungen. Chur 1925

Beiträge zur Statistik V: Beiträge zur Statistik der schweizerischen Eidgenossenschaft, Teil V: Statistische Uebersichten über den Handel der Schweiz mit dem Auslande und besonders mit ihren Nachbarstaaten ... vor und nach der Zentralisation des eidgenössischen Zollwesens. Bern 1858

Bericht Bolley: Bericht über die 3. Schweizerische Industrieausstellung in Bern 1857. Bern 1858. Redigiert von Prof. P. Bolley.

Böhmert, Victor: Arbeiterverhältnisse und Fabrikeinrichtungen in der Schweiz. 2 Bände. Zürich 1873

Boiteau, Paul: Les traités de commerce. Paris 1863

BBl.: Bundesblatt der Schweizerischen Eidgenossenschaft, Jge. 1848 ff.

Commerce 1851/61: Commerce de la France avec la Suisse 1851 - 1861. Statistique de la Suisse IV. Bern 1863

Dubs, Rede: Rede des Herrn Bundespräsidenten Dr. Dubs über die schweizerisch-französischen Verträge. Beilage zu Nr. 274 der Neuen Zürcher Zeitung. Zürich 1864

Dubs, Jakob: Zur Bundesrevision. Zürich 1865

Emminghaus, Volkswirtschaft: Emminghaus, C.B.A., Die schweizerische Volkswirtschaft. 2 Bände. Leipzig 1860/61

Les Mémoires de James Fazy, ed. par François Ruchon. Genève 1947

(Feer-Herzog, Carl): Deux lettres d'un négociant suisse à un négociant français sur les échanges commerciaux de la France et de la Suisse. Anonym, o.O. 1859

Handel 1862/74: Handel Frankreichs mit der Schweiz von 1862 bis 1874. Schweizerische Statistik XXIX. Zürich 1876

Kern, Johann Conrad: La Convention entre la Suisse et la France sur la propriété littéraire, artistique et industrielle du 30 juin 1864 et son application en Suisse. Paris et Genève 1867

derselbe: Politische Erinnerungen. Frauenfeld 1883

Kern, Schlussbericht: Schlussbericht des Herrn Minister Kern betreffend die fünf Verträge mit Frankreich (als Manuskript gedruckt). o.O., o.J. (Bern 1864)

Martens, Recueil: Martens, F. et de Cussy: Recueil manuel et pratique de
  traités et conventions. 2ième série, t.I. Leipzig 1885
N.C.: Négociations commerciales entre la Suisse et la France. o.O., o.J.
  (Imprimées comme copie pour les membres de l'Assemblée fédérale)
  (Bern 1864)
Segesser, Rede: Rede des Herrn Nationalrat Dr. v. Segesser betreffend die
  französisch-schweizerischen Verträge. Schwyz 1864
Segesser, Philipp Anton: Abhandlung über das Revisionsprogramm des
  Herrn Dubs. Schwyz 1865
Statistik 1851/84: Statistik des schweizerischen Warenverkehrs von 1851 -
  1884. Bern 1887
Traités 1864: Traités et conventions entre la Suisse et la France signés à
  Paris le 30 juin 1864. Paris 1864
Verhandlungen: Verhandlungen der eidgenössischen Räte über die Verträge
  mit Frankreich im Herbstmonat, ihrem wesentlichen Inhalte nach darge-
  stellt aus Auftrag der Bundeskanzlei. Bern 1864
Weber, Handelsstatistik: Weber, Emil, Schweizerische Handelsstatistik,
  Band I. Zürich 1857
Weber, Jost: Die schweizerische Landwirtschaft und der französische Han-
  delsvertrag. Luzern 1863
Wirth, Schweiz: Wirth, M., Statistik und Beschreibung der Schweiz, Band
  I. Zürich 1871

C. Periodica

Bund, Bern   Berner-Zeitung
NZZ, Zürich   Eidgenössische Zeitung, Bern
Journal de Genève   Gazette de Lausanne
La Nation Suisse, Genf   La Suisse, Bern
Schweizerischer Handels-Courier, Biel
Zeitschrift für Schweizerische Statistik, Bern

D. Literatur

Allgemeine Deutsche Biographie, Bd.40. Leipzig 1896
Aubert, J.-Fr.: Traité de droit constitutionnel suisse. 2 tomes. Neuchâtel/
  Paris 1967

Bodmer, Industriegeschichte: Bodmer, W., Die Entwicklung der schweizerischen Textilwirtschaft im Rahmen der übrigen Industrien und Wirtschaftszweige. Zürich 1960

Bosshardt, Protektionismus: Bosshardt, A., Die Schweiz im Kampf mit dem Protektionismus der Grossmächte. In: Der Kleinstaat in der Weltwirtschaft. St. Gallen 1945

Bosshardt-Nydegger, Aussenwirtschaft: Bosshardt, A. und Nydegger, A., Die schweizerische Aussenwirtschaft im Wandel der Zeiten. In: Ein Jahrhundert schweizerischer Wirtschaftsentwicklung. Bern 1964

Burckhardt, Walter: Kommentar der Schweizerischen Bundesverfassung vom 29. Mai 1874. 3. Auflage, Bern 1931

Cameron, R.E.: France and the economic development of Europe 1800-1914. Princeton 1961

Clapham, J.H.: The economic development of France and Germany 1815 - 1914. Cambridge 1921

Dérobert, E.: La politique douanière de la Confédération suisse. Genève 1926

Dictionnaire de biographie française, t.5. Paris 1951

Dürr, Emil: Neuzeitliche Wandlungen in der schweizerischen Politik. Basel 1928

Dunham, Treaty of 1860: Dunham, A.L., The Anglo-French Treaty of Commerce of 1860. Ann Arbor, University of Michigan Press 1930

Ermatinger, Dubs: Ermatinger, Gerold, Jakob Dubs als schweizerischer Bundesrat von 1861-1872. Diss.phil. Zürich 1933

Eulenburg, Aussenhandel: Eulenburg, F., Aussenhandel und Aussenhandelspolitik. Tübingen 1929. In: Grundriss der Sozialökonomik, Band VIII

Franz, Entscheidungskampf: Franz, Eugen, Der Entscheidungskampf um die wirtschaftspolitische Führung Deutschlands 1856-1867. Schriftenreihe zu bayerischen Landesgeschichte, Band 12. München 1933

Frey, Handelspolitik: Frey, Emil, Die schweizerische Handelspolitik der letzten Jahrzehnte. In: Schriften des Vereins für Socialpolitik XLIX. Leipzig 1892

Friedlaender-Oser, Economic history: Friedlaender, H.E. and Oser, J., Economic history of modern Europe. Englewood-Cliffs, New Jersey 1953

Fueter, Eduard: Die Schweiz seit 1848. Zürich 1928

Geering, Wirtschaftsgeschichte: Geering, T., Grundzüge einer schweizerischen Wirtschaftsgeschichte. Bern 1912

Gitermann, Valentin: Geschichte der Schweiz. Thayngen 1940

Gorce, Second Empire: Gorce, P. de la, Histoire du Second Empire, t. III, Paris 1896

Grand Larousse, t. 4 et 9, Paris 1961 und 1964

Grosshandel: Iselin, J., Lüthy, H. und Schiess, W., Der schweizerische Grosshandel in Geschichte und Gegenwart. Basel 1943

Gruner, Erich: 100 Jahre Wirtschaftspolitik. Etappen des Interventionismus in der Schweiz. In: Ein Jahrhundert schweizerischer Wirtschaftsentwicklung. Bern 1964

Handbuch der schweiz. Volkswirtschaft. 2 Bände. Bern 1955

Handwörterbuch der Schweizerischen Volkswirtschaft, Socialpolitik und Verwaltung, 4 Bände, Bern 1903/11. Hg. von N. Reichesberg.

Hauser, A.: Schweizerische Wirtschafts- und Sozialgeschichte. Erlenbach-Zürich 1961

Historia mundi: Band X. Darin die Beiträge von W. Treue und W. Röpke. Bern und München 1961

Huber, Zollwesen: Huber, A., Die Entwicklung des eidgenössischen Zollwesens ... bis 1848. Bern 1890

Junker, Beat: Memoiren als Quelle zur Geschichte der schweizerischen Politik. In: Festgabe Hans von Greyerz. Bern 1967

Keller, Arnold: Augustin Keller 1805-1883. Aarau 1922

Kulischer, Wirtschaftsgeschichte: Allgemeine Wirtschaftsgeschichte des Mittelalters und der Neuzeit, Band II. In: Below-Meinecke, Handbuch der mittelalterlichen und neueren Geschichte. München 1929

Kupper, Walter: Die Zollpolitik der schweizerischen Landwirtschaft seit 1848. Diss. phil. Zürich 1929

Lacour-Gayet, Histoire du commerce: Lacour-Gayet, J. (Hrsg.), Histoire du commerce, t. V. Paris 1952

Lampenscherf, Freihandel: Lampenscherf, M.E., Die Stellungnahme der Basler und Zürcher Handelsherren und Exportindustriellen zum Problem "Freihandel. Schutzzoll, Kampfzoll" 1848-1902. Diss. rer.pol. Bern 1948

Leuthold, Zolleinnahmen: Leuthold, H., Strukturwandlungen der schweizerischen Zolleinnahmen 1848-1935. Diss. volksw. Zürich 1937

Levasseur, France: Levasseur, E., Histoire du commerce de la France, t. II. Paris 1912

List, Friedrich: Das nationale System der politischen Oekonomie. Hg. von A. Sommer. Basel-Tübingen 1959

Lüthy, Herbert: Die Tätigkeit der Schweizer Kaufleute und Gewerbetreibenden in Frankreich unter Ludwig XIV. und der Regentschaft. Diss. phil. Zürich 1943

Monnier, Luc: L'annexion de la Savoie à la France et la politique suisse 1860. Genève 1932

Müller, Johannes v.: Schriften in Auswahl. Hg. von E. Bonjour. Basel 1953

Nef, W.: Minister Arnold Roth. Ein Lebensbild. Trogen 1905

Pradalié, Georges: Le Second Empire. Paris 1957

Rappard, William E.: Die Bundesverfassung der Schweizerischen Eidgenossenschaft 1848-1948. Zürich 1948

Rupli, Zollreform: Rupli, Walther, Zollreform und Bundesreform in der

Schweiz 1815-1848. Diss. phil. Zürich 1949

Schaffner, Hans: Möglichkeiten und Grenzen der Handelsvertragspolitik. Basel 1952

Scheven, Restaurationszeit: Scheven, W. von, Die Wechselwirkung zwischen Staats- und Wirtschaftspolitik in den schweizerisch-französischen Beziehungen der Restaurationszeit. Diss. iur. Bern 1921

Schmidt, Handelspolitik: Schmidt, P., Die Schweiz und die europäische Handelspolitik. Zürich 1914

Schneider, H.: Geschichte des schweizerischen Bundesstaates 1848-1918. 1. Halbband, Zürich 1931

Schnerb, R.: Libre-échange et protectionnisme. Paris 1963

derselbe: Rouher et le Second Empire. Paris 1949

Schollenberger, Johann: Die Schweiz seit 1848. Ein staatsmännisches und diplomatisches Handbuch. Berlin 1908

SBV: Die Schweizerische Bundesversammlung 1848-1920. 2 Bände. Bern 1966. Hg. von E. Gruner und K. Frei

Signer, Handelspolitik: Signer, H., Die treibenden Kräfte in der schweizerischen Handelspolitik. Zürich und Leipzig 1914

Stupanus, Handelspolitische Theorie: Stupanus, J.J., Schweizerische Beiträge zur handelspolitischen Theorie seit der Mitte des XIX. Jahrhunderts. Diss. iur. Bern. Basel 1926

Vogel, René: Politique commerciale suisse. Montreux 1966

Wartmann, H.: Atlas über die Entwicklung von Industrie und Handel der Schweiz 1770-1870. Winterthur 1873

Wartmann, St. Gallen: Wartmann, H., Industrie und Handel des Kantons St. Gallen auf Ende 1866. In geschichtlicher Darstellung. St. Gallen 1875

Wartmann, Schweiz: Industrie und Handel (der Schweiz). In: Die Schweiz im 19. Jahrhundert, Band III. Hg. von P. Seippel, Bern-Lausanne 1900

Welter, Exportgesellschaften: Welter, K., Die Exportgesellschaften und die assoziative Exportförderung in der Schweiz im 19. Jahrhundert. Diss. Staatswiss. Zürich 1915

Wild, Helen: Die letzte Allianz der alten Eidgenossenschaft mit Frankreich vom 28. Mai 1777. Diss. phil. Zürich 1917

Wolf, Kaspar: Die Lieferungen der Schweiz an die französischen Besetzungstruppen zur Zeit der Helvetik. Diss. phil. Basel 1948

Wolokowski, M.: La liberté commerciale et les résultats du traité de commerce de 1860. Paris 1869

Abkürzungen

BV	Bundesverfassung	Prot.	Protokoll
BVers.	Bundesversammlung	vertr.	vertraulich
BR	Bundesrat	priv.	privat
BPräs.	Bundespräsident	a.a.O.	am angegebenen Ort;
NR	Nationalrat		betrifft immer die un-
StR	Ständerat		mittelbar vorher ge-
EPD	Eidgenössisches Politisches Departement		nannte Quelle
HZD	Handels- und Zolldepartement		
JPD	Justiz- und Polizeidepartement		

VERZEICHNIS

DER PERSONEN, INSTITUTIONEN UND ORGANISATIONEN

(Johann Conrad Kern ist - da er fast durchgängig auftritt - nicht in dieses Verzeichnis aufgenommen worden)

Aklin, Peter 244
Arnold, Josef 248

Babinet 198
Barbier 114, 137, 161, 178, 196
Baroche, Jules 113
Bavier, Simon 243
Béhic, Armand 169, 176 f, 182 f, 186, 193, 197
Benziger, Josef Karl 222
Bixio, General 39
Bloesch, Friedrich 107, 135
Blumer, Johann Jakob 231
Bodmer, Walter 13
Bowring, John 9
Bright, John 10, 22
Brunner, Benjamin 76, 79
de Butenval, Baron 18
Bützberger, Johann 244

Camperio, Philippe 231, 249
Cavour, Camille 14
Challet-Venel, Jean-Jacques 108, 136 f, 139, 161, 165
"Chambre de commerce de Besançon" 108
Chevalier, Martial 51, 73, 165, 180
Chevalier, Michel 20 ff, 53, 64
Cobden, Richard 10, 22
de Courten, Adrien 244
Curti, Ferdinand 244

Demiéville, Louis 38
Deutscher Zollverein 13 f, 16, 43, 45, 50, 57, 66 f., 182, 184, 225, 257
Dollfuss, Jean 67
Drouyn de Lhuys, Edouard 66f., 74, 91, 109, 112, 114 ff., 118 f., 123, 126, 128 ff., 132, 138, 140 f., 143, 146, 155, 158, 160, 163, 168 ff., 173, 176, 183, 192, 198, 209
Dubs, Jakob 15, 55, 71 ff., 80, 119, 121 f., 140 f., 147 f., 154, 170, 175, 181, 184, 186, 188 ff., 194 f., 196, 199 ff., 205, 207 f., 210 ff., 212 f., 215 f., 221 ff., 240 ff., 243, 245 f., 249 f., 254 ff., 259, 262 f.

Duchenne, C. 107
Dürr, Emil 2 f.
Dupasquier, Henri 81, 85, 86

Emminghaus, C.B Arwed 4, 7, 9
Escher, Alfred 55, 243
Escher, Eugen 249
Escher, Wyss & Co. 6
Eulenburg, Franz 19

Fazy, James 76 f., 79, 81, 83, 88, 106, 108, 127
Feer-Herzog, Carl 38, 45, 55, 76 f., 79, 85, 87, 89, 94, 107, 129 f., 222, 244, 258, 263
Fierz, Henri 45, 55, 80, 86, 107, 123, 126, 222, 245, 258
Fornerod, Constant 141, 169, 181, 196, 200
Fould, Achille 22
Franz, Eugen 58
Frey-Herosé, Friedrich 38 f., 52, 75 f., 78, 80, 82 ff., 86 f., 106 f., 121, 135, 146 f., 154, 158, 160, 173, 175 ff., 179 ff., 188ff., 195, 200, 205, 208, 210, 212, 217, 222, 239, 249, 263
Frey, Emil 10, 16, 249
Fueter, Eduard 3

Gavard 114
Gladstone, William 18
Girard, Ami 245
Gitermann, Valentin 3
von Gonzenbach, August 45, 75, 78, 80, 84 f., 86, 106
von Gonzenbach, Karl Emil 49, 80, 107, 123
de Grenus, M. 44
Guizot, François 112
Gutzwiller, Stephan 78 f., 81
Graf, Jakob 245
von Graffenried, K. Wilhelm 244

Häberlin, K. Eduard 249
Handelskollegium von Basel-Stadt 46, 47
Handelskommission von Glarus 46, 48
Handelskammer von Zürich 46
Heer, Joachim 222, 225, 236 f., 245 f.
Hegel, Georg Friedrich Wilhelm 33
Herbet 57 f., 62 ff., 66 ff., 114, 137, 142, 155, 165 f., 178 f., 182 f., 194, 196, 201
von Hettlingen, Josef M. 247, 263

von Hoffmann, Josef Marzell 38, 222
Hungerbühler, Johann Matth. 245
Hunkeler, Anton 107, 136

Jacottet, Henri-Pierre 248
Jaun, T. 81
Jeannot, C. 107, 134
Jenny, Kaspar 107, 127
Jenny, Peter 76 ff., 81, 86
Joos, Wilhelm 244, 249
Julien 192
Juillerat 191 f.

Kaiser, Simon 38, 245
Kaufmännisches Direktorium von St. Gallen 46, 48, 49
Klein, Wilhelm 244
Knüsel, Josef Martin 46, 50, 189, 205, 208, 212
Koechlin-Geigy, Alphons 77, 80, 84, 86, 106, 107, 129 ff., 132 f., 262

Lambelet, Frédéric 88
Lecoultre, N. 107
Lehmann, Johann Ulrich 107, 136, 231
de Lentulus, Karl Rudolf 51, 108, 136 f., 152, 165
Levasseur, E. 23
List, Friedrich 9
Lüthi, Johann 80, 89, 93, 244, 258, 263
Lütscher 173

"Manchesterschule" 22
Marx, Karl 222
Mazzini, Guiseppe 180
Mercier, Charles 45
Michel, Alois 81, 86, 95
Morny, Duc de 113
von Müller, Johannes 3

Näff, Wilhelm 208
Napoleon I. 7, 26
Napoleon III. 17, 19 ff., 32 f., 35, 44 f., 50, 54 ff., 110, 112 f., 125, 148, 162 ff., 165 f., 171, 182, 198 f., 223, 254 f., 259 f
Niggeler, Niklaus 245

Ollivier, Emile 113
Oswald, Emanuel 76, 80, 85
Ozenne 114, 178, 182, 197, 200

Palmerston, Lord 22
Pedrazzini, Michele 222, 245
Peel, Robert 10, 18
de Persigny, Comte 51, 53, 113
Peyer im Hof, Johann Friedrich 39, 55, 78, 86, 88, 222, 258
Philippin, Jules 15, 222 f., 228 ff., 233, 237, 240 f., 243, 248
von Planta, Andreas Rudolf 244
von Planta, Peter Conradin 248

Ramsperger, Augustin 243
de Rayneval, Comte 83
Reuss, Prinz 69
Ricardo, David 70
de Riedmatten, Antoine 81
Rieter, Heinrich P. 107, 127
Roguin, Jules L.E. 81, 83 f., 231, 235
Roth, Arnold 117
Roudot 129
Rouher, Eugène 22, 32, 51, 56, 66 f., 74, 108 f., 112 ff., 117 ff., 123 f., 126, 128 ff., 131 f., 134 ff., 139, 144 f., 155 ff., 160 ff., 162 f., 165 ff., 169, 176 ff., 179, 182 f., 185 f., 192 f., 196 f., 198 ff., 258
Ruchonnet, Louis 95
Rüttimann, Johann Jakob 231, 247
Ruffy, Victor Ch.F. 222, 237

von Segesser, Philipp Anton 15, 211, 237 ff., 240 ff., 244, 246 f., 256, 263
Smith, Adam 70
"Société commerciale et industrielle" (VD) 97
Stähelin-Brunner, August 39, 231, 246, 263
Stämpfli, Jakob 62, 105, 146, 154
Stehlin, Johann Jakob 244
Stockmar, Xavier 97
Sutter, Johann Jakob 39, 76, 78, 80, 83, 86, 107, 231, 246, 258

Schaffner, Hans 2
de Schaller, Henri-G. 81
Schenk, Carl 205, 208
von Scheven, W. 29
Schilplin 79

Schneider, Hans 3, 49
Schneider, Johann Rudolf 38, 76, 222
Schiess, Johann Ulrich 53

Thiers, Adolphe 32, 113
Tissot 159 ff.
Thouvenel, Edouard 53, 54 f., 56 f., 59, 61 ff., 64 f., 68, 87
de Turgot, Marquis 61 f., 65, 73 f., 91, 106, 112, 117, 122, 140, 141, 146 ff., 159, 168, 170, 184, 211, 223, 240, 243, 250

Vachéron 107
Vauthier, Moise 97, 222
Vicaire 198
Villefort 196
Vuy, Jules 245

Wallerstein, Fürst 243
Walewsky, Comte de 113
Wartmann, Hermann 27
Weber, Jost 39
Welti, Fr. Emil 231, 248, 263
Wirth-Sand, Daniel 231

Zelger, Walter 247, 249
Zgraggen, P. 81
von Ziegler, Hans 249